COLLECTION SÉRIE NOIRE
Créée par Marcel Duhamel

JO NESBØ

Le léopard

TRADUIT DU NORVÉGIEN
PAR ALEX FOUILLET

GALLIMARD

Titre original :

PANSERHJERTE

© *Jo Nesbø, 2009.*
Published by agreement with Salomonsson Agency.
© *Éditions Gallimard, 2011, pour la traduction française.*

PARTIE I

CHAPITRE 1

Noyade

Elle se réveilla. Cligna des yeux dans l'obscurité complète. Ouvrit grande la bouche et respira par le nez. Elle cilla de nouveau. Sentit une larme couler et dissoudre le sel d'autres larmes. Mais la salive ne coulait plus dans sa gorge, sa bouche était sèche et dure, ses joues tendues par l'objet à l'intérieur. Le corps étranger dans sa bouche lui donnait l'impression que sa tête allait éclater. Mais qu'est-ce que c'était, qu'est-ce que c'était ? En se réveillant, elle avait d'abord pensé qu'elle voulait redescendre. Dans ces profondeurs noires et chaudes qui l'avaient entourée. La piqûre qu'il lui avait faite agissait encore, mais elle savait que la douleur arrivait, elle le savait aux coups lents et sourds qui rythmaient son pouls et à la progression saccadée du sang dans son cerveau. Où était-il ? Juste derrière elle ? Elle retint son souffle, écouta. Elle n'entendait rien, mais sentait sa présence. Comme un léopard. On lui avait dit que le léopard était suffisamment silencieux pour pouvoir se glisser tout près de sa proie dans le noir, qu'il réglait sa respiration sur la sienne. Il retient son souffle quand vous cessez de respirer. Il lui semblait percevoir la chaleur de son corps. Qu'attendait-il ? Elle recommença à respirer. Et crut percevoir au même instant un souffle dans sa nuque. Elle fit volte-face, frappa, mais ne rencontra que le vide. Se recroquevilla, essaya de se faire petite, de se cacher. En vain.

9

Combien de temps avait-elle été inconsciente ?

Le stupéfiant eut un raté. Cela ne dura qu'une fraction de seconde. Mais ce fut assez pour lui donner un aperçu, une promesse. La promesse de ce qui allait venir.

Le corps étranger posé sur la table avait la taille d'une boule de billard en métal brillant, couverte de petits trous dessinant des motifs. Un cordon rouge terminé par une boucle sortait de l'un d'entre eux, et lui avait fait penser à l'arbre de Noël qu'il faudrait décorer chez ses parents pour le réveillon, dans sept jours. Avec des boules brillantes, des pères Noël, des petits paniers, des bougies et des drapeaux norvégiens. Dans huit jours, ils chanteraient *Deilig er Jorden*[1], et elle verrait les yeux étincelants de ses neveux et nièces quand ils ouvriraient leurs cadeaux. À tout ce qu'elle aurait dû faire d'une autre façon. Tous ces jours qu'elle aurait dû vivre à fond, franchement, remplir de joie, de souffle et d'amour. Les endroits où elle n'avait fait que passer, ceux qu'elle verrait. Les hommes qu'elle avait rencontrés, celui qu'elle n'avait pas encore rencontré. Le fœtus dont elle s'était débarrassée à dix-sept ans, les enfants qu'elle n'avait pas encore eus. Les jours qu'elle avait sacrifiés en échange de ceux qu'elle croyait obtenir.

Puis elle avait cessé de penser à autre chose qu'au couteau brandi devant elle. Et à la voix suave qui lui avait expliqué qu'elle allait mettre la boule dans sa bouche. Elle l'avait fait, bien entendu. Le cœur battant, elle avait ouvert aussi grand qu'elle pouvait et poussé la boule de telle sorte que le cordon sorte de sa bouche. Le métal avait un goût amer et salé, comme les larmes. On l'avait alors forcée à pencher la tête en arrière, et l'acier avait brûlé sa peau lorsque la lame avait glissé à plat sur sa gorge. Le plafond et la pièce étaient éclairés par une lampe placée dans un coin. Du béton gris et nu. Hormis la lampe, la pièce comprenait une table de camping en

1. *Fairest Lord Jesus*, hymne chrétien. *(Toutes les notes sont du traducteur.)*

10

plastique blanc, deux chaises, deux canettes de bière vides, deux personnes. Elle et lui. Elle avait senti l'odeur d'un gant en cuir quand un index avait tiré légèrement sur la boucle du cordon rouge qui sortait de sa bouche. Et, la seconde suivante, c'était comme si sa tête avait explosé.

La boule avait gonflé et s'était plaquée contre les parois de sa bouche. Mais, même en écartant au maximum les mâchoires, la pression était constante. Il avait inspecté sa bouche avec une expression concentrée, comme un dentiste vérifiant qu'un plombage est correctement fixé. Un petit sourire avait trahi une certaine satisfaction.

Elle avait senti que des tiges sortaient de la boule, que c'étaient elles qui appuyaient contre le palais, contre la chair tendre sous la langue, contre la face interne des dents et la luette. Elle avait essayé de parler. Il avait écouté sans s'impatienter les sons inarticulés qu'elle émettait. Hoché la tête quand elle avait renoncé, et attrapé une seringue. La goutte au bout de l'aiguille avait brillé dans le faisceau de la lampe. Il lui avait murmuré à l'oreille : « Ne touche pas au cordon. »

Puis il l'avait piquée sur le côté du cou. Quelques secondes plus tard, elle s'était évanouie.

Elle écouta sa propre respiration terrifiée et cligna des yeux dans le noir.

Elle devait faire quelque chose.

Elle posa les paumes sur l'assise de la chaise chaude et moite à cause de sa propre transpiration et se leva. Personne ne l'en empêcha.

Elle alla à petits pas jusqu'à un mur. Le suivit à tâtons jusqu'à une surface lisse et froide. La porte métallique. Elle tira sur le verrou. Qui ne bougea pas. Fermé. Évidemment qu'il était fermé, qu'avait-elle imaginé ? Était-ce un rire qu'elle entendait, ou le son venait-il de l'intérieur de sa tête ? Où était-il ? Pourquoi jouait-il comme ça avec elle ?

Faire quelque chose. Réfléchir. Mais pour réfléchir, elle devait d'abord se débarrasser de cette boule en métal avant que la douleur ne la rende folle. Elle inséra le pouce et l'index aux coins de sa bouche. Tâta les tiges. Fit une tentative désespérée pour glisser les doigts sous l'une d'entre elles. Une quinte de toux survint, en même temps que la panique quand elle se rendit compte qu'elle ne pouvait plus respirer. Elle comprit que les tiges avaient fait enfler la chair autour de la trachée, qu'elle risquait de suffoquer très vite. Elle donna des coups de pied dans la porte en fer, essaya de hurler, mais la boule en métal étouffait les sons. Elle renonça de nouveau. S'appuya au mur. Écouta. Étaient-ce des pas prudents qu'elle entendait ? Se déplaçait-il dans la pièce, jouait-il à colin-maillard avec elle ? Ou n'était-ce que son sang qui battait dans ses oreilles ? Elle se prépara à la douleur et crispa les mâchoires. Elle parvint à peine à repousser les tiges dans la boule avant qu'elles n'obligent sa bouche à se rouvrir. La boule semblait battre, à présent, comme un cœur de fer, comme une partie d'elle.

Faire quelque chose. Réfléchir.

Des ressorts. Les tiges étaient montées sur ressort.

Les tiges avaient été libérées quand il avait tiré sur le cordon.

« Ne touche pas au cordon », avait-il murmuré.

Pourquoi ? Que se passerait-il ?

Elle se laissa glisser le long du mur jusqu'à se retrouver en position assise. Un froid humide montait du sol en béton. Elle voulut crier encore, mais n'en eut pas la force. Silence. Calme.

Tous ces mots qu'elle aurait dits en compagnie de gens qu'elle aimait au lieu de ceux qui avaient comblé le silence en présence de personnes qui l'indifféraient.

Il n'y avait pas d'issue. Rien qu'elle et cette douleur insensée, sa tête sur le point d'éclater.

« Ne touche pas au cordon. »

Si elle tirait dessus, les tiges rentreraient peut-être dans la boule, et elle serait débarrassée de la douleur.

Les idées se succédaient en boucle. Combien de temps avait-elle passé ici ? Deux heures ? Vingt minutes ?

Si c'était aussi simple que tirer sur le cordon, pourquoi ne l'avait-elle pas encore fait ? À cause de la mise en garde d'une personne de toute évidence malade ? Ou était-ce une partie du jeu, qu'elle se laisse convaincre de ne pas mettre un terme à cette douleur tout à fait superflue ? Ou le jeu reposait-il sur son mépris de l'avertissement, quand elle tirerait sur le cordon pour que... pour que quelque chose d'épouvantable se produise ? Que se passerait-il, qu'est-ce que c'était que cette boule ?

Oui, c'était un jeu, un jeu horrible. Car elle devait le faire. La douleur était intolérable, sa gorge enflait, elle ne tarderait pas à suffoquer.

Elle essaya de hurler à nouveau mais elle n'émit qu'un sanglot, et elle cilla, encore et encore, sans que d'autres larmes montent.

Ses doigts saisirent le cordon qui pendait contre ses lèvres. Elle le tendit.

Elle regrettait tout ce qu'elle n'avait pas fait, c'était une certitude. Mais si une vie de renoncement l'avait placée ailleurs que là où elle se trouvait à présent, elle l'aurait choisie. Elle voulait juste vivre. Une vie tout à fait banale. C'était aussi simple que cela.

Elle tira sur le cordon.

Les aiguilles jaillirent de l'extrémité des tiges. Elles mesuraient sept centimètres de long. Quatre percèrent les joues des deux côtés, trois pénétrèrent dans les sinus, deux montèrent dans le nez et deux perforèrent le menton. Une aiguille transperça l'œsophage et une le globe oculaire droit. Deux aiguilles passèrent à travers la partie postérieure du palais et atteignirent le cerveau. Mais ce ne fut pas la cause directe du décès. La boule en métal barrant le passage, elle ne parvint pas à cracher le sang qui coulait de ses blessures. Il s'engouffra dans la trachée et les poumons, empêcha l'oxygène de

passer dans le sang et entraîna un arrêt cardiaque et ce que la médecine légale qualifierait dans son rapport d'hypoxie cérébrale, soit un
manque d'oxygène dans le cerveau. En d'autres termes : Borgny
Stem-Myhre mourut noyée.

CHAPITRE 2

Ténèbres éclaircissantes

18 décembre

Les jours sont brefs. Dehors, il fait toujours clair, mais ici, dans ma salle des coupures, il fait toujours noir. Dans la lumière de ma lampe de travail, les gens sur les photos au mur expriment un bonheur et une insouciance horripilants. Des attentes énormes, comme s'il était évident d'avoir la vie devant soi, aussi plate et continue qu'une mer d'huile. J'ai découpé les articles, écarté les histoires à pleurer de familles sous le choc, supprimé les détails sanguinolents de la découverte du corps. En ne gardant que l'inévitable photo qu'un ami ou un parent a donnée au journaliste insistant, la photo de l'époque où elle était à son apogée, où elle souriait comme si elle était immortelle.

La police ne sait pas grand-chose. Pas encore. Mais ils auront bientôt matière à travailler.

Qu'est-ce qui transforme une personne en meurtrier ? Ou est-ce inné, renfermé dans un gène, une capacité héritée que certains possèdent et d'autres non ? Ou bien est-ce suscité par la nécessité, développé au contact du monde, une stratégie de survie, une maladie salvatrice, une folie rationnelle ? Car de la même façon que la maladie est un feu vif de fièvre corporelle, la folie est un refuge nécessaire où l'individu peut se barricader.

15

Je pense pour ma part que la faculté de tuer est fondamentale chez n'importe quelle personne saine. Notre existence est un combat pour les bonnes choses, et celui qui est incapable de tuer son prochain n'a aucune raison d'être. Tuer, en fin de compte, ce n'est qu'anticiper l'inévitable. La mort ne fait aucune exception et c'est bien, car la vie n'est que douleur et souffrance. De ce point de vue, tout meurtre est un acte de miséricorde. Mais ce n'est pas ce qu'on ressent quand le soleil vous chauffe la peau, que l'eau ruisselle sur vos lèvres. Quand on ressent le désir idiot de vivre dans chaque battement de cœur et qu'on est prêt à payer pour des miettes de temps avec tout ce qu'on a acquis depuis la naissance : dignité, statut, principes. C'est une façon de s'engager entièrement, en faisant fi de la lumière troublante, aveuglante. Dans les ténèbres froides, éclaircissantes. Pour sentir le noyau dur. La vérité. Car c'était cela que je devais trouver. C'est ce que j'ai trouvé. Ce qui transforme une personne en meurtrier.

Et ma propre vie ? Est-ce que, moi aussi, je crois que c'est un long fleuve tranquille ?

Absolument pas. Dans peu de temps, je serai dans la benne à ordures de la mort, avec les autres acteurs de ce petit drame. Mais quel que soit l'état de décomposition de mon corps, même s'il ne reste que le squelette, il aura un sourire à la bouche. Car c'est ce pour quoi je vis maintenant, ma seule raison d'être, d'exister, ma chance d'être purifié, libéré de toute ignominie.

Mais ce n'est que le début. Je vais éteindre la lampe et sortir à la lumière du jour. Le peu qu'il en reste.

CHAPITRE 3

Hong Kong

La pluie ne s'arrêta pas tout de suite. Ni plus tard. Elle ne s'arrêta pas du tout. Il faisait doux et humide, semaine après semaine. Le sol était gorgé d'eau, les routes d'Europe étaient détruites, les oiseaux ne migraient plus, et on annonçait des insectes encore jamais vus sous ces latitudes. Le calendrier affirmait que c'était l'hiver, mais les pistes de ski d'Oslo n'étaient pas seulement vierges de neige, elles n'étaient même pas brunes. Elles étaient vertes et attirantes comme les pistes synthétiques de Sogn, où des sportifs navrés s'étaient repliés pour courir avec leurs chandails Dæhlie, dans l'attente vaine de la neige autour du Sognsvann. Le 31 décembre au soir, le brouillard était si dense que le son des feux d'artifice dans le centre d'Oslo s'était entendu jusqu'à Asker, mais on n'en voyait rien, même quand on les tirait de son propre jardin. Malgré tout, les Norvégiens brûlèrent pour six cents couronnes de fusées par foyer ce soir-là, à en croire une enquête de consommation informant par ailleurs que le nombre de Norvégiens partis réaliser un rêve de Noël blanc sur les plages immaculées de Thaïlande avait doublé en trois ans. Mais en Asie du Sud-Est aussi, le temps paraissait délirer ; des formations nuageuses qu'on ne voyait d'ordinaire sur les cartes météo qu'à la saison des typhons attendaient maintenant en file indienne dans la mer de Chine. À Hong Kong, où le

17

mois de février est en principe l'un des plus secs de l'année, la pluie tombait dru ce matin-là, et le manque de visibilité contraignit le vol 731 de la Cathay Pacific Airways en provenance de Londres à faire un tour supplémentaire avant d'atterrir à Chek Lap Kok.

« Estimez-vous heureuse que nous n'ayons pas dû atterrir à l'ancien aéroport, déclara le voisin asiatique de Kaja Solness, qui agrippait ses accoudoirs avec une telle force que ses phalanges étaient blanches. Il était en plein milieu de la ville, on se serait crashés dans un gratte-ciel. »

C'étaient les premiers mots du type depuis leur décollage douze heures plus tôt. Kaja sauta sur l'occasion pour penser à autre chose qu'à sa situation dans un ciel pour l'heure assez turbulent.

« Merci, monsieur, c'est rassurant. Vous êtes anglais ? »

Il sursauta comme si elle l'avait giflé, et elle comprit qu'elle l'avait gravement offensé en suggérant qu'il pût appartenir à l'ancienne colonie.

« Euh… Chinois, peut-être ? »

Il secoua la tête avec vigueur.

« Chinois de Hong Kong. Et vous, mademoiselle ? »

Kaja Solness se demanda un instant si elle allait répondre « Norvégienne de Hokksund », mais se limita à « Norvégienne ». Le bonhomme réfléchit un moment avant de rectifier avec un « Ha ha ! » : « Scandinave ! », et il lui demanda ce qu'elle venait faire à Hong Kong.

« Trouver un homme », répondit-elle, les yeux braqués sur les nuages gris-bleu, dans l'espoir de voir bientôt la terre ferme.

« Ha ha ! répéta le Chinois de Hong Kong. Vous êtes très belle, mademoiselle. Et ne croyez surtout pas les gens qui vous disent que les Chinois ne se marient qu'entre eux.

— Les Chinois de Hong Kong, vous voulez dire ? demanda-t-elle avec un sourire poli.

— Surtout eux », acquiesça-t-il avec de grands hochements de tête, avant de lever une main dépourvue d'alliance. « Je suis dans la fabrication de microprocesseurs, ma famille a des usines en Chine et en Corée du Sud. Que faites-vous ce soir ?

— Je dors, j'espère, bâilla Kaja.

— Et demain soir ?

— J'espère que je l'aurai trouvé et que je serai sur le chemin du retour. »

L'homme fronça les sourcils :

« Vous êtes si pressée, mademoiselle ? »

Kaja déclina l'offre d'être véhiculée et prit un bus à impériale pour gagner le centre-ville. Une heure plus tard, elle était seule dans un couloir de l'hôtel Empire Kowloon, où elle retenait son souffle. Elle avait glissé la carte magnétique dans la porte de la chambre qui lui avait été attribuée, et il ne restait qu'à ouvrir. Elle obligea sa main à appuyer sur la poignée. Puis elle poussa la porte et regarda dans la pièce.

Il n'y avait personne.

Bien sûr qu'il n'y avait personne.

Elle entra, posa son sac à roulettes à côté du lit et alla regarder par la fenêtre. D'abord la foule dans la rue dix-sept étages en contrebas, puis les gratte-ciel qui ne ressemblaient en rien à leurs sœurs gracieuses ou du moins prétentieuses de Manhattan, Kuala Lumpur ou Tokyo. Ceux-là s'apparentaient à des termitières, effrayants et impressionnants à la fois, comme un témoignage grotesque du talent de l'espèce humaine à se surpasser quand il faut caser sept millions d'individus sur un peu plus de cent kilomètres carrés. Kaja sentit la fatigue l'envahir, envoya promener ses chaussures et se laissa tomber sur le lit. Bien que ce fût une chambre double dans un hôtel quatre étoiles, le lit de cent vingt centimètres de large occupait tout ce que la pièce offrait d'espace. Et elle songea que dans ces termitières elle devait maintenant trouver une personne précise, un homme dont tout indiquait qu'il ne souhaitait pas être retrouvé.

Elle soupesa un instant l'alternative : fermer les yeux ou se mettre au travail. Elle se ressaisit et se leva. Ôta ses vêtements et passa à la douche. Ensuite, devant son miroir, elle put confirmer sans aucune satisfaction que le Chinois de Hong Kong avait raison : elle était belle. Ce n'était pas son avis personnel, c'était aussi proche d'un fait réel que possible. Son visage aux pommettes hautes, ses épais sourcils noir de jais mais joliment dessinés au-dessus de deux yeux presque aussi grands que ceux d'un enfant, où brillaient des iris verts pleins d'une intensité mûre de jeune femme. Ses cheveux brun miel, ses lèvres pulpeuses légèrement entrouvertes. Son long cou fin, son corps lui aussi élancé où ses petits seins étaient à peine visibles, deux vaguelettes sur une surface de peau parfaite bien que pâle en cette saison. La courbe douce de la crête iliaque. Ses longues jambes qui avaient fait se déplacer deux envoyés d'agences de mannequins d'Oslo pendant qu'elle était au lycée à Hokksund, où ils avaient essuyé son refus en secouant la tête. Une des choses qui l'avaient rendue le plus heureuse, c'étaient les derniers mots de l'un d'entre eux : « D'accord, mais n'oubliez pas, ma chère : vous n'êtes pas une beauté *parfaite*. Vous avez de petites dents pointues. Vous ne devriez pas tant sourire. »

À la suite de cela, elle avait souri avec plus de facilité.

Kaja enfila un pantalon de treillis, un coupe-vent léger et se glissa sans bruit jusqu'à l'ascenseur pour descendre à la réception.

« Chungking Mansion ? demanda le réceptionniste sans réussir à s'empêcher de hausser un sourcil. Kimberley Road jusqu'à Nathan Road, puis à gauche. »

Tous les hôtels et pensions de l'espace Interpol ont l'obligation d'enregistrer les clients étrangers, mais quand Kaja avait appelé la secrétaire de l'ambassade pour savoir où avait été inscrit en dernier l'homme qu'elle recherchait, la secrétaire lui avait répondu que Chungking Mansion n'était ni un hôtel ni une *mansion* au sens de grande demeure. C'était un assemblage de magasins, de fast-foods, de restaurants et vraisemblablement plus de cent lieux d'hébergement plus ou moins homologués offrant de deux à vingt chambres réparties dans quatre énormes tours. Les chambres pouvaient prendre tous les qualificatifs, depuis simple, propre et agréable jusqu'à trou à rats et cellule de prison une étoile. Et le plus important : à Chungking Mansion, un homme dénué d'aspirations démesurées pouvait dormir, manger, vivre, travailler et se former sans jamais avoir besoin de quitter la termitière.

Sur Nathan Road, une rue commerçante animée où l'on trouvait marchandises de marque, façades brillantes et grandes vitrines, Kaja dénicha l'entrée de Chungking Mansion. Et elle entra.

Dans l'odeur de cuisine des fast-foods, les coups de marteau des cordonniers, les psalmodies musulmanes des postes de radio et les regards las des marchands de vêtements d'occasion. Elle adressa un sourire rapide à un voyageur perdu armé d'un guide *Lonely Planet* et pourvu d'une paire de jambes blanches et gelées pointant d'un short kaki bien trop optimiste.

Un gardien en uniforme regarda le bout de papier que Kaja lui montrait, répondit « ascenseur C » et tendit un doigt vers un couloir.

La file d'attente devant l'ascenseur était si longue qu'elle n'entra qu'au troisième passage. Elle s'entassa avec les autres dans un cercueil métallique vibrant et ballottant, et se mit à penser aux Tziganes qui enterraient leurs morts debout.

La pension était tenue par un propriétaire musulman enturbanné qui lui fit voir avec autant de célérité que d'enthousiasme un petit réduit où ils avaient miraculeusement réussi à fixer un téléviseur au mur au pied du lit et un système de climatisation glouglou-tant à la tête du lit. L'enthousiasme du propriétaire se tempéra lorsqu'elle l'interrompit dans sa réclame pour lui montrer la photo d'un homme, avec son nom tel qu'il devait figurer sur son passe-port, avant de lui demander où il se trouvait.

Lorsqu'elle vit sa réaction, Kaja se dépêcha de préciser qu'elle était son épouse. La secrétaire d'ambassade lui avait expliqué que brandir dans Chungking une carte délivrée par les pouvoirs publics serait « contre-productif ». Pour plus de sûreté, Kaja ajouta qu'elle et l'homme sur la photo avaient cinq enfants, et l'attitude du type changea du tout au tout. Une jeune païenne occidentale qui avait déjà mis tant d'enfants au monde, ça forçait le respect. Il poussa un soupir lugubre, secoua la tête et répondit dans un anglais plaintif et haché :

« Triste, triste, madame. Ils sont venus et ont pris son passeport.

— Qui ?

— Qui ? La Triade, madame. Toujours la Triade.

— La Triade ? » s'exclama Kaja.

Elle connaissait l'existence de cette organisation, bien sûr, mais elle se figurait que la mafia chinoise appartenait avant tout à un univers de bandes dessinées et de films de karaté.

« Asseyez-vous, madame. »

Il tira vivement une chaise sur laquelle elle s'effondra.

« Ils le cherchaient, il était parti, ils ont pris son passeport.

— Son passeport ? Pourquoi ? »

Il hésita.

« S'il vous plaît, je dois savoir.

— Votre mari a joué aux courses de chevaux, j'en ai bien peur.

— De chevaux ?

— Happy Valley. Le champ de courses. C'est une abomination.

— Il a des dettes de jeu ? Envers la Triade ? »

Il hocha et secoua la tête plusieurs fois, pour confirmer puis déplorer cet état de fait.

« Et ils ont pris son passeport ?

— Il devra le racheter avec sa dette s'il veut quitter Hong Kong.

— Il peut toujours s'en procurer un autre auprès du consulat de Norvège. »

Le turban oscilla d'un côté et de l'autre.

« Oh oui. Et vous pouvez vous en faire faire un faux pour quatre-vingts dollars américains ici, à Chungking. Mais ce n'est pas

22

le passeport, le problème. Le problème, c'est que Hong Kong est une île, madame. Comment êtes-vous venue ?

— En avion.

— Et comment comptez-vous repartir ?

— En avion.

— Un seul aéroport. Des billets d'avion. Tous les noms sur ordinateur. Beaucoup de points de contrôle. Beaucoup de gens à l'aéroport payés par la Triade pour reconnaître les visages. Vous comprenez ? »

Elle acquiesça.

« Difficile de fuir. »

Le propriétaire secoua la tête en riant.

« Non, madame. C'est *impossible* de fuir. Mais on peut se cacher à Hong Kong. Sept millions. Facile de disparaître. »

Kaja ressentit le manque de sommeil et ferma les yeux. L'homme dut se méprendre, car il lui posa une main réconfortante sur l'épaule.

« Allons, allons », murmura-t-il. Il hésita et se pencha vers elle. « Je crois qu'il est toujours ici, madame, chuchota-t-il.

— Oui, je comprends.

— Non, je veux dire à Chungking. Je l'ai vu. »

Elle leva la tête.

« Deux fois, poursuivit-il. Chez Li Yuan. Il y mange. Du riz pas cher. Ne répétez à personne que je vous l'ai dit. Votre mari est un type bien. Mais ennuis. » Il leva tant les yeux au ciel qu'ils disparurent presque sous son turban. « Beaucoup d'ennuis. »

Li Yuan se résumait à un comptoir, quatre tables en plastique et un Chinois qui lui fit un sourire aimable lorsqu'elle se réveilla en sursaut six heures plus tard, après deux portions de riz poêlé, trois cafés et deux litres d'eau, et leva la tête de la table graisseuse pour le regarder.

« Fatiguée ? » plaisanta-t-il, dévoilant un jeu incomplet d'incisives.

Kaja bâilla, commanda une quatrième tasse de café et continua à attendre. Deux Chinois entrèrent et s'installèrent au comptoir sans parler ni rien consommer. Ils ne lui accordèrent même pas un regard, et elle ne s'en plaignit pas. Elle avait le corps si raide d'être restée assise ces dernières vingt-quatre heures que les courbatures se faisaient sentir quelle que soit sa position. Elle pencha la tête d'un côté, puis de l'autre, pour essayer de faire revenir un semblant de circulation sanguine. Puis vers l'arrière. Sa nuque craqua. Elle garda les yeux rivés sur les tubes fluorescents bleutés du plafond avant de baisser de nouveau la tête. Et de tomber sur un visage blafard, traqué. Il s'était arrêté devant l'un des rideaux de fer baissés du couloir et inspectait le petit établissement de Li Yuan. Son regard s'arrêta sur les deux Chinois au comptoir. Puis il repartit en hâte.

Kaja se leva, mais l'une de ses jambes s'était ankylosée et se déroba sous elle. Elle saisit son sac à main et partit clopin-clopant à la poursuite de l'individu, aussi vite qu'elle le put.

« Au plaisir ! » cria Li Yuan derrière elle.

Il semblait d'une maigreur extrême. Les photos le montraient large et gigantesque, et la chaise qu'il occupait pendant ce talk-show avait l'air d'un modèle réalisé pour des Pygmées. Mais elle ne doutait pas que ce soit lui : ce crâne bosselé aux cheveux presque rasés, ce nez fort, ces yeux striés de rouge autour de l'iris bleu clair délavé par l'alcool. Ce menton volontaire sous une bouche d'une douceur étonnante, presque belle.

Elle déboula dans Nathan Road. À la lueur d'un néon, elle aperçut le dos d'un blouson en cuir qui dominait la foule. Il ne donnait pas l'impression de marcher vite, mais elle dut trottiner pour ne pas être distancée. Il quitta la rue surpeuplée et elle laissa se creuser la distance lorsqu'ils arrivèrent dans des rues plus étroites et moins fréquentées. Elle enregistra un panneau marqué Melden Row. Elle fut tentée de le rattraper et de se présenter, d'expédier la chose. Mais elle avait décidé de s'en tenir à son plan : découvrir où il habitait. Il ne pleuvait plus et, tout à coup, un pan de nuages s'écarta ; le ciel derrière était haut et d'un noir velouté, semé d'étoiles scintillantes, grosses comme des têtes d'épingle.

Après avoir marché vingt minutes, il s'arrêta brusquement à un coin de rue, et Kaja eut peur qu'il l'ait repérée. Mais il ne se retourna pas, se contenta de sortir quelque chose de sa poche. Elle écarquilla les yeux, médusée. Un biberon ?

Il tourna au coin.

Kaja lui emboîta le pas et déboucha sur une grande place pleine de monde, pour l'essentiel des jeunes. À l'autre bout, des inscriptions en anglais et en caractères chinois luisaient au-dessus de larges portes vitrées. Kaja reconnut les titres de certains nouveaux films qu'elle n'aurait jamais le temps de voir. Elle retrouva le blouson en cuir, et le vit déposer le biberon sur le socle d'une statue de bronze représentant une potence dont la corde attendait sa prochaine victime. Il passa devant deux bancs entièrement occupés et s'assit sur le troisième, où il ramassa un journal. Au bout d'une vingtaine de secondes, il se releva, retourna vers la sculpture, reprit le biberon au passage et le glissa dans sa poche intérieure, avant de continuer sur sa lancée.

Il s'était remis à pleuvoir lorsqu'elle le vit entrer dans Chungking Mansion. Elle commença à préparer son discours. Il n'y avait plus la queue devant les ascenseurs, mais il prit malgré tout l'escalier, tourna à droite et passa une porte battante. Elle se dépêcha de le suivre et se retrouva soudain dans une cage d'escalier déserte et décrépite où flottait une odeur intense de pisse de chat et de béton mouillé. Elle retint son souffle, mais n'entendit que de l'eau qui gouttait. Au moment où elle décida de poursuivre vers le haut, elle entendit une porte claquer en contrebas. Elle descendit à toute vitesse et vit la seule chose qui avait pu faire ce bruit : une porte métallique bosselée. Elle posa la main sur la poignée, sentit le frisson monter, ferma les yeux et jura tout bas. Puis elle ouvrit et entra dans les ténèbres. Ou plutôt : sortit.

Quelque chose détala entre ses pieds, mais elle ne cria pas et resta immobile.

Elle pensa tout d'abord avoir débouché dans une cage d'ascenseur. Mais quand elle leva les yeux, elle distingua des murs noirs de suie couverts d'un fouillis de conduites d'eau, de câbles, de morceaux de métal tordus et d'échafaudages effondrés et rouillés. Ce n'était pas une cour, rien que quelques mètres carrés entre les hauts bâtiments. L'unique lumière venait d'un petit carré d'étoiles très haut dans le ciel. Bien que le temps fût dégagé, l'eau tombait à verse sur l'asphalte et son visage, et elle comprit soudain qu'elle provenait de la condensation des boîtes de climatisation rouillées qui saillaient des façades. Elle recula et s'appuya dos à la porte métallique.

Attendit.

« Que voulez-vous ? » finit-on par demander dans l'obscurité.

Elle n'avait encore jamais entendu sa voix. Si, au cours de ce talk-show sur les tueurs en série, mais c'était totalement différent de l'entendre en vrai. C'était un souffle rauque et fatigué qui le faisait paraître plus âgé que ses quarante ans tout juste, comme elle l'avait appris. Mais elle exprimait en même temps une tranquillité et une assurance qui cadraient mal avec l'expression de bête traquée qu'elle avait vue devant chez Li Yuan. Profonde, chaude.

« Je suis norvégienne. »

Il n'y eut pas de réponse. Elle déglutit. Elle savait que les premiers mots seraient les plus importants.

« Je m'appelle Kaja Solness. J'ai été chargée de vous retrouver. Par Gunnar Hagen. »

Aucune réaction au nom de son supérieur à la Brigade criminelle. Était-il parti ?

« Je suis enquêtrice criminelle pour Hagen, poursuivit-elle dans les ténèbres.

— Félicitations.

— Pas de quoi me féliciter. Pas si vous avez lu les journaux norvégiens ces derniers mois. »

Elle se mordit la langue. Essayait-elle d'être drôle ? Ce devait être le manque de sommeil. Ou la nervosité.

« Je voulais vous féliciter pour votre mission accomplie, répliqua la voix. Vous m'avez retrouvé. Vous pouvez repartir, à présent.

— Attendez ! cria-t-elle. Vous ne voulez pas entendre ce que j'ai à dire ?

— Hors de question. »

Mais les mots qu'elle avait écrits et qu'elle avait répétés se déversèrent :

« Deux femmes ont été assassinées. Les légistes pensent qu'il pourrait s'agir du même meurtrier. En dehors de ça, nous n'avons aucun indice. Même si on a donné le moins de détails possible à la presse, ils hurlent qu'un nouveau tueur en série est à l'œuvre. Certains ont écrit qu'il s'inspire peut-être du Bonhomme de neige. On a demandé leur avis à Interpol, mais ils piétinent. La pression des médias et des pouvoirs publics…

— Ça veut dire non », interrompit la voix.

Une porte claqua.

« Ohé ? Ohé ? Vous êtes là ? »

Elle avança à tâtons jusqu'à une porte. Elle l'ouvrit avant que la peur ne s'installe pour de bon et se retrouva dans un autre escalier obscur. Elle distingua de la lumière plus haut, et monta quatre à quatre. La lumière filtrait par la vitre d'une porte battante, qu'elle poussa. La porte donnait sur un couloir simple et dépouillé où on avait renoncé à peindre l'enduit écaillé et où l'humidité suintait des murs comme une haleine viciée. Deux hommes étaient appuyés sur l'humidité, une cigarette au coin de la bouche. Un parfum douceâtre flottait jusqu'à elle. Ils posèrent sur elle un regard voilé. Trop voilé, espéra-t-elle. Le plus petit des deux était noir, d'origine africaine, supposa-t-elle. Le plus grand était blanc, avec une cicatrice triangulaire sur le front, comme un panneau de signalisation indiquant le danger. Elle avait lu dans leur périodique *Police* que Hong Kong comptait presque trente mille policiers dans les rues, et était considéré comme la mégalopole la plus sûre au monde. Mais ça, c'était dans la rue.

« Haschisch, madame ? »

Elle secoua la tête, esquissa un sourire assuré, et essaya de faire ce qu'elle avait conseillé à des jeunes filles du temps où elle intervenait dans les écoles : avoir l'air de quelqu'un qui sait où il va et non pas d'un élément détaché du troupeau. Pas d'une proie.

Ils lui retournèrent son sourire. La seule autre ouverture dans le couloir avait été condamnée. Ils sortirent les mains de leurs poches, ôtèrent les cigarettes de leur bouche.

« Vous voulez vous amuser ?

— Je me suis trompée de porte. » Elle se retourna pour repartir. Une main se referma sur son poignet. Elle sentait la peur comme un morceau de papier aluminium dans sa bouche. En théorie, elle savait la gérer. S'y était entraînée sur un tapis de mousse dans une salle de gymnastique éclairée, avec un instructeur et des collègues autour d'elle.

« C'est la bonne, madame. La bonne porte. Par ici la rigolade. »

Le souffle sur son visage puait le poisson, l'oignon et la marijuana. Dans le gymnase, il n'y avait qu'un adversaire.

« Non merci », répondit-elle en essayant de garder une voix ferme.

Le Noir la rejoignit et lui saisit l'autre poignet.

« On vous montre, insista-t-il d'une voix de fausset.

— Sauf qu'il y a rien à voir, pas vrai ? »

Ils se tournèrent tous les trois vers la porte battante.

Elle savait qu'il y avait écrit cent quatre-vingt-quatorze centimètres sur son passeport, mais dans l'embrasure d'une porte faite aux dimensions de Hong Kong, il paraissait mesurer au moins deux mètres dix. Et il semblait deux fois plus large qu'une heure plus tôt. Il avait les bras le long du corps, très légèrement écartés, mais il ne bougeait pas, ne fusillait pas du regard, ne grognait pas. Il regardait le Blanc.

« Pas vrai, *jau ye* ? »

Elle sentit les doigts du Blanc se resserrer puis se relâcher autour de son poignet, et le Noir changea de pied d'appui.

« *Ng goy* », lança l'homme dans l'embrasure.

Elle sentit leurs mains lâcher prise.

« Viens », invita-t-il en la prenant doucement par le bras.

Elle sentit la chaleur sur ses joues lorsqu'ils franchirent la porte. Une chaleur due à la tension et à la honte. La honte à cause de son soulagement, de la paresse de son cerveau dans une telle situation, de le laisser arranger les choses avec deux innocents dealers de hasch qui voulaient juste l'effrayer un peu.

Il la conduisit deux étages plus haut, ils passèrent une porte battante et arrivèrent devant un ascenseur. Il appuya sur la flèche dirigée vers le bas, se plaça à côté d'elle et planta son regard sur le « 11 » qui clignotait au-dessus.

« Des travailleurs immigrés. Ils sont seuls et s'ennuient.

— Je sais, répliqua-t-elle sur un ton de défi.

— Appuie sur G, c'est *groundfloor*, tourne à droite et continue jusqu'à ce que tu arrives dans Nathan Road.

— Écoute-moi, s'il te plaît. Tu es le seul à la Criminelle à avoir une réelle compétence en matière de tueurs en série. C'est toi qui as chopé le Bonhomme de neige.

— Exact. » Elle vit bouger quelque chose au fond de ses yeux, et il passa un doigt sur son maxillaire, sous l'œil droit. « Ensuite, j'ai démissionné.

— Démissionné ? Tu as pris un congé sans solde, tu veux dire.

— Démissionné. Arrêté, si tu préfères. »

Elle remarqua que sa pommette droite avait un aspect bizarre.

« Gunnar Hagen dit que lorsque tu as quitté Oslo, il y a six mois, il t'a mis en congé sans solde jusqu'à nouvel ordre. »

L'homme sourit, et Kaja vit son visage se métamorphoser.

« C'est seulement parce que Hagen n'arrive pas à se mettre dans le crâne… »

29

Il s'interrompit, et le sourire disparut. Tourna les yeux vers l'affichage de l'ascenseur, qui indiquait à présent « 5 ».

« Quoi qu'il en soit, je ne travaille plus pour la police.

— Nous avons besoin de toi... » Elle prit une inspiration. Sut qu'elle marchait sur des œufs mais devait négocier avant qu'il disparaisse à nouveau. « Et tu as besoin de nous. »

Il la regarda.

« Qu'est-ce qui te fait croire une chose pareille ?

— Tu dois de l'argent à la Triade. Tu achètes de la drogue dans la rue, dans un biberon. Tu habites... ici, termina-t-elle avec une grimace. Et tu n'as plus de passeport.

— Je me plais ici, alors qu'est-ce que je ferais d'un passeport ? »

Un signal sonore retentit, les portes de l'ascenseur coulissèrent dans un grincement, et l'air chaud et nauséabond des autres corps les assaillit.

« Je ne goberai pas ça ! » répliqua Kaja, plus fort qu'elle ne l'aurait souhaité. Elle aperçut des visages qui la regardaient avec un mélange d'impatience et de curiosité non dissimulées.

« Oh que si. » Il posa une main dans son dos et la poussa avec autant de douceur que de fermeté à l'intérieur. Elle fut soudain entourée de corps qui lui barraient le passage et lui interdisaient tout mouvement. Elle tourna la tête juste à temps pour voir les portes de l'ascenseur se refermer.

« Harry ! » cria-t-elle.

Mais il avait déjà disparu.

CHAPITRE 4

Sex Pistols

Le vieux propriétaire de la pension posa un index songeur sur son front juste sous son turban, et observa longtemps la jeune femme. Il décrocha alors le téléphone et composa un numéro. Dit quelques mots en arabe et raccrocha. « Attendre. Peut-être, peut-être pas. »

Kaja hocha la tête avec un sourire.

Ils se regardaient de part et d'autre de l'étroite table qui faisait office de comptoir.

Le téléphone sonna. Il décrocha, écouta et raccrocha sans avoir prononcé un mot.

« Cent cinquante mille dollars, déclara-t-il.

— Cent cinquante ? répéta-t-elle, sidérée.

— Dollars de Hong Kong, madame. »

Kaja calcula. Ça devait faire environ cent trente mille couronnes norvégiennes. À peu près le double du maximum autorisé.

Il était plus de minuit, et elle n'avait pas dormi depuis près de quarante heures quand elle le retrouva. Ça faisait trois heures qu'elle écumait le bloc H. Elle avait établi mentalement une carte en parcourant pensions, cafés, snack-bars, instituts de massage et salles de prière, jusqu'aux lieux d'hébergement les moins chers, les chambres et les dortoirs où on trouvait la main-d'œuvre importée d'Afrique et du Pakistan, ceux qui n'avaient pas de chambre, rien qu'un box sans porte, ni télé, ni climatisation, ni vie privée. Le portier de nuit africain qui laissa entrer Kaja regarda longuement la photo et encore plus longuement le billet de cent dollars qu'elle lui tendait, avant de prendre l'argent et de lui montrer l'un des box.

Harry Hole, songea-t-elle. Je t'ai attrapé.

Il était allongé sur le dos, et respirait presque sans faire le moindre bruit. Il avait une ride profonde en travers du front, et sa pommette enflée sous son œil droit était encore plus visible à présent qu'il dormait. Dans les autres box, elle entendait des hommes tousser et ronfler. De l'eau gouttait du plafond et tombait sur les dalles de pierre en émettant de profonds soupirs. L'ouverture du box laissait entrer un rai de lumière bleu et froid projeté par les néons de l'accueil. Elle vit une penderie devant la fenêtre, une chaise et une bouteille d'eau en plastique près du matelas posé à même le sol, point. Il flottait une odeur douceâtre, comme du caoutchouc brûlé. De la fumée s'élevait d'un mégot qui finissait de se consumer dans un cendrier posé par terre à côté du biberon. Elle s'assit sur la chaise et se rendit compte qu'il avait quelque chose à la main. Une petite boule brune et grasse. Kaja avait vu assez de résine de cannabis au cours de son année passée dans les véhicules de patrouille pour savoir que ce n'en était pas.

Il était environ deux heures quand il se réveilla.

Elle n'entendit qu'une infime modification dans le rythme de sa respiration, et ses yeux luirent tout à coup dans le noir.

« Rakel ? » Il l'avait murmuré. Avant de se rendormir.

Une demi-heure plus tard, il ouvrit brusquement les yeux, se recroquevilla, se retourna avec violence et saisit quelque chose sous le matelas.

« C'est moi, chuchota Kaja. Kaja Solness. »

Le corps devant elle s'arrêta en plein mouvement. Puis s'affaissa, et retomba sur le matelas.

« Qu'est-ce que tu fous ici ? gémit-il d'une voix rauque.

— Je suis venue te chercher. »

Il rit en silence, les yeux fermés. « Me chercher ? Encore ? »

Elle tira une enveloppe de sa poche, se pencha et la tint devant lui. Il ouvrit un œil.

« Un billet d'avion. Pour Oslo. »

L'œil se referma. « Merci, mais je reste ici.

— Si moi j'ai pu te trouver, ce n'est qu'une question de temps avant qu'ils y arrivent aussi. »

Il ne répondit pas. Elle attendit, attentive à sa respiration et à l'eau qui gouttait et soupirait. Puis il rouvrit les yeux, se passa une main sous l'oreille droite et se hissa sur les coudes.

« Tu as une clope ? »

Elle secoua la tête. Il rejeta le drap, se leva et gagna la penderie. Il était d'une pâleur étonnante pour quelqu'un qui avait passé six mois en zone subtropicale, et si maigre que ses côtes étaient visibles même dans son dos. Sa constitution révélait qu'il avait été athlétique, mais les muscles n'étaient plus que des ombres nettes sous sa peau blanche. Il ouvrit le placard. Elle constata avec surprise que les vêtements étaient pliés et empilés avec soin. Il mit un tee-shirt et un jean, les mêmes que la veille, et sortit avec soin une cigarette chiffonnée d'une des poches.

Puis il enfila une paire de tongs et passa devant elle au moment où s'allumait la flamme d'un briquet.

« Viens, murmura-t-il. C'est l'heure de manger. »

Il était deux heures et demie du matin. Des rideaux métalliques gris étaient baissés devant les magasins et les restaurants de Chung-king. Hormis chez Li Yuan.

« Alors, comment es-tu arrivé à Hong Kong ? » demanda Kaja en regardant Harry enfourner de façon peu élégante mais efficace du vermicelle luisant servi dans un bol blanc.

« J'ai pris l'avion. Tu as froid ? »

Kaja retira machinalement les mains de sous ses cuisses.

« Mais pourquoi ici ?

— J'allais à Manille. Hong Kong ne devait être qu'une escale.

— Les Philippines. Qu'allais-tu faire là-bas ?

— Me balancer dans un volcan.

— Lequel ?

— Eh bien. Lesquels connais-tu ?

— Aucun. J'ai juste lu qu'il y en avait un paquet. Il n'y en a pas à… euh, Luzon ?

— Pas mal. Il y a dix-huit volcans en activité, et trois se trouvent à Luzon. Je voulais monter sur le mont Mayon. Deux mille cinq cents mètres. Stratovolcan.

— Volcan à pentes raides constituées des couches de lave des anciennes éruptions. »

Harry cessa de manger et la regarda.

« Des éruptions dans l'ère moderne ?

— Plein. Trente ?

— Le casier judiciaire parle de quarante-sept depuis 1616. La dernière en 2002. Ce volcan peut être inculpé d'au moins trois mille meurtres.

— Que s'est-il passé ?

— La pression a augmenté.

— Je parlais de toi.

— Je parlais de moi. » Elle crut voir l'ombre d'un sourire. « J'ai craqué et je me suis mis à boire de l'alcool dans l'avion. On m'a fait comprendre que je devais débarquer à Hong Kong.

— Il y a d'autres avions à destination de Manille.

— J'ai compris qu'à part les volcans Manille n'a rien que ne possède Hong Kong.

— Par exemple ?

— Par exemple, la distance avec la Norvège. »

Kaja hocha la tête. Elle avait lu les rapports sur l'affaire du Bonhomme de neige.

« Et surtout, poursuivit-il en pointant une baguette sur elle, ils ont les vermicelles de Li Yuan. Essaie. C'est une raison suffisante pour demander la nationalité.

— Ça et l'opium ? »

Ce n'était pas son style d'être aussi abrupte, mais elle savait qu'elle devait ravaler sa gêne habituelle, que c'était sa seule chance de pouvoir accomplir ce pour quoi elle était venue.

Il haussa les épaules et se concentra de nouveau sur ses nouilles.

« Tu fumes régulièrement de l'opium ?

— Pas régulièrement.

— Et pourquoi ? »

Il répondit la bouche pleine :

« Pour ne pas boire. Je suis alcoolo. Tiens, voilà un autre avantage de Hong Kong sur Manille. Une législation moins rigoureuse en matière de stupéfiants. Et des prisons plus propres.

— Pour l'alcool, j'étais au courant, mais tu es toxicomane ?

— Définis toxicomane.

— Il t'en *faut* ?

— Non, mais j'en veux.

— Parce que ?

— Anesthésie. Ça ressemble à un entretien d'embauche pour un boulot que je ne veux pas, Solness. Tu as déjà fumé de l'opium ? »

Kaja secoua la tête. Elle avait essayé deux ou trois fois la marijuana au cours d'un périple en Amérique du Sud, et elle n'avait pas particulièrement aimé.

« Les Chinois, si. Il y a deux cents ans, les Anglais ont importé l'opium d'Inde, pour rétablir un équilibre économique. Ils ont transformé la moitié des Chinois en junkies, comme ça. » Il claqua des doigts de sa main libre. « Et quand les pouvoirs publics ont eu la bonne idée d'interdire l'opium, les Anglais sont montés au créneau pour défendre leur droit de camer à mort la Chine. Imagine que la Colombie se mette à bombarder New York parce que les Américains ont confisqué de la cocaïne à la frontière.

— Où veux-tu en venir ?

— Je considère comme mon devoir d'Européen de fumer un peu de la saloperie qu'on a fait entrer dans ce pays. »

Kaja s'entendit rire. Elle avait vraiment besoin de dormir.

« Je t'ai suivi quand tu faisais tes achats, avoua-t-elle. Je vous ai vus faire, toi et le vendeur. Il y avait de l'argent dans le biberon quand tu l'as déposé. Et de l'opium ensuite, n'est-ce pas ?

— Mmm, répondit Harry, la bouche pleine de nouilles. Tu as bossé aux Stups ? »

Elle secoua la tête. « Pourquoi un biberon ? »

Harry étira les bras au-dessus de sa tête. Le bol devant lui était vide.

« L'opium a une odeur épouvantable. Si tu te contentes de le trimballer dans la poche ou dans du papier alu, les chiens des Stups te repéreront même dans une foule énorme. Et les biberons ne sont pas consignés, alors tu ne risques pas qu'un môme ou un ivrogne te le chipe en pleine transaction. Ça s'est déjà vu. »

Kaja hocha la tête. Il commençait à se détendre, il n'y avait qu'à continuer. Tous ceux qui ne parlent plus leur langue maternelle depuis six mois deviennent loquaces quand ils rencontrent un compatriote. C'est naturel. Continuer.

« Tu aimes les chevaux ? »

Il mâchonna son cure-dents.

« Dans le fond, non. Ils sont trop lunatiques.

— Mais tu aimes jouer aux courses ?

— J'aime ça, mais la folie du jeu ne fait pas partie de mes tares. »

Il sourit, et elle fut de nouveau frappée par la façon dont ce sourire le métamorphosait, le rendait humain, accessible, enfantin. Et elle songea au pan de ciel dégagé qu'elle avait aperçu au-dessus de Melden Row.

« Le jeu n'est pas une bonne stratégie de gain sur le long terme. Mais si tu n'as plus rien à perdre, c'est la seule stratégie. J'ai misé tout ce que j'avais, plus une partie que je n'avais pas, sur une seule et unique course.

— Tu as misé tout ce que tu avais sur *un* cheval ?

— Deux. Un couplé gagnant. Tu désignes les deux chevaux qui termineront premier et deuxième, peu importe l'ordre.

— Et tu as emprunté de l'argent à la Triade ? »

Pour la première fois, elle vit de la surprise dans le regard de Harry.

« Pourquoi un cartel sérieux de criminels chinois prêterait-il de l'argent à un étranger fumeur d'opium qui n'a plus rien à perdre ?

— Eh bien… » Harry tira une cigarette. « En tant qu'étranger, tu as accès à la loge VIP du champ de courses de Happy Valley pendant trois semaines à compter de la date tamponnée sur ton passeport. » Il alluma sa cigarette et souffla un nuage de fumée vers le ventilateur de plafond qui tournait avec une telle lenteur qu'il faisait office de manège pour les mouches. « Il y a des règles à respecter en matière de tenue, alors je me suis fait faire un costume. Les deux premières semaines ont suffi pour que j'y prenne goût. J'ai rencontré Herman Kluit, un Sud-Africain qui s'est fait des couilles en or avec l'exploitation des mines africaines dans les années 1990. Il m'a appris comment perdre un bon paquet d'argent avec panache. J'ai bien aimé le concept, c'est tout. La veille du jour des courses, la troisième semaine, je suis allé dîner chez Kluit, où il divertissait ses invités en leur montrant sa collection d'instruments de torture africains de Goma. Et le chauffeur de Kluit m'a filé un tuyau. Le favori d'une des courses était blessé, mais la chose était tenue secrète parce qu'il devait prendre le départ malgré tout. Il était tellement favori qu'il pouvait faire *minus pool*, c'est-à-dire qu'il serait impossible de gagner de l'argent avec. En revanche, on pouvait se faire pas mal de pognon en cochant toutes les autres cases. Par exemple pour un couplé. Mais il fallait un certain capital de départ pour espérer des gains substantiels. J'ai pu emprunter à Kluit grâce à ma bonne bouille. Et mon costume sur mesure. » Harry observa l'extrémité de sa cigarette, et parut sourire.

« Et ? le relança Kaja.

— Le favori a gagné avec six longueurs d'avance, répondit Harry en haussant les épaules. Quand j'ai dit à Kluit que je n'avais pas un fifrelin, il a eu l'air désolé et m'a expliqué poliment qu'en tant qu'homme d'affaires il était obligé de s'en tenir à ses principes marchands. Il m'a assuré que ceux-ci n'impliquaient pas des instruments de torture congolais, mais une revente de la dette avec intérêts à la Triade. Tout en admettant que ce n'était pas beaucoup mieux. Mais que, dans mon cas, il attendrait trente-six heures avant de vendre, pour que j'aie le temps de quitter Hong Kong.

— Ce que tu n'as pas fait ?

— Je suis un peu long à la détente, de temps en temps.

— Et après ? »

Harry balaya l'espace autour de lui.

« Ça. Chungking.

— Et les projets d'avenir ? »

Harry haussa les épaules et éteignit sa cigarette. Kaja repensa à la pochette de disque qu'Even lui avait montrée, avec un portrait de Sid Vicious des Sex Pistols. Et au morceau qui passait à ce moment-là : « *No fu-ture, no fu-ture.* »

« Tu as appris tout ce dont tu avais besoin, Kaja Solness.

— Besoin ? répéta-t-elle, les sourcils froncés. Je ne comprends pas.

— Tiens donc ? » Il se leva. « Tu croyais que je dissertais sur ma consommation d'opium et sur ma dette rien que parce que je suis un Norvégien esseulé qui en rencontre un autre ? »

Elle ne répondit pas.

« C'est parce que je veux te faire comprendre que je ne suis pas quelqu'un qui peut vous servir. Pour que tu puisses repartir sans avoir l'impression de ne pas avoir fait ton boulot. Pour que tu ne te retrouves pas dans la panade dans les cages d'escalier, et pour pouvoir dormir en paix sans penser que tu guides mes créanciers jusqu'à moi. »

Elle le regarda. Il avait un côté strict et ascétique, contrebalancé par l'ironie qui dansait dans son regard et trahissait qu'il ne fallait pas prendre les choses trop au sérieux. Ou plus exactement : qu'il s'en foutait dans les grandes largeurs.

« Attends. »

Kaja ouvrit son sac à main et en tira le petit carnet rouge. Elle le lui tendit et observa l'effet qu'il produisait. Elle vit la surprise se répandre sur son visage tandis qu'il le feuilletait.

« Merde, on dirait vraiment mon passeport.

— C'est le tien.

— Je doute que la Brigade criminelle ait les moyens.

— Ta dette a baissé, mentit-elle. On m'a fait une ristourne.

— Je l'espère pour toi, parce que je ne compte pas rentrer à Oslo. »

Kaja le regarda pendant de longues secondes. Appréhenda. Car il n'y avait plus moyen de faire machine arrière, à présent. Elle serait contrainte de jouer son joker, dont Gunnar Hagen lui avait dit qu'elle devrait le conserver jusqu'au tout dernier moment si cette tête de mule ne voulait rien entendre.

« Il y a encore une chose », commença Kaja, qui se préparait au pire.

L'un des sourcils de Harry se dressa vivement, il perçut peut-être quelque chose dans le ton employé.

« Il s'agit de ton père, Harry. » Elle nota qu'elle avait automatiquement prononcé son prénom. Se dit que c'était sincère, et pas un effet facile.

« Mon père ? répéta-t-il comme si ça le surprenait d'en avoir un.

— Oui. Nous l'avons appelé pour lui demander s'il savait où tu étais. Il est malade. »

Elle baissa les yeux sur la table.

L'entendit respirer. Sa voix était de nouveau rauque :

« Très malade ?

— Oui. Et je suis désolée d'être la personne qui te l'apprend. »

Elle n'osait toujours pas lever les yeux. Elle avait honte. Attendit. Écouta le cantonais de la télé derrière le comptoir de Li Yuan. Déglutit et attendit. Il fallait qu'elle dorme bientôt.

« Quand part l'avion ?

— À huit heures, répondit-elle. Je passe te prendre ici dans trois heures.

— J'irai par mes propres moyens, il y a deux ou trois trucs que je dois régler d'abord. »

Il tendit la main, paume ouverte. Elle le regarda sans comprendre.

« Pour ça, j'ai besoin de mon passeport. Et tu devrais manger. Te remplumer un peu. »

Elle hésita. Puis lui donna le passeport et le billet d'avion.

« Je compte sur toi. »

Il la regarda, sans rien exprimer.

Puis disparut.

L'horloge au-dessus de la porte C4 de Chek Lap Kok indiquait huit heures moins le quart, et Kaja avait renoncé. Bien sûr qu'il ne viendrait pas. C'était un réflexe naturel chez l'animal et chez l'homme de se cacher quand on était blessé. Et Harry Hole était blessé, aucun doute là-dessus. Les rapports de l'affaire du Bonhomme de neige décrivaient en détail tous les meurtres. En outre, Gunnar Hagen lui avait raconté ce qui n'y figurait pas. Que l'ex de Harry, Rakel, et son fils Oleg étaient tombés entre les mains du tueur fou. Qu'elle et son fils avaient quitté le pays dès la fin de cette affaire. Et que Harry avait donné sa démission et était parti. Il était plus blessé qu'elle n'en avait eu conscience.

Kaja avait déjà remis sa carte d'embarquement, elle allait vers la passerelle et commençait à penser à son rapport sur cette mission ratée lorsqu'elle le vit arriver à petites foulées dans la lumière qui tombait en biais à l'intérieur du terminal. Il avait un sac tout simple à l'épaule, un sac plastique duty free à la main, et il tirait frénétiquement sur une cigarette. Il s'arrêta au guichet. Mais au lieu de tendre sa carte d'embarquement à l'employé, il posa son sac et lança un coup d'œil découragé à Kaja.

Elle retourna au guichet.

« Problème ?

— Désolé, répondit-il. Je ne peux pas venir.

— Pourquoi ? »

Il tendit l'index vers son sac duty free.

« Je viens de me rappeler que le quota en Norvège, c'est une cartouche par personne. J'en ai deux. Alors à moins que… » expliqua-t-il.

Elle leva les yeux au ciel et essaya de ne pas avoir l'air soulagée.

« Donne.

— Merci beaucoup. »

Il ouvrit le sac, et elle remarqua qu'il ne contenait pas de bouteille. Il lui tendit une cartouche ouverte de Camel, où un paquet manquait déjà.

Elle le précéda jusqu'à l'avion, pour qu'il ne puisse pas la voir sourire.

Kaja se tint assez longtemps éveillée pour voir le décollage, Hong Kong qui disparaissait sous eux et le regard de Harry braqué sur le chariot qui se rapprochait par à-coups, au son joyeux des bouteilles qui s'entrechoquaient. Il ferma les yeux et répondit un « Non, merci » à peine audible à l'hôtesse de l'air.

Elle se demanda si Gunnar Hagen avait raison, si l'homme assis à côté d'elle était véritablement celui dont ils avaient besoin.

Puis elle s'endormit, et rêva qu'elle était devant une porte close. Elle entendait un cri d'oiseau dans la forêt, froid et isolé, et c'était étrange parce que le soleil brillait de tous ses feux. Elle ouvrait la porte…

Elle se réveilla, la tête sur l'épaule de Harry et un filet de salive séchée au coin des lèvres. La voix du commandant de bord les informait qu'ils se préparaient à atterrir à Londres.

CHAPITRE 5

Le parc

Marit Olsen aimait faire du ski dans la montagne. Mais elle avait horreur du footing. Elle détestait sa respiration sifflante après cent mètres, cette vibration quasi sismique dans le sol quand elle posait le pied, les regards surpris des promeneurs et les images qui surgissaient quand elle se voyait à travers leurs yeux : les mentons tremblotants, son corps qui clapotait dans le survêtement plein de bourrelets, et cette expression de poisson échoué qu'elle avait vue elle aussi chez des obèses quand ils faisaient du sport. C'était là une des raisons pour lesquelles elle effectuait ses trois sorties sportives hebdomadaires dans le parc Frogner à dix heures du soir : il n'y avait presque personne. Ceux qui s'y trouvaient ne la voyaient pour ainsi dire pas ahaner dans l'obscurité totale entre les rares réverbères au bord des sentiers qui traversaient de part en part le plus grand espace vert de la capitale. Et parmi les rares personnes qui la voyaient, peu d'entre elles reconnaissaient la députée du Parti travailliste du Finnmark. On peut effacer le « re ». Peu de gens avaient jamais vu Marit Olsen. Quand elle prenait la parole — en général au nom de sa région d'origine — elle n'attirait pas l'attention, laquelle revenait aux collègues plus photogéniques. D'autre part, elle n'avait rien fait ou dit de mal au cours de ses deux mandats. En tout cas, c'était son explication. Celle donnée

43

par le rédacteur en chef du *Finnmark Dagblad*, qu'elle était un poids plume en politique, n'était qu'un calembour méchant lié à sa physionomie. Pourtant, il n'excluait pas qu'elle ait un jour sa place dans un gouvernement de coalition, puisqu'elle satisfaisait aux exigences principales : pas de diplôme, pas de sexe masculin, pas d'Oslo.

Bon, il avait peut-être raison quand il disait que sa force, c'étaient ses grands raisonnements compliqués — et creux. Mais étant issue du peuple, elle savait ce que ressentait l'homme ou la femme de la rue, et elle pouvait être leur voix ici, parmi tous ces gens égoïstes et satisfaits qui peuplaient la capitale. Car la voix de Marit Olsen venait du cœur. C'était cela, sa véritable qualification, ce qui lui avait permis d'arriver là où elle était, malgré tout. Avec son éloquence et son humour — que les Méridionaux qualifiaient volontiers de « nordiste » ou de « caustique » — elle était assurée de faire un carton dans les rares débats où elle était invitée. Ils seraient bien obligés de la remarquer, tôt ou tard. Si seulement elle parvenait à se débarrasser de quelques kilos. Des études montraient que les gens faisaient moins confiance aux personnes en surpoids, leur inconscient le percevait comme un manque de maîtrise de soi.

Elle arriva à un raidillon, serra les dents et ralentit l'allure ; elle marchait en réalité, pour être honnête. *Powerwalk*. Oui, c'était ça. La marche vers le pouvoir. Le poids réduit, l'éligibilité était meilleure.

Elle entendit crisser le gravier derrière elle, sentit son dos se redresser automatiquement et son rythme cardiaque augmenter. Elle avait entendu le même son que pendant son footing trois jours plus tôt. Et deux jours avant. Les deux fois, quelqu'un avait couru juste derrière elle pendant presque deux minutes, avant que le bruit ne disparaisse. La dernière fois, Marit s'était retournée pour voir un survêtement et un capuchon noirs, comme si le membre d'un commando courait dans son sillage. Sauf que personne, et encore moins un soldat, n'aurait trouvé pertinent de courir à la même vitesse que Marit Olsen.

Bien sûr, elle ne pouvait pas affirmer qu'il s'agissait de la même personne, mais quelque chose dans le bruit des pas lui indiquait que c'était le cas. Il ne restait qu'un petit bout de pente avant le Monolithe, la descente douce vers Skøyen et la maison, un mari et un rottweiler trop gras à la laideur réconfortante. Les pas se rapprochèrent. Et soudain, ce ne fut plus aussi idéal qu'il soit dix heures, que le parc soit désert et plongé dans les ténèbres. Marit Olsen avait peur de beaucoup de choses, et en tout premier lieu, elle avait peur des étrangers. Bien entendu, elle savait que c'était la peur de l'autre et que ça ne cadrait pas avec le programme du parti, mais craindre ce qu'on ne connaît pas, c'est quand même une stratégie de survie pleine de bon sens. À cet instant, elle regretta de ne pas avoir voté contre toutes les propositions de lois favorables aux étrangers émises par son parti, de ne pas avoir parlé cette fois-là aussi avec son désormais célèbre cœur.

Son corps se déplaçait beaucoup trop lentement, les muscles de ses cuisses la brûlaient, ses poumons exigeaient leur ration d'oxygène, et elle savait qu'elle ne réussirait bientôt plus à bouger du tout. Son cerveau essaya de lutter contre la peur, de lui expliquer qu'elle n'était pas une victime de viol évidente.

La peur lui avait fait gagner le sommet, elle voyait à présent de l'autre côté de la butte, vers Madserud allé. Une voiture reculait par le portail d'une des villas. Elle pouvait y arriver, il restait un peu plus de cent mètres. Marit Olsen descendit au grand galop sur l'herbe glissante et parvint tout juste à se maintenir debout. Elle n'entendait plus de pas derrière elle, tout était couvert par le bruit de sa respiration. La voiture était arrivée dans la rue, et la boîte de vitesse émit un vilain grincement quand le conducteur passa de la marche arrière en première. Marit Olsen était au pied du talus, il ne restait que quelques mètres jusqu'à la rue et les faisceaux salvateurs des phares. Son poids imposant avait pris un léger avantage sur elle dans la descente, et l'entraînait en avant. Ses jambes ne purent plus suivre. Elle plongea, vers la rue, vers la lumière. Son ventre emballé de polyester trempé de sueur toucha l'asphalte, et après un semblant de roulé-boulé, Marit Olsen s'immobilisa, un goût amer de poussière dans la bouche et les paumes écorchées par le gravier.

Quelqu'un était penché sur elle. La saisit par les épaules. Elle se retourna, gémit et leva les mains devant elle. Pas un soldat de commando, juste un homme d'un certain âge coiffé d'un chapeau. La portière de la voiture derrière lui était ouverte.

« Tout va bien, mademoiselle ? voulut-il savoir.

— À votre avis ? répliqua Marit Olsen, qui sentait monter la fureur.

— Attendez ! Je vous ai déjà vue.

— C'est toujours ça », grogna-t-elle en chassant d'un geste la main secourable. Puis elle se releva avec un gémissement.

« Vous êtes dans cette émission comique, là ?

— Ça, commença-t-elle tandis qu'elle observait le parc désert et obscur en se massant le ventre, c'est pas vos oignons, papy. »

CHAPITRE 6

Retour au bercail

Une Volvo Amazon, la dernière sortie des usines Volvo en 1970, s'était arrêtée devant le passage piéton près du terminal des arrivées de l'aéroport d'Oslo Gardermoen.

Une ribambelle de très jeunes enfants défilaient devant le véhicule, dans des cirés grinçants. Certains lançaient des coups d'œil curieux vers cette vieille et étrange voiture ornée de damiers le long du capot, et vers les deux hommes assis derrière le ballet des essuie-glaces qui luttaient contre la pluie matinale.

Le passager, l'agent supérieur de police Gunnar Hagen, savait que cette vision d'enfants main dans la main, deux par deux, aurait dû le faire sourire et lui faire penser à la cohésion, à la sollicitude et à une société où chacun veille sur son voisin. Mais il pensa en premier lieu à une équipe de recherche chargée de retrouver une personne présumée morte. Voilà ce que faisait à un homme l'exercice des fonctions de directeur de la Brigade criminelle. Ou comme l'avait écrit un plaisantin sur la porte de bureau de Hole : *I see dead people.*

« Que vient foutre une école maternelle dans un aéroport ? » demanda le conducteur. Il s'appelait Bjørn Holm, et l'Amazon était sa propriété adorée. Rien que le parfum du chauffage bruyant mais d'une efficacité redoutable et des sièges en skaï imprégnés de sueur

47

garantissait la paix de son âme. Surtout si c'était sur fond sonore du moteur lancé à un régime approprié, c'est-à-dire quatre-vingts kilomètres/heure sur le plat, avec en plus Hank Williams dans le lecteur de cassettes. Bjørn Holm, de la Brigade technique basée à Bryn, était un péquenaud de Skreia arborant santiags en peau de serpent et un visage lunaire où saillaient à peine deux yeux globuleux, ce qui lui conférait une constante expression de surprise. Ce visage avait déjà induit en erreur plus d'un responsable d'enquête quant à ce qu'était Bjørn Holm. En réalité, il était le plus grand talent de la Technique depuis l'âge d'or de Weber. Holm portait un léger blouson en daim et un bonnet rasta d'où dépassaient les favoris les plus roux et les plus impressionnants que Hagen ait jamais vus de ce côté de la mer du Nord, qui recouvraient en quasi-totalité les joues de leur propriétaire.

Holm fit entrer l'Amazon au parking courte durée. Le véhicule s'arrêta dans un hoquet, et les deux hommes sortirent. Hagen remonta le col de son manteau, sans empêcher pour autant la pluie de bombarder son crâne chauve à l'exception d'une couronne de cheveux noirs si épais que certains soupçonnaient Gunnar Hagen d'avoir une crinière remarquable, mais un coiffeur facétieux.

« Dis-moi, ton blouson ne craint pas la pluie, tu es sûr ? demanda Hagen tandis qu'ils gagnaient l'entrée à grands pas.

— Oui. »

Kaja Solness les avait appelés dans la voiture, pour les informer que le vol SAS en provenance de Londres avait atterri dix minutes plus tôt que prévu. Et qu'elle avait perdu Harry Hole.

Quand ils furent entrés, Gunnar Hagen regarda autour de lui et aperçut Kaja assise sur sa valise près du guichet des taxis. Il lui adressa un petit signe et fila vers le hall des arrivées. Lui et Holm se glissèrent à l'intérieur lorsque la porte s'ouvrit pour laisser sortir des passagers. Un gardien faillit les arrêter, mais inclina la tête, oui, presque une révérence, quand Hagen brandit sa carte et aboya un bref : « Police ! »

Hagen prit à droite et passa devant les douaniers et leurs chiens, les comptoirs de métal brillant qui lui rappelaient les paillasses de l'institut médico-légal, et entra dans la petite pièce à l'arrière.

Il s'arrêta si brutalement que Holm le percuta.

« Salut, chef, feula une voix bien connue entre des dents serrées. Désolé de ne pas pouvoir me redresser. »

Bjørn Holm jeta un coup d'œil par-dessus l'épaule de Hagen.

La scène qu'il découvrit allait le poursuivre longtemps.

Penché sur un dossier de chaise, il vit l'homme qui non seulement était une légende vivante dans la police d'Oslo, mais à propos duquel n'importe quel policier norvégien avait entendu des choses farfelues, positives comme négatives. Un homme avec qui Holm travaillait en étroite collaboration. Mais pas aussi étroite que le douanier posté derrière ladite légende, et dont la main gantée de latex était en partie dissimulée entre les fesses blafardes de la légende.

« Il est à moi, lança Hagen au douanier en agitant sa carte. Laissez-le partir. »

Le douanier observa Hagen et parut renoncer à contrecœur, mais à l'arrivée d'un supérieur dont les épaulettes étaient ornées de bandes jaunes, et qui hocha la tête, les yeux fermés, le douanier fit tourner sa main une dernière fois avant de la ramener à lui. La victime poussa un gémissement sourd.

« Enfile ton pantalon, Harry », commanda Hagen en se détournant.

Harry s'exécuta et s'adressa au douanier occupé à retirer son gant.

« C'était bon pour toi aussi ? »

Kaja Solness se leva de sa valise lorsque ses trois collègues repassèrent la porte. Bjørn Holm partit récupérer la voiture, tandis que Gunnar Hagen allait chercher à boire au snack.

« On te contrôle souvent ? s'enquit Kaja.

49

— Chaque fois.

— Je crois qu'on ne m'a jamais interceptée à un contrôle douanier.

— Je sais.

— Comment le sais-tu ?

— Parce qu'il y a mille petits indices qu'ils recherchent, et tu n'en as aucun. Alors que moi, j'en ai au moins la moitié.

— Tu veux dire que les douaniers sont bourrés de préjugés ?

— Eh bien… tu as déjà passé quelque chose en douce ?

— Non. » Elle rit. « Bon, d'accord. Mais s'ils étaient si doués que ça, ils auraient aussi dû voir que tu étais policier. Et te laisser passer.

— Ils l'ont sans doute vu.

— Arrête. Il n'y a qu'au cinéma qu'ils reconnaissent un confrère.

— Ah oui ? » Harry chercha son paquet de cigarettes. « Passe en revue la file au guichet des taxis. Tu vois le type aux yeux bridés ? »

Elle hocha la tête.

« Il a tiré sur sa ceinture deux fois depuis notre arrivée. Comme s'il y avait quelque chose de lourd suspendu après. Des menottes ou un bâton. Un mouvement qui devient automatique quand tu as travaillé dans les patrouilles ou en préventive pendant quelques années.

— J'ai bossé dans les patrouilles, et je n'ai jamais…

— Il est aux Stups, et cherche des gens qui ont l'air bien trop soulagés d'avoir passé le contrôle douanier. Ou qui foncent aux toilettes parce qu'ils ne peuvent plus attendre de se sortir la marchandise du rectum. Ou des valises qui changent de mains entre un passager aussi naïf que serviable et le trafiquant qui a convaincu ce crétin de passer la douane avec cette petite valise bourrée de merde. »

Elle pencha la tête sur le côté et observa Harry, un léger sourire aux lèvres.

« Ou c'est peut-être un type ordinaire qui perd son falzar et qui attend sa mère. Et tu te trompes.

— Bien sûr. » Harry regarda sa montre, puis l'horloge au mur. « Ça arrive tout le temps. C'est vraiment le milieu de la journée ? »

La Volvo Amazon filait sur l'autoroute au moment où les lumières s'allumèrent.

À l'avant, Holm et Kaja Solness discutaient à bâtons rompus tandis que Townes van Zandt émettait ses sanglots maîtrisés depuis le lecteur de cassettes. À l'arrière, Gunnar Hagen caressait le cuir de porc lisse de la serviette posée sur ses genoux.

« J'aurais aimé pouvoir te dire que tu as bonne mine, soupirat-il.

— C'est le décalage horaire, chef, répondit Harry, plus allongé qu'assis.

— Qu'est-il arrivé à ta mâchoire ?

— C'est une longue et ennuyeuse histoire.

— Quoi qu'il en soit, bienvenue au pays. Désolé pour les circonstances.

— Il me semblait avoir remis une lettre de démission.

— Ce n'était pas la première.

— Alors il t'en faut combien ? »

Gunnar Hagen regarda son ancien inspecteur principal, fronça les sourcils et baissa le son :

« Je t'ai dit que je regrettais les circonstances. Et je comprends que la dernière affaire t'ait éprouvé. Que toi et des gens que tu aimes ayez été impliqués d'une façon qui... oui, qui peut pousser à vouloir changer de vie. Mais c'est ça ton boulot, Harry, c'est ça que tu sais faire. »

Harry renifla, comme s'il avait déjà attrapé le rhume qui fêterait son retour en Norvège.

« Deux meurtres, Harry. Nous ne savons même pas comment ils ont été commis, hormis que c'est de la même façon. Mais avec notre expérience chèrement acquise la dernière fois, nous savons ce que c'est. » L'agent supérieur de police s'interrompit.

51

« Ce n'est pas dangereux de prononcer le mot, chef.

— Je ne sais pas trop. »

Harry regarda ondoyer les champs bruns, dépourvus de neige.

« On a crié au loup pas mal de fois. Mais il est apparu que les tueurs en série, ça ne court pas les rues.

— Je sais, acquiesça Hagen. Le Bonhomme de neige est le seul qu'on ait vu dans le pays à mon époque. Mais on est assez sûrs, cette fois. Les victimes n'ont aucun point commun, et on a retrouvé un anesthésique identique dans leur sang.

— C'est déjà ça. Bonne chance.

— Harry…

— Mets quelqu'un d'apte sur le coup.

— *Toi*, tu es apte.

— Je suis en morceaux. »

Hagen prit une inspiration. « Alors on va les recoller.

— Bon pour la casse.

— Tu es le seul dans ce pays à avoir les compétences et l'expérience en matière de tueurs en série.

— Fais venir un Américain.

— Tu sais très bien que je ne fonctionne pas comme ça.

— J'en suis désolé.

— Ah oui ? Il y a deux morts, pour l'instant, Harry. Des jeunes femmes… »

Harry leva une main en voyant Hagen ouvrir la serviette et en sortir un dossier brun.

« Je ne plaisante pas, chef. Merci d'avoir racheté mon passeport et tout le bazar, mais j'en ai fini avec les photos gore et les rapports cradingues. »

Hagen lança un regard blessé à Harry, mais déposa quand même le dossier sur les genoux de son voisin.

« Jette un œil, c'est tout ce que je te demande. En plus de la fermer sur notre collaboration dans cette affaire.

— Ah ? Pourquoi donc ?

— C'est compliqué. Contente-toi de n'en parler à personne, OK ? »

La conversation à l'avant du véhicule s'était éteinte, et Harry se mit à observer le crâne de Kaja. Puisque l'Amazon de Bjørn Holm avait été fabriquée bien avant que n'entre l'expression « coup du lapin » dans le domaine automobile, elle n'avait pas d'appuie-tête, et Harry voyait la nuque fine de Kaja sous les cheveux attachés, le duvet blanc sur sa peau. Il songea à quel point tout était vulnérable, à la quantité de choses qui pouvaient être détruites en un instant. C'était ça, la vie : la destruction, la dégradation de quelque chose de parfait au départ. L'unique suspense concernait la vitesse de ce processus. C'était une idée sinistre. Malgré tout, il ne la rejeta pas. Pas avant l'Ibsentunnel, une pièce grise et anonyme dans la machinerie automobile de la ville qui aurait pu se trouver dans n'importe quelle autre ville. Pourtant, ce fut à ce moment précis qu'il la remarqua. Une joie violente et débordante d'être là. À Oslo. À la maison. La sensation fut si forte que pendant une poignée de secondes il oublia complètement pourquoi il était rentré.

Harry regarda le numéro 5 de Sofies gate tandis que l'Amazon disparaissait derrière lui. Il y avait davantage de graffitis qu'à son départ, mais la couleur bleue en dessous était la même.

Il avait dit qu'il ne s'occupait pas de cette affaire. Qu'il avait un père à l'hôpital, que c'était la seule et unique raison de sa présence à Oslo. Il ne leur avait pas dit que s'il avait pu choisir d'être informé ou non de la maladie de son père, il aurait préféré ne pas l'être. Parce qu'il ne venait pas par amour. C'était la honte qui le motivait.

Harry leva les yeux vers les deux fenêtres noires au second : les siennes.

Il ouvrit alors la porte du bas et entra dans la cour. La poubelle était à sa place. Harry en souleva le couvercle. Il avait promis à

53

Hagen de regarder les copies des documents. Surtout pour éviter au chef de perdre la face ; son passeport avait quand même coûté un sacré paquet à la Brigade. Harry lâcha le dossier sur les sacs en plastique déchirés d'où s'échappaient marc de café, couches, fruits pourris et épluchures de pommes de terre. Il inspira, et fut effaré de constater à quel point le parfum des ordures est international.

Rien n'avait changé dans son deux-pièces, et pourtant, il y avait une différence. Une nuance grise, comme si quelqu'un venait de quitter les lieux, en laissant derrière lui un nuage de vapeur. Il alla dans la chambre, posa son sac et en sortit la cartouche intacte de cigarettes. C'était la même chose, ici, gris comme la peau d'un cadavre vieux de deux jours. Il s'allongea sur le lit. Ferma les yeux. Retrouva des bruits bien connus. Comme celui des gouttes qui tombaient du trou dans le chéneau sur le zinc de la fenêtre. Ce n'était pas le goutte-à-goutte lent et apaisant du plafond à Hong Kong, plutôt un martèlement frénétique, proche du ruissellement, comme un rappel que le temps passait, que les secondes filaient, que la fin de l'axe gradué approchait. Ça lui avait souvent fait penser à *La Linea*, ce dessin animé italien où le personnage disparaissait toujours au bout de quatre minutes, là où la ligne du dessinateur, du créateur, s'effaçait sous lui.

Harry savait qu'une bouteille de Jim Beam à moitié pleine attendait dans le placard sous l'évier. Qu'il pouvait commencer là où il s'était arrêté dans cet appartement. Bon Dieu, il avait été beurré avant même de monter dans le taxi qui l'emmenait à l'aéroport, six mois plus tôt. Pas étonnant qu'il n'ait pas réussi à se traîner jusqu'à Manille.

Il pouvait aussi filer dans la cuisine et tout vider dans l'évier.

Harry gémit.

Foutaises, il ne se demandait pas à qui elle ressemblait. Il le savait on ne peut mieux. Elle ressemblait à Rakel. Elles ressemblaient toutes à Rakel.

CHAPITRE 7

Potence

« Mais j'ai peur, Rasmus, se plaignit Marit Olsen. Vraiment !

— Je sais », répondit Rasmus Olsen de sa voix basse et agréable qui accompagnait et calmait sa femme depuis vingt-cinq années ponctuées d'élections, d'examens pour le permis de conduire, de crises de fureur et de quelques attaques de panique.

« C'est tout à fait naturel. » Il la prit dans ses bras. « Tu travailles dur, tu dois penser à plein de choses. La tête n'a pas la capacité de refouler ce genre d'idées.

— Ce genre d'idées ? » Elle se tourna sur le canapé pour le regarder. Elle ne s'intéressait plus depuis un bon moment à *Love Actually*, le DVD qu'ils regardaient. « Ce genre d'idées, mauvaises idées, tu veux dire ?

— Le plus important, ce n'est pas ce que je veux dire, répondit-il tandis que ses doigts avançaient. Le plus important…

— C'est ce que *tu* penses, le singea-t-elle. Bon sang, Rasmus, tu devrais arrêter de regarder *Dr. Phil.* »

Il émit un petit rire soyeux.

« Je dis juste que tu es une parlementaire, et tu peux bien sûr demander à ce qu'un garde du corps t'accompagne si tu te sens menacée. Mais est-ce cela que tu veux ?

— Mmm », ronronna-t-elle lorsque les doigts se mirent à la mas-

55

ser à l'endroit précis où elle savait qu'il savait qu'elle adorait ça.
« Qu'est-ce que ça veut dire, "ce que tu veux" ?

— Réfléchis. Que va-t-il se passer, à ton avis ? »

Marit Olsen réfléchit, ferma les yeux, et sentit les doigts diffuser en elle calme et harmonie à force de massage. Elle avait rencontré Rasmus quand elle travaillait pour l'administration du marché du travail à Alta. Elle avait été élue représentante, et le Syndicat norvégien des fonctionnaires l'avait envoyée en formation au centre de cours et de conférences de Sørmarka. Un homme mince aux yeux bleus et vifs sous un front haut était venu la voir le premier soir. Sa façon de parler lui avait rappelé ces chrétiens obsédés par le salut, au club des jeunes d'Alta. Sauf qu'il parlait de politique. Il travaillait au secrétariat régional du Parti travailliste, où il assistait les représentants du parti au Parlement pour des tâches administratives pratiques, leurs relations avec la presse et l'organisation des voyages. Il leur écrivait même de temps en temps des discours.

Rasmus lui avait payé une bière, demandé si elle voulait danser, et après quatre slows toujours plus lents et plus rapprochés, il lui avait demandé si elle voulait le rejoindre. Pas dans sa chambre, mais dans son parti.

De retour à Alta, elle avait commencé à assister aux réunions du parti, et le soir, elle passait des heures au téléphone avec Rasmus pour discuter de ce qu'ils avaient fait et de ce à quoi ils avaient pensé ce jour-là. Marit n'avait bien sûr jamais dit ouvertement qu'elle trouvait parfois que c'était la meilleure période qu'ils aient connue ensemble, à deux mille kilomètres l'un de l'autre. Puis le comité de nomination avait appelé, l'avait inscrite sur une liste, et hop ! elle avait été élue au conseil municipal d'Alta. Deux ans plus tard, elle était vice-présidente de la section locale du Parti travailliste, l'année suivante aux commandes de la section régionale. Il y avait alors eu un autre coup de fil, cette fois du comité de nomination pour le Parlement.

Elle avait à présent un minuscule bureau au Parlement, un mari qui l'aidait à rédiger ses discours, et la perspective de gravir les échelons si tout se déroulait comme prévu. Et si elle évitait les bourdes.

« Ils vont affecter un policier à ma surveillance. Et la presse voudra savoir pourquoi une parlementaire dont personne n'a jamais entendu parler se trimballe accompagnée d'un putain de garde du corps aux frais du contribuable. Quand ils découvriront pourquoi, que j'ai *cru* que quelqu'un me suivait dans le parc, ils écriront que dans ce cas une nana sur deux à Oslo peut demander à la police de veiller sur elle, c'est l'État qui paie ! Je ne veux pas de garde du corps. Laisse tomber. »

Rasmus rit en silence et ses doigts la massèrent pour signifier son adhésion.

Le vent frémissait tristement à travers les arbres nus du parc Frogner. Un canard dérivait sur la surface noire de l'étang, la tête dans les plumes. À la piscine de Frogner, des feuilles pourries étaient collées au carrelage des bassins vides. L'endroit paraissait enfin abandonné pour toujours, comme un monde perdu. Dans le grand bassin, les turbulences chantaient une note unique et geignarde sous les dix mètres du plongeoir blanc, qui se dessinait comme une potence contre le ciel nocturne.

CHAPITRE 8

Snow Patrøl

Il était quinze heures quand Harry se réveilla. Il ouvrit son sac, en tira des vêtements propres, compléta par un manteau en laine récupéré dans la penderie et sortit. La pluie fine le rafraîchit suffisamment pour qu'il ait l'air plus ou moins d'aplomb au moment d'entrer dans la salle brune et enfumée de chez Schrøder. Sa table était occupée, et il prit celle du fond, sous la télé.

Il regarda autour de lui. Au-dessus des pintes, il vit quelques visages inconnus, mais à part ça, tout était pareil. Nina vint déposer une tasse blanche et un pichet métallique de café devant lui.

« Harry », murmura-t-elle, pas comme un salut, mais pour avoir la confirmation que c'était bien lui.

L'intéressé hocha la tête.

« Salut, Nina. Des vieux journaux ? »

Nina disparut dans l'arrière-salle et en revint avec une pile de papiers jaunis. Harry n'avait jamais très bien su pourquoi ils gardaient les journaux chez Schrøder, mais il en avait tiré profit à plus d'une occasion.

« Ça fait un bail », dit Nina avant de s'en aller. Et Harry se rappela ce qu'il appréciait chez Schrøder, hormis que c'était le débit de boissons le plus proche de chez lui. Les phrases courtes. Et le respect de la vie privée. On constatait votre retour, sans exiger le moindre compte rendu pour le temps écoulé depuis votre dernière visite.

Harry vida deux tasses de ce café étonnamment mauvais en feuilletant les journaux dans une espèce de style « avance rapide », pour se faire une idée d'ensemble de ce qui s'était passé depuis six mois dans le royaume. Comme d'habitude, c'était maigre. C'était ce qu'il préférait en Norvège.

Quelqu'un avait remporté la version norvégienne de *Pop Idol*, une personnalité en vue avait été éliminée d'un concours de danse, un joueur de football de troisième division avait consommé de la cocaïne, et Lene Galtung, la fille de l'armateur Anders Galtung, avait hérité de quelques millions avant l'heure et se fiançait avec un investisseur plus beau qu'elle mais selon toute vraisemblance pas aussi riche, un certain Tony. Le rédacteur en chef de *Liberal*, Arve Støp, trouvait que pour une nation qui se posait en modèle de démocratie sociale, il commençait à être pénible que ce soit toujours une monarchie. Rien n'avait changé.

Harry dut remonter jusqu'aux journaux de décembre pour voir les premières manchettes sur un meurtre. Il reconnut la description que Kaja lui avait faite des lieux du crime, un sous-sol dans un immeuble de bureaux en construction dans le Nydal. La cause du décès était floue, mais la police n'excluait pas un assassinat.

Harry poursuivit sa lecture et s'arrêta sur un article concernant un homme politique qui avait renoncé à un poste de ministre pour pouvoir passer plus de temps avec sa famille.

Les archives de presse de chez Schrøder étaient tout sauf complètes, mais l'autre meurtre apparut dans un exemplaire daté de deux semaines plus tard.

La femme avait été retrouvée derrière une Datsun au rebut dont on s'était débarrassé en bordure de forêt près du Dausjø, dans le Maridal. La police n'excluait pas un « acte criminel », mais ne dévoilait pas la cause du décès ici non plus.

Les yeux de Harry parcoururent l'article, et il constata que le silence de la police avait les mêmes raisons que d'ordinaire : ils n'avaient rien, que dalle, le radar balayait un océan vide, ouvert.

Deux meurtres, point. Malgré tout, Hagen avait paru sûr de lui quand il avait prétendu qu'il s'agissait d'un tueur en série. Alors où était le rapport, qu'est-ce qui ne figurait pas dans le journal ? Harry sentit son cerveau repartir sur les anciens chemins bien connus, jura à l'idée de ne pas pouvoir s'en empêcher, et continua sa lecture.

Quand la cafetière fut vide, il posa un billet froissé sur la table et sortit dans la rue. Il resserra son manteau et plissa les yeux vers le ciel gris.

Il héla un taxi libre, qui vint se ranger le long du trottoir. Le conducteur se pencha et ouvrit la portière arrière. Une prestation rare de nos jours, que Harry décida de récompenser. Pas parce qu'elle l'invitait à monter, mais parce que la vitre de la portière avait reflété un visage au volant d'une voiture garée derrière Harry.

« Hôpital civil, lança Harry en s'asseyant au milieu de la banquette arrière.

— Parfait », répondit le chauffeur.

Harry observa le rétroviseur tandis qu'ils déboîtaient.

« Non, allez à Sofies gate 5, d'abord. »

Dans Sofies gate, le taxi attendit dans le caquètement du moteur Diesel, pendant que Harry montait quatre à quatre et que son cerveau envisageait les différentes possibilités. La Triade ? Herman Kluit ? Ou cette bonne vieille paranoïa ? Le matos était là où il l'avait laissé avant de partir, dans la caisse à outils, dans le garde-manger. Sa carte périmée. Deux paires de menottes Hiatt à fermeture à ressort pour le *speedcuffing*. Et son revolver de service, un Smith & Wesson calibre 38.

En ressortant, Harry ne regarda ni à droite ni à gauche ; il monta immédiatement dans le taxi.

« Hôpital civil ? voulut savoir le chauffeur.

« — Allez par là, en tout cas. » Harry regarda le rétroviseur tandis qu'ils tournaient dans Stensberggata, en direction d'Ullevålsveien. Il ne voyait rien. Ce qui pouvait avoir deux raisons. Que c'était sa bonne vieille paranoïa. Ou que le mec touchait sa bille.

Harry hésita, mais finit par confirmer : « Hôpital civil. »

Il garda un œil sur le rétroviseur en passant devant l'église de Vestre Aker et l'hôpital d'Ulleval. Il ne devait surtout pas les conduire directement à l'endroit où il était le plus vulnérable. Où ils essaieraient toujours d'aller. Sa famille.

Le plus gros hôpital du pays dominait le reste de la ville.

Harry paya le chauffeur, qui remercia pour le pourboire et réitéra la performance de la portière arrière.

Les façades des bâtiments se dressaient devant Harry et des nuages bas semblaient racler leurs toits.

Il inspira à fond.

Olav Hole fit un sourire si doux et affaibli sur son oreiller que Harry ne put s'empêcher de déglutir.

« J'étais à Hong Kong, dit Harry. Il fallait que je réfléchisse.

— Tu as pu le faire ? »

Harry haussa les épaules.

« Que disent les médecins ?

— Le moins possible. Sûrement pas un bon signe, mais j'ai remarqué que je préférais. Gérer les réalités de la vie, ça n'a jamais été le point fort de la famille, je ne t'apprends rien. »

Harry se demanda s'ils allaient parler de sa mère. Il espérait que non.

« Tu as un boulot ? »

Harry secoua la tête. Les cheveux de son père étaient si fins et blancs sur son front que Harry se dit que ce n'étaient pas les siens, qu'on les lui avait refilés en même temps que le pyjama et les pantoufles.

« Rien ? insista le père.

— On m'a proposé de faire des conférences à l'École supérieure de police. »

C'était presque vrai. Hagen le lui avait proposé après l'affaire du Bonhomme de neige, comme une sorte de permission.

« Prof ? » Son père rit doucement, prudemment, comme s'il n'en fallait pas beaucoup plus pour avoir sa peau. « Je croyais qu'un de tes principes, c'était de ne jamais rien faire de ce que j'avais fait ?

— Et je m'y suis tenu.

— C'est bien, tu as toujours fait les choses à ta manière. Ces histoires de police... Eh bien, je devrais me montrer reconnaissant que tu n'aies jamais fait comme moi. Je ne suis pas un exemple à suivre. Tu sais qu'après la mort de ta mère... »

Harry avait passé vingt minutes dans cette chambre d'hôpital blanche et éprouvait déjà un besoin intense de se tirer.

« Après la mort de ta mère, j'ai un peu perdu les pédales. Je me suis renfermé sur moi-même, la compagnie d'autres personnes ne m'apportait aucune joie. C'était dans la solitude que j'étais le plus près d'elle, en quelque sorte, me semblait-il. Mais ce n'est pas vrai, Harry. » Son père sourit avec une douceur angélique. « Je sais que ça a été dur de perdre Rakel, mais tu ne dois pas m'imiter. Tu ne dois pas te cacher, Harry. Tu ne dois pas fermer la porte et jeter la clé. »

Harry baissa les yeux sur ses mains, hocha la tête et sentit des fourmis lui courir sur tout le corps. Il fallait qu'il prenne quelque chose, n'importe quoi.

Un infirmier entra, déclara s'appeler Altman, brandit une seringue et annonça avec un léger zézaiement qu'il allait donner à « Olav » de quoi l'aider à dormir. Harry eut envie de lui demander s'il n'en avait pas aussi pour lui.

Son père se tourna sur le côté, la peau de son visage pendait, il avait l'air plus âgé que sur le dos. Il posa sur Harry un regard las, brillant.

Harry se leva avec une telle violence que les pieds de sa chaise raclèrent bruyamment le sol.

63

« Où vas-tu ? murmura son père.

— Je sors m'en fumer une. Je reviens tout de suite. »

Harry se posta sur un muret d'où il voyait tout le parking, et alluma une Camel. De l'autre côté de l'autoroute, il voyait Blindern et les bâtiments universitaires où son père avait étudié. Il y en avait qui pensaient que les fils n'étaient jamais que des variantes plus ou moins déguisées de leur père, la rupture n'était jamais qu'une illusion, on revenait en arrière, l'inertie du sang était bien plus forte que la volonté, *c'était* même toute la volonté. Harry s'était toujours posé en preuve du contraire. Alors pourquoi avait-il eu l'impression de voir son propre reflet dans le visage osseux et nu de son père ? De s'entendre parler en l'entendant, lui ? L'entendre réfléchir, les mots… comme une fraise de dentiste qui trouvait à coup sûr les nerfs de Harry. Parce qu'il était une copie. Merde ! Le regard de Harry avait repéré une Corolla blanche sur le parking.

Toujours blanche, c'était la couleur la plus anonyme. Celle de la Corolla devant chez Schrøder, au volant de laquelle il y avait eu un visage, le même que celui qui l'avait observé moins de vingt-quatre heures plus tôt de ses petits yeux bridés.

Harry jeta sa cigarette et rentra en hâte. Il ralentit quand il arriva au couloir qui menait à la chambre de son père. Il tourna à l'endroit où le couloir s'élargissait en salle d'attente ouverte, et fit mine de chercher dans la pile de magazines sur la table, tout en étudiant en douce les gens qui attendaient là.

Le type s'était caché derrière un numéro de *Liberal*.

Harry prit un *Se og Hør*[1] dont la couverture était ornée de la photo de Lene Galtung et de son fiancé, et s'en alla.

Olav Hole avait fermé les yeux. Harry approcha l'oreille de la bouche de son père. Sa respiration était très légère, presque inaudible, mais il sentit un souffle contre sa joue.

1. « Regarde et écoute ».

Harry passa un moment assis sur la chaise à côté du lit, à regarder son père, tandis que son cerveau lui recrachait des souvenirs d'enfance peu fidèles, dans un ordre aléatoire et sans aucun rapport entre eux hormis que c'étaient des choses dont il se souvenait.

Puis il déplaça la chaise contre la porte, qu'il entrebâilla, et attendit.

Une demi-heure s'écoula avant qu'il voie le type arriver de la salle d'attente, et continuer vers le bout du couloir. Harry se rendit compte que ce bonhomme trapu avait les jambes exceptionnellement arquées, il marchait comme s'il avait un ballon de plage coincé entre les genoux. Avant de passer une porte marquée du signe international des toilettes pour hommes, il remonta sa ceinture. Comme si un objet lourd y était suspendu.

Harry se leva et lui emboîta le pas.

Il s'arrêta devant les toilettes et inspira. Ça faisait longtemps. Puis il poussa la porte et se glissa à l'intérieur.

Les toilettes étaient comme l'hôpital civil : propres, pimpantes, neuves et surdimensionnées. Six cabines se succédaient le long d'un mur, aucune n'était verrouillée. Quatre lavabos au mur latéral, quatre vasques en porcelaine à hauteur de hanche au mur opposé. Le type était face à l'une des vasques, et tournait le dos à Harry. Une conduite d'eau courait sur le mur au-dessus de lui. Elle avait l'air solide. Assez solide. Harry dégaina son revolver et les menottes. Le code de bonne conduite international dans les toilettes pour hommes stipule qu'on ne doit pas se regarder. Le contact visuel, même involontaire, est passible de mort violente. C'est pourquoi l'homme ne se retourna pas pour regarder Harry. Ni quand Harry verrouilla avec des précautions infinies la porte de sortie, ni quand il le rejoignit à pas tranquilles, ni quand il braqua le canon de son revolver sur le bourrelet de graisse entre le crâne et la nuque, et chuchota ce qu'un de ses collègues prétendait que n'importe quel policier avait le droit de dire au moins une fois dans sa carrière :

« *Freeze.* »

C'est ce que fit le bonhomme. Harry vit la chair de poule envahir le bourrelet rasé quand le type se figea.

« Haut les mains. »

L'homme leva deux bras courts et costauds. Harry se pencha en avant. Et comprit au même instant que ça avait été une boulette. La rapidité du gars était stupéfiante. Des heures et des heures de rabâchage en matière de combat rapproché avaient appris à Harry qu'il s'agissait tout autant de savoir comment on allait prendre une raclée que d'en donner une. Que le secret, c'est de réussir à détendre tous ses muscles, de piger que la sanction ne peut pas être évitée, seulement réduite. Alors quand le type tournoya sur lui-même, souple comme une danseuse et le genou levé, Harry réagit en suivant le mouvement. Il eut tout juste le temps d'esquiver dans la même direction que le coup de pied qui l'atteignit juste au-dessus de la hanche. Harry perdit l'équilibre, tomba et rampa sur le carrelage lisse jusqu'à être hors de portée. Puis il s'immobilisa, poussa un soupir et fixa le plafond tout en tirant son paquet de cigarettes de sa poche. Il se coinça une cibiche entre les lèvres.

« *Speedcuffing*, expliqua Harry. J'ai appris ça l'année où je suivais des cours au FBI, à Chicago. Cabrini Green, un meublé sordide. Quand on est blanc, il n'y a rien à faire le soir à moins de vouloir sortir se faire détrousser. Alors je m'entraînais à deux choses. Vider et charger mon revolver dans le noir le plus vite possible. Et le *speedcuffing* sur un pied de table. »

Harry se hissa sur les coudes.

L'homme avait toujours les bras levés au-dessus de la tête. Ses mains étaient attachées aux menottes de part et d'autre de la canalisation. Il braquait sur Harry un regard inexpressif.

« C'est M. Kluit qui t'envoie ? » demanda Harry.

L'autre soutint son regard, sans ciller.

« La Triade. J'ai payé ma dette, t'es pas au courant ? »

Harry observa le visage de marbre du type. Les mimiques — ou l'absence de mimiques — étaient peut-être asiatiques, mais il n'avait pas les traits ou la couleur d'un Chinois. Un Mongol ? « Alors qu'est-ce que tu me veux ? »

Pas de réponse. Mauvaise nouvelle, parce que ça voulait très vraisemblablement dire qu'il n'était pas venu réclamer quelque chose. Seulement faire quelque chose.

Harry se leva et le contourna pour arriver par le côté. Le revolver braqué sur la tempe du type, il plongea la main gauche dans sa veste. Sa main glissa sur l'acier froid d'une arme de poing avant de trouver un portefeuille.

Harry recula de trois pas.

« Voyons... monsieur *Jussi Kolkka.* » Harry tint une carte American Express à la lumière. « Finlandais ? Alors tu comprends peut-être le norvégien ? »

Pas de réponse.

« Tu as été policier, n'est-ce pas ? Quand je t'ai vu dans le hall des arrivées à Gardermoen, j'ai cru que tu étais une taupe des Stups. Comment savais-tu que je rentrais par cet avion-là, Jussi ? Si je puis me permettre de t'appeler Jussi ? C'est plus naturel d'appeler par son prénom un mec avec qui on discute quand il a la queue à l'air. »

Il y eut un bref raclement de gorge avant qu'un glaviot tournoyant s'écrase sur la poitrine de Harry.

Harry baissa les yeux sur son tee-shirt. Le crachat noir de tabac à priser avait barré un *o*, et il lisait maintenant « Snow Patrøl ».

« Tu comprends le norvégien, donc, constata Harry. Alors pour qui travailles-tu, Jussi ? Et que veux-tu ? »

Pas un seul muscle ne bougea sur le visage de Jussi. Quelqu'un abaissa la poignée à l'extérieur, jura et s'en alla.

Harry poussa un soupir puis il leva le revolver à la hauteur du front du Finlandais et tira le chien.

« Tu crois peut-être que je suis un gars ordinaire et prévisible, Jussi. Alors, vois à quel point je suis prévisible. Mon père est alité dans une chambre ici, tu l'as découvert et, en conséquence, j'ai un problème. Il n'y a qu'une façon de le résoudre. Par bonheur, tu es armé, alors je pourrai raconter à la police que c'était de la légitime défense. »

Harry tira un peu plus le chien. Et sentit monter la nausée familière.

« Kripos. »

Harry bloqua le percuteur. « Quoi ?

— *Jag är i Kripos.* » Les mots suédois furent crachés avec cet accent finlandais qu'affectionnent les plaisantins des repas de noces norvégiens.

Harry observa l'autre. Il ne doutait pas un instant que ce fût la vérité. Mais c'était complètement incompréhensible.

« Dans le portefeuille », feula le Finlandais sans que la fureur dans sa voix n'atteigne ses yeux.

Harry ouvrit le portefeuille et regarda dedans. En tira une carte laminée. Les informations n'étaient pas nombreuses, mais satisfaisantes. L'homme que Harry avait devant lui était employé de la police criminelle norvégienne, la Kripos, l'unité centrale d'Oslo qui assistait — et le plus souvent dirigeait — les enquêtes criminelles dans tout le pays.

« Et que me veut la Kripos, nom de Dieu ?

— Demande à Bellman.

— Qui est Bellman ? »

Le Finlandais émit un petit bruit indéfinissable, entre le toussotement et le rire.

« L'inspecteur principal Bellman, pauvre abruti. Mon chef. Mais libère-moi, maintenant, beau gosse.

— Merde ! gronda Harry en regardant de nouveau la carte. Merde, merde ! »

Il lâcha le portefeuille par terre et se tourna vers la porte.

« Hé ! hé ! »

Les cris du Finlandais se turent lorsque Harry laissa la porte se refermer derrière lui et s'éloigna vers la sortie. L'infirmier qui s'était occupé de son père arrivait en sens inverse, il fit un signe de tête et un sourire lorsqu'ils se croisèrent. Harry lui lança la petite clé des menottes.

« Il y a un exhibitionniste aux chiottes, Altman. »

L'infirmier attrapa machinalement la clé entre ses deux mains. Harry sentit le regard interloqué dans son dos jusqu'à ce qu'il ait passé la porte.

CHAPITRE 9

Plongeon

Il était vingt-deux heures quarante-cinq. Il faisait neuf degrés, et Marit Olsen se souvint que la météo avait annoncé qu'il ferait encore plus doux le lendemain. Il n'y avait personne dans le parc Frogner. Le grand bassin découvert lui fit penser à un bateau désarmé, à un port de pêche déserté où le vent sifflait entre les maisons et à une fête foraine à la saison creuse. Des souvenirs épars de son enfance. Comme les pêcheurs noyés qui réapparaissaient à Tronholmen, qui ressortaient de la mer en pleine nuit, des algues dans les cheveux et des petits poissons dans la bouche et le nez. Des revenants qui ne respiraient pas mais émettaient parfois des cris de mouette rauques et froids. Des cadavres aux membres gonflés qui se prenaient dans les branches et se libéraient avec un bruit déchirant, sans que cela arrête leur progression vers la maison isolée de Tronholmen. Là où habitaient ses grands-parents. Et où elle avait tremblé dans la chambre d'enfant. Marit Olsen respira. Et respira encore.

Il n'y avait pas de vent en bas, mais au sommet du plongeoir, on percevait l'air. Marit sentait son pouls battre dans ses tempes, sa gorge, son entrecuisse, le sang frais et plein de vie irriguait chaque membre. C'était exquis de vivre. D'être en vie. Elle avait à peine été essoufflée après avoir grimpé toutes les marches du plongeoir ;

elle avait juste senti son cœur, ce muscle fidèle, battre la chamade. Elle baissa les yeux sur le bassin vide au-dessous, auquel la lumière de la lune conférait un aspect bleuté presque surnaturel. Plus loin, au bout du bassin, elle vit la grande horloge. Les aiguilles s'étaient immobilisées à cinq heures dix. Le temps s'était arrêté. Elle entendait la ville, voyait les feux des voitures dans Kirkeveien. Si proches. Et pourtant trop éloignées. Trop loin pour qu'on pût l'entendre.

Elle respira. Et néanmoins elle était morte. Elle avait une corde grosse comme une haussière autour du cou, et elle entendait les mouettes, les revenants auxquels elle se joindrait bientôt. Mais elle ne pensait pas à la mort. Elle pensait à la vie, à quel point elle aurait aimé la vivre. Toutes les petites et grandes choses qu'elle aurait aimé faire. Elle serait allée dans des pays inconnus, aurait vu ses neveux et nièces grandir, le monde revenir à la raison.

Il y avait eu un couteau, la lame avait reflété la lumière du réverbère avant d'être levée vers sa gorge. On dit que la peur décuple les forces. Elle lui avait volé toutes les siennes. Et l'idée de l'acier qui allait l'entailler avait fait d'elle un paquet tremblant privé de volonté. Quand elle avait reçu l'ordre d'escalader la clôture, elle n'y était pas arrivée, elle s'était affalée comme un pouf tandis que les larmes ruisselaient sur ses joues. Parce qu'elle savait ce qui allait se passer. Et qu'elle ne pourrait pas l'empêcher, elle ferait tout pour éviter d'être mutilée. Parce qu'elle désirait si ardemment vivre encore. Quelques années de plus, quelques minutes, c'était le même calcul, le même raisonnement aveugle et insensé qui animait les gens.

Elle avait parlé pour expliquer qu'elle n'y arrivait pas, oublié la consigne de la fermer. Le couteau avait frappé comme un serpent, dans sa bouche, avait tourné en crissant sur ses dents, avant de ressortir. Le sang avait tout de suite afflué. La voix avait chuchoté quelque chose derrière le masque, et l'avait poussée dans les ténèbres le long de la clôture. Jusqu'à un endroit derrière les buissons où un trou lui avait permis de passer.

Marit Olsen avala le sang qui emplissait toujours sa bouche et regarda vers les tribunes, elles aussi baignées du clair de lune bleu. Elles étaient totalement vides, c'était un procès sans public ni jury, un seul juge. Une exécution sans foule, rien que le bourreau. Une dernière apparition publique à laquelle personne n'avait jugé pertinent d'assister. Marit Olsen songea qu'elle était aussi peu passionnée par la mort que par la vie. Et son bagout légendaire l'avait abandonnée.

« Saute. »

Elle vit à quel point le parc était beau, même en hiver. Elle aurait aimé voir avancer les aiguilles de la grande horloge, compter les secondes de vie qu'elle volait.

« Saute », répéta la voix. Il avait dû ôter son masque, car la voix était différente, elle la reconnaissait. Elle tourna la tête et le regarda, effarée. Puis elle sentit un pied l'atteindre dans le dos. Elle cria. Elle n'avait plus rien sous les pieds, et pendant un instant de surprise totale, elle ne pesa plus rien. Mais la terre l'attira, son corps accéléra et elle vit la faïence bleutée du bassin se précipiter vers elle, venir la broyer.

Trois mètres au-dessus du fond du bassin, la corde se resserra autour de la gorge et de la nuque de Marit Olsen. Elle était d'un modèle désuet, faite de fibres de tilleul et d'orme, sans la moindre élasticité. Le corps énorme de Marit Olsen ne se laissa pas ralentir, mais se détacha et heurta le fond du bassin dans un fracas étouffé. La tête et le cou restèrent prisonniers du nœud de la corde. Il n'y avait pas beaucoup de sang. Puis la tête bascula vers l'avant, glissa du nœud et tomba sur la veste de survêtement bleue de Marit Olsen avant de rouler un peu plus loin sur le carrelage dans un froufrou sourd.

Puis le silence revint sur la piscine.

PARTIE II

CHAPITRE 10

Rappel

Il était trois heures du matin quand Harry renonça à dormir et se leva.

Il ouvrit le robinet dans la cuisine et tint un verre dessous, ne bougea plus avant que l'eau déborde et coule sur son poignet. Sa mâchoire lui faisait mal. Ses yeux étaient rivés sur deux photos fixées au-dessus du plan de travail.

L'une d'elles, vilainement froissée, représentait Rakel dans une robe légère bleu clair. Mais ce n'était pas l'été, les arbres derrière elle avaient des teintes automnales. Ses cheveux noirs tombaient sur ses épaules nues. Son regard semblait chercher quelqu'un derrière l'objectif, peut-être le photographe. Était-ce lui qui avait pris cette photo ? Bizarre qu'il ne s'en souvienne pas.

L'autre représentait Oleg. Prise avec le mobile de Harry à Valle Hovin, pendant l'entraînement de patin à glace l'hiver précédent. Toujours un jeune garçon frêle, mais s'il avait continué à s'entraîner, il devait maintenant bien remplir son tricot rouge. Que faisait-il ? Où était-il ? Rakel avait-elle réussi à leur créer un foyer là où ils étaient, qui paraisse plus sûr que celui qu'ils avaient eu à Oslo ? D'autres personnes étaient-elles entrées dans leur vie ? Quand Oleg était fatigué ou relâchait sa concentration, lui arrivait-il toujours d'appeler Harry « papa » ?

77

Harry referma le robinet. Il sentait la porte du placard contre ses genoux. Jim Beam susurrait son nom à l'intérieur.

Harry passa un pantalon et un tee-shirt, alla au salon et mit *Kind of Blue*, de Miles Davis. C'était l'original, qui n'avait pas été retouché bien que le magnétophone du studio ait tourné un rien trop lentement, de sorte que tout le disque était une déformation à peine perceptible de la réalité.

Il écouta un moment avant de pousser le volume assez fort pour couvrir le murmure dans la cuisine. Il ferma les yeux.

Kripos. Bellman.

Il n'avait jamais entendu ce nom. Bien sûr, il aurait pu appeler Hagen et lui poser la question, mais il n'en avait pas eu le courage. Parce qu'il avait un vague pressentiment de ce dont il pouvait s'agir. Il valait mieux laisser tomber.

Harry était arrivé à la dernière chanson, *Flamenco Sketches*, lorsqu'il jeta l'éponge. Il se leva et mit le cap sur la cuisine. Dans le couloir, il prit à gauche, sauta dans ses Doc Martens et sortit.

Il le trouva sous un sac en plastique percé. Ce qui ressemblait à de la soupe de pois séchée couvrait toute la première page du dossier.

Il s'assit dans le fauteuil à oreilles vert et commença à lire en frissonnant.

La première femme s'appelait Borgny Stem-Myhre, trente-trois ans, originaire de Levanger. Célibataire, sans enfants, domiciliée dans le quartier de Sagene à Oslo. Travaillait comme styliste, avait beaucoup de relations, surtout chez les coiffeurs, les photographes et les journalistes de mode. Elle fréquentait plusieurs bars de la ville, et pas que les plus en vogue. Par ailleurs, elle aimait la nature et les randonnées d'un chalet à l'autre, que ce soit à pied ou à ski.

« Elle n'a jamais réussi à se débarrasser tout à fait de la fille de Levanger », lisait-on dans un compte rendu général des entretiens avec ses collègues. Harry supposa que la phrase venait de collègues qui pensaient être parvenus à faire oublier leurs petits patelins.

« Nous l'aimions tous, elle était l'une des rares personnes authentiques dans cette branche. »

« C'est incompréhensible, nous ne voyons pas du tout qui aurait pu vouloir l'assassiner. »

« Elle était trop gentille. Tous les hommes qui l'ont fait craquer l'ont exploitée un jour ou l'autre. Elle devenait un jouet pour eux. Elle visait trop haut, tout simplement. »

Harry regarda une photo d'elle. Celle du dossier sur laquelle elle était toujours vivante. Blonde, peut-être pas au naturel. Jolie comme beaucoup, pas un canon de beauté, mais elle portait l'accoutrement type, veste de treillis et bonnet rasta. Excentrique et trop gentille, est-ce que ça allait ensemble ?

Elle était au Mono, où s'était tenue la fête mensuelle de parution du magazine de mode *Sheness*, qui avait été « lu en avant-première ». Ça s'était déroulé entre sept et huit heures, et Borgny avait déclaré à une « collègue/amie » qu'elle voulait rentrer pour préparer la séance photo du lendemain, sur le thème imposé par le photographe, « la jungle rencontre le punk à la mode des années 1980 ».

Ils supposaient qu'elle irait à la station de taxis la plus proche, mais aucun des chauffeurs présents à ce moment (listes jointes établies par Norgestaxi et Oslo Taxi) n'avait reconnu la photo de Borgny Stem-Myhre ou n'avait pris de course à destination de Sagene. En bref, personne ne l'avait vue après son départ du Mono. Jusqu'à ce que deux maçons polonais arrivent au boulot, voient que le cadenas de la porte métallique de la cave avait été forcé, et entrent. Borgny gisait au milieu de la pièce, dans une posture torturée, tout habillée.

Harry regarda la photo. La même veste de treillis. Son visage paraissait maquillé en blanc. Le flash jetait des ombres sur les murs de la cave. Séance photo. Classique.

Le légiste avait déterminé que Borgny Stem-Myhre était morte entre vingt-deux et vingt-trois heures. On avait trouvé des traces de kétamine dans son sang, un anesthésique puissant qui agissait vite, même injecté en intramusculaire. Mais la cause première du décès, c'était la noyade occasionnée par le sang des blessures dans sa bouche. C'était là que le plus troublant commençait. Le légiste avait compté vingt-quatre piqûres dans la bouche, symétriquement réparties et — hormis celles qui avaient perforé le visage — de profondeur égale, sept centimètres. Mais les enquêteurs ignoraient tout du genre d'arme ou d'instrument en cause. Ils n'avaient jamais rien vu de tel. Il n'y avait aucune piste technique : pas d'empreintes digitales, pas d'ADN, même pas de traces de chaussures ou de bottes puisque le sol en béton avait été nettoyé la veille en vue de la pose de conduites de chauffage et de revêtement. Dans le rapport de Kim Erik Lokker, un TIC qui avait dû être embauché après le départ de Harry, il y avait la photo de deux petits cailloux gris anthracite découverts par terre et qui ne correspondaient pas au type de gravier autour des lieux du crime. Lokker indiquait que du gravier pouvait s'incruster dans les semelles à gros crans, et tomber quand on marchait sur un terrain plus ferme, comme ce sol en béton. Et que ces cailloux étaient assez inhabituels pour pouvoir être comparés à d'autres s'ils réapparaissaient dans l'enquête, par exemple dans une allée de gravier. Le rapport avait été enrichi après avoir été rédigé et daté : on avait trouvé de petites traces de fer et de coltan à l'intérieur des deux gravillons.

Harry se doutait déjà de la suite. Il tourna les pages.

L'autre fille s'appelait Charlotte Lolles. Père français, mère norvégienne. Domiciliée à Lambertseter, Oslo. Elle avait vingt-neuf ans. Études de droit. Vivait seule, mais avait un copain : un Erik Fokkestad depuis le début hors de cause, il se trouvait à un séminaire de géologie dans le parc national du Yellowstone, dans le Wyoming, aux États-Unis. Charlotte aurait dû l'accompagner, mais avait préféré continuer à travailler sur une grosse transaction immobilière.

Ses collègues l'avaient vue pour la dernière fois au bureau mardi soir vers neuf heures. Elle n'était vraisemblablement jamais arrivée chez elle, son attaché-case avait été retrouvé à côté du cadavre derrière l'épave en lisière de forêt dans le Maridal. Les deux parties dans la transaction immobilière avaient d'ailleurs été mises hors de cause. Le rapport d'autopsie précisait que des fragments de laque et de rouille avaient été retrouvés sous les ongles de Charlotte, ce qui allait dans le sens du rapport des TIC : des traces de griffures autour de la serrure du hayon, comme si elle avait essayé de l'ouvrir. Une étude plus approfondie de la serrure montra aussi qu'elle avait été crochetée au moins une fois. Mais sûrement pas par Charlotte Lolles. Harry imagina qu'elle avait été attachée à quelque chose dans le coffre, que c'était pour ça qu'elle avait essayé de l'ouvrir. Une chose que l'assassin avait reprise ensuite. Mais quoi ? Comment ? Et pourquoi ?

Procès-verbal d'audition contenant des citations d'une collègue au cabinet d'avocats : « Charlotte était ambitieuse, elle travaillait toujours tard. Même si sur le plan de l'efficacité ce n'était pas trop ça. Toujours de bonne humeur, mais pas si extravertie que pouvaient le laisser penser ses sourires et son apparence méridionale. Un peu secrète, en fait. Elle ne parlait presque jamais de son copain. Mais les patrons l'appréciaient. »

Harry imagina cette collègue servant à Charlotte une révélation intime après l'autre sur son propre copain, sans autre retour que des sourires. Et son cerveau d'enquêteur fonctionnait comme en pilotage automatique : Charlotte évitait peut-être la camaraderie, elle avait peut-être quelque chose à cacher. Peut-être...

Harry regarda les photos. Traits légèrement durs, mais beaux. Yeux sombres, qui ressemblaient à ceux de... merde ! Il ferma les yeux. Les rouvrit. Tourna les pages jusqu'au rapport du légiste. Le parcourut.

Il dut revenir au nom de Charlotte en tête de page pour s'assurer qu'il n'avait pas lu une seconde fois le rapport sur Borgny. L'anesthésique. Les vingt-quatre blessures dans la bouche. La noyade. Aucune autre trace de violence, aucune trace de violences sexuelles. La seule différence, c'était l'heure du décès, entre vingt-trois heures et minuit. Mais celui-là aussi mentionnait en ajout qu'on avait trouvé des traces de fer et de coltan sur une dent de la victime. Probablement parce que la Technique avait compris après coup que c'était important, puisqu'on en avait retrouvé sur les deux victimes. Le coltan. Ce n'était pas de ça qu'était fait le robot Terminator de Schwarzenegger ?

Harry se rendit compte qu'il était bien réveillé, à présent, qu'il était assis tout au bord de son fauteuil. Il sentit le frémissement, la tension. Et la nausée. Comme quand il buvait le premier verre, celui qui lui tordait le ventre, celui que son corps rejetait avec tant de violence. Avant d'en demander encore. Et encore. Jusqu'à ce que ça le détruise, lui et tout son entourage. Comme ça. Harry se leva trop vite et eut le tournis. Il saisit le dossier, sut qu'il était trop épais, mais parvint tout de même à le déchirer en deux.

Il rassembla les morceaux de papier et les remit dans la poubelle. Les lâcha le long de la paroi et souleva les sacs en plastique pour que les documents glissent jusqu'en bas, tout au fond. Il fallait espérer que les poubelles seraient ramassées le lendemain ou le surlendemain.

Harry retourna s'asseoir dans son fauteuil.

Lorsque la nuit commença à virer au gris de l'autre côté des fenêtres, il entendit les premiers signes d'une ville en éveil. Mais par-dessus le grondement régulier du début de l'heure de pointe sur Pilestredet, il perçut aussi une sirène faible et lointaine se frayer un chemin à travers les fréquences. Ça pouvait être n'importe quoi. Il entendit une autre sirène démarrer. N'importe quoi. Et une autre. Pas n'importe quoi.

Son téléphone fixe se mit à sonner.

Harry décrocha.

« Ici Hagen. On vient d'appren… »

Harry raccrocha.

Nouvelle sonnerie. Harry regarda par la fenêtre. Il n'avait pas appelé la Frangine. Pourquoi ? Parce qu'il ne voulait pas se montrer à sa petite sœur, son admiratrice la plus fervente et inconditionnelle ? Elle qui avait ce qu'elle appelait « un chouïa du syndrome de Down », et qui s'en sortait infiniment mieux que lui dans la vie. Elle était la seule personne qu'il ne pouvait pas se permettre de décevoir.

Le téléphone cessa de sonner. Et recommença.

Harry arracha le combiné de son support.

« Non, chef. La réponse est non. Je ne veux pas bosser. »

Il y eut une seconde de silence à l'autre bout du fil. Puis une voix inconnue prit la parole :

« Ici l'Électricité d'Oslo. Monsieur Hole ? »

Harry jura tout bas.

« Oui ?

— Vous n'avez pas payé les factures que nous vous avons envoyées, et vous n'avez pas répondu non plus aux avertissements de coupure. J'appelle pour vous dire que nous couperons le courant dans votre appartement de Sofies gate 5 aujourd'hui à midi. »

Harry ne répondit pas.

« Il ne sera rétabli que lorsque nous aurons reçu le règlement sur notre compte.

— Et quel est le montant ?

— Avec les pénalités, les frais de rappel et de fermeture, cela fait quatorze mille quatre cent soixante-trois couronnes. »

Pause.

« Allô ?

— Oui, je suis là. Je n'ai pas autant d'argent en ce moment.

— Les sommes dues seront réglées à l'huissier. En attendant, on peut espérer qu'il ne gèlera pas. N'est-ce pas ?

— Oui. » Harry raccrocha.

Les sirènes au-dehors enflaient et décroissaient.

Harry alla se coucher. Il resta un quart d'heure allongé les yeux fermés, avant de renoncer, de se rhabiller et de quitter son appartement pour prendre le tramway à destination de l'hôpital civil.

CHAPITRE 11

Print

En me réveillant ce matin, j'ai su que j'y avais de nouveau été. Il en va toujours ainsi dans les rêves : nous sommes par terre, le sang coule, et quand je tourne la tête, elle nous regarde. Elle me regarde avec tristesse, comme si elle venait seulement de découvrir qui j'étais, de me démasquer, de voir que je ne suis pas celui qu'elle veut.

Le petit déjeuner était excellent. Le télétexte est activé. « Parlementaire retrouvée morte dans le bassin de plongeon de la piscine de Frogner. » Les pages des journaux en ligne sont pleines. Imprimer, couper, couper.

Dans peu de temps, les premières pages Internet publieront son nom. Jusqu'ici, la prétendue enquête de la police a été si minable que c'en est plus agaçant que palpitant. Mais cette fois, ils vont mettre toutes leurs forces dans la bataille, et ne pas jouer aux détectives comme ils l'ont fait avec Borgny et Charlotte. Marit Olsen était une élue du Parlement, quand même. Il est temps que ça s'arrête. Car j'ai déjà désigné la prochaine victime.

CHAPITRE 12

Scène de crime

Harry fumait une cigarette devant l'hôpital. Le ciel au-dessus était bleu pâle, mais en contrebas le brouillard recouvrait la ville, au fond d'une marmite de collines basses et vertes. La vue lui rappelait son enfance à Oppsal, quand Øystein et lui avaient séché le premier cours pour aller aux bunkers allemands de Nordstrand. De là, ils avaient regardé la purée de pois qui dissimulait le centre-ville. Mais au fil des années, les brumes matinales avaient disparu d'Oslo, en même temps que l'industrie et le chauffage au bois.

Harry écrasa la cigarette sous son talon.

Olav Hole avait meilleure mine. Ou ce n'était peut-être que la lumière. Il demanda à Harry pourquoi il souriait. Et ce qui était arrivé à sa mâchoire.

Harry parla de maladresse et se demanda à quel âge le changement s'opérait, quand les enfants se mettaient à protéger leurs parents de la réalité. Vers dix ans, conclut-il.

« Ta petite sœur est venue.

— Comment va-t-elle ?

— Bien. Quand elle a appris que tu étais rentré, elle a décrété qu'il fallait qu'elle veille sur toi. Parce que, maintenant, elle est grande. Et toi, tu es petit.

— Mmm. Pas bête. Comment ça va, aujourd'hui ?

87

— Bien. Très bien, en fait. J'ai l'impression que le moment est venu de se tirer. »

Il sourit, et Harry lui rendit son sourire.

« Que disent les médecins ?

— Beaucoup trop de choses. On change de sujet ?

— Très volontiers. De quoi veux-tu parler ? »

Olav Hole réfléchit.

« Je veux parler d'elle. »

Harry hocha la tête. Et se tut pendant que son père lui racontait comment lui et la mère de Harry s'étaient connus. Mariés. La maladie de sa mère alors que Harry n'était qu'un gosse.

« Ingrid m'a toujours aidé. Toujours. Mais elle avait très rarement besoin de moi. Jusqu'à ce qu'elle tombe malade. Il m'est arrivé de penser que cette maladie était une bénédiction. »

Harry sursauta.

« Ça m'a donné la possibilité de rembourser, vois-tu. Et c'est ce que j'ai fait. Tout ce qu'elle m'a demandé. » Olav Hole planta son regard dans celui de son fils. « Tout, Harry. Presque. »

Harry hocha la tête.

Son père continua à parler. De la Frangine et de Harry, à quel point la Frangine était gaie et facile. De la volonté de fer de Harry. Il était terrorisé mais ne voulait le dire à personne, et quand ses parents écoutaient à la porte, ils l'entendaient alterner sanglots et malédictions à l'adresse de monstres invisibles. Mais ils savaient qu'ils ne pouvaient pas entrer le consoler, qu'il se mettrait en rage et les accuserait d'avoir tout gâché, qu'ils devraient repartir.

« Il fallait toujours que tu combattes les monstres seul, toi, Harry. »

Olav Hole raconta la vieille histoire qui voulait que Harry n'ait pas prononcé le moindre mot avant d'avoir presque cinq ans. Mais qu'à ce moment-là — un jour — les phrases s'étaient mises à couler. Longues et sérieuses, faites de mots adultes qui les laissèrent perplexes : où Harry les avait-il appris ?

« Mais la Frangine a raison, sourit son père. Tu es redevenu petit. Tu ne parles pas.

— Mmm. Tu veux que je parle ? »

Le père secoua la tête.

« Tu vas écouter. Mais assez pour aujourd'hui. Tu reviendras un autre jour. »

De sa main droite, Harry serra la main gauche de son père, et il se leva.

« Ça ne te pose pas de problème si je loge à Oppsal pendant quelques jours ?

— Merci de le proposer. Je ne voulais pas t'ennuyer avec ça, mais la maison a besoin d'être entretenue. »

Harry s'abstint de préciser que le courant allait être coupé dans son appartement.

Le père sonna, et une jeune infirmière hilare entra et appela le vieil homme par son prénom, d'une façon innocente et aguicheuse. Harry entendit la voix de son père se faire plus grave pour expliquer que Harry avait besoin de la valise contenant les clés de la maison, et vit le malade dans le lit essayer de faire gonfler un peu ses plumes pour elle. Pour une raison inconnue, ce n'était pas pathétique, c'était dans l'ordre des choses.

En guise d'adieu, son père répéta : « Tout ce qu'elle m'a demandé. » Et chuchota : « Hormis *une* chose. »

Pendant qu'elle conduisait Harry à la consigne, l'infirmière lui confia que le médecin voulait discuter avec lui. Après avoir récupéré la clé de la maison, Harry frappa à la porte indiquée par l'infirmière.

Le médecin fit un signe de tête vers un siège, se renversa dans son fauteuil et joignit les mains par le bout des doigts :

« C'est bien que vous soyez rentré. Nous avons essayé de vous contacter.

— Je sais.

— Le cancer a gagné du terrain. »

Harry hocha la tête. On lui avait dit un jour que c'était justement le boulot des cellules cancéreuses : gagner du terrain.

Le médecin l'observa, comme s'il se tâtait pour continuer.

« Oui, l'aida Harry.

— Oui ?

— Oui, je suis prêt à entendre le reste.

— Nous ne disons plus combien de temps nous pensons qu'une personne a encore à vivre. Les écarts et leurs conséquences sont trop importants. Mais je crois que dans le cas présent il est juste de vous dire qu'il a déjà dépassé le temps imparti. »

Harry hocha la tête. Regarda par la fenêtre. Le brouillard était toujours aussi dense.

« Vous avez un numéro de mobile où nous pouvons vous joindre s'il arrive quelque chose ? »

Harry secoua la tête. Était-ce une sirène qu'il entendait dans le brouillard ?

« Vous connaissez quelqu'un qui peut vous joindre ? »

Harry secoua de nouveau la tête.

« Pas grave. J'appellerai ici, et je viendrai le voir tous les jours, OK ? »

Le médecin acquiesça et regarda Harry se lever et filer en vitesse.

Il était neuf heures quand Harry parvint à la piscine de Frogner. Le parc entier fait cinquante hectares, mais puisque la piscine publique n'en constitue qu'une petite partie et qu'elle est clôturée, la police n'avait pas eu beaucoup de mal à boucler la scène du crime ; ils avaient simplement tendu de la tresse plastique à l'extérieur du grillage autour de la piscine, et posté un garde aux guichets. Toute la troupe des vautours de journalistes d'investigation criminelle arrivaient à tire-d'aile, caquetaient devant l'entrée et se demandaient comment ils allaient parvenir jusqu'au cadavre. C'était une parlementaire, nom d'un chien, le public avait droit aux photos d'un cadavre si important.

Harry se paya un américano au Kaffepikene. Il y avait eu des tables et des chaises sur le trottoir pendant tout le mois de février, et Harry s'assit, alluma une cigarette et regarda la foule devant les guichets.

Un homme s'installa sur un siège voisin.

« Harry Hole en personne. Où étiez-vous passé ? »

Harry leva les yeux. Roger Gjendem, le journaliste d'investigation criminelle d'*Aftenposten*, alluma une cigarette et se mit à gesticuler en direction du parc :

« Marit Olsen a enfin eu ce qu'elle voulait. Avant huit heures ce soir, elle sera célèbre. Se pendre au plongeoir de la piscine de Frogner ? Excellente pub. »

Il se tourna vers Harry et fit la grimace.

« Qu'est-ce qui est arrivé à votre mâchoire ? Vous avez une tête à faire peur. »

Harry ne répondit pas. Il but une gorgée de café et ne fit pas le moindre effort pour éviter le silence pénible, dans l'espoir vain que le journaliste comprenne que sa compagnie n'était pas souhaitée. Le claquement d'un rotor leur parvint à travers le brouillard. Roger Gjendem plissa les yeux.

« Sans doute *VG*, c'est tout eux, de louer un hélico. J'espère que le brouillard ne se dissipera pas.

— Mmm. Mieux vaut pas de photos du tout plutôt que celles de *VG* ?

— Et comment ! Que savez-vous ?

— Certainement moins de choses que vous. Le cadavre a été découvert par l'un des concierges au petit matin, et il a appelé tout de suite la police. Et vous ?

— La tête a été arrachée. Cette fille a sauté du haut du plongeoir avec une corde autour du cou, semble-t-il. Et elle était plutôt grassouillette. Autour de cent cinquante kilos. On a trouvé des fibres sur le grillage qui peuvent correspondre à son survêtement, à l'endroit où ils pensent qu'elle a franchi la clôture. Ils n'ont trouvé aucune autre trace, et ils supposent donc qu'elle était seule. »

Harry tira sur sa cigarette. *La tête a été arrachée.* Ils parlaient comme ils écrivaient, ces journalistes, en pyramide inversée, comme ils appelaient ça : l'information la plus importante d'abord.

« Ça a dû arriver cette nuit, alors ? tenta Harry.

— Ou hier soir. À en croire son mari, Marit Olsen est partie de chez elle à dix heures moins le quart pour faire son footing.

— C'est tard pour aller courir.

— C'est à cette heure qu'elle le faisait d'habitude. Elle aimait bien avoir le parc pour elle toute seule.

— Mmm.

— Et j'ai essayé de parler au concierge qui l'a retrouvée.

— Pourquoi ? »

Gjendem dévisagea Harry, abasourdi.

« Pour avoir une description à chaud, bien sûr.

— Bien sûr, répéta Harry avant de tirer sur sa cigarette.

— Mais on dirait qu'il s'est planqué, il n'est ni ici ni chez lui. Il doit être choqué, pauvre gars.

— Mouais. Ce n'est pas la première fois qu'il trouve un cadavre dans ce bassin. Je suppose que la police a fait le nécessaire pour que vous autres ne lui mettiez pas la main dessus.

— Que voulez-vous dire, ce n'est pas la première fois ? »

Harry haussa les épaules.

« On m'a déjà appelé ici deux ou trois fois. Des mômes qui sont entrés ici en pleine nuit. La première fois, c'était un suicide, la seconde un accident. Quatre copains beurrés de retour de soirée qui voulaient jouer un peu, voir lequel oserait approcher le plus du bord. Le gagnant avait dix-neuf ans. L'aîné était son grand frère.

— Merde », souffla Gjendem, par convention.

Harry regarda l'heure, comme s'il avait rendez-vous.

« Il a dû y avoir une sacrée secousse, reprit Gjendem. Décapitée. Déjà entendu parler d'un truc pareil ?

— Tom Ketchum. » Harry finit son café et se leva.

« Ketchup ?

— Ketchum. La bande Hole-in-the-Wall. Pendu au Nouveau-Mexique en 1901. Gibet tout à fait classique, ils ont juste utilisé une corde trop longue.

— Aïe... quelle longueur ?

— Un peu plus de deux mètres.

— C'est tout ? Il devait être gras comme un goret.

— Nan. Ça en dit long sur la facilité de perdre la tête, non ? »

Gjendem lui cria quelque chose qu'il ne comprit pas. Harry gagna le parking au nord de la piscine, traversa le parc et prit à gauche par la passerelle vers le portail. La clôture faisait plus de deux mètres cinquante sur tout le pourtour. *Dans les cent cinquante kilos.* Marit Olsen avait peut-être essayé, mais elle n'avait pas franchi l'obstacle toute seule.

Au bout de la passerelle, Harry reprit à gauche de façon à rejoindre la piscine par l'autre côté. Il enjamba la tresse orange de la police et s'arrêta au sommet de la butte devant un buisson. Harry avait oublié un tas de choses ces dernières années. Mais les affaires demeuraient. Il se rappelait encore les noms des quatre jeunes du plongeoir. Le regard perdu dans le vide du grand frère pendant qu'il répondait d'une voix sans timbre aux questions de Harry. Et la main qui avait désigné l'endroit par où ils étaient entrés.

Harry avança avec précaution pour ne pas effacer d'indice potentiel et écarta les buissons. Le service d'entretien des parcs d'Oslo devait avoir un planning de réparations à très long terme. Voire aucun. L'ouverture dans le grillage était toujours là.

Harry s'accroupit et examina les pointes acérées des fils de fer. Il vit quelques fibres sombres. Quelqu'un qui ne s'était pas glissé, mais avait forcé le passage. Ou avait été poussé. Il chercha d'autres indices. Un lambeau de laine noire était accroché à une pointe en haut de l'ouverture. Si haut que la personne devait se tenir debout, pour accrocher la clôture à cet endroit. La tête. Ça concordait avec la laine, un bonnet en laine. Est-ce que Marit Olsen en portait un ?

D'après Roger Gjendem, Marit Olsen était partie de chez elle à dix heures moins le quart pour courir dans le parc. Comme d'habitude, avait-il précisé.

Harry essaya d'imaginer la scène. Il vit une soirée d'une douceur exceptionnelle dans le parc. Une grosse nana transpirante qui courait. Il ne voyait pas de bonnet. Il ne voyait personne porter un bonnet. Pas parce qu'il faisait froid malgré tout. Mais peut-être pour ne pas être vu ou reconnu. Un bonnet noir. Une cagoule, peut-être.

Il ressortit des buissons.

Il ne les avait pas entendus arriver.

L'un des hommes tenait un pistolet — vraisemblablement un Steyr autrichien semi-automatique. Pointé sur Harry. Le gars derrière l'arme était blond, il avait la bouche ouverte et le menton en galoche, et quand il poussa un grognement de rire, Harry se souvint du surnom de Truls Berntsen, de la Kripos. Beavis. Comme dans *Beavis and Butt-Head*.

L'autre homme était trapu, il avait les jambes en cerceau et les mains plongées dans les poches de son manteau. Harry savait que le vêtement dissimulait une arme à feu et une carte de la Kripos où figurait un nom à consonance finlandaise. Mais ce fut le troisième homme, en élégant cache-poussière gris, qui retint l'attention de Harry. Il se tenait un peu à gauche des deux autres, mais il y avait quelque chose dans l'attitude du porte-flingue et du Finlandais, leur façon d'être tournés tout autant vers Harry que vers cet homme, comme s'ils en étaient les prolongements, comme si c'était cet homme qui tenait *réellement* le pistolet. Ce que remarqua Harry chez cet homme, ce ne fut pas sa beauté presque féminine. Ou ses cils si visibles qu'on pouvait le soupçonner de les avoir maquillés. Ou le modelé délicat du nez, du menton, des joues. Pas ses cheveux épais, gris foncé, bien coiffés et beaucoup plus longs que la moyenne dans cette branche. Pas plus que les nombreuses petites taches de pigmentation sur sa peau bronzée, qui donnaient l'impression qu'il avait été victime d'une pluie acide. Ce qui frappa Harry, ce fut la haine. La haine dans son regard fixe, une haine si puissante que Harry crut la sentir physiquement, comme quelque chose de dur et de blanc.

L'homme mordillait un cure-dents. Sa voix était plus aiguë et douce que Harry ne l'aurait pensé.

« Tu t'es introduit dans une zone bouclée pour enquête, Hole.

— Un fait incontestable, répondit Harry en regardant autour de lui.

— Pourquoi ? »

Harry regarda l'homme et élimina une réponse après l'autre, jusqu'à ce qu'il se rende compte qu'il n'en avait aucune.

« Puisque tu as l'air de me connaître… Qui ai-je le plaisir de saluer ?

— Je doute que qui que ce soit d'entre nous en tire un quelconque plaisir, Hole. Alors je propose que tu quittes les lieux maintenant, et que tu ne te montres plus jamais à proximité des endroits où la Kripos enquête. C'est compris ?

— Bon. Bien reçu, mais pas très bien compris. Et si je pouvais contribuer en indiquant comment Marit Olsen…

— Tout ce que tu as jamais apporté à la police, l'interrompit la voix douce, c'est ta mauvaise réputation. Pour moi, tu es un poivrot, un contrevenant et un nuisible, Hole. Alors mon conseil, c'est que tu retournes sous la pierre d'où tu es sorti avant que quelqu'un ne t'écrase. »

Harry regarda le type et sentit que son cerveau et son instinct étaient d'accord : Accepte. Retraite. Tu n'as rien à opposer. Sois malin.

Et il aurait aimé être malin, il aurait apprécié au plus haut point avoir cette qualité. Harry dégaina son paquet de cigarettes.

« Et ce quelqu'un, ce serait toi, Bellman ? Parce que c'est toi, Bellman, hein ? Le génie qui a envoyé ce taré des saunas à mes trousses ? » Harry fit un signe de tête vers le Finlandais. « À en juger par cette tentative, tu n'arrives pas à écraser… » Harry cher-cha désespérément une analogie, mais sans succès. Saloperie de jet lag. Bellman lui coupa l'herbe sous le pied.

« Tire-toi, Hole. » L'inspecteur principal pointa un pouce par-dessus son épaule. « Vite, vite.

— Je… commença Harry.

— Et voilà, l'interrompit Bellman avec un grand sourire. Tu es en état d'arrestation, Hole.

— Quoi ?

— Tu as reçu trois fois la sommation de quitter une scène de crime sans la suivre. Les mains dans le dos.

— Écoutez ! grinça Harry avec la sensation grandissante d'être un rat de laboratoire tout à fait prévisible dans un labyrinthe expé-rimental. Je veux juste… »

Berntsen, alias Beavis, le tira par le bras, ce qui fit tomber la ciga-rette de la bouche de Harry sur le sol mouillé. Harry se pencha pour la ramasser, mais reçut le pied de Jussi dans le dos et partit en avant. Il se cogna le front par terre, et sentit le goût de terre et de bile. La voix de Bellman était toute proche de son oreille.

« Tu résistes à l'arrestation, Hole. Je t'ai demandé de mettre les mains dans le dos, non ? De les mettre ici… » Bellman posa une main légère sur les fesses de Harry. Celui-ci respira à fond par le nez, sans bouger. Car il savait très bien ce que cherchait Bellman. Voies de fait sur un fonctionnaire. Deux témoins. Article 127 du Code pénal. Passible de cinq ans. *Game over*. Et même si Harry était parfaitement conscient de tout ça, il savait que Bellman arriverait bientôt à ses fins. C'est pourquoi il se concentra sur autre chose, fit abstraction des grognements de Beavis et de l'eau de Cologne de Bellman. Il pensa à elle. À Rakel. Il posa les mains dans son dos, sur celle de Bellman, et tourna la tête. Le vent venait de chasser le brouillard au-dessus d'eux, et il voyait la silhouette élancée du plon-geoir blanc se dessiner contre le ciel gris. Quelque chose se balan-çait dans le vent, une corde, peut-être.

Les menottes émirent un cliquetis doux.

Bellman les regarda partir depuis le parking de Middelthuns gate. Les pans de son manteau battaient doucement dans le vent.

Le fonctionnaire de garde en préventive posa son journal quand il vit les trois hommes derrière le comptoir.

« Salut, Tore. Tu as une chambre non-fumeur avec vue sur la mer ?

— Salut, Harry. Ça fait un bail. » Il prit une clé dans le placard derrière lui et la tendit à Harry. « La suite nuptiale. »

Harry vit l'ébahissement de Tore quand Beavis se pencha et lui chipa la clé en grognant :

« C'est lui qui va au trou, papy. »

Harry lança un regard d'excuse à Tore, tandis que les mains de Jussi fouillaient dans ses poches et en sortaient clés et portefeuille.

« Ce serait sympa que tu appelles Gunnar Hagen, Tore. Il… »

Jussi tira sur les menottes, faisant pénétrer le métal dans la peau, et Harry partit en crabe derrière les deux autres en direction de l'entrée des cellules.

Quand ils l'eurent bouclé dans la petite cellule de deux mètres sur un mètre cinquante, Jussi ressortit signer les papiers avec Tore tandis que Beavis observait Harry à travers les barreaux. Harry vit que l'autre avait quelque chose à dire, et attendit. Et ça finit par sortir, d'une voix que la fureur contenue faisait trembler :

« Quelle impression ça fait, alors ? D'avoir été une telle putain de vedette, d'avoir chopé deux tueurs en série, d'être passé à la télé et tout le bazar. Et aujourd'hui, de te retrouver de ce côté des barreaux ?

— Qu'est-ce qui te met dans une rogne pareille, Beavis ? » demanda Harry à voix basse, les yeux fermés. Il sentait tout son corps tanguer, comme s'il venait de débarquer après un long voyage sur les flots.

« Je ne suis pas en rogne. Mais quand je pense aux guignols qui descendent de bons policiers, ça me fout la glande.

— Trois fautes en une seule phrase, répliqua Harry en s'allongeant sur la paillasse. Pour commencer, on dit "les glandes", au pluriel. En second lieu, l'inspecteur principal Waaler n'était pas un "bon policier". Et troisièmement, je ne l'ai pas descendu, je lui ai arraché le bras. Ici, à l'épaule. » Harry illustra le propos par quelques gestes.

Beavis ouvrit la bouche, sans qu'il en sorte rien.

Harry referma les yeux.

CHAPITRE 13

Bureau

Quand Harry rouvrit les yeux, cela faisait deux heures qu'il était allongé sur la paillasse de cette cellule, et Gunnar Hagen se débattait avec la clé pour ouvrir la porte.

« Désolé, Harry, j'étais en réunion.

— Pas de problème, chef. » Harry bâilla et s'étira sur sa paillasse. « Je suis libéré ?

— J'ai discuté avec notre juriste, et il a dit que tout était en ordre. La détention préventive, c'est une mise en lieu sûr, pas une sanction. J'ai entendu dire que c'est deux gars de la Kripos qui t'ont amené. Que s'est-il passé ?

— J'espérais que tu pourrais me le dire.

— Moi ?

— Depuis que j'ai atterri à Oslo, je suis filé par la Kripos.

— La Kripos ? »

Harry s'assit sur la paillasse et passa une main dans ses cheveux en brosse.

« Ils m'ont suivi à l'hôpital civil. Ils m'ont arrêté pour des broutilles. Qu'est-ce qui se passe, chef ? »

Hagen leva le menton et tira sur la peau de sa gorge.

« Zut, j'aurais dû m'en douter.

— Te douter de quoi ?

— Que ça filtrerait, qu'on essaierait de te retrouver. Que Bellman voudrait l'empêcher.

— En phrases simples, s'il te plaît ?

— Comme je te l'ai déjà dit, c'est assez compliqué. Il est question de réduction des effectifs et de rationalisation. De juridictions. La vieille bataille, Brigade criminelle contre la Kripos. De savoir si un petit pays a les moyens d'avoir deux entités professionnelles avec des compétences parallèles. Le débat est apparu quand la Kripos a changé de second, un certain Mikael Bellman.

— Parle-moi de lui.

— Bellman ? École supérieure de police, une expérience de courte durée en Norvège avant de se retrouver à Europol, à La Haye. Il est rentré au pays pour rejoindre la Kripos, dans le rôle du super héros qui grimpe, qui grimpe. Ça a fait un cirque pas possible le jour où il a voulu embaucher un ancien collègue d'Europol, un étranger.

— Pas un Finlandais, par hasard ?

— Jussi Kolkka, acquiesça Hagen. Formé dans la police finlandaise, mais il n'a aucune des qualifications requises pour entrer dans la police en Norvège. Le syndicat a piqué une colère terrible. La solution, ça a évidemment été que Kolkka soit employé à titre provisoire dans un programme d'échange. L'initiative suivante de Bellman, ça a été de préciser que pour les enquêtes criminelles, ce serait dorénavant la Kripos qui déciderait si ça les regarde ou si c'est pour la police, et non l'inverse.

— Et ?

— Et c'est inacceptable, tu t'en doutes. Nous avons l'unité d'investigation criminelle la plus importante du pays, ici, dans ce bâtiment, et c'est à nous de décider ce que nous faisons à Oslo, quels sont nos besoins en assistance et ce que nous voulons refourguer à la Kripos. La Kripos a été mise sur pied pour assister les services régionaux de police dans l'expertise des affaires criminelles, mais Bellman a carrément donné tous les pouvoirs à cette unité. Le ministère de la Justice a été impliqué dans cette histoire. Et ils ont tout de suite vu une possibilité de concrétiser ce que nous réussissions à empêcher : centraliser l'investigation criminelle en un seul centre de compétence. Ils se moquent de nos arguments sur le danger de l'endoctrinement et de la consanguinité, sur l'importance des connaissances locales et le partage des compétences, le recrutement et...

— Merci, tu n'as pas besoin de me convertir. »

Hagen leva une main.

« D'accord, mais le ministère travaille sur une proposition...

— Et... ?

— Ils disent qu'ils veulent être pragmatiques. Qu'il faut utiliser au mieux le peu de ressources. S'il apparaît que la Kripos obtient de meilleurs résultats en étant détachée des directions régionales de la police...

— ... tout le pouvoir va se retrouver à Bryn, compléta Harry. Un grand bureau pour Bellman, et une messe pour la Brigade criminelle ?

— Ça y ressemble, répondit Hagen avec un haussement d'épaules. Quand Charlotte Lolles a été retrouvée assassinée derrière la Datsun et qu'on a vu le rapport avec le meurtre de la fille au sous-sol du bâtiment en construction, ça a été la panique. La Kripos a dit que même si les deux victimes avaient été retrouvées à Oslo, un double meurtre, c'était l'affaire de la Kripos, pas celle de la police d'Oslo, et ils ont lancé leur propre enquête. Ils ont compris que c'était cette affaire qui déciderait du soutien du ministère.

— Alors on n'a plus qu'à résoudre l'affaire pour la Kripos ?

— Encore une fois, c'est compliqué. Ils refusent de partager leurs informations avec nous, même s'ils piétinent. Ils sont allés voir le ministère. La chef de la police d'Oslo a appris par un coup de téléphone que le ministère "entendait que" la Kripos s'occupe de cette affaire jusqu'à ce qu'ils se décident sur la répartition future des responsabilités. »

Harry secoua lentement la tête.

« Je vois, je vois. Vous avez cédé au désespoir.

— Je n'emploierais pas ce mot.

— Assez pour déterrer Hole, le vieux chasseur de tueurs en série. Un outsider qui n'est même plus sur la liste des salariés, qui pourrait enquêter sur cette affaire dans le plus grand silence. Voilà pourquoi je ne devais rien dire à personne.

— De toute façon, Bellman l'a découvert, soupira Hagen. Et il t'a fait suivre.

— Pour voir si vous vous absteniez d'accéder à la demande courtoise du ministère. Me prendre en flagrant délit quand je lirais de vieux rapports ou interrogerais d'anciens témoins.

— Ou encore plus efficace : te mettre hors circuit. Bellman sait qu'un seul faux pas suffirait, une seule bière pendant le service, la moindre entorse au règlement, pour te faire suspendre.

— Mmm. Ou résister à une arrestation. Il n'en restera pas là, ce charlot.

— Je vais lui parler. Il laissera tomber quand je lui expliquerai que tu refuses cette affaire de toute façon. On ne traîne pas des policiers dans la boue sans raison. » Hagen regarda sa montre. « J'ai du boulot, on va te faire sortir d'ici. »

Ils quittèrent les cellules de détention préventive, traversèrent le parking et s'arrêtèrent à l'entrée de l'hôtel de police, tout en béton et acier au sommet du parc. À côté d'eux, reliés à l'hôtel de police par un souterrain, s'élevaient les anciens murs gris de Botsen, la prison départementale d'Oslo. Au-dessous, le quartier de Grønland s'étendait vers le fjord et le port. Les façades étaient blafardes et sales comme si une pluie de cendres s'était abattue. Les grues près du port se découpaient comme autant de gibets contre le ciel.

« Pas beau à voir, hein ?

— Non, répondit Harry en humant l'air.

— Mais cette ville a quelque chose, malgré tout.

« — En effet », acquiesça Harry.

Ils restèrent un instant immobiles, les mains dans les poches.

« Il fait frais, constata Harry.

— Non, pas vraiment.

— Peut-être, mais mon thermostat est toujours réglé sur Hong Kong.

— Bon.

— Alors tu as peut-être une tasse de café là-haut ? demanda Harry avec un mouvement de tête vers le cinquième étage. Ou ai-je cru comprendre que tu avais du boulot ? L'affaire Marit Olsen ? »

Hagen ne répondit pas.

« Mmm. Bellman et la Kripos s'en sont emparés aussi, alors. »

Harry rencontra quelques hochements de tête mesurés dans le couloir vers la zone rouge du cinquième étage. Il était peut-être une légende dans la maison, mais il n'avait jamais été très apprécié.

Ils passèrent devant le bureau dont la porte était ornée d'une feuille A4 qui disait I SEE DEAD PEOPLE.

Hagen se racla la gorge.

« J'ai dû laisser Magnus Skarre prendre ce bureau, c'est archi-plein partout.

— Pas de problème. »

Ils emportèrent chacun un gobelet en carton rempli du fameux café filtre de la cuisine.

Dans le bureau de Hagen, Harry s'installa dans le fauteuil devant la table de l'agent supérieur, où il s'était si souvent assis.

« Tu l'as toujours, à ce que je vois. »

Harry désignait le petit objet sur le bureau qui pouvait au premier coup d'œil ressembler à un point d'exclamation blanc. C'était un auriculaire. Harry savait qu'il avait appartenu à un commandant japonais de la Seconde Guerre mondiale. Pendant la retraite, ce commandant s'était amputé du petit doigt devant ses hommes, pour s'excuser de ne pas pouvoir retourner avec eux ramasser leurs morts. Hagen aimait bien raconter cette histoire quand il apprenait à ses subordonnés à commander.

« Et toi toujours pas. »

Hagen fit un signe de tête vers la main privée de majeur de Harry, serrée autour du gobelet.

Harry secoua la tête et but. Le café n'avait pas changé non plus. Asphalte fondu.

Harry fit la grimace.

« J'ai besoin d'une équipe de trois personnes. »

Hagen but lentement et reposa son gobelet. « Pas plus ?

— Tu me demandes toujours ça. Tu sais que je ne travaille pas avec de gros groupes d'investigation.

— Dans le cas présent, je ne dirai rien. Un effectif réduit, c'est synonyme d'une probabilité moindre que la Kripos et le ministère apprennent qu'on enquête sur le double meurtre.

— Triple meurtre, corrigea Harry dans un bâillement.

— Une minute, on ne sait pas si Marit Olsen…

— Une femme seule, le soir, enlevée et supprimée de façon non conventionnelle. Pour la troisième fois dans notre petite ville d'Oslo. Triple. Crois-moi. Mais même si on n'est pas nombreux, tu sais qu'on ne pourra pas éviter à coup sûr que notre route croise d'une façon ou d'une autre celle de la Kripos.

— Oui, j'en ai conscience. Ça veut dire que si cette enquête filtre, ça n'aura rien à voir avec la Brigade criminelle. »

Harry ferma les yeux. Hagen poursuivit :

« Nous déplorerons évidemment qu'elle ait impliqué certains de nos employés, mais nous ferons comprendre que c'est une chose que notre joueur perso notoire Harry Hole a mise sur pied tout seul, sans en référer à la direction de la Brigade. Et tu confirmeras cette version. »

Harry ouvrit les yeux et regarda Hagen. Celui-ci croisa son regard :

« Des questions ?

— Oui.

— Je t'en prie.

— Où est la fuite ?

— Plaît-il ?

— Qui informe Bellman ? »

Hagen haussa les épaules.

« J'ai l'impression qu'il est toujours au courant de ce que nous faisons. Pour ce qui est de te récupérer, il a pu l'apprendre par plusieurs canaux.

— Je sais que Magnus Skarre parle souvent à tort et à travers.

— Ne m'en demande pas plus, Harry.

— OK. Où établissons-nous notre QG ?

— Et voilà, et voilà. » Gunnar Hagen hocha plusieurs fois la tête, comme si ça faisait déjà un moment qu'ils débattaient de la question.

« En ce qui concerne le bureau…

— Oui ?

— La maison est pleine à craquer, comme je te l'ai dit, alors il a fallu trouver des locaux extérieurs, à proximité.

— Super. Et où ? »

Hagen regarda par la fenêtre. Vers les murs gris de Botsen.

« Tu plaisantes… » soupira Harry.

CHAPITRE 14

Recrutement

Bjørn Holm entra dans la salle de réunion de la Brigade technique, à Bryn. Derrière les fenêtres, le soleil lâchait prise sur les façades et abandonnait la ville aux ténèbres de l'après-midi. Le parking était rempli, et un car blanc au toit orné d'une antenne parabolique et frappé du logo de la NRK sur le flanc avait pris position devant l'entrée de la Kripos, de l'autre côté de la rue.

Il n'y avait qu'une personne dans la pièce, Beate Lønn, une femme exceptionnellement pâle, fluette et silencieuse. Si on ne la connaissait pas, on aurait pu penser qu'une femme comme elle aurait des difficultés à diriger un groupe de techniciens d'investigation criminelle très professionnels, sûrs d'eux, toujours grincheux et querelleurs. Si on la connaissait, on savait qu'elle était la seule à même de les gérer. Pas seulement parce qu'ils la respectaient pour avoir encaissé sans broncher la mort de deux policiers, d'abord son père puis le père de son enfant. Mais surtout parce qu'elle était la meilleure d'entre eux et dégageait une invulnérabilité, une intégrité et une densité qui lui permettaient de murmurer un ordre les yeux baissés et le rouge aux joues avec la certitude qu'il serait exécuté sans délai. En conséquence de quoi Bjørn Holm était venu dès qu'il avait été convoqué.

Elle était installée dans un fauteuil tiré tout contre le téléviseur.

« Ils retransmettent la conférence de presse en direct, expliqua-t-elle sans se retourner. Assieds-toi. »

Holm reconnut sur-le-champ les gens qu'il vit à l'écran. Il trouva étrange de regarder de sa chaise un signal télé qui avait parcouru des milliers de kilomètres dans l'espace et était revenu rien que pour lui montrer ce qui se passait au même moment de l'autre côté de la rue.

Beate Lønn monta le son.

« Vous avez bien compris, répondit Mikael Bellman, penché vers le micro sur la table devant lui. Nous n'avons encore ni piste ni suspect. Et je le répète une fois de plus : nous n'excluons pas que la défunte ait pu mettre fin à ses jours.

— Mais vous avez dit… commença une voix dans le groupe de journalistes.

— J'ai dit que nous enquêtons sur un décès *suspect*, l'interrompit Bellman. Cette terminologie ne vous est certainement pas inconnue. Sinon, vous devriez… »

Il s'abstint de terminer et tendit un doigt derrière la caméra.

« *Stavanger Aftenblad*, bêla-t-on sans hâte en dialecte du Rogaland. La police relie-t-elle ce décès aux deux de…

— Non ! Si vous aviez suivi, vous m'auriez entendu dire que nous *n'excluons pas* un rapport.

— J'avais compris, poursuivit le dialecte du Rogaland à la même cadence. Mais les gens qui sont ici en ce moment préféreraient peut-être savoir ce que vous pensez, et non ce que vous *n'excluez pas*. »

Bjørn Holm vit Bellman fixer le type, pendant que les coins de sa bouche frémissaient d'impatience. Une femme en uniforme assise à côté de Bellman posa une main sur le micro, se pencha vers son voisin et chuchota quelques mots. Le visage de l'agent supérieur s'empourpra.

« Mikael Bellman connaît son premier crash en matière de relations avec les médias, constata Bjørn Holm. Leçon numéro un : Caresse-les dans le sens du poil, surtout les journaux régionaux.

— Il est nouveau à ce poste, répondit Beate Lønn. Il apprendra.

— Tu crois ?

— Oui. Bellman, c'est le genre de mec qui apprend.

— La modestie, ce n'est pas facile à apprendre, à ce qu'on m'a dit.

— Pas l'authentique, non. Mais s'écraser quand ça peut servir, c'est le principe de base de la communication moderne. C'est ce que Ninni est en train de lui dire. Et Bellman est assez malin pour le comprendre. »

Sur l'écran, Bellman toussota, afficha un sourire presque enfantin quoique laborieux et se pencha vers le micro.

« Je suis désolé si c'était un peu brutal, mais la journée a été longue pour nous tous, et j'espère que vous comprendrez que nous sommes impatients de retourner à l'enquête sur ce drame. Nous devons arrêter ici, mais si certains d'entre vous ont d'autres questions, laissez-les à Ninni, ici présente, et je promets de revenir personnellement vers vous dans la soirée. Avant le bouclage. Ça vous va ? »

« Qu'est-ce que je disais ? triompha Beate en riant.

— *A star is born* », concéda Bjørn Holm.

L'image implosa, et Beate Lønn se tourna.

« Harry a appelé. Il veut que je te détache.

— Moi ? s'étonna Bjørn Holm. Pour quoi faire ?

— Tu le sais très bien. J'ai entendu dire que tu étais avec Gunnar Hagen à l'aéroport quand Harry est rentré.

— Oups ! » Holm sourit de toutes ses dents, celles du haut et celles du bas.

« Je suppose que Hagen veut t'employer dans l'opération persuasion puisqu'il sait que tu es l'un des rares avec qui Harry apprécie de travailler.

— On n'en est pas arrivés là, Harry a refusé de s'occuper de cette affaire.

— Mais il a changé d'avis.

— Ah oui ? Qu'est-ce qui l'a convaincu ?

— Il ne l'a pas dit. Il a seulement dit qu'il trouvait plus juste que ça passe par moi.

— Évidemment, tu es quand même la chef, ici.

— Rien n'est évident en ce qui concerne Harry. Je le connais assez bien, comme tu le sais. »

Holm hocha la tête. Il savait. Savait que Jack Halvorsen, petit ami de Beate et futur père, avait été tué alors qu'il travaillait pour Harry. Par une journée glaciale d'hiver, en pleine rue dans le quartier de Grünerløkka, la gorge tranchée. Holm était arrivé sur les lieux tout de suite après. Le sang chaud avait imprégné le verglas. La mort d'un policier. Personne n'avait rejeté la faute sur Harry. Excepté lui, bien sûr.

Il gratta un de ses favoris.

« Qu'est-ce que tu lui as répondu ? »

Beate prit une inspiration et regarda les journalistes et les photographes au-dehors, qui sortaient des locaux de la Kripos.

« Que le ministère a fait comprendre que la Kripos avait la priorité, et qu'en conséquence je n'ai pas la possibilité de détacher des techniciens auprès de quelqu'un d'autre que Bellman dans cette affaire.

— Mais ? »

Beate Lønn fit claquer un Bic sur la table.

« Mais il y a d'autres affaires que ce double meurtre.

— Triple », rectifia Holm. Puis il vit le regard perçant de Beate et ajouta : « Crois-moi.

— Je ne sais pas sur quoi l'inspecteur principal Hole enquête, mais ce n'est en tout état de cause pas sur l'un de ces meurtres, nous sommes bien d'accord là-dessus, lui et moi, répondit Beate. Et pour cette ou ces affaires — dont j'ignore tout, encore une fois — tu es détaché. Pour deux semaines. La copie du premier rapport sur vos activités sera sur mon bureau dans cinq jours ouvrés. Compris ? »

Kaja Solness fit un sourire radieux, et ressentit le besoin quasi irrépressible d'effectuer une ou deux révolutions sur son siège.

« Si Hagen est d'accord, j'en suis. » Elle essayait de se dominer, mais la joie était audible dans sa voix.

« Hagen est d'accord, confirma l'homme appuyé contre le chambranle, un bras en travers du seuil, barrant ainsi l'ouverture en diagonale. Il n'y aura donc que Holm, toi et moi. L'affaire sur laquelle nous travaillons est confidentielle. On commence demain, rendezvous à sept heures dans mon bureau.

— Euh… sept heures ?

— Sept. Quatre plus trois. Zéro sept zéro zéro.

— D'accord. Quel bureau ? »

L'homme fit un grand sourire et expliqua.

Elle le regarda, incrédule.

« On va avoir un bureau dans une prison ?

— Sois prête. Des questions ? »

Kaja en avait plein, mais Harry Hole avait déjà disparu.

Le rêve a fait son apparition le jour aussi. Au loin, j'entends le groupe continuer à jouer Love Hurts. *Je remarque que quelques gars se sont rassemblés autour de nous, mais ils n'interviennent pas. Bien. Je la regarde. Regarde ce que tu as fait, j'essaie de dire. Regarde-le maintenant, tu as toujours envie de lui ? Seigneur, ce que je la déteste, ce que j'aimerais arracher le couteau de ma bouche et l'en transpercer, faire des trous en elle, voir couler le sang, les entrailles, le mensonge, la bêtise, son autosatisfaction stupide. On devrait lui montrer à quel point elle est laide intérieurement.*

J'ai regardé la conférence de presse à la télé. Tas d'imbéciles incompétents ! Aucune piste, aucun suspect ? Les sacro-saintes premières quarante-huit heures, le sablier se vide, dépêchez-vous. Que voulez-vous que je fasse ? Que je l'écrive au mur, en lettres de sang ?

C'est vous qui laissez cette tuerie se poursuivre, pas moi.

La lettre est prête.

Dépêchez-vous.

CHAPITRE 15

Ultraviolets

Stine regarda le jeune homme qui venait de lui parler. Il était barbu, blond, et portait un bonnet en laine. À l'intérieur. Et c'était un bonnet épais censé tenir les oreilles au chaud. Un fana de snow-board ? D'ailleurs, à y regarder de plus près, c'était un homme, tout court. Plus de trente ans. En tout cas, il avait des rides blanches sur sa peau bronzée.

« Et alors ? » cria-t-elle par-dessus la musique qui grondait dans la sono du Krabbe. Le café ouvert depuis peu clamait qu'il serait le nouveau lieu de rassemblement de tous les jeunes musiciens, gens du cinéma et écrivains ambitieux de Stavanger, qui avaient fini par pulluler dans cette cité pétrolière par ailleurs très tournée vers les affaires et occupée à compter ses dollars. Ça restait à voir, les gens *in* n'avaient pas encore décidé si le Krabbe méritait leurs faveurs. Tout comme Stine n'avait pas encore décidé si ce jeune homme — homme tout court — méritait les siennes.

« Je crois juste que tu aurais dû m'écouter. »

Il fit un sourire serein et posa sur elle une paire d'yeux qui lui parut d'un bleu beaucoup trop clair. Mais c'était peut-être la lumière. Ultraviolets ? C'était cool ? Ça restait à voir. Il fit tourner son verre de bière dans sa main et se renversa en arrière vers le comptoir, pour l'obliger à se pencher vers lui si elle voulait l'entendre, mais elle ne marcha pas. Il portait une doudoune épaisse, et malgré tout, on ne voyait pas la moindre goutte de sueur sur son visage, sous le bonnet ridicule. Ou était-il cool ?

« Très peu de gens sont allés faire de la moto dans la région des deltas de Birmanie, et en sont revenus assez vivants pour en parler », poursuivit-il.

Assez vivants. Spirituel, donc. Ça ne lui déplaisait pas. Il ressemblait à quelqu'un. Un héros de films d'action américain qui avait fait des remakes et des séries dans les années 1980.

« Je me suis promis que si je rentrais à Stavanger je sortirais me payer une bière, et j'irais trouver la plus jolie fille que je verrais pour lui dire mot pour mot ce que je suis en train de dire en ce moment. » Il écarta les bras, afficha un grand sourire éclatant. « Je crois que tu es la fille près de la pagode bleue.

— Que je suis quoi ?

— Rudyard Kipling, nénette. Tu es la fille qui attend le soldat anglais près de la pagode de Moulmein. Qu'en dis-tu ? Tu viens marcher pieds nus sur le marbre de Shwedagon ? Manger du cobra à Bago ? T'endormir au son de l'appel à la prière des musulmans de Rangoon et te réveiller à celui des bouddhistes de Mandalay ? »

Il reprit son souffle. Elle se pencha vers lui :

« Alors comme ça, je suis la plus jolie, ici ? »

Il regarda autour de lui.

« Non, mais c'est toi qui as les plus gros nichons. Tu es jolie, mais la compétition est trop acharnée pour décider qui est *vraiment* la plus jolie. On se tire ? »

Elle éclata de rire et secoua la tête. Elle n'arrivait pas à savoir s'il était drôle, ou seulement fou.

« Je suis venue avec des copines. Essaie ce truc sur quelqu'un d'autre.

— Elias.

— Quoi ?

114

— Tu te demandes comment je m'appelle. Au cas où on se reverrait. Et je m'appelle Elias. Skog. Tu oublieras le nom de famille, mais Elias, tu t'en souviendras. Et on se reverra. Plus vite que tu le crois, en fait.

— Sans blague ? répliqua-t-elle, la tête penchée sur le côté.

— Sans blague », la singea-t-il en penchant lui aussi la tête.

Il vida son verre, le reposa sur le comptoir, la regarda avant de rire et s'en aller.

« Qui c'était, ce mec ? »

C'était Mathilde.

« Sais pas, répondit Stine. Il était assez mignon. Mais bizarre. Il parlait comme dans l'Est.

— Bizarre ?

— Ses yeux étaient étranges. Et ses dents. Il y a des ultraviolets, ici ?

— Des ultraviolets ? »

Stine rit.

« Oui, de la lumière de solarium, couleur dentifrice. Qui te file une tronche de zombie. »

Mathilde secoua la tête. « Il faut que tu boives quelque chose. Viens. »

Stine se tourna vers la sortie au moment de lui emboîter le pas. Elle crut voir un visage contre la vitre, mais il n'y avait personne.

CHAPITRE 16

Speed King

Il était neuf heures du soir, et Harry marchait dans le centre-ville. Il avait occupé sa journée à trimballer des chaises et des tables jusqu'à son nouveau bureau. L'après-midi, il était allé à l'hôpital civil, mais son père passait des examens. Il était reparti, avait photocopié des rapports, donné deux ou trois coups de téléphone, réservé son billet d'avion pour Bergen, était passé à Oslo City acheter une carte SIM de la taille d'un mégot de cigarette.

Harry allongea le pas. Il avait toujours adoré ça, le parcours à pied d'est en ouest dans cette ville compacte, le changement progressif mais bien net des gens, des modes, des ethnies, de l'architecture, des magasins, des cafés et des bars. Il entra dans un McDonald's, acheta un hamburger, fourra trois pailles dans sa poche de manteau et ressortit.

Une demi-heure après avoir quitté un quartier de Grønland aux allures de ghetto pakistanais, il se retrouva dans l'Ouest coquet, un brin stérile et blanc immaculé, de la capitale. Kaja Solness avait dit habiter dans Lyder Sagens gate, et il apparut qu'il s'agissait de l'une de ces grandes villas anciennes en bois qui attiraient à coup sûr les foules les rares fois où il y en avait une en vente. Pas pour acheter — presque personne n'en avait les moyens — mais pour voir, rêver et avoir la confirmation que Fagerborg méritait sa réputation : un quartier où les riches n'étaient pas trop riches, où l'argent n'était pas trop neuf, et où personne n'avait de piscine, de portail électrique ou d'autres trouvailles aussi modernes que vulgaires. Car les bourgeois des environs n'avaient pas changé leurs habitudes. En été, ils s'installaient sous les pommiers de leurs grands jardins ombragés, avec des meubles de jardin aussi anciens, peu pratiques et noircis que les villas dont ils sortaient. Quand les jours raccourcissaient et que les meubles étaient rentrés pour l'hiver, les lumières s'allumaient derrière les fenêtres à petits carreaux. Dans Lyder Sagens gate, l'ambiance des fêtes de fin d'année durait d'octobre à mars.

Le portail hurlait si fort qu'il rendait le chien superflu. Le gravier crissait sous ses pieds. Il avait éprouvé une joie enfantine en retrouvant ses Doc Martens dans le placard, mais il avait à présent les pieds trempés.

Il grimpa les marches et appuya sur un bouton de sonnette anonyme.

Devant la porte, il vit une jolie paire de chaussures pour femme, à côté d'une autre paire beaucoup plus masculine. Taille quarante-six, supposa Harry. Le mari de Kaja était grand, semblait-il. Parce qu'elle avait un mari, évidemment ; comment avait-il pu croire le contraire ? Parce que c'est ce qu'il avait fait, non ? Ça n'avait aucune importance. La porte s'ouvrit.

« Harry ? »

Elle portait un cardigan beaucoup trop grand, un jean usé et des pantoufles si âgées que Harry crut voir des taches de vieillesse dessus. Pas de maquillage. Juste une surprise souriante. Pourtant, il semblait qu'elle savait qu'il viendrait. Qu'il apprécierait de la voir telle qu'elle était alors. Évidemment, il l'avait vu dans ses yeux dès Hong Kong, cette fascination qu'ont tant de femmes pour un homme qui a une réputation, qu'elle soit bonne ou mauvaise. Il n'avait pas poussé l'analyse sur toutes les considérations qui l'avaient conduit jusqu'à cette porte. C'était aussi bien. Pointure quarante-six. Ou quarante-six et demi.

« C'est Hagen qui m'a donné ton adresse. Tu n'habites pas très loin de chez moi, alors je me suis dit que je pouvais passer, au lieu de téléphoner. »

Elle fit un sourire en coin.

« Tu n'as pas de téléphone mobile.

— Faux. » Harry sortit un petit appareil rouge de sa poche. « Hagen m'a filé celui-là, mais j'ai déjà oublié le code PIN. Je dérange ?

— Non, non. » Elle ouvrit en grand, et Harry entra.

C'était pathétique, mais son cœur avait battu un tout petit peu plus vite pendant qu'il attendait. Quinze ans plus tôt, il s'en serait agacé, mais il s'était fait une raison, il acceptait la réalité banale que la beauté d'une femme aurait toujours ce petit pouvoir sur lui.

« J'ai fait du café, tu en veux ? »

Ils étaient dans le salon. Les murs étaient couverts de photos et d'étagères si chargées qu'il soupçonna qu'elle n'avait pas pu accumuler tous ces volumes seule. La pièce était nettement masculine. Gros meubles anguleux, globe terrestre, une pipe à eau, vinyles sur les étagères, cartes et photos de hautes montagnes enneigées. Harry tira la conclusion qu'il devait être bien plus âgé qu'elle. La télé était allumée, sans le son.

« Marit Olsen fait la une de tous les bulletins d'information », déclara Kaja. Elle ramassa une télécommande, et l'écran s'éteignit. « Deux dirigeants de l'opposition ont demandé que l'affaire soit rapidement résolue, et dit que le gouvernement avait fait des coupes sombres dans les effectifs de la police. La Kripos ne va pas avoir beaucoup le temps de souffler, dans les jours qui viennent.

— Volontiers, pour le café », répondit Harry, et Kaja disparut dans la cuisine.

Il s'assit sur le canapé. Sur la table basse, à côté d'une paire de lunettes de lecture féminines, il vit un livre ouvert de John Fante, retourné. Et les photos de la piscine de Frogner. Pas de la scène de crime elle-même, mais des gens rassemblés de l'autre côté des barricades pour regarder. Harry poussa un petit grognement de satis-faction. Non seulement parce qu'elle avait emporté du boulot à la maison, mais aussi parce que les TIC prenaient toujours ce genre de photos. C'était Harry qui les avait obligés, à l'époque, à toujours photographier les badauds. On lui avait appris ça pendant son cours sur les meurtres en série du FBI : ce n'était pas qu'un mythe que le meurtrier revenait sur les lieux de son crime. Les frères King de San Antonio et l'homme du K-Mart avaient été chopés parce qu'ils n'avaient pas pu s'empêcher de revenir jouir de leur forfait, voir le ramdam qu'ils avaient occasionné, sentir leur invulnérabi-lité. Les photographes de la Brigade technique appelaient ça le sixième commandement de Hole. Il y en avait neuf autres. Harry passa les clichés en revue.

« Tu ne prends pas de lait, hein ? cria Kaja de la cuisine.

— Oui.

— Ah bon ? À Heathrow…

— Je veux dire "oui, tu as raison, je ne prends pas de lait".

— Je vois, tu t'es converti au cantonais.

— Quoi ?

— Le cantonais est plus logique. Et toi, c'est ton truc, la logique.

— C'est vrai ? Cette histoire de cantonais ?

— Je ne sais pas, rit-elle dans la cuisine. J'essaie juste d'avoir l'air maligne. »

Harry vit que le photographe avait été discret, photos prises à hauteur de hanche, sans flash. L'attention des badauds était tournée vers le plongeoir. Regards vitreux, bouches ouvertes, comme s'ils s'ennuyaient dans l'attente d'un éclair d'horreur, un souvenir, de quoi terroriser le voisin. Un homme brandissait un téléphone mobile, sans le moindre doute pour prendre des photos. Harry prit la loupe posée sur la pile de rapports et examina les visages l'un après l'autre. Il ne savait pas ce qu'il cherchait, son cerveau était vide, c'était le meilleur moyen de ne pas laisser échapper ce qu'il pouvait y avoir.

« Tu trouves quelque chose ? »

Elle s'était arrêtée derrière son fauteuil, et se pencha pour mieux voir. Il sentit un parfum faible de savon à la lavande, le même que dans l'avion quand elle s'était endormie la tête sur son épaule.

« Mmm. Tu crois qu'il y a quelque chose à trouver ? demanda-t-il en prenant la tasse de café qu'elle lui tendait.

— Non.

— Alors pourquoi as-tu rapporté ces photos ?

— Parce que quatre-vingt-quinze pour cent d'une enquête consiste à chercher au mauvais endroit. »

Elle venait de citer le troisième commandement de Hole.

« Et il faut apprendre à aimer ces quatre-vingt-quinze pour cent aussi. Sans quoi, c'est le désastre. »

Quatrième commandement.

« Et les rapports ? demanda Harry.

— Nous n'avons que nos rapports sur les meurtres de Borgny et de Charlotte, et là-dedans, il y a que dalle. Aucun indice technique, pas de témoin qui ait quelque chose d'inhabituel à révéler. Pas d'ennemis jurés, amants jaloux, héritiers cupides, admirateurs désaxés, dealers impatients ou autres créanciers. En bref...

— Aucune piste, aucun mobile apparent, pas d'arme du crime. J'aurais aimé commencer à interroger des gens dans l'affaire Marit Olsen, mais comme tu le sais, nous ne travaillons pas sur cette affaire.

— Bien sûr que non, sourit Kaja. À propos, j'ai discuté avec un journaliste du service politique de *VG*, aujourd'hui. Il m'a affirmé qu'aucun de leurs journalistes au Parlement n'a entendu dire que Marit Olsen aurait fait des dépressions, aurait traversé des crises personnelles ou aurait eu des tendances suicidaires. Ou des ennemis, que ce soit sur le plan privé ou professionnel.

— Mmm. »

Harry continua à parcourir les rangs des spectateurs. Une femme au regard de somnambule, un enfant sur le bras.

« Que veulent ces gens ? »

Dans le fond : le dos d'un homme qui s'en allait. Doudoune, bonnet.

« Être choqués. Secoués. Divertis. Purifiés...

— Incroyable.

— Mmm. Et tu lis John Fante. Tu dois aimer les trucs un peu vieillots ? »

Il indiqua d'un signe de tête le salon, la maison. Et il voulait parler du salon, de la maison. Mais pensait qu'elle ferait un commentaire sur son mari, si la différence d'âge entre eux était aussi importante que Harry le présumait.

Elle le regarda, rayonnante : « Tu as lu Fante ?

— Quand j'étais jeune, pendant ma période Bukowski, j'en ai lu un dont j'ai oublié le titre. Je l'ai acheté parce que je savais que Bukowski était fan. » Il regarda ostensiblement sa montre. « Aïe ! Temps de rentrer à la maison. »

Kaja posa un regard surpris d'abord sur lui, puis sur la tasse de café intacte.

« Jet lag, sourit Harry en se levant. On se voit à la réunion demain.

— Bien sûr. »

Harry palpa sa poche de pantalon.

« D'ailleurs, je n'ai plus de clopes. La cartouche de Camel que je t'ai filée à la douane...

— Attends », sourit-elle.

Elle revint avec la cartouche entamée, et trouva Harry dans le couloir. Il avait remis son manteau et ses chaussures.

« Merci. » Il sortit un paquet et l'ouvrit.

Quand il fut sur les marches, elle s'appuya au chambranle de la porte.

« Je ne devrais peut-être pas le dire, mais j'ai l'impression que c'était une espèce de test.

— De test ? répéta Harry en allumant une cigarette.

— Je ne te demanderai pas en quoi il consistait, mais j'ai réussi ?

— C'était juste ça », répondit Harry avec un petit rire. Il descendit les marches en agitant la cartouche. « Zéro sept cents. »

Harry entra dans son appartement. Actionna l'interrupteur et constata que le courant n'avait pas encore été coupé. Ôta son manteau, alla dans le salon, mit du Deep Purple, son groupe préféré dans la rubrique « comique sans le vouloir mais super bon malgré tout ». *Speed King*. Ian Paice à la batterie. Il s'assit sur le canapé et pressa le bout de ses doigts contre ses tempes. Les clébards secouaient leurs chaînes. Hurlaient, grondaient, grognaient, leurs dents lui déchiraient les entrailles. S'il les libérait cette fois-ci, il n'y aurait plus moyen de faire marche arrière. Pas cette fois. Avant, il y avait toujours eu des raisons assez bonnes pour le faire s'arrêter. Rakel, Oleg, le boulot, peut-être même son père. Il n'avait plus rien de tout cela. Il ne pouvait pas se le permettre. Pas l'alcool. Il lui fallait donc une ivresse de substitution. Qu'il puisse contrôler. Merci, Kaja. N'avait-il pas honte ? Bien sûr que si. Mais la fierté était un luxe qu'on ne pouvait pas toujours se payer.

Il déchira l'emballage de la cartouche. En sortit le dernier paquet. On ne pouvait presque pas voir qu'il avait été ouvert. Les femmes comme Kaja n'étaient jamais arrêtées à la douane, c'était un fait acquis. Il ouvrit le paquet, tira la feuille d'aluminium et contempla la boule noire. En inhala le parfum douceâtre.

Puis il entama la préparation.

Harry avait vu toutes sortes de façons de fumer l'opium, depuis les rituels des maisons d'opium, les processus compliqués semblables à la cérémonie du thé à la chinoise, avec différents types de pipes, jusqu'à la plus simple : allumer la boulette, approcher une paille et inhaler le plus fort possible pendant que la friandise partait littéralement en fumée. De toute manière, il s'agissait de la même chose : faire passer les principes actifs — morphine, thébaïne, codéine et un tas d'autres comparses chimiques — dans le sang. La méthode de Harry était simple. Il scotchait une cuiller au bout de la table, déposait un petit morceau d'opium dedans, pas plus gros qu'une tête d'épingle, et chauffait avec un briquet. Quand l'opium commençait à fumer, il tenait un verre de cuisine renversé au-dessus pour recueillir la fumée. Il glissait une paille — de préférence coudée — dans le verre, et inspirait. Harry remarqua que ses doigts ne tremblaient pas du tout. À Hong Kong, il lui était arrivé de contrôler à intervalles réguliers son degré de dépendance, et il était certainement le toxicomane le plus discipliné qu'il connaisse. Il pouvait doser l'alcool qu'il ingurgiterait, et s'en tenir à ses prévisions. À Hong Kong, il avait interrompu sa consommation d'opium pendant une ou deux semaines, en ne prenant que de puissants antalgiques qui ne faisaient pas disparaître les symptômes de manque, mais qui devaient avoir une légère influence psychotrope puisqu'ils contenaient une petite quantité de morphine, il le savait. Il n'était pas accro. À l'ivresse de façon générale, OK, mais à l'opium en particulier : surtout pas. Mais nul doute : c'est un continuum. Car dès qu'il commença à fixer la cuiller, il sentit les clebs se calmer. Ils le savaient, on allait leur donner quelque chose.

Et ils pourraient se tenir tranquilles. Jusqu'à la fois suivante.

Le briquet brûlant chauffait déjà méchamment les doigts de Harry. Les pailles du McDonald's attendaient sur la table.

Une minute plus tard, il avait inspiré la première bouffée.

L'effet fut immédiat. Les douleurs, y compris celles qu'il ignorait, disparurent. Les associations, les images arrivèrent. Cette nuit, il pourrait dormir.

Bjørn Holm n'arrivait pas à dormir.

Il avait essayé de lire un bout de *Hank Williams, The Biography*, d'Escott, sur la courte vie et le long trépas de la légende de la country, d'écouter un pirate de Lucinda Williams en concert à Austin et de compter les vaches Longhorn du Texas, mais sans succès.

Un dilemme. C'était exactement ça. Un problème sans bonne réponse. Le technicien d'investigation criminelle Holm détestait ce genre de problème.

Il se recroquevilla sur le canapé convertible un peu trop court qui avait fait le déménagement depuis Skreia, avec sa collection de vinyles d'Elvis, des Sex Pistols, de Jason & The Scorchers, trois costumes cousus main à Nashville, une bible américaine et une salle à manger qui avait survécu à trois générations de Holm. Mais il ne parvenait pas à se concentrer.

Le dilemme, c'était une découverte intéressante quand ils avaient examiné la corde avec laquelle Marit Olsen s'était pendue — ou plutôt avec laquelle elle avait été décapitée. Ce n'était pas un indice qui conduirait nécessairement à quelque chose, mais ça ne changeait rien à son dilemme : fallait-il le faire savoir à la Kripos ou à Harry ? Holm avait découvert les minuscules coquillages sur la corde à une heure où il travaillait encore pour la Kripos. Même chose quand il avait discuté avec un biologiste spécialisé dans les organismes d'eau douce, à l'institut de biologie de l'université d'Oslo. Mais Beate Lønn l'avait détaché au service de Harry avant que son rapport ne soit rédigé, en conséquence de quoi il s'installerait devant son PC le lendemain matin avec la consigne de faire un rapport pour Harry.

OK, sur le plan technique, ce n'était peut-être pas un dilemme, l'information appartenait à la Kripos. La transmettre à quelqu'un d'autre serait considéré comme un manquement grave. Et que devait-il à Harry Hole, en fin de compte ? Il ne lui avait jamais rien apporté d'autre que des ennuis. Il était grognon et sans scrupule dans son boulot. Dangereux, rien de moins, quand il était bourré. Mais réglo à jeun. On pouvait compter sur lui, et sans qu'il attende de renvoi d'ascenseur. Un ennemi chiant, mais un bon ami. Un type bien. Un type très bien. Un peu comme Hank, en fait.

Bjørn Holm gémit et se tourna face au mur.

Stine se réveilla en sursaut.

Un grondement était audible dans l'obscurité. Elle se tourna sur le côté. Le plafond était légèrement éclairé, et la lumière venait du sol à côté du lit. Quelle heure était-il ? Trois heures du matin ? Elle tendit le bras et attrapa son mobile.

« Oui ? répondit-elle d'une voix volontairement plus endormie qu'elle ne l'était.

— Après le delta, j'en ai eu marre des serpents et des moustiques, alors je suis parti en moto vers le Nord en suivant la côte birmane, vers l'Arakan. »

Elle reconnut sa voix sur-le-champ.

« Jusqu'à l'île de Sai Chung, poursuivit-il. J'avais entendu dire qu'un volcan de boue actif était en pleine éruption. Et la troisième nuit, elle a eu lieu. Je pensais qu'il n'y aurait que de la boue, mais tu me croiras si tu veux, il crachait aussi de la bonne vieille lave. Une lave épaisse qui coulait avec une telle lenteur sur la ville qu'on pouvait y échapper sans courir.

— On est au milieu de la nuit, bâilla-t-elle.

— Mais on ne pouvait pas l'arrêter. Je crois qu'on appelle ça de la lave froide quand elle est si épaisse, mais elle brûlait tout ce qu'elle rencontrait. Des arbres chargés de feuilles vertes qui ressemblaient à des sapins de Noël en feu pendant quatre secondes avant de tomber en cendres et de disparaître. Les Birmans essayaient de fuir dans des voitures chargées à bloc des affaires qu'ils emportaient, mais ils avaient pris trop de temps pour faire leurs valises, la lave arrivait à une vitesse d'escargot ! Quand ils sont sortis avec la télé, la lave était déjà près du mur de la maison. Ils se sont rués dans la voiture, mais la chaleur a fait éclater les pneus. Et puis l'essence s'est enflammée, et ils ont quitté le véhicule sous forme de torches humaines. Tu te souviens comment je m'appelle ?

— Écoute, Elias…

— Je t'avais dit que tu ne l'oublierais pas.

— Il faut que je dorme. Je vais à l'école demain.

— Je suis ce genre d'éruption, Stine. Je suis de la lave froide. Je ne coule pas vite, mais on ne peut pas m'arrêter. J'arrive là où tu es. »

Elle essaya de se rappeler s'il lui avait dit son nom. Et jeta un coup d'œil machinal vers la fenêtre. Elle était ouverte. Dehors, le vent était calme, et soufflait avec un bruit apaisant.

La voix était basse, presque un murmure :

« J'ai vu un clébard qui s'était emberlificoté dans des barbelés en essayant de fuir. Il était pile sur le chemin de la lave. Mais le courant de magma a dévié vers la gauche et a paru devoir l'éviter. Un dieu miséricordieux, si on veut. Mais la lave est passée trop près. La moitié du chien a disparu, s'est évaporée. Avant que le reste prenne feu. Et il n'en est resté que des cendres. Tout retombe en cendres.

— Je raccroche.

— Regarde dehors. Regarde, je suis déjà près du mur de la maison.

— Arrête !

— Relax, je plaisante. » Il éclata d'un rire de crécelle dans son oreille.

Stine frissonna. Il devait être beurré. Ou fou. Ou les deux.

« Dors bien, Stine. On se reverra bientôt. »

La communication fut interrompue. Stine regarda un moment son téléphone. Puis elle l'éteignit pour de bon et le lança au pied du lit. Jura parce qu'elle le savait depuis un moment. Elle n'arriverait plus à dormir cette nuit.

CHAPITRE 17

Fibre

Il était 6 h 58. Harry Hole, Kaja Solness et Bjørn Holm parcoururent le souterrain entre l'hôtel de police et la prison départementale d'Oslo. Il servait parfois pour amener les personnes interpellées à un interrogatoire à l'hôtel de police, parfois pour y faire du footing en hiver, et il avait été à une époque aussi reculée que tourmentée le théâtre de bastonnades très officieuses de prisonniers particulièrement récalcitrants.

Des gouttes d'eau tombaient du plafond et atterrissaient sur le béton avec un bruit de baisers mouillés qui se répercutait dans le couloir mal éclairé.

« Ici, déclara Harry quand ils furent arrivés au bout.

— Ici ? » répéta Bjørn Holm.

Ils durent se baisser pour passer sous l'escalier qui montait vers les cellules. Harry fit tourner la clé dans la serrure et ouvrit la porte métallique. Il fut assailli par une odeur d'humidité confinée et réchauffée.

Il appuya sur l'interrupteur. La lumière froide et bleutée d'un tube fluorescent éclaira une pièce carrée aux murs nus dont le sol était couvert de lino.

L'endroit était privé de fenêtres, de chauffage, du moindre équipement qu'on s'attend à trouver dans un lieu destiné à servir de bureau à trois personnes.

Hormis des tables et des fauteuils, et trois PC. Par terre étaient posés une cafetière noircie et un bidon d'eau.

« Les chaudières du chauffage central pour toute la prison se trouvent dans la pièce voisine, expliqua Harry. C'est pour ça qu'il fait aussi chaud ici.

— Ce n'est pas très confortable, constata Kaja en s'asseyant à l'une des tables.

— Mais si, ça fait penser aux enfers ! » Holm quitta son blouson en daim et défit un bouton de sa chemise. « Les mobiles captent bien, ici ?

— Si on veut. Et on a la connexion Internet. On a tout ce qu'il nous faut.

— Sauf des tasses à café », fit observer Holm.

Harry secoua la tête et sortit trois tasses blanches de la poche de son manteau, qu'il déposa sur chacun des bureaux. Puis il tira un paquet de café de sa poche intérieure et se dirigea vers la cafetière.

« Tu les as prises à la cantine ! » Holm leva la tasse que Harry avait posée devant lui. « Hank Williams ?

— C'est écrit au feutre, alors fais attention. » Harry ouvrit le paquet de café avec les dents.

« John Fante ? lut Kaja sur sa tasse. Et toi, qu'est-ce que tu as ?

— Rien pour l'instant, répondit Harry.

— Pourquoi ?

— Parce qu'il y aura le nom de notre principal suspect. »

Aucun des autres ne pipa. La cafetière crachait l'eau à grand bruit.

« Je veux trois théories avant que le café ait passé », reprit Harry.

Ils en étaient à leur seconde tasse et à la sixième théorie quand Harry mit un terme à la séance.

« OK, c'était un échauffement, juste pour se démêler les circon-volutions cérébrales. »

Kaja venait d'émettre l'hypothèse que les meurtres étaient motivés par le sexe, que le meurtrier avait déjà fait l'objet d'une condamnation pour des faits similaires, savait que la police avait son ADN et ne laissait donc pas son sperme par terre, mais se masturbait dans un sachet en plastique ou quelque chose comme ça puis quittait les lieux ; ils devaient donc éplucher les registres des condamnations et parler avec les gens des Mœurs.

« Mais tu ne crois pas qu'on a quelque chose, là ?

— Je ne crois rien. J'essaie de faire en sorte que mon cerveau soit vide et réceptif.

— Il faut bien que tu croies quelque chose ?

— Oui. Je crois que les trois meurtres ont été commis par la ou les mêmes personnes. Et je crois qu'il est possible de trouver un lien qui pourra à son tour nous conduire à un mobile, qui à son tour — si nous avons le cul bordé de nouilles — nous mènera au coupable.

— Le cul bordé de nouilles ? À t'entendre, on n'a pas beaucoup de chances…

— Eh bien… » Harry se renversa en arrière et joignit les mains sur sa nuque. « On a écrit des kilomètres de littérature spécialisée sur ce qui caractérise les tueurs en série. Au cinéma, la police fait venir un psychologue qui lit quelques rapports et fournit un profil qui colle à tous les coups, sans exception. Les gens croient que *Henry, portrait d'un serial killer* est une description universelle. Mais dans la réalité, malheureusement, les tueurs en série sont aussi différents les uns des autres que le sont les gens en général. Il n'y a qu'une chose qui les distingue des autres criminels.

— Et c'est ?

— Qu'ils ne se font pas prendre. »

Bjørn Holm éclata de rire, comprit que c'était déplacé et se tut.

« Ce n'est pas vrai ? murmura Kaja. Et…

— Tu penses aux affaires où une trame est apparue, qui a permis de choper l'assassin. Mais songe à tous les crimes non élucidés dont on pense encore que ce sont des affaires déconnectées, où on n'a jamais vu le rapport. Des milliers. »

131

Kaja lança un coup d'œil à Bjørn, qui répondit par un hochement de tête éloquent.

« Tu crois qu'il y a un lien ? demanda-t-elle.

— Ouais. Et il faut qu'on le trouve sans procéder à des interrogatoires qui nous trahiraient.

— À savoir ?

— Quand on élaborait les scénarios catastrophes au Service de surveillance de la police, on ne faisait que chercher les liens possibles, sans parler à personne. Nous avions un moteur de recherche bricolé par l'OTAN bien avant que les gens entendent parler de Yahoo! ou de Google. Avec, on pouvait se glisser n'importe où et trouver presque tout ce qui avait le moindre lien avec Internet. C'est ce qu'on va devoir faire ici. » Il regarda sa montre. « C'est pour ça que dans une heure et demie je serai dans un avion à destination de Bergen. Et dans trois heures, je rencontrerai une collègue au chômage qui j'espère pourra nous aider. Alors finissons-en ici. Kaja et moi avons pas mal parlé ; Bjørn, qu'est-ce que tu as ? »

Bjørn Holm sursauta comme s'il avait été réveillé.

« Moi ? Euh… pas grand-chose, je le crains. »

Harry passa une main prudente sur sa mâchoire. « Il faut bien que tu aies quelque chose.

— Non. Ni nous autres à la Brigade technique ni les enquêteurs tactiques n'avons ne serait-ce qu'une chiure de mouche, que ce soit dans l'affaire Marit Olsen ou dans une autre.

— Deux mois, répondit Harry. Allez.

— Je peux répéter. En deux mois, nous avons analysé, radiographié et examiné des photos, des échantillons de sang, des cheveux, des ongles et tout le bazar à nous en faire péter la rétine. Nous avons élaboré vingt-quatre théories pour essayer de savoir comment et pourquoi il a fait vingt-quatre trous dans la bouche des deux premières victimes, de telle sorte que toutes les blessures semblent venir du même point dans la bouche. Sans arriver à rien. Marit Olsen aussi avait une plaie à la bouche, mais elle avait été occasionnée par un couteau et était grossière, pas propre. En deux mots : que dalle.

— Et ces graviers dans la cave où Borgny a été retrouvée ?

— Analysés. Beaucoup de fer et de magnésium, un peu d'aluminium et de silice. Ce qu'on appelle une roche basaltique. Poreuse et noire. Ça t'apprend quelque chose ?

— Borgny et Charlotte avaient du fer et du coltan sur la face interne des molaires. Qu'est-ce que ça veut dire ?

— Qu'elles ont été tuées avec la même saloperie, mais ça ne nous dit pas ce que c'était. »

Pause.

Harry se racla la gorge.

« OK, Bjørn, accouche.

— Quoi ?

— De ce que tu rumines depuis qu'on est arrivés, je l'ai bien vu. »

Le technicien gratta un de ses favoris en regardant Harry. Toussota une fois. Puis une autre. Lança un coup d'œil à Kaja, comme pour chercher de l'assistance de ce côté. Ouvrit la bouche, la referma.

« Super, soupira Harry. Alors on passe à…

— C'est la corde. »

Les deux autres regardèrent Bjørn.

« J'ai trouvé des coquillages dessus.

— Ah oui ?

— Mais pas de sel. »

Ils le regardaient toujours.

« C'est assez inhabituel, poursuivit Bjørn. Des coquillages. Dans de l'eau douce.

— Et donc ?

— Et donc j'en ai parlé avec un biologiste spécialisé. Cette moule s'appelle moule du Jutland, c'est la plus petite des moules d'eau douce, et on ne l'a observée que dans deux lacs en Norvège.

— Et les nominés sont… ?

— L'Øyeren et le Lyseren.

— Dans l'Østfold, intervint Kaja. Des lacs voisins. Grands.

— Dans une région très peuplée, compléta Harry.

— Désolé, s'excusa Holm.

— Mmm. Des traces sur la corde qui puissent nous dire où elle a été achetée ?

— Non, justement. Il n'y a pas de marque. Et ça ne ressemble à aucune corde que j'aie vue jusqu'à présent. La fibre est organique à cent pour cent, pas de nylon ou d'autre matériau synthétique.

— Chanvre.

— Pardon ?

— Du chanvre. On fait les cordes et le hasch avec le même matériau. Si tu veux t'en fumer un, tu peux toujours aller sur le port et mettre le feu à l'amarre du ferry pour le Danemark.

— Pas du chanvre, rectifia Bjørn assez fort pour couvrir le rire de Kaja. Ce sont des fibres de tilleul et d'orme. Surtout de l'orme.

— Une corde bien norvégienne, constata Kaja. C'était comme ça qu'ils faisaient les cordes, dans les fermes, à l'époque.

— Dans les fermes ? » répéta Harry.

Kaja hocha la tête.

« En général, chaque village avait au moins un cordier. Tu laisses les morceaux de bois à tremper dans l'eau pendant un mois, tu enlèves l'écorce et tu utilises la fibre végétale. Pour en faire une corde. »

Harry et Bjørn tournèrent leurs fauteuils vers Kaja.

« Qu'y a-t-il ? demanda-t-elle d'une voix hésitante.

— Euh… est-ce une connaissance très répandue que chacun devrait posséder ? demanda Harry.

— Ah, ça. Mon grand-père en fabriquait.

— Je vois. Et pour ça, on utilise de l'orme et du tilleul ?

— En principe, n'importe quelle essence convient.

— Et les proportions ? »

Kaja haussa les épaules.

« Je ne suis pas spécialiste, mais je crois que c'est inhabituel de mélanger les essences pour une même corde. Je me rappelle qu'Even, mon frère aîné, a dit que notre grand-père n'utilisait que du tilleul parce que ça absorbe peu d'eau. Comme ça, il n'avait pas besoin de goudronner ses cordes.

— Mmm. Qu'en penses-tu, Bjørn ?

— Si le mélange n'est pas courant, ça sera plus facile de remonter jusqu'au fabricant. »

Harry se leva et se mit à faire les cent pas. Ses semelles en caoutchouc émettaient un gros soupir chaque fois qu'elles se décollaient du lino.

« On peut donc présumer que la production était limitée, et la vente locale. Ça te paraît raisonnable, Kaja ?

— Présumer, oui.

— Et on peut aussi présumer que les lieux de production et d'utilisation étaient proches l'un de l'autre. Ces cordes artisanales n'allaient sans doute pas très loin.

— Ça paraît toujours raisonnable, mais...

— Alors partons de ce point de départ-là. Vous commencez à repérer les fabricants de cordes autour du Lyseren et de l'Øyeren.

— Mais plus personne ne fabrique ce genre de corde, protesta Kaja.

— Faites de votre mieux. » Harry regarda l'heure, ramassa son manteau sur le dossier de son siège et se dirigea vers la porte. « Trouvez où la corde a été fabriquée. Je suppose que Bellman n'est pas au courant pour ces moules du Jutland, hein, Bjørn ? »

Bjørn Holm répondit par un sourire forcé.

« Ça ne pose pas de problème si je suis la piste des meurtres sexuels ? voulut savoir Kaja. Je pensais en parler à quelqu'un que je connais aux Mœurs.

— Négatif. La consigne de la fermer sur nos activités vaut tout particulièrement pour nos chers collègues de l'hôtel de police. On dirait qu'il y a des fuites entre la maison et la Kripos, alors la seule personne à qui on parle ici, c'est Gunnar Hagen. »

Kaja avait ouvert la bouche, mais un coup d'œil de Bjørn Holm lui fit la refermer.

« Mais ce que tu peux faire, poursuivit Harry, c'est trouver un expert en volcans. Et lui envoyer les résultats d'analyse des graviers. »

Les sourcils blonds de Bjørn firent un bond sur son front.

« Pierre noire et poreuse, roche basaltique, continua Harry. Je parie sur de la lave. Je serai rentré de Bergen vers quatre heures.

— Passe le bonjour au commissariat de Bee-gen, bêla Bjørn, le gobelet levé.

— Je ne vais pas au commissariat.

— Ah ? Où ça, alors ?

— Hôpital de Sandviken.

— Sand… »

La porte claqua derrière Harry. Kaja regarda Bjørn Holm, qui fixait toujours la porte, bouche bée.

« Qu'est-ce qu'il va faire là-bas ? demanda-t-elle. Il va voir un légiste ? »

Bjørn secoua la tête.

« L'hôpital de Sandviken est un hôpital psychiatrique.

— Ah oui ? Alors il va voir un psychologue spécialisé dans les meurtres en série, ou un truc dans le genre ?

— Je savais que j'aurais dû refuser, murmura Bjørn sans cesser de regarder la porte. Il est fêlé.

— Qui est fêlé ?

— On travaille dans une prison. On risque nos jobs si nos chefs découvrent ce qu'on trafique, et cette collègue à Bergen…

— Oui ?

— Elle, elle est folle pour de bon.

— Tu veux dire qu'elle est… ?

— Folle genre internée en service fermé. »

CHAPITRE 18

La Patiente

Pour chaque pas que faisait le grand policier, Kjersti Rødsmoen devait en faire deux. Pourtant, elle ne se laissa pas distancer dans le couloir de l'hôpital de Sandviken. La pluie tombait à verse de l'autre côté des hautes fenêtres étroites qui donnaient sur le fjord, où les arbres étaient si verts qu'on pouvait sans mal croire que le printemps avait devancé l'hiver.

La veille, Kjersti Rødsmoen avait reconnu la voix du policier sur-le-champ. Comme si elle n'avait fait qu'attendre son appel. Pour lui demander au mot près ce qu'il lui avait demandé : parler avec la Patiente. On l'appelait la Patiente pour lui garantir l'anonymat le plus complet après cette affaire vieille de près d'un an qui l'avait impliquée en tant qu'enquêtrice, et les épreuves qui l'avaient renvoyée à la case départ : le service de psychiatrie. Certes, elle s'était remise avec une rapidité remarquable, était retournée habiter chez elle, mais la presse — qui vouait un intérêt proche de l'hystérie à ce Bonhomme de neige, bien que l'affaire fût réglée depuis longtemps — ne l'avait pas laissée tranquille. Et un soir trois mois plus tôt, la Patiente avait appelé Rødsmoen pour lui demander si elle pouvait revenir.

« Alors elle est en forme ? voulut savoir le policier. Sous traitement ?

137

— Oui pour la première question, répondit Kjersti Rødsmoen. La seconde est soumise au secret médical. »

La vérité, c'est que la Patiente était en si bonne forme que ni les médecins ni l'hospitalisation n'étaient plus nécessaires. Malgré tout, Rødsmoen n'avait pas très bien su si elle devait le laisser la voir ; il avait participé à l'enquête sur le Bonhomme de neige, et pouvait faire remonter de vieux souvenirs à la surface. Au fil de sa carrière, Kjersti Rødsmoen avait de plus en plus cru au refoulement, au cloisonnement, à l'oubli. C'était une voie méconnue dans sa profession. D'un autre côté, les retrouvailles avec une personne qui avait travaillé sur cette affaire pouvaient constituer un bon test de résistance de la Patiente.

« Vous avez une demi-heure, précisa Rødsmoen avant d'ouvrir la porte de la salle de séjour. Et n'oubliez pas que l'esprit est vulnérable. »

La dernière fois que Harry avait vu Katrine Bratt, il ne l'avait pas reconnue. La belle femme d'un peu moins de trente ans, aux cheveux noirs, à la peau chaude et au regard profond avait disparu, et laissé la place à une personne qui avait rappelé à Harry une fleur desséchée : morte, fragile, décolorée. Il avait eu l'impression qu'il lui broierait la main s'il serrait trop fort.

Ce fut donc un soulagement de la revoir. Elle avait l'air plus âgée, ou ce n'était peut-être que la fatigue. Mais la chaleur était revenue dans ses yeux quand elle sourit et se leva.

« Harry Hå, dit-elle en l'embrassant. Comment vas-tu ?

— Moyen. Et toi ?

— Très très mal. Mais beaucoup mieux. »

Elle rit, et Harry sut qu'elle était revenue. Qu'une grande partie d'elle était revenue.

« Qu'est-ce qui est arrivé à ta mâchoire ? Ça fait mal ?

— Quand je mange, répondit Harry. Et au réveil.

— Je connais. Tu es plus laid que dans mon souvenir, mais je suis heureuse de te voir malgré tout.

— Moi de même.

— Tu veux dire moi de même, mais sans le "plus laid" ?

— Évidemment », sourit Harry. Il regarda autour de lui. Les autres patients dans la pièce regardaient par la fenêtre, leurs genoux ou le mur. Mais aucun ne paraissait s'intéresser à Katrine et lui.

Harry lui raconta ce qui s'était passé depuis leur dernière rencontre. Rakel et Oleg, qui étaient partis pour une adresse inconnue à l'étranger. Hong Kong. La maladie de son père. L'affaire qu'il avait acceptée. Elle rit lorsqu'il précisa qu'elle ne devait en parler à personne.

« Et toi ? demanda Harry.

— En fait, ils voulaient me faire sortir d'ici, ils trouvent que je suis en bon état et que je bloque un lit. Mais je me plais ici. Le service en chambre est nul, mais ce n'est pas étonnant. J'ai la télé, je vais et je viens à ma guise. Dans un mois ou deux, je rentrerai peut-être à la maison, qui sait…

— Qui sait ?

— Personne. La folie va et vient. Que veux-tu ?

— Que veux-tu que je veuille ? »

Elle le regarda un bon moment avant de répondre :

« À part que je veux que tu aies envie de me sauter, je veux que tu puisses m'utiliser à quelque chose.

— Et c'est le cas, figure-toi.

— Envie de me sauter ?

— Je peux t'utiliser à quelque chose.

— Merde. Mais OK. De quoi s'agit-il ?

— Vous avez un PC connecté à Internet, ici ?

— On a un PC collectif dans la salle de loisir, mais il n'est pas connecté au Net, ils ne prennent pas le risque. Il ne sert qu'à faire des réussites. Mais j'ai mon PC perso dans ma chambre.

— Sers-toi du collectif. » Harry plongea la main dans sa poche et poussa les cartes SIM sur la table. « Voici un "bureau mobile", comme ils appellent ça au magasin. Tu connectes juste ça…

— ... sur l'un des ports USB, compléta Katrine en fourrant les cartes dans sa poche. Qui paie l'abonnement ?

— Moi. C'est-à-dire : Hagen.

— Youpi, ça va surfer, ce soir ! Il y a de nouveaux sites de cul que je devrais connaître ?

— Sans aucun doute. » Harry poussa un dossier vers elle. « Voici les rapports. Trois meurtres, trois noms. Je veux que tu fasses la même chose que dans l'affaire du Bonhomme de neige. Trouver les liens qu'on n'a pas vus. Tu es au courant ?

— Oui, répondit Katrine Bratt sans regarder le dossier. C'étaient des femmes. Voilà le lien.

— Tu lis les journaux...

— Pas trop. Qu'est-ce qui te fait croire qu'elles sont autre chose que des victimes prises au hasard ?

— Je ne crois rien, je cherche.

— Mais tu ne sais pas quoi ?

— Correct.

— Tu es certain que l'assassin de Marit Olsen est celui qui a tué les deux autres ? La méthode était différente en tous points, si j'ai bien compris. »

Harry sourit. Surtout devant les efforts de Katrine pour dissimuler qu'elle avait lu et relu les détails dans les journaux.

« Non, Katrine, je n'en suis pas certain. Mais en tout cas, j'entends que tu es arrivée à la même conclusion que moi.

— Bien sûr. Nous étions des âmes sœurs, tu t'en souviens ? »

Elle rit, et tout à coup elle fut de nouveau Katrine, et non plus le fantôme de cette enquêtrice brillante et excentrique qu'il n'avait connue que de façon superficielle avant que tout s'effondre. Harry fut surpris de sentir une boule se former dans sa gorge. Saleté de décalage horaire.

« Tu peux m'aider, tu crois ?

— À trouver quelque chose que la Kripos a passé deux mois à ne pas trouver ? Avec un ordinateur antédiluvien dans la salle de

140

loisir d'un hôpital psychiatrique ? Je ne sais même pas pourquoi tu me poses la question. Il y a des gens à l'hôtel de police qui sont beaucoup plus calés en matière de recherche de données que moi.

— Je sais, mais j'ai quelque chose qu'eux n'ont pas. Et que je ne peux pas leur fournir. Le mot de passe pour les enfers. »

Elle le regarda sans comprendre. Harry s'assura que personne ne pouvait les entendre.

« Quand je travaillais pour le SSP, dans le cadre de l'affaire Rouge-gorge, j'ai eu accès au moteur de recherche qu'ils utilisent pour traquer les terroristes. Ils se servent des *back-doors* d'Internet que MILNET, le réseau militaire américain, a créées avant d'abandonner le Net à un usage commercial à travers ARPANET, dans les années 1980. Comme tu le sais, ARPANET est devenu Internet, mais les *back-doors* sont toujours là. Le moteur de recherche se sert de chevaux de Troie qui mettent à jour les mots de passe, les codes et les changements de version là où ils sont installés. Réservations de vols, d'hôtels, passages de péages, virements interbancaires, ce moteur voit tout.

— J'en ai entendu parler, mais je croyais que c'était une invention.

— Eh non. Créé en 1984. Le cauchemar orwellien est devenu une réalité. Et le plus fort : mon mot de passe est toujours valable. J'ai vérifié.

— Alors pourquoi as-tu besoin de moi ? Tu es capable de faire ça tout seul, non ?

— Il n'y a que le SSP qui utilise ce système, et comme je te l'ai dit, seulement en situation de crise. Comme sur Google, tes recherches peuvent être tracées jusqu'à leur point de départ. Si on découvre que moi ou n'importe qui d'autre à l'hôtel de police s'est servi de ce moteur de recherche, on risque des poursuites. Mais si on remonte jusqu'à un ordinateur collectif dans un hôpital psychiatrique… »

Katrine Bratt éclata de rire. Son autre rire, celui de la méchante sorcière.

141

« Je commence à comprendre. Ma première qualité, ici, ce n'est pas d'être la géniale enquêtrice Katrine Bratt, mais... » Elle fit un large geste. « ... la patiente Katrine Bratt. À l'abri des poursuites pénales car pas responsable.

— Correct, approuva Harry avec un sourire. En plus du fait que tu es l'une des rares personnes à qui je puisse faire confiance pour la boucler. Et même si tu n'es pas géniale, tu es en tout cas plus intelligente que la moyenne.

— Trois doigts rongés et jaunis par la nicotine dans ton cul étroit.

— Personne ne doit savoir ce que nous faisons. Mais je te promets que nous sommes les Blues Brothers, là-dessus.

— *On a mission from God ?*

— J'ai noté le mot de passe au dos de la carte SIM.

— Et qu'est-ce qui te fait croire que je réussirai à me servir du moteur de recherche ?

— C'est presque comme sur Google ; même moi, j'ai compris quand j'étais au SSP. » Il fit un sourire narquois. « Le moteur a été conçu pour des policiers. »

Elle poussa un gros soupir.

« Merci, répondit Harry.

— Mais je n'ai rien *dit* !

— Quand penses-tu avoir quelque chose pour moi ?

— Va te faire voir ! » Elle abattit une main sur la table. Harry vit un infirmier regarder dans leur direction. Harry soutint le regard furieux de Katrine. Attendit.

« Je ne sais pas, murmura-t-elle. Je ne crois pas que j'irai dans la salle de loisir me servir de moteurs de recherche illégaux en plein jour, si tu vois ce que je veux dire. »

Harry se leva.

« OK, je te rappelle dans trois jours.

— Tu n'as rien oublié ?

— Quoi ?

— Qu'est-ce que j'y gagne ?

— Eh bien… » Harry boutonna son manteau. « Maintenant, je sais ce que tu veux.

— Ce que je v… » La surprise sur son visage laissa la place à un véritable choc lorsqu'elle comprit. « Espèce de salaud indécent ! cria-t-elle à Harry qui se dirigeait déjà vers la porte. Rêve toujours ! »

Harry grimpa dans le taxi, lança « Aéroport », sortit son téléphone et constata qu'il avait trois appels en absence d'un des deux seuls numéros en mémoire dans son appareil. Bon, ça voulait dire qu'ils avaient quelque chose.

Il rappela.

« Le Lyseren, expliqua Kaja. Il y avait une fabrique de cordes qui a fermé il y a quinze ans. Le lensmann[1] d'Ytre Enebakk peut nous montrer l'endroit cet après-midi. Il avait quelques délinquants notoires dans les parages, mais c'étaient des broutilles, effractions et voitures. Plus un qui a purgé une peine après avoir rossé sa femme. Mais il a transmis une liste de noms, que je compare au casier judiciaire.

— Bon. Viens me chercher à Gardermoen, c'est sur le chemin.

— Pas du tout.

— Tu as raison. Viens me chercher quand même. »

---

1. Officier d'administration chargé entre autres du maintien de l'ordre et de la collecte des impôts dans les communes rurales.

CHAPITRE 19

La mariée

En dépit de la vitesse réduite, la Volvo Amazon de Bjørn Holm bringuebalait sur la route étroite qui serpentait entre les champs et les prés de l'Østfold.

Harry dormait sur la banquette arrière.

« Alors pas d'agresseurs sexuels autour du Lyseren ? demanda Bjørn.

— Pas qui se soient fait prendre, rectifia Kaja. Tu n'as pas vu le sondage dans *VG* ? Une personne sur vingt avoue avoir commis une agression caractérisée.

— Les gens répondent à ces choses-là ? Si j'étais allé trop loin avec une nana, je crois que j'aurais tout fait pour le rationaliser ensuite.

— Ça t'est arrivé ?

— Moi ? » Bjørn déboîta et accéléra pour doubler un tracteur. « Non. Je suis un des dix-neuf autres. Ytre Enebakk. Merde, comment s'appelle-t-il déjà, le comique qui vient de ce coin ? L'idiot du village avec ses lunettes pétées et sa mobylette ? Machin-truc-chouette d'Ytre Enebakk. Une parodie dingue. »

Kaja haussa les épaules. Bjørn jeta un coup d'œil dans son rétroviseur, mais ne vit que la bouche grande ouverte de Harry.

Le lensmann d'Ytre Enebakk les attendait comme convenu près de la station d'épuration de Vøyentangen. Ils se garèrent, il déclara s'appeler Skai — ce que Bjørn Holm sembla apprécier tout particulièrement — et ils le suivirent jusqu'à un ponton flottant près duquel une douzaine de bateaux oscillaient sur l'eau calme.

« C'est tôt pour mettre les bateaux à l'eau, constata Kaja.

— Il n'y a pas eu de glace cette année, il n'y en aura pas, répondit le lensmann. C'est la première fois depuis que je suis né. »

Ils descendirent dans un chaland à fond plat et large, Bjørn avec davantage de précautions que les autres.

« C'est peu profond, ici, remarqua Kaja alors que le lensmann repoussait le bateau du ponton.

— Oui. » Il jeta un coup d'œil dans l'eau, lança le moteur en tirant un bon coup. « Mais la fabrique de cordes est là-bas, du côté profond. Une route y arrive presque, mais le terrain est si raide que le seul moyen d'accès, c'est le bateau. »

Il fit pivoter la manette à côté du moteur. Un oiseau d'une espèce indéterminée décolla d'un arbre dans le bois de résineux et poussa un cri menaçant.

« J'ai horreur de la mer », murmura Bjørn à Harry, qui entendit à peine son collègue par-dessus les pétarades du moteur hors-bord deux temps. Dans la lumière grise de l'après-midi, ils avancèrent dans un couloir au milieu des roseaux hauts de deux mètres. Passèrent à proximité d'un tas de branches que Harry soupçonna d'être une hutte de castors, puis longèrent une allée d'arbres qui fit penser Harry à une mangrove.

« C'est un lac, corrigea Harry. Pas la mer.

— Ça revient au même. » Bjørn se déplaça pour être plus au milieu du banc de nage. « Je veux de la terre ferme, de la bouse de vache et des montagnes. »

Le canal s'élargit et ils le virent devant eux : le Lyseren. Sur fond de crachotements du moteur, ils passèrent à la hauteur d'îles et d'îlots semés de petits chalets inoccupés en hiver. Les fenêtres noires paraissaient fixer sur eux un regard vigilant.

« Les chalets Gerhardsen, expliqua le lensmann. Ici, on n'a pas le stress de la côte d'or, où il faut rivaliser avec le voisin pour le plus gros bateau et la plus belle extension de chalet. » Il cracha dans l'eau.

« Comment s'appelle-t-il, le comique à la télé qui vient d'Ytre Enebakk ? cria Bjørn par-dessus le raffut du moteur. Lunettes pétées, mobylette. »

Le lensmann posa sur Bjørn un regard inexpressif et secoua la tête.

« La fabrique de cordes », déclara-t-il.

Devant la proue, au bord de l'eau, Harry vit un vieux bâtiment long en bois, isolé sous une butte et encadré par une végétation épaisse. À côté de la maison, des rails descendaient sur la pente abrupte, et disparaissaient dans l'eau noire. La peinture rouge s'écaillait sur les murs, les portes et les fenêtres béaient. Harry plissa les yeux. Dans la lumière décroissante, une personne vêtue de blanc semblait les observer depuis l'une des fenêtres.

« Fichtre, une vraie maison hantée ! rit Bjørn.

— C'est ce qu'on dit », répondit le lensmann Skai tandis qu'il coupait le moteur.

Dans le silence subit, ils entendirent l'écho du rire de Bjørn d'un côté et le son d'une cloche de mouton esseulée en provenance de la rive opposée.

Kaja sauta à terre avec l'amarre et exécuta un nœud d'ancre parfait autour d'un pieu pourri et moussu qui dépassait entre les lis d'eau.

Ils descendirent du chaland et grimpèrent sur les rochers qui tenaient lieu de quai, puis passèrent la porte du bâtiment et se retrouvèrent dans une pièce longue et vide qui empestait le goudron et l'urine. Ce n'était pas visible de l'extérieur, car l'extrémité de l'édifice disparaissait entre les arbres, mais la pièce, qui faisait à peine plus de deux mètres en largeur, devait en mesurer plus de soixante de long.

« Ils se tenaient à chaque bout de la salle et tissaient la corde », expliqua Kaja avant que Harry ait eu le temps de lui poser la question.

Dans un coin, il y avait trois canettes de bière vides et les traces d'une tentative de feu de camp. Un filet était suspendu au mur opposé, devant quelques planches.

« Après Simonsen, personne n'a voulu reprendre la boutique. » Le lensmann regarda autour de lui. « C'est resté vide depuis.

— À quoi servent les rails à côté de la maison ? voulut savoir Harry.

— À deux choses. À amener et à remonter le bateau qui apporte les troncs. Et à maintenir les morceaux de bois sous l'eau quand il faut les ramollir. Il les attachait au wagonnet en métal qui doit être dans le hangar, là-haut. Et puis il faisait descendre le chariot sous l'eau, et le remontait au bout de quelques semaines, quand le bois était assez tendre. Il avait le sens pratique, Simonsen. »

Ils sursautèrent tous au cri subit que poussa un animal dans le bois juste de l'autre côté du mur.

« Un mouton, supposa le lensmann. Ou un cerf. »

Ils lui emboîtèrent le pas dans un escalier en bois étroit qui montait au premier. Une table énorme occupait le milieu de la pièce. Les deux extrémités de cette espèce de couloir disparaissaient dans l'obscurité. Le vent entrait par les fenêtres brisées avec un sifflement et faisait battre le voile de mariée mangé aux mites de la femme. Ils la voyaient de profil, tournée vers le lac. Sous la tête et le buste, il y avait son squelette : un châssis en fer monté sur roues.

« Simonsen s'en servait comme épouvantail, expliqua Skai avec un mouvement de tête vers le mannequin.

— C'est sinistre. » Kaja se plaça à côté du lensmann. Elle frissonna dans son blouson.

Il la regarda en coin et fit un sourire narquois :

« Les gosses des environs en avaient une trouille bleue. Les adultes disaient qu'à la pleine lune elle tournait dans le coin, à la recherche de l'homme qui l'avait trahie le jour de ses noces. Et qu'on pouvait entendre les roues grincer quand elle arrivait. J'ai grandi juste derrière, à Haga, voyez-vous.

— Ah oui ? répondit Kaja, et Harry dissimula un sourire.

— Ouaip. C'est d'ailleurs la seule bonne femme qu'on ait connue aux côtés de Simonsen. C'était un sacré solitaire, vous savez. Mais fabriquer les cordes, ça, il savait faire. »

Derrière eux, Bjørn Holm souleva une glène suspendue à un clou.

« J'ai dit que vous pouviez toucher quelque chose ? » demanda le lensmann sans se retourner.

Bjørn se dépêcha de remettre la corde à sa place.

« OK, chef, répondit Harry en adressant à Skai un sourire forcé. On peut toucher quelque chose ? »

Le lensmann observa Harry.

« Vous ne m'avez pas encore dit de quoi il s'agissait exactement.

— C'est confidentiel, répliqua Harry. Désolé. Répression des fraudes. Vous savez.

— Tiens donc ? Si vous êtes le Harry Hole que je vous soupçonne d'être, vous bossiez à la Crim.

— Bon, maintenant, ce sont délits d'initié, fraude fiscale et escroqueries. On progresse, on progresse… »

Le lensmann Skai ferma un œil. Un oiseau poussa un nouveau cri.

« Vous avez raison, bien sûr, Skai, soupira Kaja. Mais c'est moi qui dois m'occuper de demander le petit papier à notre juriste pour pouvoir perquisitionner, et comme vous le savez, nous sommes en sous-effectif, et ça me ferait gagner pas mal de temps si vous vouliez bien nous laisser… » Elle sourit en exhibant ses petites dents pointues, et fit un signe de tête vers la glène.

Skai la regarda. Se balança deux ou trois fois d'avant en arrière sur les talons de ses bottes en caoutchouc. Puis hocha la tête.

« J'attends dans le bateau », dit-il.

Bjørn s'attela sans délai à la tâche. Il posa la glène sur la table, ouvrit son petit sac à dos, alluma une lampe de poche dont la dragonne était munie d'un hameçon qu'il planta entre deux planches du plafond. Il sortit son portable, un microscope qui avait la forme et la taille d'un marteau, le connecta à un port USB de son ordinateur, vérifia qu'il avait une image sur l'écran et fit apparaître une photo transférée sur le portable avant leur départ.

Harry se posta à côté de la mariée et regarda vers le lac. Une braise de cigarette luisait dans le chaland. Il regarda les rails qui disparaissaient dans l'eau. Harry n'avait jamais aimé se baigner en eaux vives, encore moins depuis ce jour où Øystein et lui avaient séché l'école pour aller au Hauktjern dans les Østmarka, où ils avaient sauté depuis le Jævelstup qui, disait-on, était à douze mètres au-dessus de l'eau. Harry — au moment d'atteindre la surface — avait vu une vipère fendre l'eau sous lui avant d'être à son tour englouti par les ténèbres vertes et glaciales ; dans la panique, il avait avalé la moitié du lac, certain de ne plus jamais revoir la lumière du jour et de ne plus jamais respirer.

Harry sentit un parfum qui lui apprit que Kaja se tenait juste derrière lui.

« Bingo », murmura Bjørn Holm dans son dos.

Harry se retourna.

« Même genre de corde ?

— Aucun doute. » Bjørn tint le microscope au-dessus du bout de la corde et cliqua pour prendre des photos haute définition. « Du tilleul et de l'orme. Des fibres aussi longues et épaisses. Mais ce qui justifie le bingo, ici, c'est la surface de coupe très nette au bout de cette corde.

— Quoi ? »

Bjørn Holm pointa un index sur l'écran.

« La photo de gauche, je l'avais. Elle montre la surface de coupe sur la corde de la piscine de Frogner, agrandie vingt-cinq fois. Et sur cette corde-ci, j'ai une parfaite... »

Harry ferma les yeux pour mieux savourer le mot qui allait venir :

« … correspondance. »

Il garda les yeux fermés. Non seulement la corde avec laquelle Marit Olsen avait été pendue avait été fabriquée ici, mais elle avait été coupée dans celle qu'ils avaient devant eux. Et récemment. Il s'était trouvé au même endroit qu'eux peu de temps auparavant. Harry huma l'air.

Des ténèbres totales s'étaient installées. Harry devinait à peine quelque chose de blanc à la fenêtre lorsqu'ils s'en allèrent.

Kaja était assise à l'avant du chaland avec Harry. Elle dut se pencher tout contre lui pour qu'il l'entende à travers le raffut du moteur :

« La personne qui est venue chercher cette corde ici connaît bien le coin. Et il ne doit pas y avoir beaucoup d'intermédiaires entre cette personne et l'assassin…

— Je crois qu'il n'y en a aucun. La coupure est récente. Et il n'y a pas beaucoup de raisons pour que la corde change de main.

— Connaît le coin, habite à proximité ou a un chalet dans les parages, pensa Kaja tout haut. Ou a grandi ici.

— Mais pourquoi venir jusqu'à cette fabrique désaffectée pour se procurer quelques mètres de corde ? demanda Harry. Combien ça coûte, une longue corde, dans un magasin ? Deux ou trois cents couronnes ?

— Il était peut-être dans le coin pour autre chose, et savait qu'il trouverait de la corde ici.

— OK. Mais "dans le coin", ça veut dire qu'il a dû loger dans l'un des chalets des environs. Tous les autres sont à bonne distance en bateau de la fabrique. Tu fais…

— Oui, je dresse une liste des voisins immédiats. Par ailleurs, j'ai pu joindre un vulcanologue, comme tu me l'as demandé. Une tête de l'Institut de géologie. Felix Røst. Il s'occupe de *volcano-spotting*. Des gens qui font le tour de la planète pour voir les éruptions, des trucs comme ça.

151

— Tu lui as parlé ?

— Pas à lui, à sa sœur, qui habite chez lui. Elle m'a demandé d'envoyer un mail ou un SMS, il ne communique que comme ça, m'a-t-elle dit. Et il était sorti jouer aux échecs. J'ai transféré les cailloux et les informations. »

Ils avancèrent lentement sur le canal vert et rejoignirent le quai. Bjørn tenait la lampe de poche qui faisait office de lanterne et de projecteur dans le brouillard léger au-dessus de l'eau. Le lensmann coupa le moteur.

« Regarde ! » chuchota Kaja en se rapprochant encore de Harry. Il sentit son parfum lorsqu'il regarda dans la direction qu'elle indiquait. Dans les roseaux derrière le ponton, un grand cygne blanc immaculé sortit du voile de brume et entra dans le faisceau de la lampe de poche.

« C'est tellement... beau ! » murmura-t-elle avec ravissement. Puis elle rit et serra très vite la main de Harry.

Skai les raccompagna jusqu'à la station d'épuration. Ils étaient installés dans l'Amazon, sur le point de partir, quand Bjørn descendit à toute vitesse sa vitre et cria au lensmann : « FRITJOF ! »

Skai s'arrêta et se retourna sans hâte. La lumière tombait d'un réverbère sur son lourd visage inexpressif.

« Le comique à la télé ! cria Bjørn. Fritjof d'Ytre Enebakk.

— Ytre Enebakk ? répéta Skai avant de cracher. Jamais entendu parler. »

Vingt-cinq minutes plus tard, lorsque l'Amazon emprunta la route européenne au niveau de l'incinérateur de déchets de Grønmo, Harry avait pris une décision.

« Il faut qu'on laisse filtrer cette information à la Kripos.

— Quoi ? s'exclamèrent Bjørn et Kaja en chœur.

— J'en parlerai à Beate, et elle transmettra comme si c'étaient ses gars de la Technique qui avaient fait la découverte pour la corde, et pas nous.

— Pourquoi ? voulut savoir Kaja.

— Si l'assassin habite près du Lyseren, il faudra faire une enquête de voisinage. On n'en a ni la possibilité ni les moyens humains. »

Bjørn Holm donna un coup de poing sur le volant.

« Je sais, répondit Harry. Mais le plus important, c'est qu'il soit chopé, pas qui le chopera. »

Ils poursuivirent en silence, tandis que l'écho de ce mensonge résonnait dans l'habitacle.

CHAPITRE 20

Øystein

Le courant avait été coupé. Harry s'immobilisa dans l'entrée et actionna deux ou trois fois l'interrupteur. Puis fit de même dans le salon.

Il s'assit dans le fauteuil et garda les yeux ouverts dans le noir.

Au bout d'un moment, le téléphone sonna.

« Ici Hole.

— Ici Felix Røst.

— Ah bon ? répliqua Harry, car la voix semblait plutôt appartenir à une petite femme frêle.

— Frida Larsen, sa sœur. Il m'a demandé de vous appeler pour vous dire que les cailloux que vous avez découverts, c'est de la lave basaltique, mafique. D'accord ?

— Attendez ! Qu'est-ce que ça veut dire, mafique ?

— Que c'est de la lave chaude, plus de mille degrés, avec une faible viscosité qui la rend liquide et lui permet de se répandre loin du lieu de l'éruption.

— Ça peut venir d'Oslo ?

— Non.

— Pourquoi ? Oslo est bâti sur de la lave, non ?

— De l'ancienne lave. Celle-là est fraîche.

— À savoir ? »

Il l'entendit poser une main sur le micro et discuter avec quelqu'un. Ou parler à quelqu'un, il n'entendit pas d'autre voix. Elle dut cependant obtenir une réponse, car elle fut bientôt de retour.

« Il dit entre cinq et cinquante ans. Mais si vous prévoyez de trouver de quel volcan il s'agit, vous avez du pain sur la planche. Il y a plus de mille cinq cents volcans actifs dans le monde. Pour ne parler que de ceux qu'on connaît. Si vous avez d'autres questions, vous pouvez envoyer un mail à Felix. Votre assistante a l'adresse.

— Mais... »

Elle avait déjà raccroché.

Il hésita à rappeler, mais se ravisa et composa un autre numéro.

« Taxis d'Oslo.

— Salut, Øystein, c'est Harry Hå.

— Vous déconnez, Harry Hå est mort.

— Pas tout à fait.

— OK, alors c'est moi qui suis mort.

— Tu as envie de me conduire de Sofies gate jusqu'à ma maison d'enfance ?

— Non, mais je le ferai quand même. Je termine juste cette course. » Øystein rit et toussa. « Harry Hå ! Bordel... Je sonnerai chez toi. »

Harry raccrocha, alla dans sa chambre, emballa quelques affaires à la lueur du réverbère sous sa fenêtre, prit deux ou trois CD dans le salon en s'éclairant avec l'écran de son téléphone mobile. Cartouche de cigarettes, menottes, arme de service.

Il s'installa dans le fauteuil et profita de l'obscurité pour s'exercer avec son revolver. Il déclencha le chronomètre de sa montre, fit basculer le barillet de son Smith & Wesson, le vida et le rechargea. Quatre cartouches dehors, quatre dedans, sans hâte, rien que de la rapidité. Puis replaça le barillet de telle sorte que la première cartouche occupe la première place. Stop. Neuf soixante-six. Presque trois secondes de plus que son record personnel. Il sortit le barillet.

Il s'était planté. La chambre correspondant au premier coup de feu était vide. Il était mort. Il répéta l'exercice. Neuf cinquante. Et mort à nouveau. Vingt minutes plus tard, lorsque Øystein sonna, il était descendu à huit secondes et avait trépassé six fois.

« J'arrive », répondit Harry.

Il passa à la cuisine. Regarda la porte sous l'évier. Hésita. Puis il décrocha la photo de Rakel et Oleg et la fourra dans sa poche intérieure.

« Hong Kong ? » pouffa Øystein Eikeland. Il tourna un visage bouffi par l'alcool, orné d'un tarin agressif et d'une moustache triste à la gauloise, vers Harry assis à côté de lui. « Qu'est-ce que tu brocantais là-bas ?

— Tu me connais, répondit Harry tandis qu'Øystein s'arrêtait au feu rouge devant l'hôtel Radisson SAS.

— Certainement pas ! rétorqua Øystein en se roulant une cigarette. Comment j'aurais pu ?

— Eh bien, on a grandi ensemble. Tu te souviens ?

— Et alors ? Tu étais déjà un putain de mystère à cette époque, Harry. »

La portière arrière s'ouvrit en grand, et un homme en pardessus monta à bord :

« Navette de l'aéroport, Byporten. Vite.

— Occupé, répondit Øystein sans se retourner.

— Foutaises, votre signal est allumé.

— Ça a l'air cool, Hong Kong. Pourquoi es-tu rentré, au fait ?

— Excusez-moi », dit le type sur la banquette arrière.

Øystein se ficha la cigarette entre les lèvres et l'alluma.

« Tresko[1] m'a appelé pour m'inviter à une réunion entre potes ce soir.

— Tresko n'a pas d'amis, contra Harry.

---

1. « Sabot » en norvégien.

— N'est-ce pas ? Je lui ai demandé : "Qui sont tes potes, alors ?" "Toi", il a dit, avant de me demander : "Et les tiens, Øystein ?" "Toi", j'ai répondu. Ça fait deux. On t'avait oublié, Harry. C'est ce qui arrive quand tu te barres à... » Il pinça la bouche et termina d'une voix hachée : « Hong Kong !

— Hé ! fit-on sur le siège arrière. Si vous avez terminé, on doit pouvoir... »

Le feu passa au vert, et Øystein accéléra.

« Tu viens, alors ? C'est chez Tresko.

— Ça pue les panards comme pas permis, là-bas.

— Son frigo est plein.

— Désolé, je ne suis pas d'humeur à faire la bringue.

— La bringue ? répéta Øystein sur un ton mauvais, avant d'abattre une main sur le volant. Tu ne sais pas ce que c'est de faire la bringue, Harry. Tu évitais toujours les fêtes. Tu te rappelles ? On avait fait des provisions de bière, on allait à une adresse chouette de Nordstrand, où il y aurait plein de nanas. Et tu as proposé que toi, Tresko et moi allions plutôt aux bunkers pour picoler tout seuls.

— Hé, ce n'est pas par là, la navette pour l'aéroport ! » couina-t-on sur la banquette arrière.

Øystein freina à un nouveau feu rouge, écarta ses cheveux mi-longs en bataille et répondit par-dessus son épaule :

« Et on s'est retrouvés là-bas. On était ronds comme des queues de pelle, et lui, là, s'est mis à chanter *No Surrender* jusqu'à ce que Tresko le bombarde de canettes vides.

— Non, sérieusement ! gémit le bonhomme en tapotant le verre de sa montre TAG Heuer. Il *faut* que j'attrape le dernier avion pour Stockholm.

— C'était super, les bunkers, dit Harry. Le plus beau point de vue sur la ville.

— Ouais, acquiesça Øystein. Si les Alliés avaient tenté leur chance, les Allemands les auraient mis en pièces.

158

— Très juste, approuva Harry avec un large sourire.

— Tu vois, on avait fait une promesse, lui et moi et Tresko »,
continua Øystein, mais le type en costume était maintenant occupé
à chercher à travers les gouttes de pluie un taxi libre. « Que si ces
enfoirés d'Alliés se pointaient, on les canarderait jusqu'à ce qu'il ne
reste plus que les os. Comme ça. » Øystein brandit une mitrailleuse
fictive sur le passager à l'arrière et ouvrit le feu. L'intéressé regarda
avec effroi ce chauffeur dément, qui imitait les rafales en projetant
des postillons sur son pantalon sombre soigneusement repassé.
Avec un petit halètement, il parvint à ouvrir sa portière et descendit
en chancelant sous la pluie.

Øystein éclata d'un rire brut et franc.

« Tu avais le mal du pays, affirma Øystein. Tu voulais danser de
nouveau avec Killer Queen, au restaurant d'Ekeberg. »

Harry pouffa de rire et secoua la tête. Dans le rétroviseur, il vit
le type partir au hasard vers le Théâtre national. « C'est mon père.
Il est malade. Il n'en a plus pour très longtemps. »

— Et merde ! » Øystein accéléra de nouveau. « C'est un type
bien.

— Merci. Je pensais que tu voudrais le savoir.

— Et comment ! Je le dirai à mes vieux. »

« Nous y voici, annonça Øystein quand ils furent arrêtés devant
le garage et la petite villa jaune d'Oppsal.

— Ouais. »

Øystein inhala avec une telle vigueur que la cigarette parut sur
le point de prendre feu, garda un instant la fumée dans ses poumons et la recracha avec un long chuintement gargouillant. Il pencha alors la tête sur le côté et fit tomber la cendre dans le cendrier.
Harry ressentit un léger pincement au cœur. Combien de fois
avait-il vu Øystein précisément comme ça, se pencher sur le côté
comme si la cigarette était si lourde que c'était sa seule façon de ne
pas perdre l'équilibre. La tête penchée sur le côté. La cendre par

terre dans un recoin de l'école, au fond d'une canette vide lors d'une fête où ils s'étaient incrustés, ou sur le sol en béton froid et nu des bunkers.

« C'est pas juste, la vie, proclama Øystein. Ton père était clean, il sortait se promener le dimanche et bossait comme professeur. Alors que le mien buvait, bossait à l'usine Kadok où ils chopaient tous de l'asthme et des maladies de peau bizarres, et ne bougeait plus d'un millimètre une fois qu'il avait retrouvé son canapé dans le salon. Et il pète le feu ! »

Harry se souvenait de l'usine Kadok. Kodak à l'envers. Le propriétaire, un gars du Sunnmøre, avait lu qu'Eastman avait appelé son usine d'appareils photo Kodak parce que c'était un nom qu'on pouvait mémoriser et prononcer dans le monde entier. Mais Kadok avait fermé et était oublié depuis longtemps.

« Tout disparaît », soupira Harry.

Øystein hocha la tête comme s'il avait suivi son raisonnement.

« Appelle s'il y a quelque chose, Harry.

— D'accord. »

Harry attendit jusqu'à ce qu'il entende les roues crisser sur le gravier et disparaître derrière lui avant d'ouvrir et d'entrer. Il actionna l'interrupteur et s'immobilisa tandis que la porte se refermait. L'odeur, le silence, la lumière qui éclairait la penderie, tout lui parlait, ça revenait à se plonger dans un bassin de souvenirs. Qui l'entouraient, le réchauffaient et lui nouaient la gorge. Il enleva son manteau et envoya promener ses chaussures. Et se mit à marcher. D'une pièce à l'autre. D'une année à l'autre. De papa et maman à la Frangine, puis lui pour finir. Sa chambre. L'affiche des Clash, celle où une basse était fracassée par terre. Il s'allongea sur le lit et inspira l'odeur du matelas. Et les larmes arrivèrent.

CHAPITRE 21

Blanche-Neige

Il était vingt heures moins deux, et Mikael Bellman remontait Karl Johans gate, l'une des rues de parade les plus modestes au monde. Il se trouvait au cœur du royaume de Norvège, au centre de la croix. À sa gauche, l'université et le savoir, et à sa droite, le Théâtre national et la culture. Derrière lui, dans le parc du château, la demeure royale. Et juste devant lui : le pouvoir. Trois cents pas plus loin, à vingt heures précises, il monta l'escalier de pierre pour accéder à l'entrée principale du Parlement. Comme beaucoup d'autres à Oslo, le bâtiment n'était ni très grand ni impressionnant. Sa surveillance était médiocre. Tout ce que l'on voyait de sécurité, c'étaient deux lions taillés dans le granit de Grorud, placés de part et d'autre de la butte en contrebas.

Bellman monta jusqu'à la porte qui s'ouvrit sans bruit avant qu'il ait eu le temps de la pousser. Il parvint à l'accueil et s'arrêta pour regarder autour de lui. Un gardien apparut et d'un signe de tête aimable, mais déterminé, lui indiqua de passer sous un portique de détection de marque Gilardoni. Dix secondes plus tard, il avait révélé que Mikael Bellman n'était pas armé, et que la boucle de sa ceinture était le seul élément métallique qu'il portait.

Rasmus Olsen l'attendait, appuyé au guichet d'accueil. Le frêle veuf de Marit Olsen lui serra la main et le précéda. Il prit machinalement sa voix de guide :

« Le Parlement, trois cent quatre-vingts employés, cent soixante-neuf représentants. Construit en 1866, dessiné par Emil Victor Langlet. Un Suédois. Voici le hall d'entrée. La mosaïque s'appelle *Société*, d'Else Hagen, 1950. Le portrait du roi a été réalisé... »

Ils arrivèrent dans la salle des pas perdus, que Mikael avait déjà vue à la télévision. Quelques visages, tous inconnus, passèrent en hâte. Rasmus lui expliqua qu'il venait d'y avoir une réunion de comité, mais Bellman ne l'écoutait pas. Il ne songeait qu'à une chose : c'étaient les couloirs du pouvoir. Il était déçu. Certes, il y avait de l'or et du rouge, mais où était le grandiose, l'officiel, toutes ces choses censées conférer le respect à ceux qui décidaient ? Cette satanée sobriété étriquée, c'était comme une infirmité dont cette jeune démocratie du nord de l'Europe, si pauvre encore peu de temps auparavant, n'arrivait pas à se débarrasser. Pourtant, il était revenu. S'il n'avait pas réussi à atteindre le sommet là où il avait essayé en premier lieu, parmi les loups d'Europol, il allait y parvenir ici, dans une lutte contre des nains et des minus.

« Cette pièce tout entière servait de bureau à Terboven pendant la guerre. Plus personne n'a un aussi grand bureau, aujourd'hui.

— Comment allait le ménage ?

— Plaît-il ?

— Marit et vous. Vous vous disputiez ?

— Euh... non. »

Rasmus Olsen avait l'air secoué, et il pressa le pas. Comme pour échapper au policier, ou du moins ne plus être à portée d'oreille des autres. Il ne poussa un gros soupir tremblotant que lorsqu'ils eurent franchi la porte du bureau d'Olsen, au secrétariat du groupe.

« Nous connaissions bien sûr des hauts et des bas. Vous êtes marié, Bellman ? »

Bellman hocha la tête.

« Alors vous comprenez sans doute ce que je veux dire.

— Était-elle infidèle ?

— Non. Je crois pouvoir l'affirmer avec certitude. »

Parce qu'elle était grasse comme une vache ? faillit demander Bellman, mais il s'abstint, il avait ce qu'il était venu chercher. L'hésitation, le tressaillement au coin de l'œil, la contraction presque imperceptible de la pupille.

« Et vous, Olsen, vous avez déjà été infidèle ? »

Même réaction. En plus d'une belle tache rouge sur le front, sous les rides profondes. La réponse fut courte et laconique : « Non, figurez-vous que non. »

Bellman pencha la tête sur le côté. Il n'avait aucun soupçon à l'encontre de Rasmus Olsen. Alors pourquoi le tourmenter avec ce genre de questions ? La réponse était aussi simple que frustrante. Parce qu'il n'avait personne d'autre à interroger, aucune autre piste à suivre. Il laissait tout simplement sa frustration se déverser sur le malheureux.

« Et vous, inspecteur ?

— Et moi quoi ? dit Bellman avec un bâillement étouffé.

— Vous êtes infidèle ?

— Ma femme est trop belle, sourit Bellman. En plus, nous avons deux enfants. Votre femme et vous n'en aviez pas, et ça incite à plus de… distractions. J'ai discuté avec une personne qui dit que vous et votre femme aviez des problèmes depuis un moment.

— La voisine, je suppose. Marit lui parlait pas mal, oui. Il y a eu une petite affaire de jalousie, il y a quelques mois. J'avais recruté une jeune fille au parti, pendant une formation de délégués. C'est comme ça que j'ai rencontré Marit, alors elle… »

La voix de Rasmus Olsen dérailla soudain, et Bellman vit que ses yeux étaient pleins de larmes.

« Ce n'était rien. Mais Marit est partie à la campagne quelques jours, pour réfléchir. Ensuite, tout est redevenu normal. »

Le téléphone de Bellman sonna. Il le tira de sa poche, lut le nom sur l'écran et répondit par un « oui » sec. Et il sentit la fureur monter et son pouls s'accélérer tandis qu'il écoutait.

« La corde ? répéta-t-il. Le Lyseren ? Ça fait… Ytre Enebakk ? Merci. »

Il glissa le téléphone dans sa poche.

« Faut que je me sauve, Olsen. Merci pour le temps que vous m'avez accordé. »

En ressortant, Bellman s'arrêta un court instant dans le bureau de Terboven, le *Reichskommissar*. Puis repartit à pas rapides.

Il était une heure du matin, et Harry écoutait dans le salon Martha Wainwright chanter « ... *far away* » et « ... *whatever remains is yet to be found* ».

Il était harassé. Son mobile était posé sur la table basse devant lui, à côté d'un briquet et de la boule brune dans le papier alu. Il n'y avait pas touché. Mais il allait bientôt devoir dormir, trouver un rythme, faire une pause. Il tenait la photo de Rakel dans la main. Robe bleue. Il ferma les yeux. Sentit son parfum. Entendit sa voix. « Regarde ! » Sa main le serrait un bref instant. L'eau était noire et profonde autour d'eux, et elle flottait, blanche, silencieuse, légère sur la surface. Le vent soulevait son voile de mariée et montrait les ressorts blancs immaculés en dessous. Son cou long et fin formait un point d'interrogation. Où ? Elle sortit de l'eau, squelette de fer noir sur des roues qui couinaient et grinçaient. Puis entra dans la maison et disparut. Avant de réapparaître au premier. Elle avait un nœud coulant autour du cou, et un homme en costume noir au revers piqué d'une fleur blanche se tenait à côté d'elle. Devant eux, le dos tourné, il voyait un prêtre en habit blanc. Il lisait lentement. Puis il se retourna. Son visage et ses mains étaient blancs. De neige.

Harry se réveilla en sursaut.

Et cilla dans les ténèbres. Du bruit. Mais pas Martha Wainwright. Harry se tortilla pour attraper le téléphone qui bourdonnait en clignotant sur la table basse.

« Oui ? répondit-il d'une voix rauque.

— Je l'ai.

— Tu as quoi ? demanda-t-il en s'asseyant.

— Le lien. Et il n'y a pas trois mortes. Il y en a quatre. »

CHAPITRE 22

Moteur de recherche

« J'ai d'abord essayé avec les trois noms que tu m'as donnés, commença Katrine Bratt. Borgny Stem-Myhre, Charlotte Lolles et Marit Olsen. Mais la recherche ne me donnait rien de cohérent. Alors j'ai ajouté toutes les personnes disparues en Norvège ces douze derniers mois. Et ça m'a fourni de quoi continuer à travailler.

— Attends, l'interrompit Harry, à présent tout à fait réveillé. Comment t'es-tu démerdée pour avoir les noms des disparus ?

— Intranet des disparitions, police d'Oslo. Tu voyais autre chose ? »

Harry gémit.

« Un nom est apparu, poursuivit Katrine, qui connectait les trois autres. Tu es prêt ?

— Euh…

— La disparue s'appelle Adele Vetlesen, vingt-huit ans, domiciliée à Drammen. Son concubin a déclaré sa disparition en novembre. Une correspondance est apparue sur le système de réservation de la NSB. Adele Vetlesen a commandé un billet Drammen-Ustaoset par Internet pour le 7 novembre. Le même jour, Borgny Stem-Myhre avait un billet pour la même destination, au départ de Kongsberg.

— Ustaoset, ce n'est pas le centre de la galaxie…

— Ce n'est même pas un patelin, c'est un morceau de montagne. Où les familles berguénoises bien établies ont leur chalet, et où l'office de tourisme en a fait construire d'autres sur les sommets, pour que les Norvégiens puissent entretenir l'héritage de Nansen et d'Amundsen quand ils font le tour des refuges skis aux pieds, avec vingt-cinq kilos de barda et un chouïa d'angoisse de la mort quelque part dans leur crâne. Ça pimente l'existence, tu sais.

— On dirait que tu y es déjà allée.

— Mon ex-mari a un chalet de famille dans le coin. Ils sont si noblement riches qu'ils n'ont ni l'électricité ni l'eau courante. Ce sont les parvenus qui ont des saunas et des jacuzzis.

— Et les autres connexions ?

— Il n'y avait pas de billet de train au nom de Marit Olsen. En revanche, j'ai trouvé un paiement par carte au wagon-restaurant du train équivalent, la veille. Enregistré à quatorze heures trente, et d'après l'horaire, le train devait être entre Ål et Geilo. Avant Ustaoset, donc.

— Ça, c'est moins convaincant. Le train va jusqu'à Bergen, c'est peut-être là qu'elle allait.

— Tu me… » commença Katrine Bratt d'une voix tranchante, mais elle se tut, attendit un instant et poursuivit sur un ton plus doux. « Tu me prends pour une idiote ? L'hôtel d'Ustaoset a enregistré une nuit en chambre double pour un certain Rasmus Olsen, qui, officiellement, habite à la même adresse que Marit Olsen. Alors j'ai supposé que c'était…

— Oui, c'est son mari. Pourquoi chuchotes-tu ?

— Parce que le gardien de nuit vient de passer, OK ? Écoute, on a deux mortes et une disparue qui étaient à Ustaoset à la même date. Qu'en penses-tu ?

— Euh… Une coïncidence troublante, mais on ne peut pas exclure que ce soit un hasard.

— Tout à fait d'accord. Alors voici la suite. J'ai cherché avec Charlotte Lolles plus Ustaoset, sans succès. Alors je me suis concentrée sur la date, pour savoir où Charlotte Lolles se trouvait quand les trois autres étaient à Ustaoset. Deux jours plus tôt, Charlotte avait payé un plein de diesel à une station-service près de Hønefoss.

— C'est loin d'Ustaoset.

— Mais dans la bonne direction quand on vient d'Oslo. J'ai essayé de trouver une voiture immatriculée à son nom ou à celui d'un éventuel concubin. S'ils ont un émetteur de télépéage et ont franchi plusieurs barrières, on suit leurs déplacements.

— Mmm.

— Le problème, c'est qu'elle n'a ni voiture ni concubin, personne d'enregistré en tout cas.

— Elle avait un copain.

— Pas impossible. Mais le moteur de recherche a sorti un truc des bases de données d'Europark, une facture pour une voiture dans leur parking de Geilo payée par une certaine Iska Peller.

— Ce n'est qu'à une dizaine de kilomètres. Mais qui est... euh, Iska Peller ?

— À en croire sa carte de crédit, elle habite le quartier de Bristol, à Sydney, en Australie. Ce qui est intéressant, c'est qu'elle a fait un carton à la recherche de connexions avec Charlotte Lolles.

— Recherche de connexions ?

— Par exemple, les gens qui ont payé par carte bancaire dans les mêmes restaurants au même moment ces dernières années, ce qui indiquerait qu'ils ont mangé ensemble et partagé la note. Ou qu'ils font partie du même gymnase club, s'y sont inscrits le même jour, qu'ils ont occupé des sièges voisins dans l'avion plus d'une fois. Tu vois le topo.

— Je vois le topo, répéta Harry en dialecte de Bergen. Et je suis certain que tu as vérifié le genre de voiture, et si elle roule au...

— Oui, elle roule au diesel, l'interrompit Katrine d'une voix pincée. Tu veux entendre le reste ou non ?

— Et comment.

— On ne peut pas réserver des lits dans ces chalets non surveillés auprès de l'office de tourisme. Si tous les lits sont occupés quand tu arrives, tu n'as plus qu'à te coucher par terre sur un matelas, ou dans un sac de couchage sur ton tapis personnel. Ça ne coûte que cent soixante-dix couronnes par nuit, et tu paies en laissant du liquide dans une caisse au chalet, ou alors une autorisation de prélèvement pour que ton compte soit débité.

— Autrement dit, on ne peut pas savoir qui est allé dans tel ou tel chalet ?

— Pas si tu as payé en liquide. Mais si tu as laissé une autorisation de prélèvement, il y a une transaction interbancaire entre le compte du client et celui de l'office de tourisme. Avec mention de la date et du chalet concerné.

— Je crois me souvenir que ce n'est pas de la tarte, de tracer les transactions interbancaires.

— Sauf si ton moteur de recherche prend les critères de recherche appropriés que lui donne un cerveau humain en bon état de fonctionnement.

— Et c'est le cas en ce qui nous concerne ?

— Il y a de ça. Le 20 novembre, le compte en banque d'Iska Peller a été débité d'un montant équivalant à deux lits dans quatre chalets de l'office de tourisme, à une journée de marche l'un de l'autre.

— Une excursion de quatre jours.

— Oui. Et le dernier, Håvasshytta, a reçu leur visite le 7 novembre. Ce n'est qu'à une demi-journée d'Ustaoset.

— Intéressant.

— Ce qui l'est encore plus, ce sont les deux autres comptes débités pour une nuitée à Håvasshytta le 7 novembre. Devine lesquels ?

— Eh bien… sûrement pas ceux de Marit Olsen et de Borgny Stem-Myhre, car je suppose que la Kripos l'aurait découvert si deux des victimes s'étaient trouvées au même endroit la même nuit. Alors l'une d'elles, ce doit être cette disparue, là, comment s'appelait-elle, déjà ?

168

— Adele Vetlesen. Et tu as raison. Elle a payé pour deux personnes, mais je ne peux évidemment pas savoir qui est la seconde.

— Qui est l'autre à avoir payé par autorisation de prélèvement ?

— Pas aussi intéressant. De Stavanger. »

Harry alla quand même chercher un stylo et nota les nom et adresse de la personne en question, ainsi que ceux d'Iska Peller à Sydney.

« Tu as l'air de bien aimer ce moteur de recherche.

— Ouais. C'est comme voler dans un vieux bombardier. Un peu rouillé et long à mettre en branle, mais une fois que tu es dans les airs… Doux Jésus ! Que penses-tu du résultat ? »

Harry réfléchit.

« Ce que tu as fait, c'est situer une disparue et une femme qui n'a sans doute rien à voir là-dedans au même endroit au même moment. Pas de quoi sauter au plafond si on s'en tient là. Mais tu as rendu vraisemblable qu'une des victimes — Charlotte Lolles — en accompagnait une autre. En plus, tu as placé deux victimes — Borgny Stem-Myhre et Marit Olsen — à proximité immédiate d'Ustaoset. Alors…

— Alors ?

— Alors je te félicite. Tu as respecté tes engagements. En ce qui concerne les miens…

— Allez, arrête, et efface ce grand sourire niais que je vois sans le voir. Je ne le pensais pas, je suis imprévisible, tu ne l'as pas encore compris ? »

Elle raccrocha brutalement.

CHAPITRE 23

Le passager

Elle était seule dans le bus. Stine appuya son front à la vitre pour échapper à son reflet. Et observa l'arrêt de bus noir, désert. En espérant que quelqu'un arriverait. En espérant que personne n'arriverait.

Il était assis à une table du Krabbe, devant une bière, et l'avait regardée sans bouger. Bonnet, cheveux blonds et yeux bleus fous. Son regard riait, piquait, suppliait, criait son nom. Elle avait fini par dire à Mathilde qu'elle voulait rentrer. Mais Mathilde venait d'engager la conversation avec un Américain qui bossait dans le pétrole et avait voulu rester un peu. Stine avait enfilé son manteau, quitté le Krabbe au pas de course en direction de la gare routière, et était montée dans le bus pour Våland.

Elle regarda les chiffres rouges sur l'horloge digitale au-dessus du conducteur. Espéra que les portes claqueraient et que le bus démarrerait. Plus qu'une minute.

Elle ne tourna pas les yeux, ni en entendant les pas précipités et une voix demander un billet au conducteur, ni lorsqu'il s'assit sur le siège voisin du sien.

« Dis donc, Stine, commença-t-il. J'ai l'impression que tu m'évites.

— Ah, salut, Elias », répondit-elle sans cesser de contempler l'asphalte mouillé. Pourquoi s'était-elle installée si loin du conducteur, à l'arrière du bus ?

« Tu ne devrais pas sortir le soir comme ça, tu sais.

— Ah non ? murmura-t-elle en espérant l'arrivée de quelqu'un, n'importe qui.

— Tu ne lis pas les journaux ? Les deux filles à Oslo. Et cette parlementaire, l'autre jour. Comment s'appelait-elle, déjà ?

— Aucune idée, mentit Stine, dont le cœur s'emballait.

— Marit Olsen. Parti travailliste. Les deux autres s'appelaient Borgny et Charlotte. Certaine de ne connaître aucun de ces noms, Stine ?

— Je ne lis pas les journaux. » Il fallait que quelqu'un arrive.

« Chouettes filles, toutes les trois, lâcha-t-il.

— Oui, tu les connaissais, j'imagine. » Stine regretta sur-le-champ le sarcasme. C'était la peur.

« Pas bien, évidemment. Mais elles m'avaient fait une bonne impression. Je suis — comme tu le comprends — quelqu'un qui attache une grande importance à la première impression. »

Elle fixa la main posée sur son genou.

« Dis... » commença-t-elle, et même dans cette simple syllabe, elle entendit la supplique.

« Oui, Stine ? »

Elle le regarda. Son visage était ouvert comme celui d'un enfant, son regard franchement curieux. Elle eut envie de hurler, de déguerpir, quand elle entendit des pas et une voix à l'avant du bus. Un passager. Un adulte. Il se dirigea vers l'arrière du bus. Stine essaya de capter son regard, de lui faire comprendre, mais le bord de son chapeau masquait ses yeux, et il était occupé à ranger monnaie et billet dans son portefeuille. Elle poussa un soupir de soulagement en l'entendant s'asseoir juste derrière eux.

« C'est incroyable que la police n'ait pas encore découvert le lien entre elles, reprit Elias. Ce n'est quand même pas si difficile. Ils doivent savoir que ces trois filles aimaient la randonnée. Qu'elles ont passé la même nuit à Håvasshytta. Tu crois que je devrais le leur dire ?

172

— Peut-être », murmura Stine. Si elle faisait vite, elle arriverait peut-être à passer devant Elias et à descendre du bus. Mais elle avait à peine formulé son idée qu'il y eut une espèce d'éternuement hydraulique, les portes se refermèrent et le bus se mit en mouvement. Elle ferma les yeux.

« Je veux juste éviter d'être impliqué. J'espère que tu le comprends, Stine ? »

Elle hocha lentement la tête, sans rouvrir les yeux.

« Bon. Alors je peux aussi te parler d'une autre personne qui était là. Que tu connais sans aucun doute. »

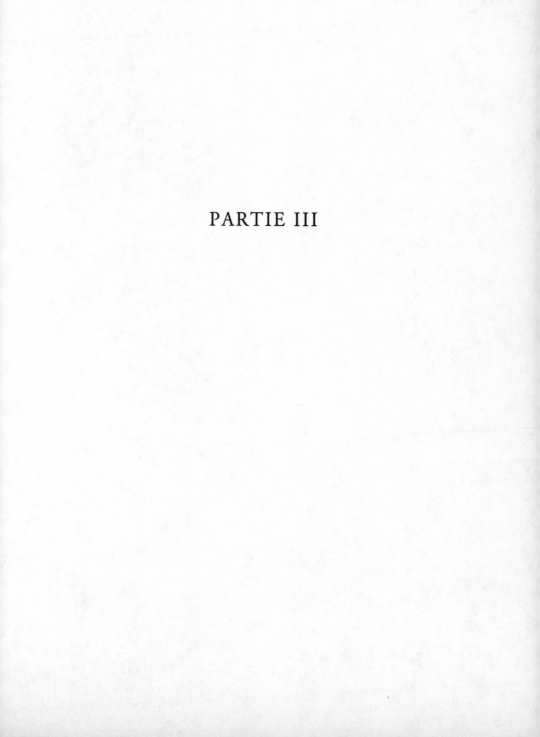

PARTIE III

CHAPITRE 24

Stavanger

« Ça sent… commença Kaja.

— La bouse, compléta Harry. De vache. Bienvenue à Jæren. »

La lumière matinale filtrait entre les nuages qui dérivaient au-dessus des champs vert printemps. Des vaches les regardaient passer dans le taxi qui les conduisait de l'aéroport de Sola au centre-ville de Stavanger.

Harry se pencha entre les sièges avant.

« Vous pouvez rouler un peu plus vite ? » demanda-t-il en montrant sa carte de policier.

Le conducteur sourit de toutes ses dents, appuya sur l'accélérateur, et ils filèrent sur l'autoroute à plus vive allure.

« Tu as peur d'être en retard ? voulut savoir Kaja quand Harry se laissa retomber en arrière.

— Pas de réponse au téléphone, pas pointé au boulot », répondit Harry, et il n'eut pas besoin de conclure son raisonnement.

Après avoir discuté avec Katrine Bratt la veille au soir, Harry avait regardé ses notes. Il avait les noms, adresses et numéros de téléphone de deux personnes vivantes qui avaient manifestement passé une nuit en compagnie des trois victimes dans un chalet en novembre. Il avait regardé l'heure, calculé que la matinée commençait à Sydney, et avait composé le numéro d'Iska Peller. Elle avait

177

répondu avec une surprise évidente quand Harry avait mentionné Håvasshytta. Elle n'avait pas pu raconter grand-chose de son séjour, étant donné qu'elle avait passé tout son temps au lit, en proie à une forte fièvre. C'était peut-être parce qu'elle avait marché trop longtemps dans des vêtements trempés de sueur, peut-être parce que c'était très éprouvant pour un skieur non expérimenté de faire la tournée des refuges. Ou tout bonnement parce que la grippe frappe au hasard. En tout cas, elle était arrivée tant bien que mal à Håvasshytta, où sa compagne de randonnée Charlotte Lolles l'avait convaincue de garder le lit. Iska Peller avait somnolé tandis que ses sensations alternaient entre souffrance physique, sueur et froid. Elle n'avait aucune idée de ce qui avait pu se passer entre les autres occupants du chalet, ni de leur identité, puisque Charlotte et elle étaient arrivées les premières à Håvasshytta. Le lendemain, elle ne s'était levée qu'une fois les autres repartis, et un policier du coin que Charlotte avait pu joindre était venu les chercher toutes les deux en scooter des neiges. Il les avait conduites chez lui, et leur avait proposé d'y passer la nuit, arguant que l'hôtel était plein. Elles avaient accepté, puis s'étaient ravisées ; elles avaient pris un train pour Geilo et passé la nuit à l'hôtel. Charlotte n'avait rien raconté de particulier à Iska sur leur nuit à Håvasshytta. Une soirée des plus tranquilles, probablement.

Cinq jours après leur randonnée, Mlle Peller avait quitté Oslo à destination de Sydney, toujours un peu fiévreuse, et avait entretenu une correspondance régulière avec Charlotte par mail après son retour, sans rien constater d'anormal. Jusqu'à la terrible nouvelle que son amie avait été retrouvée morte derrière une épave de voiture dans un bosquet au bord du lac Dausjø, tout près d'un quartier résidentiel d'Oslo.

Avec prudence mais sans tourner autour du pot, Harry avait expliqué à Iska Peller qu'ils s'inquiétaient pour les occupants du chalet cette nuit-là, et qu'après avoir raccroché il appellerait le directeur de la Brigade criminelle de la police de Sydney Sud, Neil

McCormack, pour qui Harry avait travaillé sur une affaire. Que McCormack lui poserait d'autres questions et veillerait — en dépit de l'éloignement — à ce qu'une protection policière soit mise en place jusqu'à nouvel ordre. Iska Peller parut prendre la chose avec calme.

Harry avait ensuite appelé le second numéro, à Stavanger. Il avait fait quatre tentatives, mais personne n'avait répondu. Il savait que ça ne voulait rien dire. Tout le monde ne dormait pas à côté d'un téléphone mobile allumé. Mais Kaja Solness, si, apparut-il. Elle décrocha à la deuxième sonnerie, et répondit par un simple « oui » lorsque Harry lui annonça qu'ils prenaient le premier avion pour Stavanger et qu'elle était attendue à la navette ferroviaire pour l'aéroport à six heures cinq.

Ils étaient arrivés à l'aéroport d'Oslo à six heures et demie, et Harry avait rappelé, sans succès. Une heure plus tard, ils avaient atterri à l'aéroport de Sola, et Harry avait rappelé, avec le même résultat. Entre le terminal et la file d'attente des taxis, Kaja avait joint l'employeur, qui lui avait appris que la personne qu'ils recherchaient ne s'était pas présentée à son travail à l'heure habituelle. Elle avait transmis l'information à Harry, et il lui avait posé une main dans le dos pour lui faire remonter avec fermeté toute la file d'attente jusqu'à un taxi, sous les protestations véhémentes auxquelles il avait répondu par un : « Merci, passez une putain de bonne journée, les copains ! »

Il était 8 h 16 précises quand ils parvinrent à l'adresse indiquée, une maison en bois blanche de Våland. Harry laissa Kaja payer et descendit. Il observa la façade, qui ne révélait rien. Inhala l'air humide, frais mais doux du Vestland. Se prépara. Car il le savait déjà. Il pouvait se tromper, bien sûr, mais il le savait avec le même degré de certitude qu'il savait que Kaja dirait « merci » en obtenant son reçu.

« Merci. » La portière claqua.

Le nom figurait sur la deuxième sonnette d'une rangée de trois près de la porte.

Harry appuya sur le bouton et entendit sonner quelque part dans les entrailles de la maison.

Une minute et trois tentatives plus tard, il appuya sur le bouton du bas.

La vieille dame qui ouvrit leur sourit.

Harry remarqua que Kaja savait d'instinct qu'elle devait prendre la parole :

« Bonjour, je suis Kaja Solness, nous sommes de la police. On ne répond pas au-dessus de chez vous, savez-vous s'il y a quelqu'un ?

— Je crois. Même si je n'ai rien entendu aujourd'hui », répondit la dame. Puis elle ajouta très vite en voyant Harry hausser les sourcils : « C'est assez sonore, et j'ai entendu des gens arriver cette nuit. Comme c'est moi qui loue l'appartement, j'estime que je dois faire un peu attention.

— Vous faites attention ? répéta Harry.

— Oui, mais je ne me mêle pas de... » Les joues de la dame rosissaient. « Il n'y a pas de problème, j'espère ? Je veux dire, je n'ai jamais eu le moindre souci avec...

— Nous ne savons pas, l'interrompit Harry.

— Le mieux, ce serait sans doute de vérifier, intervint Kaja. Alors si vous avez la clé... » Harry savait que différentes formulations tournicotaient dans la tête de Kaja, et il attendait impatiemment la suite. « ... nous nous ferons un plaisir de vérifier pour vous que tout va bien. »

Kaja Solness n'était pas une idiote. Si le bailleur acceptait et s'ils trouvaient quelque chose, le rapport mentionnerait qu'ils avaient été invités à entrer, qu'ils n'avaient en aucun cas forcé l'entrée ni procédé à une fouille sans mandat de perquisition.

La dame hésita.

« Mais bien entendu, vous pouvez aussi y aller seule une fois que nous serons repartis, sourit Kaja. Et appeler la police ensuite. Ou l'ambulance. Ou...

— Je crois qu'il vaut mieux que vous m'accompagniez, la coupa la dame, dont le front s'ornait à présent d'une profonde ride d'inquiétude. Attendez, je vais chercher les clés. »

L'appartement dans lequel ils pénétrèrent une minute plus tard était propre, bien rangé et contenait peu de meubles. Harry reconnut sur-le-champ le silence si présent, presque oppressant, des appartements vides en matinée, lorsque l'agitation du quotidien n'est perceptible que comme un ronronnement quasi inaudible à l'extérieur. Il reconnut aussi une odeur. De la colle. Il vit une paire de chaussures, mais pas de manteau.

Il vit une grande tasse à thé sur l'égouttoir de la petite cuisine, sous une étagère chargée de boîtes en métal proclamant qu'elles contenaient des variétés de thé dont Harry ignorait la provenance : Oolong, Anji Bai. Ils poursuivirent. Dans le salon, la photo de ce que Harry reconnut comme le K2, cette populaire machine à tuer de l'Himalaya, ornait le mur.

« Tu vérifies ? » demanda Harry avec un signe de tête vers la porte ornée d'un cœur. Puis il se dirigea vers ce qu'il supposait être la porte de la chambre. Il inspira à fond, appuya sur la poignée et ouvrit.

Le lit était fait. La chambre rangée. Une fenêtre était entrebâillée, ça ne sentait pas la colle, l'air était frais comme un souffle d'enfant. Harry entendit la propriétaire s'arrêter sur le seuil derrière lui.

« C'est curieux. Je les ai entendus cette nuit. Et une seule personne est repartie.

— Vous *les* avez entendus ? Vous êtes certaine qu'ils étaient plusieurs ?

— Oui, j'ai entendu des voix.

— Combien étaient-ils ?

— Trois, je dirais. »

Harry jeta un coup d'œil dans les penderies.

« Des hommes ? Des femmes ?

— Heureusement, ce n'est pas si sonore que ça. »

Des vêtements. Un sac de couchage et un sac à dos. D'autres vêtements.

« Qu'est-ce qui vous fait dire trois personnes ?

— Après le départ de l'une d'entre elles, j'ai entendu des bruits, ici.

— Quel genre de bruits ? »

La couleur réapparut sur les joues de la propriétaire.

« Des coups. Comme si… bon, vous savez.

— Mais pas de voix ? »

La dame réfléchit.

« Non, pas de voix. »

Harry sortit de la chambre. Et constata avec surprise que Kaja était toujours à la porte de la salle de bains. Elle se tenait dans une position particulière — comme si elle luttait contre un vent violent.

« Un problème ?

— Oh non », répondit vivement Kaja, avec légèreté. Trop de légèreté.

Harry la rejoignit.

« Qu'est-ce qu'il y a ? demanda-t-il à voix basse.

— Je… J'ai juste un peu de mal avec les portes fermées.

— OK.

— C'est… Je n'y peux rien. »

Harry hocha la tête. C'est alors qu'il entendit le bruit. Le bruit du temps compté, de la ligne qui se termine, des secondes qui disparaissent, le martèlement rapide, emporté, d'eau qui ne coule pas en continu, mais qui fait plus que goutter. Un robinet de l'autre côté de la porte. Et il sut qu'il ne s'était pas trompé.

« Attends ici », commanda Harry. Puis il ouvrit la porte.

La première chose qu'il remarqua, ce fut que l'odeur de colle était encore plus forte ici.

La deuxième, ce fut un blouson, un jean, un slip, un tee-shirt, deux chaussettes noires et un pull fin en laine par terre.

La troisième, que l'eau coulait en un filet presque ininterrompu du robinet de la baignoire si pleine que l'eau s'échappait par la vidange automatique sous le bord.

La quatrième, que l'eau était rougie, selon toute apparence par du sang.

La cinquième, que les yeux ternis au-dessus de la bouche scotchée de la personne nue et blafarde au fond de la baignoire regardaient de biais. Comme pour essayer de voir quelque chose dans l'angle mort, qu'elle n'avait pas vu venir.

La sixième, qu'il ne remarquait aucune trace de violence, aucune blessure apparente qui justifiait tout ce sang.

Harry se racla la gorge et chercha la façon la plus délicate d'appeler la propriétaire pour lui demander d'identifier le corps.

Mais il n'en eut pas besoin, elle était déjà à la porte.

« Seigneur Jésus ! » gémit-elle. Puis, en détachant chaque syllabe : « Sei-gneur Jé-sus ! » Et pour finir, sur un ton plaintif qui appelait du renfort : « Seigneur Jésus mon Dieu…

— Est-ce que… ? commença Harry.

— Oui, répondit la dame d'une voix étranglée par les larmes. C'est lui. C'est Elias. Elias Skog. »

CHAPITRE 25

Territoire

La dame avait plaqué les deux mains contre sa bouche et murmurait entre ses doigts :

« Mais qu'as-tu donc fait, Elias, mon cher ...

— Pas sûr qu'il ait fait quoi que ce soit, madame, répondit Harry en la faisant sortir de la salle de bains, en direction de la porte de l'appartement. Puis-je vous demander d'appeler le commissariat de Stavanger et de leur demander d'envoyer des techniciens, de leur dire que nous avons une scène de crime ?

— Une scène de crime ? » Ses yeux étaient agrandis et assombris par le choc.

« Oui, dites-leur. Appelez le numéro d'urgence, le 112, si vous voulez. Ça ira ?

— Ou... oui. »

Ils entendirent la dame descendre péniblement l'escalier et entrer chez elle.

« On a environ un quart d'heure avant qu'ils arrivent », déclara Harry. Ils quittèrent leurs chaussures, les déposèrent dans l'entrée et retournèrent en chaussettes dans la salle de bains. Harry regarda autour de lui. Le lavabo était plein de longs cheveux blonds, et un tube écrasé était posé sur la tablette.

« Ça ne ressemble pas à du dentifrice. » Harry se pencha sur le tube sans le toucher.

Kaja approcha.

« Super glue, affirma-t-elle. *Strongest there is*[1].

— Le genre qu'il ne faut pas se mettre sur les doigts, c'est ça ?

— Le temps de compter jusqu'à trois, et ça y est. Si tu gardes les doigts serrés un tout petit peu trop longtemps, tu ne peux plus les décoller. Il faut ou bien couper ou bien tirer jusqu'à ce que la peau lâche. »

Harry observa d'abord Kaja. Puis le cadavre dans la baignoire.

« Bordel de merde... articula-t-il lentement. Ce n'est pas vrai... »

L'agent supérieur de police Gunnar Hagen avait eu des doutes. C'était peut-être la chose la plus stupide qu'il faisait depuis son arrivée à l'hôtel de police. Monter un groupe chargé d'enquêter à l'encontre des consignes du ministère, ça pouvait être source d'ennuis. Mettre Harry Hole à sa tête, c'était inviter les ennuis. Et les ennuis venaient de frapper à la porte et d'entrer. Ils étaient maintenant devant lui, en la personne de Mikael Bellman. Et tout en écoutant, Hagen nota que les étranges marques sur le visage de l'agent supérieur de la Kripos étaient encore plus blanches que d'habitude, comme éclairées de l'intérieur par une fission refroidie dans une centrale atomique, quelque chose d'explosif qu'on maîtrisait encore.

« Je sais sans le moindre doute possible que Harry Hole et deux de ses collègues sont allés près du Lyseren pour enquêter sur le meurtre de Marit Olsen. Beate Lønn, de la Brigade technique, nous a conseillé de faire une razzia sur tous les chalets à proximité d'une fabrique de cordes désaffectée. L'un de ses techniciens aurait découvert que la corde avec laquelle Marit Olsen a été pendue venait de là. Jusque-là, pas de problème... »

1. « La plus forte qui soit », en anglais dans le texte.

Mikael Bellman se balança sur les talons. Il n'avait pas quitté son cache-poussière. Gunnar Hagen se prépara à la suite. Qui arriva avec une lenteur exaspérante, presque sur un ton de légère surprise :

« Mais quand nous avons discuté avec le lensmann d'Ytre Enebakk, il m'a informé que le tristement célèbre Harry Hole était l'un des trois qui effectuaient ces recherches. Un de tes hommes, en d'autres termes, Hagen. »

Hagen ne répondit pas.

« Je suppose que tu as conscience des conséquences si tu vas à l'encontre des consignes du ministère, Hagen. »

Hagen ne répondit toujours pas, mais croisa le regard de Bellman.

« Écoute. » Bellman ouvrit un bouton de son manteau et s'assit enfin. « Je t'aime bien, Hagen. Je pense que tu es un bon policier, et j'aurai besoin de gens qualifiés.

— Quand la Kripos obtiendra les pleins pouvoirs, tu veux dire ?

— C'est ça. Je pourrais avoir besoin de quelqu'un comme toi à un poste élevé. Tu as fait l'École supérieure militaire, tu connais l'importance de la stratégie, éviter les batailles que tu ne peux pas gagner, savoir quand la retraite est la meilleure tactique pour triompher... »

Hagen hocha lentement la tête.

« Bien, acquiesça Bellman en se relevant. Disons donc que Harry Hole se trouvait près du Lyseren par erreur, une coïncidence pure, qui n'avait aucun rapport avec Marit Olsen. Et que ce genre de coïncidence ne se reproduira pas. On est d'accord là-dessus... Gunnar ? »

Hagen sursauta en entendant son prénom dans la bouche de l'autre, comme l'écho du prénom de son prédécesseur, qu'il avait jadis prononcé dans l'illusion d'instaurer des rapports amicaux. Mais il ne fit rien. Car il savait que c'était une bataille comme celles dont avait parlé Bellman. Que, par ailleurs, il était en passe de perdre la guerre. Et que les conditions de capitulation proposées par Bellman auraient pu être plus néfastes. Beaucoup plus néfastes.

« Je vais en parler à Harry. » Il saisit la main tendue de Bellman, et eut l'impression de toucher du marbre : dur, froid, mort.

Harry but une gorgée et libéra la première phalange de son index, prisonnière de l'anse de la tasse à café de la propriétaire.

« Alors vous êtes l'inspecteur principal Harry Hole, de la police d'Oslo », résuma l'homme assis dans le fauteuil de l'autre côté de la table basse. Il s'était présenté comme l'inspecteur principal Colbjørnsen, avec un *c*, et répétait les titre, nom et affectation de Harry, en insistant sur Oslo. « Et quel bon vent amène la police d'Oslo à Stavanger, monsieur Hole ?

— Comme d'habitude, répondit Harry. L'air pur, les jolies montagnes.

— Tiens donc ?

— Le fjord. Saut en parachute du Prekestolen, si on a le temps.

— Et voilà qu'Oslo envoie un comique. Vous pratiquez des sports à risques, ça, je peux vous le dire. Une bonne raison pour que nous n'ayons pas été informés de cette visite ? »

Le sourire de l'inspecteur principal Colbjørnsen était aussi effilé que sa moustache. Il portait le genre de petit chapeau rigolo que seuls les très vieux messieurs et les excentriques très sûrs d'eux portent. Harry se rappelait avoir vu Gene Hackman affublé d'un couvre-chef identique dans son rôle du policier Popeye Doyle dans *The French Connection*. Et paria que Colbjørnsen ne reculait pas devant une sucette ou la perspective de se retourner à la porte avec un « Juste une dernière question ».

« Peut-être que le fax est resté tout en bas de la pile. » Harry regarda le type en blanc qui passait la porte. Le tissu de la combinaison intégrale du TIC froufrouta lorsqu'il ôta sa capuche et se laissa tomber dans un fauteuil. Il regarda Colbjørnsen en face et grommela un juron local.

« Alors ? l'invita Colbjørnsen.

— Il a raison, répondit le TIC avec un mouvement de tête vers Harry, mais sans le regarder. Ce gars a été collé au fond de la baignoire avec de la Super glue.

— A été ? » Colbjørnsen regarda son subordonné avec un sourcil haussé, l'autre en V. « Passif. Tu ne vas pas un peu vite pour exclure qu'Elias Skog ait pu le faire lui-même ?

— Avant d'ouvrir le robinet pour se noyer de la façon la plus lente et affreuse qui se puisse imaginer ? demanda Harry. Et après s'être scotché la bouche pour ne pas pouvoir crier ? »

Colbjørnsen adressa à Harry un autre sourire effilé.

« Je te dirai quand tu pourras nous interrompre, *Oslo*.

— Collé des pieds à la tête, poursuivit le TIC. L'arrière de son crâne a été rasé et badigeonné de colle. Ses épaules et son dos aussi. Ses fesses. Ses bras. Les deux pieds. Ça veut dire…

— Ça veut dire, embraya Harry, que quand l'assassin a eu terminé son badigeonnage de colle, il a allongé Elias et a laissé sécher la colle, puis a ouvert le robinet pour abandonner Elias à une lente mort par noyade. Et Elias a commencé son combat contre le temps et la mort. L'eau est montée petit à petit, pendant que ses forces déclinaient. Jusqu'à ce que la peur de mourir s'empare de lui pour de bon, et lui donne l'énergie pour une dernière tentative. Ça a marché. Il a dégagé son membre le plus fort. Son pied droit. Il a carrément laissé la peau, on la voit au fond. Le sang a giclé dans l'eau pendant qu'Elias tapait du pied dans la baignoire pour alerter la propriétaire, à l'étage au-dessous. Et elle a entendu les coups. »

Harry fit un signe de tête vers la cuisine, où Kaja essayait de réconforter et de calmer la propriétaire. Ils entendaient les gros sanglots de la vieille dame.

« Mais elle s'est trompée. Elle a cru que son locataire du dessus honorait une nana qu'il avait invitée chez lui. »

Il regarda Colbjørnsen, qui était à présent livide et n'avait plus l'air de vouloir l'interrompre.

« Et pendant ce temps, Elias perdait du sang. Beaucoup de sang. Toute la peau de sa jambe était partie. Il s'est affaibli, fatigué. Et sa volonté a fini par céder. Il a renoncé. L'hémorragie lui avait peut-être déjà fait perdre connaissance quand l'eau est arrivée au niveau de ses narines. » Harry regarda Colbjørnsen. « Mais peut-être pas. »

La pomme d'Adam de Colbjørnsen montait et descendait comme un yo-yo.

Harry regarda au fond de sa tasse vide.

« À présent, je crois que l'inspectrice Solness et moi allons vous remercier pour votre hospitalité, et rentrer à *Oslo*. Si tu as d'autres questions, voici mon numéro. »

Harry griffonna dans la marge d'un journal, arracha le morceau de papier et le poussa sur la table. Puis se leva.

« Mais… » commença Colbjørnsen en se levant à son tour. Harry le dominait de vingt centimètres. « Que vouliez-vous à Elias Skog ?

— Le sauver. » Harry boutonna son manteau.

« Le sauver ? Il était impliqué dans quelque chose ? Attends, Hole, on doit aller au fond de cette histoire. » Mais Colbjørnsen ne démontrait plus la même autorité dans son emploi de l'impératif.

« Je suis certain que la police de Stavanger est tout à fait capable de s'en sortir seule. » Harry alla à la porte de la cuisine et fit comprendre d'un mouvement de tête à Kaja qu'ils étaient sur le départ. « Dans le cas contraire, je peux vous conseiller la Kripos. Passez le bonjour à Mikael Bellman de ma part si ça s'avère nécessaire.

— Le sauver de quoi ?

— De ce dont nous n'avons pas réussi à le sauver. »

Dans le taxi qui les ramenait à l'aéroport de Sola, Harry regardait par la vitre la pluie qui martelait les champs trop verts. Kaja ne disait rien. Il lui en savait gré.

CHAPITRE 26

L'aiguille

Gunnar Hagen les attendait dans le fauteuil de Harry lorsqu'ils entrèrent dans la moiteur du bureau.

Bjørn Holm, assis derrière Hagen, haussa les épaules et fit une grimace, indiquant qu'il n'avait pas la moindre idée de ce que voulait l'agent supérieur.

« Stavanger, à ce que j'apprends, gronda Hagen en se levant.

— Oui, confirma Harry. Reste assis, chef.

— C'est ton fauteuil. Je ne vais pas rester longtemps.

— Ah ? »

Harry sentait venir les mauvaises nouvelles. Des mauvaises nouvelles d'une importance certaine. Les chefs ne bravent pas le souterrain de la prison pour expliquer que la note de frais n'a pas été rédigée comme il faut.

Hagen resta debout, de sorte que Bjørn Holm était la seule personne assise dans la pièce.

« Je dois hélas vous apprendre que la Kripos a déjà découvert que vous enquêtez sur les meurtres. Et que je n'ai pas d'autre choix que de mettre un terme à vos recherches. »

Dans le silence qui suivit, Harry entendit ronronner les chaudières de la salle voisine. Hagen parcourut la pièce des yeux, les regarda tour à tour et s'arrêta sur Harry. « Je ne peux pas dire non plus que ça se termine de la meilleure façon. Je t'ai clairement expliqué que ça devait se faire dans la plus grande discrétion.

— Eh bien... répondit Harry. J'ai demandé à Beate Lønn de laisser filtrer à l'intention de la Kripos des informations sur une certaine fabrique de cordes, mais elle m'a promis de procéder comme si elles venaient de la Technique.

— Et c'est sans doute ce qu'elle a fait. C'est le lensmann d'Ytre Enebakk qui t'a trahi, Harry. »

Harry leva les yeux au ciel et poussa un juron étouffé.

Hagen frappa des mains avec force, et un claquement résonna entre les murs de pierre.

« Je suis par conséquent contraint de vous apprendre la triste nouvelle que toute enquête sur les meurtres est interrompue sans délai. Et que ce bureau doit être évacué dans les quarante-huit heures. *Gomen nasai*[1]. »

Harry, Kaja et Bjørn Holm s'entre-regardèrent tandis que la porte métallique se refermait lentement et que les pas rapides de Hagen s'éloignaient dans le souterrain.

« Quarante-huit heures, finit par murmurer Bjørn Holm. Quelqu'un veut du café frais ? »

Harry fila un coup de pied dans la corbeille à papier à côté du bureau. Elle atteignit le mur avec fracas, dispersa son modeste contenu avant de revenir en roulant vers lui. Il se dirigea vers la porte.

« Je suis à l'hôpital civil. »

Harry avait placé la chaise en bois près de la fenêtre, et écoutait la respiration régulière de son père tout en feuilletant un journal. Mariages et enterrements se succédaient. À gauche, les photos des funérailles de Marit Olsen montraient le visage grave et compatissant du Premier ministre, les costumes noirs des camarades de parti et le conjoint, Rasmus Olsen, dissimulé derrière une paire d'énor-

---

1. « Je suis désolé », en japonais dans le texte.

mes lunettes de soleil peu seyantes. Sur la page de droite, il était annoncé que Lene Galtung, la fille de l'armateur, épouserait son Tony au printemps, avec des photos des invités les plus connus qui gagneraient tous Saint-Tropez par avion. Sur la dernière page, on lisait que le soleil se coucherait à 16 h 58 à Oslo. Harry regarda l'heure et conclut que c'était ce qu'il faisait derrière les nuages bas ne laissant tomber ni pluie ni neige. Il regarda les lumières s'allumer dans les foyers sur les collines, autour de ce qui avait autrefois été un volcan. D'une certaine façon, c'était une idée réconfortante que le volcan s'ouvre un jour sous eux, les engloutisse, efface toute trace de ce qui avait naguère été une ville paisible, bien organisée et quelque peu indolente.

Quarante-huit heures. Pourquoi ? Il ne leur en faudrait pas plus de deux pour nettoyer ce prétendu bureau.

Harry ferma les yeux et récapitula l'affaire. Rédigea un dernier rapport mental pour ses archives personnelles.

Deux femmes assassinées de la même façon, noyées dans le sang de leur propre bouche, et dont les analyses sanguines avaient révélé la présence de kétamine. Une femme pendue à un plongeoir, avec une corde fabriquée dans une corderie désaffectée. Un homme noyé dans sa baignoire. Il apparaissait que toutes les victimes s'étaient trouvées dans le même chalet au même moment. Ils ne savaient pas encore qui étaient les autres personnes présentes, quel pouvait être le mobile des crimes ou ce qui s'était produit à Håvasshytta ce jour-là. Ils avaient des effets, mais aucune cause. Affaire classée.

« Harry... »

Harry n'avait pas entendu son père se réveiller, et il se retourna.

Olav Hole avait l'air en meilleure forme, mais c'était peut-être dû à la couleur de ses joues et à la lueur fiévreuse dans son regard. Harry tira sa chaise près du lit.

« Ça fait longtemps que tu es là ?

— Dix minutes, mentit Harry.

193

— J'ai très, très bien dormi. Et j'ai fait des rêves merveilleux.

— Je vois. Tu as l'air capable de te lever et de t'en aller d'ici. »

Harry tapota son oreiller, et son père le laissa faire bien qu'ils sachent l'un comme l'autre qu'il était exactement comme il fallait.

« Comment va la maison ?

— Super. Elle tiendra l'éternité.

— Bien. Je voulais te parler de quelque chose, Harry.

— Mmm.

— Tu es adulte, à présent. Tu me perds d'une façon naturelle. C'est ainsi que ce doit être. Pas comme quand tu as perdu ta mère. Ça, ça a failli te rendre fou.

— Ah oui ? » Harry passa une main sur la taie d'oreiller.

« Tu as ravagé ta chambre. Tu voulais tuer les médecins et ceux qui l'avaient contaminée, même moi. Parce que j'avais... oui, pour ne pas l'avoir découvert plus tôt, je suppose. Tu étais plein à ras bord d'amour.

— De haine, tu veux dire.

— Non, d'amour. C'est la même chose. Tout commence avec l'amour. La haine n'est que le revers de la médaille. J'ai toujours pensé que c'était la mort de ta mère qui t'avait fait commencer à boire. Ou plus exactement, l'amour pour ta mère.

— L'amour est une machine à tuer, murmura Harry.

— Quoi ?

— C'est juste une chose qu'on m'a dite un jour.

— J'ai fait tout ce que ta mère m'a demandé. Hormis celle-ci : elle m'a demandé de l'aider quand le moment serait venu. »

Harry eut l'impression qu'on lui injectait de l'eau glacée dans la poitrine.

« Mais je n'ai pas pu. Et tu sais quoi, Harry ? Ça m'a poursuivi comme un cauchemar. Il ne s'est pas passé un seul jour sans que je pense que je n'avais pas réussi à satisfaire ce désir qu'elle avait, cette femme que j'aimais plus que tout au monde. »

Le bois de la chaise grinça lorsque Harry se leva d'un bond. Il retourna à la fenêtre. Il entendit son père inspirer à plusieurs reprises derrière lui, à fond, en tremblant. Puis :

« Je sais que c'est un lourd fardeau à te transmettre, fiston. Mais je sais aussi que tu es comme moi, que ça te poursuivra si tu ne le fais pas. Alors laisse-moi t'expliquer ce que tu vas faire…

— Papa, commença Harry.

— Tu vois cette aiguille ?

— Papa ! Arrête ! »

Le silence s'abattit derrière lui. Hormis cette respiration ponctuée de gargouillis. Harry regardait le film en noir et blanc audehors, une ville où les nuages appuyaient leurs visages gris plomb et imprécis contre les toits des maisons.

« Je veux être enterré à Åndalsnes », reprit son père.

Enterré. Le mot sonnait comme un écho des vacances de Pâques avec maman et papa à Lesja, quand Olav Hole avait expliqué avec beaucoup de sérieux à Harry et à sa sœur ce qu'il fallait faire quand on était pris sous une avalanche, quand on était victime de péricardite constrictive. Autour d'eux, le paysage était plat entre des collines douces. C'était aussi absurde que quand les hôtesses de l'air sur les vols domestiques de Mongolie-Intérieure expliquent comment se servir d'un gilet de sauvetage. Absurde, mais pourtant : ça leur avait donné une impression de sécurité, qu'ils survivraient tous à l'unique condition de faire ce qu'il fallait. Et à présent, son père lui disait que ce n'était pas vrai.

Harry se racla deux fois la gorge.

« Pourquoi Åndalsnes ? Pourquoi pas ici, en ville, où… »

Harry se tut, son père comprit le reste : où est maman.

« Je veux être avec les miens.

— Tu ne les connais pas.

— Non, qui connaît-on ? En tout cas, eux et moi venons du même endroit. C'est peut-être de ça qu'il s'agit, en fin de compte. La tribu. On veut être avec sa tribu.

« — Tu crois ?

— Oui, je crois. Qu'on en soit conscient ou non, c'est ce qu'on veut. »

L'infirmier au badge marqué « Altman » entra, adressa un sourire bref à Harry et regarda sa montre.

Harry descendit et croisa deux policiers en uniforme qui montaient. Il leur fit un signe de tête automatique. Ils le dévisagèrent sans rien dire, comme un inconnu.

D'ordinaire, Harry n'aspirait qu'à la solitude et à tous les bienfaits qui l'accompagnaient : la paix, le silence, la liberté. Mais arrivé à l'arrêt du tram, il ne savait tout à coup plus où aller. Que faire. Il savait juste que la solitude de la maison d'Oppsal serait insupportable à cet instant.

Il composa le numéro d'Øystein.

Øystein effectuait une course longue à Fagernes, mais proposa une bière au Lompa sur le coup de minuit, pour fêter une autre journée de travail expédiée dans la vie d'Øystein Eikeland. Harry lui rappela son alcoolisme, et s'entendit répondre que même un alcoolique devait avoir besoin de se soûler de temps en temps, non ?

Harry souhaita bonne route à Øystein et raccrocha. Regarda l'heure. Et la question ressurgit. Quarante-huit heures. Pourquoi ?

Un tramway s'arrêta devant lui, et les portes s'ouvrirent avec fracas. Harry regarda dans la voiture chaude, éclairée, accueillante. Puis il fit volte-face et commença à descendre vers la ville.

CHAPITRE 27

Gentil, chapardeur et avare

« J'étais dans le coin. Mais tu allais sortir ? demanda Harry.

— Oh non. » Kaja sourit. Elle portait une épaisse doudoune. « J'étais sur la terrasse. Entre. Mets ces pantoufles. »

Harry se déchaussa et la suivit à travers le salon. Sur la terrasse, ils s'assirent chacun dans un énorme fauteuil en bois. Lyder Sagens vei était déserte et silencieuse, il n'y avait qu'une voiture en stationnement. Mais au premier étage de la maison en face, Harry vit la silhouette d'un homme à une fenêtre éclairée.

« C'est Greger, expliqua Kaja. Il a quatre-vingts ans. Il s'installe là pour suivre tout ce qui se passe dans la rue, depuis la guerre, je crois. J'aime bien me dire qu'il veille sur moi.

— Oui, on en a besoin, répondit Harry en sortant son paquet de cigarettes. De penser qu'on veille sur nous.

— Toi aussi, tu as un Greger ?

— Non.

— Je peux t'en chiper une ?

— Une cigarette ?

— Ça m'arrive de fumer, répondit-elle avec un petit rire. Ça me rend… plus calme, je crois.

— Mmm. Tu as pensé à ce que tu allais faire ? Après ces quarante dernières heures, je veux dire. »

Elle secoua la tête.

« Retour à la Brigade. Pieds sur la table. Attendre un meurtre assez petit pour que la Kripos ne nous le fauche pas. »

Harry sortit deux cigarettes, se les ficha entre les lèvres, les alluma et en tendit une à Kaja.

« *Une femme cherche son destin* », rit-elle. Hen… Hen… Comment s'appelait le type qui faisait ça ?

— Henreid. Paul Henreid.

— Et celle pour qui il allumait une cigarette ?

— Bette Davis.

— Super film. Tu veux que je te prête un blouson plus épais ?

— Non merci. Qu'est-ce que tu fais sur la terrasse, d'ailleurs ? La nuit n'est pas tropicale… »

Elle brandit un livre.

« Mon cerveau fonctionne mieux à l'air frais. »

Harry lut la couverture.

« "Monisme matérialiste". Mmm. Des souvenirs de cours de philo remontent à la surface.

— Exact. Le matérialisme postule que tout est matières et forces. Tout ce qui arrive fait partie d'un grand calcul, une réaction en chaîne, des conséquences de choses qui sont déjà arrivées.

— Et le libre arbitre, c'est une illusion ?

— Oui. Nos actions sont conditionnées par les composés chimiques de notre cerveau, eux-mêmes conditionnés par qui a choisi d'avoir un enfant avec qui, choix qui dépend à son tour de la chimie du cerveau. Et ainsi de suite. On peut remonter comme ça jusqu'au Big Bang, par exemple, ou encore plus loin en arrière. Y compris que ce livre allait être écrit, et ce que tu penses en ce moment.

— Je me souviens de ça, répondit Harry après avoir envoyé un nuage de fumée vers le ciel nocturne de novembre. Ça me fait penser à ce météorologue qui a dit qu'à condition d'avoir les bonnes variables, il aurait pu prévoir le temps à l'infini.

— Et on pourrait empêcher les meurtres avant qu'ils ne soient commis.

— Prévoir qu'une policière qui fume les clopes des autres s'installerait sur sa terrasse glaciale avec des ouvrages de philosophie acquis à prix d'or. »

Elle rit.

« Je ne l'ai pas acheté, je l'ai trouvé dans la bibliothèque, ici. » Elle tira sur sa cigarette en plissant la bouche en cul-de-poule, et la fumée monta jusqu'à ses yeux. « Je n'achète jamais de livres, je me contente de les emprunter. Ou je les vole.

— J'ai du mal à t'imaginer en voleuse…

— Tout le monde, c'est pour ça que je ne me fais jamais prendre. » Elle posa sa cigarette dans le cendrier. Harry se racla la gorge.

« Pourquoi voles-tu ?

— Je ne détrousse que des gens que je connais et qui ont les moyens. Pas parce que je suis avide, mais parce que je suis un peu radine. Pendant mes études, je fauchais des rouleaux de papier hygiénique dans les toilettes de l'université. À propos, tu as retrouvé le titre de cet excellent livre de Fante ?

— Non.

— Envoie-moi un SMS quand ça te reviendra. »

Harry émit un petit rire.

« Désolé, je n'envoie pas de SMS.

— Pourquoi ? »

Harry haussa les épaules.

« Je ne sais pas. Je n'aime pas l'idée. Comme les indigènes qui refusent qu'on prenne leur photo parce que ça leur vole une partie de leur âme, peut-être.

— Je sais ! s'écria-t-elle. Tu ne veux pas laisser de traces. Une piste. Des preuves irréfutables de qui tu étais. Tu veux savoir que tu vas disparaître, complètement.

— Dans le mille, répondit Harry d'un ton sec avant de prendre une inspiration. Tu veux rentrer ? » Il montra les mains de Kaja, glissées entre ses cuisses et le bois.

« Oh non, c'est juste aux mains que j'ai froid, sourit-elle. Mon cœur est chaud. Et toi ? »

Harry regarda par-dessus la haie du jardin, vers la rue. La voiture garée là.

« Et moi ?

— Tu es comme moi ? Gentil, chapardeur et avare ?

— Non, je suis méchant, honnête et avare. Et ton mari ? »

La phrase sonna plus durement que Harry ne l'avait souhaité, comme s'il voulait la remettre à sa place parce qu'elle... parce qu'elle quoi ? Parce qu'elle était belle, appréciait les mêmes choses que lui et lui prêtait les pantoufles d'un homme à qui elle faisait mine de ne pas penser.

« Oui ? demanda-t-elle avec un petit sourire.

— Sacrés panards, en tout cas », s'entendit-il constater, avant de ressentir le besoin soudain de flanquer un grand coup de tête sur le plateau de la table.

Elle éclata d'un rire qui se répercuta dans le calme obscur de Fagerborg qui enveloppait les maisons, les jardins et les garages. Les garages. Tout le monde avait un garage. Il n'y avait qu'une seule et unique voiture garée dans la rue. Il pouvait y avoir un bon millier de raisons à ce qu'elle soit là.

« Je n'ai pas de mari, dit-elle.

— Alors...

— Alors ce sont les pantoufles de mon frère que tu as aux pieds.

— Et dans l'escalier...

— ... ça appartient aussi au frangin, et elles sont là parce que je me figure qu'une paire de chaussures pointure quarante-six et demi a un effet dissuasif sur des hommes méchants animés d'intentions douteuses. »

Elle décocha à Harry un regard éloquent. Il choisit de croire que le double sens n'était pas voulu.

« Ton frère habite ici, alors ? »

Elle secoua la tête.

« Il est mort. Il y a dix ans. C'est la maison de papa. Les dernières années, quand Even étudiait à Blindern, papa et lui habitaient ici.

— Et ton père ?

— Il est mort juste après Even. Je m'étais déjà installée ici, alors j'ai repris la maison. »

Kaja remonta les pieds dans le fauteuil, appuya sa tête sur ses genoux. Harry regarda la gorge fine, le creux à la base du crâne, la nuque où les cheveux relevés laissaient échapper quelques mèches.

« Tu penses souvent à eux ? » voulut savoir Harry.

Elle leva la tête.

« Surtout à Even. Papa est parti quand nous étions petits, et maman vivait dans sa bulle, alors Even est devenu papa et maman, d'une certaine façon. Il m'aidait, m'encourageait, m'élevait, c'était mon modèle. Il ne pouvait commettre aucune erreur à mes yeux. Quand tu as été aussi proche de quelqu'un que je l'ai été d'Even, ça ne te lâche jamais. Jamais. »

Harry hocha la tête.

Kaja se racla doucement la gorge.

« Comment va ton père ? »

Harry observa l'extrémité incandescente de sa cigarette.

« Tu ne trouves pas ça bizarre ? demanda-t-il. Que Hagen nous ait donné quarante-huit heures. On aurait très bien pu évacuer le bureau en deux heures.

— Moui… maintenant que tu le dis.

— Il pense peut-être que nous devrions employer nos deux dernières journées de travail à quelque chose d'utile. »

Kaja le regarda.

« Pas enquêter sur les meurtres, évidemment, ça, on le laisse à la Kripos. Mais la Brigade des disparitions a besoin d'aide, paraît-il.

— Qu'est-ce que tu veux dire ?

— Adele Vetlesen est une jeune femme qui à ma connaissance n'est liée à aucune affaire criminelle.

— Tu penses qu'on doit...

— Je pense qu'on doit démarrer demain à sept heures. Et on verra si on peut se rendre utiles. »

Kaja Solness tira sur sa cigarette. Souffla la fumée, et recommença.

« Tu te calmes ? » demanda Harry avec un sourire narquois.

Kaja secoua la tête et leva la cigarette devant elle.

« J'aimerais bien garder mon boulot, Harry. »

Harry hocha la tête.

« Ça n'a pas valeur de convocation. Bjørn aussi voulait réfléchir. »

Kaja tira de nouveau sur sa cigarette. Harry écrasa la sienne.

« C'est l'heure d'y aller. Tu claques des dents. »

En ressortant, il essaya de distinguer s'il y avait quelqu'un dans la voiture en stationnement, mais c'était impossible sans approcher. Il choisit de ne pas le faire.

À Oppsal, la maison l'attendait. Grande, vide, pleine d'échos

Il s'allongea sur le lit de sa chambre et ferma les yeux.

Et fit le rêve qu'il faisait si souvent. Dans un port de Sydney, une chaîne qu'il faut remonter, la méduse qui s'approche de la surface, et qui n'est pas une méduse mais ses cheveux roux qui flottent autour de son visage blanc. Puis vint le second rêve. Le nouveau. Il était apparu pour la première fois à Hong Kong, juste avant Noël. Il fixait un clou qui dépassait du mur et transperçait un visage, une personne aux traits fins et à la moustache soignée. Dans son rêve, Harry avait quelque chose dans la bouche, qui lui donnait l'impression que sa tête allait éclater. Qu'est-ce que c'était, qu'est-ce que c'était ? C'était une promesse. Harry sursauta. Trois fois. Puis s'endormit.

CHAPITRE 28

Drammen

« Alors c'est vous qui avez déclaré la disparition d'Adele Vetle-sen, résuma Kaja.

— Oui, répondit le jeune homme assis devant eux au Peo-ple & Coffee. Nous habitions ensemble. Elle n'est pas rentrée. J'ai pensé que je devais le faire.

— Bien sûr. »

Kaja lança un coup d'œil à Harry. Il était huit heures et demie du matin. Il leur avait fallu une demi-heure pour aller d'Oslo à Drammen, juste après la réunion matinale du trio, qui s'était conclue avec le renvoi de Bjørn Holm par Harry. Il n'avait pas dit grand-chose, juste poussé un gros soupir, nettoyé sa tasse avant de repartir à la Brigade technique de Bryn pour y reprendre ses acti-vités.

« Vous avez des nouvelles d'Adele ? demanda le jeune homme en regardant tour à tour Kaja et Harry.

— Non, répondit Harry. Et vous ? »

Le jeune homme secoua la tête et jeta un coup d'œil par-dessus son épaule, vers le comptoir, pour s'assurer qu'aucun client n'attendait. Ils étaient juchés sur de hauts tabourets près de la vitre donnant sur l'une des nombreuses places de Drammen, un espace ouvert qui faisait office de parking. People & Coffee vendait du café et des pâtisseries au tarif aéroport, et essayait de donner l'illusion d'une chaîne américaine, ce qui était peut-être le cas, en fin de compte. Le jeune homme avec qui Adele Vetlesen avait habité, Geir Bruun, pouvait avoir une trentaine d'années, il était d'une pâleur exceptionnelle et avait un crâne lisse légèrement transpirant en surplomb d'un regard bleu qui ne se posait jamais. Il travaillait là comme soi-disant barista, un titre qui avait imposé un certain respect dans les années 1990, quand les cafés avaient investi Oslo. Mais qui consistait simplement à préparer le café, un art dont toute la finesse se résumait à éviter les erreurs les plus grossières, à ce qu'en voyait Harry. En tant que policier, Harry se servait de l'intonation, de la diction, du vocabulaire et des écarts grammaticaux pour situer les gens. Geir Bruun n'était ni habillé ni coiffé d'une façon qui le fasse passer pour un homo, et rien dans son comportement ne le suggérait. Mais dès qu'il ouvrit la bouche, ce fut évident. Quelque chose dans l'arrondissement des voyelles, les petits mots superflus, le zézaiement qui paraissait presque affecté. Harry savait que ce type pouvait être à deux cents pour cent hétérosexuel, mais il avait conclu que Katrine Bratt était allée un peu vite en besogne en affirmant qu'Adele Vetlesen et Geir Bruun étaient concubins. Ce n'étaient que deux personnes qui pour des raisons économiques avaient partagé un appartement dans le centre de Drammen.

« Oui, répondit le jeune homme à une question de Kaja. Je me rappelle qu'elle est partie dans un de ces refuges à l'automne. » Il en parlait comme si le concept lui était pour ainsi dire inconnu. « Mais ce n'est pas là qu'elle a disparu.

— Nous le savons. Est-elle partie avec quelqu'un, et le cas échéant, savez-vous qui ? poursuivit Kaja.

— Aucune idée. On ne parlait pas de ces choses-là, on se contentait de partager la salle de bains, si vous voyez ce que je veux dire. Elle avait sa vie privée, j'avais la mienne. Mais je doute qu'elle soit partie en pleine nature toute seule, si je puis dire.

« — Ah ?

— Adele faisait le moins de choses possible seule. J'ai du mal à l'imaginer dans un refuge sans un type avec elle. Mais qui ? Pour dire les choses comme elles sont, elle était un rien grégaire. Elle n'avait aucune amie, mais un paquet de copains. Qu'elle évitait de faire se rencontrer. Adele ne menait pas une double vie, mais une quadruple. Ou quelque chose comme ça.

— Elle n'était pas honnête ?

— Je ne dirais pas ça. Un jour, elle m'a fait un topo sur les manières honnêtes de rompre. Elle m'a raconté qu'une fois, pendant qu'un type la sautait par-derrière, elle a pris une photo avec son mobile par-dessus son épaule, l'a envoyée au mec avec qui elle était à ce moment-là et a effacé son nom. Tout ça en un seul mouvement. »

Geir Bruun les fixa d'un œil vide.

« Impressionnant, répondit Harry. Nous savons qu'elle a payé pour deux personnes, là-bas. Pouvez-vous nous donner le nom d'un ami, pour que nous commencions par là ?

— Non. Mais quand j'ai déclaré sa disparition, vous avez contrôlé qui elle avait eu au téléphone les semaines précédentes.

— Qui ?

— Je ne me rappelle pas. Des policiers du coin.

— Super, on a rendez-vous au commissariat. » Harry regarda sa montre et se leva.

« Pourquoi, dit Kaja, toujours assise, la police a-t-elle suspendu l'enquête ? Je ne me rappelle pas avoir lu quoi que ce soit là-dessus dans les journaux.

— Vous ne le savez pas ? s'étonna le jeune en faisant signe à deux filles qui attendaient devant le comptoir à côté de deux landaus qu'il allait bientôt s'occuper d'elles. Elle a envoyé une carte.

— Une carte ? répéta Harry.

— Oui, du Rwanda. En Afrique.

— Qu'écrivait-elle ?

« — C'était bref. Elle avait rencontré l'homme de sa vie, et je devais prendre le loyer à ma charge jusqu'à son retour, en mars. Salope ! »

Ils allèrent à pied au commissariat. Un inspecteur principal affublé d'une tête large comme une citrouille et d'un nom que Harry oublia dès qu'il l'entendit les reçut dans un bureau empestant le tabac, leur servit un café brûlant, et ne cessa de lancer des coups d'œil langoureux à Kaja chaque fois qu'il se pensait à l'abri des regards.

Il commença par leur faire un cours et expliqua qu'à n'importe quel moment entre cinq cents et mille Norvégiens étaient considérés comme disparus, qu'ils refaisaient presque tous surface tôt ou tard, et que si la police devait enquêter sur toutes les disparitions qui n'impliquaient a priori rien de criminel ou d'accidentel, ils n'auraient plus le temps de faire autre chose. Harry étouffa un bâillement.

Dans le cas d'Adele Vetlesen, on avait en plus un signe de vie, ils l'avaient quelque part. L'inspecteur principal se leva et plongea sa tête de citrouille dans un classeur, d'où il tira une carte postale qu'il déposa devant eux. Elle représentait une montagne conique dont le sommet était coiffé d'un nuage, mais sans mention du nom de la montagne ou de sa localisation dans le monde. L'écriture était vilaine et saccadée. Harry eut un mal fou à déchiffrer la signature. Adele. Elle portait un timbre du Rwanda et avait été oblitérée à Kigali ; Harry croyait se souvenir que c'était la capitale.

« Sa mère nous a confirmé que c'est l'écriture de sa fille. »

L'inspecteur principal expliqua que, sur les demandes insistantes de la mère, ils avaient retrouvé Adele Vetlesen sur la liste des passagers de la Brussels Airlines à destination de Kigali *via* l'aéroport d'Entebbe, en Ouganda, le 25 novembre. Ils avaient par ailleurs demandé à Interpol d'effectuer une recherche dans les hôtels, et un établissement de Kigali — l'inspecteur principal chercha dans ses notes : « Le Gorilla Hotel ! » — avait effectivement eu la visite d'une Adele Vetlesen le jour de son arrivée en avion. Une seule raison justifiait qu'Adele Vetlesen figure encore sur la liste des disparus : ils ne savaient pas où elle se trouvait exactement, et sur le plan technique, une carte postale envoyée de l'étranger ne changeait rien au statut de personne disparue.

« En plus, on ne parle pas de la partie civilisée du monde, poursuivit l'inspecteur principal avec un large geste des bras. Huti, Tutsu, ou Dieu sait comment ils s'appellent. Des machettes. Deux millions. Morts. Vous voyez ? »

Harry vit Kaja fermer les yeux tandis que l'inspecteur principal expliquait d'une voix de prof et en phrases alambiquées qu'une vie humaine ne valait presque rien en Afrique, où le trafic des individus n'était pas un phénomène inconnu ; en théorie, Adele avait pu être enlevée et contrainte d'écrire cette carte, puisque les nègres lâchaient volontiers une année de salaire pour mettre le grappin sur une Norvégienne blonde, pas vrai ?

Harry regarda la carte et essaya de faire abstraction de la voix de la citrouille. Une montagne conique au sommet coiffé d'un nuage. Il releva la tête quand l'inspecteur principal au nom ubliable toussota.

« Oui, on peut parfois les comprendre, hein ? » lança-t-il avec un regard entendu à Harry.

Harry se leva et déclara que du travail les attendait à Oslo. Mais si Drammen pouvait avoir l'obligeance de scanner et de leur mailer la carte postale ?

« Pour un graphologue ? demanda l'inspecteur principal avec une mauvaise volonté manifeste, les yeux sur l'adresse que Kaja venait de lui noter.

— Un vulcanologue, répondit Harry. Je veux que vous lui envoyiez la photo et que vous lui demandiez s'il peut identifier cette montagne.

— *Identifier cette montagne ?*

— Il s'y intéresse pas mal. Il fait le tour du monde pour les observer. »

L'inspecteur principal haussa les épaules et hocha la tête. Puis il les raccompagna à la porte. Harry demanda s'ils avaient vérifié si des communications avaient été émises ou reçues sur le mobile d'Adele depuis son départ.

« On connaît notre boulot, Hole, répliqua l'inspecteur principal. Aucun appel émis. Mais vous imaginerez sans mal les réseaux mobiles dans un pays comme le Rwanda...

— En fait, non. Je n'y suis jamais allé. »

« Une carte postale ! gémit Kaja lorsqu'ils furent sur la place devant la voiture banalisée demandée à l'hôtel de police. Billet d'avion et nuitée au Rwanda ! Pourquoi cet as de l'informatique, là, à Bergen, ne l'a pas découvert ? Ça nous aurait évité de foutre une demi-journée de travail en l'air dans ce trou !

— Je pensais que tu serais d'humeur radieuse, répondit Harry en déverrouillant le véhicule. Tu t'es fait un nouveau pote, et Adele n'est peut-être pas morte, en fin de compte.

— *Toi*, tu es d'humeur radieuse, peut-être ? »

Harry regarda les clés dans sa main.

« Envie de conduire ?

— Oui ! »

Chose curieuse, aucun radar automatique n'émit de flash, mais ils étaient rentrés à Oslo en un peu plus de vingt minutes.

Ils se mirent d'accord pour déménager les objets légers d'abord — accessoires de bureau et tiroirs — et d'attendre le lendemain pour emporter les choses plus lourdes. Ils utilisèrent le chariot que Harry avait employé quand ils avaient meublé leur local.

« Tu as un bureau ? » demanda Kaja lorsqu'ils furent à mi-distance du souterrain, où la voix de Kaja se répercutait longuement.

Harry secoua la tête.

« On va mettre tout ça dans le tien.

— Tu as demandé un bureau ? » insista-t-elle en s'arrêtant.

Harry continua à marcher.

« Harry ! »

Il s'arrêta.

« Tu m'as posé une question sur mon père.

— Je ne voulais pas…

— Non, non. Mais il n'a plus pour longtemps à vivre. OK ?
Après, je repars. Je voulais juste…

— Juste ?

— Tu as entendu parler du Cercle des policiers disparus ?

— Qu'est-ce que c'est ?

— Des gens qui travaillaient à la Criminelle. Des gens qui ne
m'étaient pas indifférents. Je ne sais pas si c'est parce que je leur
dois quelque chose, mais c'est ma tribu.

— Quoi ?

— Ce n'est pas grand-chose, mais c'est tout ce que j'ai, Kaja.
C'est la seule chose envers laquelle je sois tenu à une certaine
loyauté.

— Une brigade ? »

Harry se remit en marche.

« Je sais, et ça passera sans doute. Le monde continue à tourner.
Ce n'est qu'une réorganisation, n'est-ce pas ? Les histoires sont
dans les murs, et à présent, les murs vont tomber. Toi et les tiens
écrirez de nouvelles histoires, Kaja.

— Tu es bourré ? »

Harry éclata de rire.

« Je suis juste sonné. K-O. Et c'est bien. Très bien. »

Son téléphone sonna. C'était Bjørn.

« J'ai laissé la biographie de Hank sur mon bureau.

— Je l'ai, le rassura Harry.

— Il y a un de ces échos, tu es dans une église ?

— Souterrain.

— Fichtre, les mobiles captent, là-dedans ?

— On doit avoir un meilleur réseau mobile qu'au Rwanda. Je
déposerai le livre à l'accueil.

— C'est la deuxième fois qu'on me parle de Rwanda et de téléphones mobiles aujourd'hui. Dis-leur que je passerai le chercher demain.

— Qu'as-tu entendu sur le Rwanda ?

— C'est juste une chose que Beate a dite. Sur le coltan, tu sais, les dépôts métalliques retrouvés sur les dents de celles qui avaient les piqûres dans la bouche.

— Terminator.

— Hein ?

— Rien. Quel rapport avec le Rwanda ?

— On se sert de coltan dans les téléphones mobiles. C'est un métal rare, et presque toutes les réserves se trouvent au Congo. Les gisements sont dans la zone de guerre où personne ne contrôle rien, et les négociants futés le subtilisent au milieu de ce bazar pour le faire passer au Rwanda.

— Mmm.

— À plus tard. »

Harry allait ranger son téléphone lorsqu'il vit qu'il avait un SMS non lu. Il l'ouvrit.

Nyiragongo. Dernière éruption en 2002. L'un des rares volcans avec un lac de lave ouvert dans son cratère. Se trouve au Congo, près de Goma. Felix.

Goma. Harry s'immobilisa et regarda les gouttes qui tombaient d'un tuyau au plafond. Les instruments de torture de Kluit venaient de là.

« Qu'y a-t-il ? s'enquit Kaja.

— Ustaoset, répondit Harry. Et le Congo.

— Ce qui veut dire ?

— Je ne sais pas. Mais je suis non croyant en ce qui concerne les coïncidences. » Il saisit le chariot et fit demi-tour.

« Qu'est-ce que tu fabriques ?

— J'y retourne. On a encore plus de vingt-quatre heures devant nous. »

CHAPITRE 29

Kluit

La soirée était d'une douceur exceptionnelle à Hong Kong. Les gratte-ciel jetaient de longues ombres sur le Peak, certains presque jusqu'à la villa et la terrasse sur laquelle Herman Kluit était installé avec un Singapore sling rouge sang dans une main et un téléphone dans l'autre. Il écoutait en regardant les phares des voitures qui formaient des serpents de feu en contrebas.

Il aimait bien Harry Hole, et ce depuis le premier instant où il avait vu le grand Norvégien athlétique mais manifestement alcoolique entrer dans Happy Valley pour miser sur le mauvais cheval ce qu'il lui restait d'argent. Il y avait quelque chose dans son regard teigneux, son attitude arrogante, la vigilance qu'exprimait tout son corps, qui lui rappelait une part de lui-même quand il était jeune mercenaire en Afrique. Herman Kluit s'était battu partout, de tous les côtés, pour servir les gens qui payaient. En Angola, en Zambie, au Zimbabwe, en Sierra Leone, au Liberia. Tous les pays à l'histoire sombre et à l'avenir encore plus sombre. Mais aucun n'était aussi sombre que celui dont Harry venait de lui parler. Le Congo. C'est là qu'ils avaient enfin trouvé le filon. Sous forme de diamants. Et de cobalt. Et de coltan. Le chef du village appartenait aux Maï-Maï, qui pensaient que l'eau les rendait invulnérables. À cela près, c'était quelqu'un de raisonnable. En Afrique, tout se réglait avec une liasse de billets ou, au besoin, une rafale de Kalachnikov. En un an, Herman Kluit était devenu un homme riche. Très riche en l'espace de trois. Une fois par mois, il allait dans la ville la plus proche, Goma, pour dormir dans un lit plutôt que dans la jungle, où un tapis de mystérieuses mouches hématophages s'élevait chaque nuit de trous dans le sol et où l'on se réveillait le lendemain à l'état de cadavre à moitié décomposé. Goma. Lave noire, argent sale, beautés noires, péchés mortels. Dans la jungle, la moitié des hommes avaient contracté le paludisme, le reste, des maladies qu'aucun médecin blanc ne connaissait et que l'on classait dans le genre fourre-tout des fièvres de la jungle. Herman Kluit souffrait d'une telle maladie, et même si elle le laissait tranquille pendant de longues périodes, il ne s'en était jamais débarrassé pour de bon. Le seul remède que connaissait Herman Kluit, c'étaient les Singapore slings. Il avait découvert cette boisson à Goma, chez un Belge propriétaire d'une villa fantastique probablement construite par le roi Léopold à l'époque où le pays s'appelait État indépendant du Congo et constituait la cour de récréation et la cagnotte personnelles du monarque. La villa se trouvait au bord du lac Kivu, où les femmes et les couchers de soleil étaient si beaux qu'on en oubliait pour un instant la jungle, les Maï-Maï et les mouches.

C'était le Belge qui avait montré à Herman Kluit la petite chambre du trésor au sous-sol. Il y avait accumulé toutes sortes de choses, depuis les montres les plus perfectionnées au monde jusqu'aux armes rares, en passant par les instruments de torture ingénieux, les pépites d'or, les diamants bruts et les têtes humaines embaumées. C'était là que Kluit avait vu ce qu'on appelait la pomme de Léopold. Selon toute vraisemblance, elle avait été conçue par un ingénieur du roi belge pour être utilisée sur les chefs de tribu récalcitrants qui refusaient de révéler où ils trouvaient leurs diamants. La précédente méthode consistait en l'usage de buffles. Ils tartinaient le chef de miel, l'attachaient à un arbre et conduisaient jusqu'à lui un buffle nain captif qui commençait à lécher le miel. L'intérêt, c'est que la langue du buffle était si râpeuse qu'elle emportait aussi peau et chair. Mais il fallait du temps pour capturer un buffle nain, et ils pouvaient être difficiles à modérer quand ils avaient commencé à lécher. D'où la pomme de Léopold. Pas parce que c'était un instrument de torture particulièrement propre, il empêchait même le prisonnier de parler. Mais son effet sur les indigènes qui regardaient ce qui se passait quand le tortionnaire tirait sur le cordon pour la seconde fois était impeccable. Le suivant à qui l'on demandait d'ouvrir la bouche pour y mettre la pomme était intarissable.

Herman Kluit indiqua d'un signe de tête à sa bonne philippine qu'elle pouvait emporter le verre vide.

« Tu ne te trompes pas, Harry. Elle est toujours sur le manteau de cheminée. Heureusement, je ne sais pas si elle a déjà servi. C'est un souvenir. Qui me rappelle ce qu'il y a dans les ténèbres d'un cœur. C'est toujours utile, Harry. Non, je n'ai jamais vu ou entendu dire qu'elle ait servi ailleurs dans le monde. C'est un concentré compliqué de technologie, comprends-tu, avec tous ces ressorts et ces pointes. Il faut un alliage spécial. Le coltan convient. Bien sûr. Très rare. Celui qui m'a vendu ma pomme, Eddie van Boorst, prétendait qu'on n'en avait fait que vingt-quatre, qu'il en possédait vingt-deux, dont une en or vingt-quatre carats. C'est juste, il y a vingt-quatre aiguilles aussi, comment le sais-tu ? Le nombre vingt-quatre devait avoir un rapport avec la sœur de l'ingénieur, je ne me rappelle pas quoi. Mais c'est peut-être quelque chose que van Boorst a ajouté pour faire grimper le prix, c'est un Belge, non ? »

Le rire de Kluit se changea en toux. Saloperie de fièvre.

« En tout cas, il devrait avoir une vue d'ensemble de l'endroit où se trouvent les pommes. Il habitait une adorable villa à Goma dans le Nord-Kivu, juste à côté de la frontière avec le Rwanda. L'adresse ? » Kluit toussa encore. « Goma compte une rue supplémentaire chaque jour qui passe, et de temps en temps, la moitié de la ville est engloutie par la lave, alors il n'y a pas d'adresses, Harry. Mais la poste sait où sont les Blancs. Non, je ne sais pas s'il habite toujours à Goma. Ou s'il est vivant, en l'occurrence. L'espérance de vie au Congo est de trente et quelques années, Harry. Y compris pour les Blancs. En plus, la ville est pour ainsi dire assiégée. C'est ça. Non, bien sûr que tu n'as pas entendu parler de cette guerre. Personne. »

Gunnar Hagen posa un regard incrédule sur Harry et se pencha par-dessus son bureau.

« Tu veux aller au Rwanda ?

— Je fais juste un saut, répondit Harry. Deux jours, voyage compris.

— Pour enquêter sur quoi ?

— Ce dont je t'ai parlé. Une disparition. Adele Vetlesen. Kaja va à Ustaoset pour voir si elle trouve avec qui Adele y est allée juste avant sa disparition.

— Pourquoi ne pas appeler pour leur demander de vérifier dans le registre ?

— Parce que Håvasshytta n'est pas surveillé », répondit Kaja, qui était assise à côté de Harry. « Mais tous ceux qui passent la nuit dans les chalets de l'office de tourisme doivent s'inscrire dans le registre, en précisant leur destination. C'est obligatoire. Comme ça, si quelqu'un disparaît dans la montagne, les équipes de recherche savent par où commencer. Espérons qu'Adele et sa compagne de voyage ont noté leurs noms et adresses in extenso. »

Gunnar Hagen gratta sa couronne de cheveux des deux mains.

« Et rien de tout ça n'a de lien avec les autres meurtres ? »

Harry fit une moue.

« Pas que je sache, chef. À ton avis ?

— Mmm. Et pour quelle raison devrais-je torpiller le budget déplacements de la Brigade pour une escapade aussi extravagante ?

— Parce que le trafic d'êtres humains est une priorité, répondit

Kaja. Regardez le discours du ministre de la Justice à la presse au début de la semaine.

— En plus... » Harry s'étira et croisa les mains derrière la tête. « Il est possible que d'autres éléments apparaissent, qui pourront nous conduire à résoudre d'autres affaires. »

Gunnar Hagen regarda pensivement l'inspecteur principal.

« Chef », ajouta Harry.

CHAPITRE 30

Registre

Un panneau sur une modeste gare peinte en jaune informait qu'ils étaient à Ustaoset. Kaja contrôla à sa montre qu'ils étaient arrivés à l'heure prévue, 10 h 44. Elle regarda au-dehors. Le soleil brillait sur les plateaux couverts de neige et les montagnes blanc porcelaine. À l'exception d'un groupe de maisons et d'un hôtel de trois étages, Ustaoset était de la montagne à vaches. Certes semée de petits chalets et de taches de végétation, mais néanmoins déserte. À côté de la gare, presque sur le quai, un 4×4 attendait, moteur allumé. De l'intérieur du compartiment, on pouvait croire qu'il n'y avait pas de vent. Mais quand Kaja descendit sur le quai, ce fut comme si le vent soufflait à travers ses vêtements : sous-vêtements spéciaux, anorak, bottes de neige.

Une silhouette sauta du 4×4 et vint à sa rencontre. Elle avait le soleil dans le dos. Kaja plissa les yeux. Démarche souple, assurée, sourire blanc et main tendue. Elle se figea. C'était Even.

« Aslak Krongli, se présenta l'homme en lui serrant fermement la main. Lensmann.

— Kaja Solness.

— Il fait froid. Pas comme en bas dans la plaine, hein ?

— Non. » Kaja lui rendit son sourire.

« Je n'ai pas la possibilité de vous accompagner à Håvasshytta

217

aujourd'hui. Nous avons eu une avalanche, un tunnel est fermé, et nous devons dévier la circulation. »

Sans attendre, il lui prit ses skis, les posa sur son épaule et repartit vers le 4×4.

« Mais j'ai demandé à la personne qui surveille le chalet de vous y emmener. Odd Utmo. Ça vous va ?

— Très bien », répondit Kaja avec soulagement. Ça voulait peut-être dire qu'elle éviterait les nombreuses questions suscitées par l'intérêt soudain que portait la police d'Oslo à une disparition de Drammen.

Krongli la conduisit jusqu'à l'hôtel, à cinq cents mètres à peine. Sur la place couverte de neige devant l'entrée, un homme était assis sur un scooter des neiges jaune. Il portait une combinaison rouge, une casquette à oreilles, une écharpe devant la bouche et de grosses lunettes de ski.

Il releva ses lunettes et grommela son nom, et Kaja s'aperçut que l'un de ses yeux était couvert d'une pellicule blanche transparente, comme du lait. L'autre l'examinait sans gêne, des pieds à la tête. L'allure rigide du type aurait pu être celle d'un jeune homme, tandis que son visage était plutôt celui d'un vieillard.

« Kaja. Merci d'avoir répondu aussi vite.

— Je suis payé pour ça », répondit Odd Utmo avant de regarder sa montre, de baisser son écharpe et de cracher. Kaja vit briller un appareil entre les dents noircies par le tabac à priser. Le glaviot dessina une étoile noire dans la neige.

« J'espère que vous avez mangé et pissé. »

Kaja rit, mais Utmo avait déjà enfourché le scooter et lui tournait le dos.

Elle regarda Krongli, qui avait glissé les skis et les bâtons de Kaja sous les brides ; ils étaient à présent coincés le long du scooter avec les skis d'Utmo, ce qui ressemblait à quelques bâtons de dynamite et un fusil à lunette.

Kaja se tourna vers Krongli. Le lensmann haussa les épaules et lui resservit son sourire juvénile.

« Bonne chance, j'espère que vous trouv... »

Le reste fut couvert par le rugissement du scooter. Kaja se hâta de s'asseoir. Elle constata avec soulagement la présence de poignées auxquelles se cramponner ; elle éviterait au moins de ceinturer le vieillard borgne. Un nuage de gaz d'échappement s'éleva autour d'eux, et ils démarrèrent d'un coup.

Les genoux fléchis, Utmo utilisait le poids de son corps pour maintenir en équilibre la motoneige, qu'il fit passer sur une congère puis dans la neige souple en direction de la première butte. Quand ils furent en haut, Kaja vit en direction du nord une mer de blanc s'étendre devant eux. Utmo se retourna et l'interrogea d'un hochement de tête. Elle lui fit comprendre que tout allait bien. Il accéléra. Kaja regarda par-dessus son épaule les bâtiments disparaître derrière le jet de neige créé par les chenilles de l'engin.

Kaja avait souvent entendu dire que les hauts plateaux couverts de neige faisaient penser au désert. Pour elle, ils évoquaient les jours et les nuits passés avec Even sur le voilier de son grand frère.

Le scooter filait à travers l'immense paysage vide. La neige et le vent s'étaient alliés pour estomper les contours, lisser l'ensemble et en faire un gigantesque océan au milieu duquel la grande montagne, Hallingskarvet, se dressait comme une vague monstrueuse. Il n'y avait aucun geste brusque, la souplesse de la neige et le poids de la motoneige adoucissaient tous les mouvements. Kaja se frotta doucement le nez et les joues pour s'assurer que le sang circulait comme il devait. Elle avait vu ce que des dégâts même infimes liés au gel faisaient sur un visage. Le grondement monotone du moteur et l'uniformité apaisante du paysage la berçaient. Elle se réveilla en sursaut lorsqu'ils s'arrêtèrent. Elle regarda sa montre. Et pensa tout d'abord qu'ils étaient en panne, à trois quarts d'heure au moins de toute civilisation. Et à skis ? Trois heures ? Cinq ? Elle n'en savait rien. Utmo avait bondi de son siège et détachait les skis.

« Il y a un problème avec… » commença-t-elle, mais elle s'interrompit quand Utmo se redressa et désigna le vallon à l'entrée duquel ils étaient arrêtés.

« Håvasshytta », déclara-t-il.

Kaja plissa les yeux derrière ses lunettes de soleil. Et en effet, au pied du versant, elle vit un petit chalet noir.

« Pourquoi n'allons-nous pas en…

— Parce que les gens sont des imbéciles, et que nous devons aller en douce jusqu'à ce chalet.

— En douce ? » Kaja se dépêcha de fixer ses skis, comme l'avait déjà fait Utmo.

Il leva un bâton vers la pente.

« Si vous entrez en scooter dans un vallon étroit comme celui-ci, le son se répercute. Et la poudreuse…

— Avalanche », compléta Kaja. Elle se rappelait une chose que son père lui avait dite après l'un de ses périples dans les Alpes. Pendant la Seconde Guerre mondiale, près de soixante mille soldats étaient morts dans des avalanches, dont la plupart avaient été déclenchées par le bruit des tirs d'artillerie.

Utmo la regarda.

« Ces citadins férus de nature se croient plus malins que tout le monde en bâtissant leurs chalets à l'abri. Mais tôt ou tard, ils seront aussi rattrapés par la neige.

— Aussi ?

— Ça ne fait que trois ans que Håvasshytta existe. Cette année, on connaît notre premier hiver de véritables avalanches. Et ça ne va pas s'arranger. »

Il tendit un doigt vers l'ouest. Kaja mit une main en visière. À l'horizon, elle vit ce à quoi il faisait allusion. De gros cumulus grisâtres s'amassaient comme des colonnes dans le ciel bleu.

« Il va neiger toute la semaine, reprit Utmo avant de détacher le fusil du scooter et de le suspendre à son épaule. À votre place, je me dépêcherais. Et j'éviterais de crier. »

220

Ils pénétrèrent en silence dans le vallon, et Kaja sentit la température chuter lorsqu'ils atteignirent la zone d'ombre et les creux du terrain où le froid s'accumulait.

Ils défirent leurs skis devant le chalet noirci au brou de noix, les appuyèrent contre le mur, et Utmo glissa dans la serrure une clé qu'il avait tirée de sa poche.

« Comment entrent les gens qui ont prévu de passer la nuit ici ? s'enquit Kaja.

— Ils achètent une clé standard. Pour les quatre cent cinquante chalets du pays. »

Il tourna la clé, appuya sur la poignée et poussa la porte. Sans succès. Il jura à voix basse, plaqua une épaule contre la porte et poussa. Elle se décolla du chambranle avec un petit cri sec.

« Le chalet se rétracte au froid », grommela-t-il.

À l'intérieur, l'obscurité était complète. Il flottait un parfum de paraffine et de feu de bois.

Kaja inspecta le chalet. Elle savait que les règles étaient d'une simplicité enfantine. On arrivait, on s'inscrivait sur le registre, on prenait un lit ou un matelas si les lits étaient occupés, on faisait du feu dans la cheminée. Puis on se préparait à manger dans la cuisine où il y avait une cuisinière et des ustensiles, et si on prenait de la nourriture déshydratée dans les placards, on payait en laissant de l'argent dans une boîte. C'était dans cette boîte qu'on laissait aussi l'argent pour la nuitée, ou une autorisation de prélèvement. On se fiait au sens des responsabilités et de l'honneur de chacun.

Le chalet comptait quatre chambres, toutes orientées au nord, avec deux lits doubles. Le salon orienté au sud était meublé de façon traditionnelle, avec de lourds meubles en bois blanc. Il y avait aussi une grande cheminée pour l'agrément visuel et un poêle pour un chauffage plus efficace. Kaja estima qu'il y avait la place pour douze ou quinze personnes autour de la table, et le double de couchage à condition de se serrer. Elle imagina la lumière des bougies et de la cheminée danser sur des visages connus et inconnus, tandis que les conversations tournaient autour des excursions de la journée et du lendemain et qu'on s'accordait une bière ou un verre de vin rouge. Le visage piqueté de taches de rousseur d'Even, qui levait son verre en riant vers elle dans un coin sombre.

« Le registre est dans la cuisine », l'informa Utmo en montrant une porte. Il avait l'air impatient ; il n'avait pas bougé de l'entrée, et portait encore ses moufles et sa casquette. Kaja posa la main sur la poignée et allait appuyer lorsqu'elle comprit. Le lensmann, Krongli. Il lui ressemblait. Elle avait su que l'idée ressurgirait, sans savoir quand.

« Pouvez-vous m'ouvrir la porte ? demanda-t-elle.

— Hein ?

— Coincée. Le froid. »

Elle ferma les yeux pendant qu'il approchait. Elle perçut le son de la porte qui s'ouvrait en silence, et le regard intrigué d'Utmo sur elle. Elle rouvrit les yeux et entra.

Il flottait une forte odeur de graisse rance dans la cuisine. Elle sentit son pouls accélérer lorsqu'elle parcourut du regard les paillasses, les placards. Ses yeux s'arrêtèrent sur le livre relié en cuir noir sous la fenêtre. Il était attaché au mur par un cordon en nylon bleu.

Kaja prit une inspiration. Avança jusqu'au registre. L'ouvrit.

Des pages et des pages de noms, écrits par les clients. La plupart avaient suivi le principe d'indiquer leur destination suivante.

« En fait, je devais venir la semaine prochaine pour vérifier le registre à votre place, expliqua Utmo derrière elle. Mais vous ne pouviez pas attendre ?

— Non. »

Kaja s'intéressa aux dates. Novembre. 6 novembre. 8 novembre. Elle revint en arrière. Puis vérifia encore. Elle n'y était pas. Le 7 novembre avait disparu. Elle ouvrit en grand le registre. Le bord déchiqueté d'une page dépassait de la reliure. Quelqu'un l'avait arrachée.

CHAPITRE 31

Kigali

L'aéroport de Kigali, au Rwanda, était petit, moderne et étonnamment bien organisé. D'un autre côté, l'expérience avait appris à Harry que les aéroports internationaux renseignaient fort peu, sinon pas du tout, sur les pays dans lesquels ils se trouvaient. À Bombay, en Inde, le calme et l'efficacité régnaient ; à JFK, à New York, c'étaient la paranoïa et le chaos. La file d'attente au contrôle des passeports avança d'un cran, et Harry suivit le mouvement. En dépit de la température agréable, il sentait la transpiration couler entre ses épaules sous la fine chemise en coton. Il repensa aux silhouettes aperçues à Schiphol, à Amsterdam, où l'avion d'Oslo avait atterri en retard. Harry avait dû parcourir en petites foulées des couloirs, les lettres de l'alphabet et des portes désignées par des nombres sans cesse plus élevés pour ne pas rater l'avion censé le conduire à Kampala, en Ouganda. À un croisement, il avait vu quelque chose du coin de l'œil. Une silhouette connue. Il avait la lumière de face, et la personne était trop loin de lui pour qu'il puisse reconnaître ses traits. Lorsqu'il avait embarqué le dernier, il avait admis l'évidence : ce n'était pas elle. Car quelle était la probabilité ? Et le garçon à côté d'elle ne pouvait pas être Oleg. Il n'avait pas pu grandir autant.

« Suivant. »

Harry avança jusqu'au guichet, posa son passeport, sa carte d'immigration, la copie de la demande de visa imprimée depuis le Net et les soixante dollars bien lissés que coûtait le visa.

« Travail ? » demanda en anglais le préposé au contrôle des passeports, et Harry croisa son regard. Il était grand, mince, et sa peau si noire qu'elle brillait. Sans doute tutsi, songea Harry. C'étaient eux qui contrôlaient les frontières du pays, à présent.

« Oui.

— Où ?

— Congo, répondit Harry avant de préciser avec le nom qu'on utilisait pour distinguer les deux parties du Congo. Congo-Kinshasa. »

Le préposé au contrôle tendit un doigt vers la carte d'immigration que Harry avait remplie dans l'avion.

« Je vois ici que vous logerez au Gorilla Hotel de Kigali.

— Seulement cette nuit, répondit Harry. Je pars pour le Congo demain, une nuit à Goma, puis je reviens ici et je rentre à la maison. Ça fait moins loin que depuis Kinshasa.

— Bon séjour au Congo, monsieur pressé », souhaita le type en uniforme avec un rire franc, avant de donner un coup de tampon sur le passeport et de le lui restituer.

Une demi-heure plus tard, Harry remplissait une carte de client au Gorilla, la signait et se voyait remettre une clé attachée à un petit gorille en bois. Lorsque Harry s'allongea, il y avait dix-huit heures qu'il s'était levé de son lit à Oppsal. Il observa le ventilateur qui rugissait à ses pieds. Aucun souffle n'en provenait, bien que les pales tournent à une vitesse folle. Il n'arriverait pas à dormir.

Le chauffeur demanda à Harry de l'appeler Joe. Joe était congolais, parlait un français presque parfait et un anglais un peu plus approximatif. Il avait été recruté *via* des contacts dans une association caritative norvégienne basée à Goma.

« Huit cent mille », dit Joe en anglais tandis qu'ils roulaient dans une Land Rover sur une route d'asphalte troué mais carrossable qui serpentait entre collines vertes et versants montagneux cultivés du pied au sommet. De temps en temps, il freinait gentiment pour ne pas renverser les marcheurs, cyclistes, pousseurs ou porteurs au bord de la route, qui échappaient de toute façon à la voiture en sautant hors d'atteinte à la dernière seconde.

« Ils en ont tué huit cent mille en quelques semaines, en 1994. Les Hutus sont tombés sur leurs bons vieux voisins et les ont assassinés à coups de machette rien que parce qu'ils étaient tutsis. À la radio, la propagande disait que si tu étais marié à un Tutsi, c'était ton devoir de Hutu de le tuer. *Coupez les grands arbres.* Beaucoup de gens ont fui par cette route… » Joe tendit un doigt par sa vitre baissée. « Les cadavres étaient empilés, à certains endroits c'était impraticable. Une bonne période pour les vautours. »

Ils roulèrent un moment en silence.

Ils dépassèrent deux hommes qui portaient un grand félin pendu par les pattes à un bâton qu'ils tenaient entre eux. Des enfants dansaient et criaient autour, en piquant la carcasse avec des bouts de bois.

« Chasseurs ? » voulut savoir Harry.

Joe secoua la tête, lança un coup d'œil dans son rétroviseur et répondit dans un mélange d'anglais et de français :

« Écrasé, je suppose. Il est presque impossible à chasser. Il est rare, il a un grand territoire, ne chasse que la nuit. Il se cache et se fond dans le paysage le jour. Je crois que c'est un animal très solitaire, Harry. »

Harry vit des gens travailler dans les champs. À divers endroits, la route était en travaux. Au fond d'une vallée, Harry vit une autoroute en construction. Dans un pré, des enfants en uniforme scolaire bleu tapaient gaiement dans un ballon.

« Le Rwanda est bon », déclara Joe.

Deux heures et demie plus tard, Joe désigna un point à travers le pare-brise.

« Le lac Kivu. Très beau, très profond. »

La surface de l'énorme lac semblait refléter mille soleils. De l'autre côté, c'était le Congo. Les montagnes se dressaient de part et d'autre du lac. Un nuage blanc esseulé flottait autour d'un sommet.

« Pas un nuage, précisa Joe, comme s'il avait entendu penser Harry. La montagne tueuse. Le Nyiragongo. »

Harry hocha la tête.

Une heure plus tard, ils franchirent la frontière en direction de Goma. Un homme d'une grande maigreur était assis au bord de la route, la veste déchirée, et fixait le vide devant lui d'un regard fou, désespéré. Joe manœuvra avec précaution la voiture entre les cratères dans le sentier boueux. Une jeep militaire roulait devant eux. Le soldat qui oscillait près de la mitrailleuse posa sur eux un regard froid et las. Un avion gronda juste au-dessus d'eux.

« L'ONU, expliqua Joe. Encore des fusils et des grenades. Nkunda approche de la ville. Très fort. Beaucoup de gens s'enfuient. Des réfugiés. M. van Boorst aussi, peut-être, hein ? Longtemps que je ne l'ai pas vu.

— Vous le connaissez ?

— Tout le monde connaît M. Van. Mais il a le Ba-Maguje en lui.

— Le Ba-quoi ?

— Un mauvais esprit. Un démon. Qui vous donne soif d'alcool. Et vous prend vos émotions. »

La climatisation soufflait de l'air froid. La sueur coulait entre les épaules de Harry.

Ils s'étaient arrêtés pile entre deux rangées de baraques, et Harry comprit que ce devait être plus ou moins le centre de Goma. Les gens allaient et venaient sur la piste impraticable entre les magasins.

Le long des maisons, on avait empilé des blocs de pierre noire qui faisaient office de fondations. Le sol ressemblait à un glaçage noir pétrifié, et une poussière grise voletait dans un air qui empestait le poisson pourri.

« Là, indiqua Joe, le doigt tendu vers la porte de l'unique mur de pierre de la rangée. J'attends dans la voiture. »

Harry remarqua que plusieurs personnes s'arrêtaient dans la rue lorsqu'il sortit de la voiture. Il croisa des regards graves et neutres qui ne reflétaient aucune mise en garde. Des gens qui savaient que les actes agressifs sont plus efficaces quand ils ne sont pas annoncés. Harry alla droit à la porte sans regarder autour de lui, pour montrer qu'il savait ce qu'il faisait, où il allait. Il frappa. Une fois. Deux fois. Trois fois. Merde ! Tout ce foutu voyage pour…

La porte s'ouvrit.

Un visage blanc ridé le regardait avec curiosité.

« Eddie van Boorst ? s'enquit Harry.

— Il est mort », répondit l'homme en français d'une voix si rauque qu'elle ressemblait à un râle d'agonie.

Harry avait d'assez bons souvenirs du français appris à l'école pour comprendre que le type prétendait que van Boorst n'était plus. Il misa sur l'anglais :

« Je m'appelle Harry Hole. C'est Herman Kluit, à Hong Kong, qui m'a donné le nom de van Boorst. J'ai fait un long voyage. C'est la pomme de Léopold qui m'intéresse. »

L'homme cligna deux fois des yeux. Glissa la tête par la porte et regarda à droite, puis à gauche. Avant d'ouvrir un peu plus grand. « Entrez », invita-t-il avec un petit signe de tête.

Harry baissa la tête pour passer et faillit tomber : le sol à l'intérieur était vingt centimètres plus bas qu'au-dehors. Il flottait un parfum d'encens. Plus une autre odeur, douceâtre, bien reconnaissable : celle d'un vieil homme qui boit à longueur de journée.

Les yeux de Harry s'habituèrent à l'obscurité, et il s'aperçut que le petit vieux portait un élégant peignoir en soie bordeaux.

« Accent scandinave, analysa van Boorst dans son anglais à la Hercule Poirot, avant de lever un fume-cigarette jauni à ses lèvres fines. Laissez-moi deviner. À coup sûr pas danois. Peut-être suédois. Mais je dirais norvégien. Oui ? »

Un cafard agita ses antennes dans une fissure du mur derrière lui.

« Mmm. Expert en accents ?

— Un hobby, rien de plus, répondit van Boorst, flatté, content. Dans un petit pays comme la Belgique, il faut apprendre à regarder vers l'extérieur, pas vers l'intérieur. Et comment va Herman ?

— Bien. »

Harry se tourna vers la droite et vit deux paires d'yeux indifférents le regarder. L'un sur une photo au-dessus du lit dans un coin de la pièce. Le portrait encadré d'un homme arborant une longue barbe grise, un nez fort, des cheveux courts, des épaulettes, une chaîne autour du cou et un sabre. Le roi Léopold II, si Harry ne se trompait pas. L'autre paire appartenait à la femme allongée sur le côté dans le lit, et qui n'avait qu'une couverture sur les hanches. La lumière de la fenêtre au-dessus d'elle tombait sur ses petits seins juvéniles. Elle répondit au signe de tête de Harry avec un bref sourire qui révéla une grande dent en or au milieu de toutes les blanches. Elle ne devait pas avoir plus de vingt ans. Derrière sa taille fine, Harry distingua un piton accroché au mur fissuré. Il y pendait une paire de menottes roses.

« Ma femme, précisa le petit Belge. Enfin, l'une d'entre elles.

— Miss van Boorst ?

— Si on veut. Vous voulez acheter ? Vous avez de l'argent ?

— D'abord, je veux voir ce que vous avez. »

Eddie van Boorst alla vers la porte, l'entrebâilla et jeta un coup d'œil au-dehors. La claqua et verrouilla.

« Vous n'êtes accompagné que de votre chauffeur ?

— Oui. »

Van Boorst tira sur sa cigarette tandis qu'il étudiait Harry entre les bourrelets de peau qui se formèrent autour de ses yeux lorsqu'il les plissa.

Puis il alla dans un coin de la pièce, écarta un tapis d'un coup de pied, se pencha et tira sur un anneau en fer. Une trappe s'ouvrit. Le Belge fit signe à Harry de descendre le premier. Harry supposa que c'était une règle fondée sur l'expérience, et fit ce qu'on lui demandait. Une échelle plongeait dans l'obscurité complète. Harry ne retrouva le sol sous ses pieds qu'après le septième barreau. Aussitôt, une lampe s'alluma au plafond.

Harry regarda autour de lui dans la pièce où l'on pouvait se tenir debout, sur un sol en ciment. Étagères et placards couvraient trois murs. Les étagères présentaient le tout-venant : pistolets Glock déjà bien usés, son propre Smith & Wesson .38, des boîtes de munitions, une Kalachnikov. Harry n'avait jamais tenu le célèbre fusil automatique russe portant le nom officiel d'AK-47. Il passa une main sur la crosse en bois.

« Un original de la première année de production, 1947, précisa van Boorst.

— On dirait que tout le monde en a une, ici, répondit Harry. La première cause de mortalité en Afrique, m'a-t-on dit. »

Van Boorst acquiesça.

« Pour deux raisons simples. Quand les pays communistes ont commencé à exporter la Kalachnikov ici après la guerre froide, l'arme coûtait autant qu'une poule grasse en temps de paix. Et à peine plus de cent dollars en temps de guerre. D'autre part, elle fonctionne, quoi que vous en fassiez, et c'est important en Afrique. Au Mozambique, ils apprécient tellement leurs Kalachnikov qu'ils ont intégré l'arme dans leur drapeau national. »

Harry s'arrêta quand il vit les lettres discrètes sur une valise noire.

« C'est ce que je crois ? demanda-t-il.

— Märklin, répondit van Boorst. Un fusil rare. Produit en nombre très limité, puisque ça a été un fiasco. Bien trop lourd, et d'un calibre beaucoup trop gros. Utilisé pour la chasse à l'éléphant.

— Et à l'homme, compléta Harry à voix basse.

— Vous connaissez cette arme ?

229

— La lunette a la meilleure optique au monde. Pas vraiment indispensable pour dégommer un éléphant à cent mètres. C'est un fusil à attentat pur jus. » Harry passa les doigts sur la valise, tandis que les souvenirs défilaient. « Oui, je la connais.

— Je vous fais celle-là pas cher. Trente mille euros.

— Je ne cherche pas des fusils. » Harry se tourna vers l'étagère ouverte au milieu de la pièce. De terrifiants masques en bois peints en blanc grimaçaient sur les rayonnages.

« Masques de Maï-Maï, expliqua van Boorst. Ils pensent que s'ils se plongent dans l'eau bénite, les balles de leurs ennemis ne les blesseront pas. Parce que les balles aussi se transformeront en eau. La guérilla Maï-Maï est entrée en lutte contre l'armée gouvernementale à coups d'arcs et de flèches, avec des charlottes sur la tête et des bondes de baignoire en guise d'amulettes. Je ne me paie pas votre tête, monsieur. Ils ont été ratatinés, bien sûr. Mais ils aiment l'eau, les Maï-Maï. Et les masques peints en blanc. Ainsi que les cœurs et les reins de leurs ennemis. Poêlés, avec de la purée de maïs.

— Mmm. Je ne m'attendais pas à ce qu'une maison aussi simple ait une cave.

— Une cave ? ricana van Boorst. C'est le rez-de-chaussée. Ou c'était. Avant l'éruption d'il y a trois ans. »

Harry comprit. Blocs de pierre noire, glaçage noir. Le sol à l'étage supérieur plus bas que la rue.

« La lave », murmura Harry.

Van Boorst hocha la tête.

« Elle a traversé le centre-ville et emporté ma villa près du lac Kivu. Toutes les maisons en bois ont brûlé, il ne restait plus que cette maison en béton, mais elle était à moitié ensevelie sous la lave. Ici, dit-il en tendant le doigt vers un mur, vous voyez la porte qui donnait sur la rue il y a trois ans. J'ai acheté la maison et je me suis contenté de faire installer la porte par où vous êtes entré.

— Encore heureux que la lave ne l'ait pas fait brûler et ne soit pas descendue à cet étage, alors.

— Comme vous le voyez, les fenêtres et la porte sont dans le mur opposé au Nyiragongo. Ce n'est pas la première fois. Cette saleté de montagne crache de la lave sur la ville tous les dix ou vingt ans. »

Harry haussa un sourcil.

« Et les gens reviennent ? »

Van Boorst haussa les épaules.

« Bienvenue en Afrique. Mais le volcan est foutrement utile. S'il faut se débarrasser d'un cadavre encombrant — un problème très banal à Goma — on peut évidemment le balancer dans le lac Kivu. Mais il reste dedans. Si on utilise le Nyiragongo, en revanche… Les gens croient que la plupart des volcans ont des lacs de lave bouillonnante en leur centre, mais ce n'est pas vrai. Aucun. Hormis le Nyiragongo. Mille degrés Celsius. Jetez-y quelque chose, et pouf ! ça se transforme en gaz. C'est la seule chance qu'ont les habitants de Goma d'aller au ciel. » Son rire déclencha une quinte de toux. « J'ai vu un chercheur de coltan zélé qui s'est servi d'une chaîne pour descendre la fille d'un chef de tribu dans le cratère, un jour. Le chef ne voulait pas signer les papiers autorisant le chasseur à exploiter le minerai sur leur territoire. Les cheveux de la fille ont pris feu alors qu'elle était à vingt mètres de la surface. Dix mètres plus bas, elle brûlait comme une torche. Encore cinq mètres et elle se liquéfiait. Je n'exagère pas. Peau, chair, ça dégoulinait du squelette… C'est ça qui vous intéresse ? »

Van Boorst avait ouvert un placard et sorti une boule en métal. Elle était brillante, percée de trous et à peine plus petite qu'une balle de tennis. Une fine chaîne terminée par un anneau sortait d'un trou un peu plus gros. C'était le même instrument que celui de Herman Kluit.

« Elle fonctionne ? » demanda Harry.

Van Boorst poussa un soupir. Il passa le petit doigt dans l'anneau et tira. Il y eut un claquement sec, et la boule métallique sauta dans la main du Belge. Harry écarquilla les yeux. Des espèces d'antennes avaient jailli des trous.

231

« Je peux ? » demanda-t-il, la main tendue. Van Boorst lui passa la boule et observa Harry qui comptait les antennes.

« Vingt-quatre, conclut Harry avec un hochement de tête.

— Le nombre d'exemplaires produits. Le nombre avait une valeur symbolique pour l'ingénieur qui l'a mise au point et fabriquée. C'était l'âge de sa sœur quand elle s'est suicidée.

— Et combien en avez-vous dans ce placard ?

— Huit seulement. Y compris ce modèle de luxe, en or. »

Il prit une boule qui lança un reflet mat sous l'ampoule, avant de la remettre à sa place dans le placard.

« Mais elle n'est pas à vendre, il faudra me tuer pour l'avoir.

— Vous en avez vendu quatorze depuis que Kluit a acheté la sienne ?

— À des prix toujours plus élevés. C'est un investissement sûr, monsieur Hole. Les vieux instruments de torture ont un fan-club aussi fidèle que généreux, vous pouvez me croire.

— Je vous crois, répondit Harry, qui essayait de faire rentrer l'une des antennes.

— C'est monté sur ressort, expliqua van Boorst. Quand on a tiré une fois sur le cordon, la personne interrogée ne peut plus ressortir la pomme de sa bouche. Personne d'autre, d'ailleurs. Il faut passer par la deuxième étape pour que les tiges rentrent dans la boule. Ne tirez pas sur le cordon, s'il vous plaît.

— La deuxième étape ?

— Donnez-la-moi. »

Harry tendit la boule à van Boorst. Le Belge glissa avec précaution un stylo-bille dans l'anneau métallique, le tint horizontalement à la hauteur de la boule et lâcha cette dernière. Au moment où le cordon se tendit, un autre claquement retentit. La pomme de Léopold dansait à quinze centimètres sous le stylo, et les aiguilles hyper fines qui pointaient maintenant de chaque antenne scintillaient dans la lumière.

« Oh merde ! » souffla malgré lui Harry en norvégien.

Le Belge sourit.

« Les Maï-Maï appelaient ce dispositif "soleil de sang". Les enfants bien-aimés ont de nombreux noms. »

Il posa la pomme sur la table, glissa le stylo dans l'anneau et tira un coup sec. Il y eut un nouveau claquement, et les antennes disparurent en même temps que les pointes. La pomme royale avait retrouvé sa forme ronde et lisse.

« Impressionnant, concéda Harry. Combien ?

— Six mille dollars. D'habitude, j'augmente un peu à chaque fois, mais vous aurez celle-là pour le même prix que la dernière que j'ai vendue.

— Pourquoi ? voulut savoir Harry en passant un doigt sur le métal lisse.

— Parce que vous avez fait un long voyage, répondit van Boorst avant de souffler un nuage de fumée dans la pièce. Et parce que j'aime bien votre accent.

— Mmm. Et qui a été le dernier acheteur à six mille ? »

Van Boorst rit.

« De la même façon que personne ne saura que vous êtes venu ici, je ne vous parlerai pas de mes autres clients. N'est-ce pas rassurant, monsieur… ? Voyez, j'ai déjà oublié votre nom. »

Harry hocha la tête.

« Six cents.

— Plaît-il ?

— Six cents dollars. »

Van Boorst émit le même petit rire.

« Ridicule. Le prix que vous mentionnez est celui d'une visite guidée dans la réserve pour voir des gorilles des montagnes pendant trois heures. Vous auriez préféré, monsieur Hole ?

— Vous pouvez garder la pomme royale. » Harry tira de sa poche une mince liasse de billets de vingt dollars. « Je vous propose six cents dollars pour des informations sur les gens qui vous ont acheté des pommes. »

Il déposa la liasse sur la table devant van Boorst. Sa carte de police était posée dessus.

« Police norvégienne, poursuivit Harry. Au moins deux femmes ont été tuées par le produit dont vous détenez le monopole. »

Van Boorst se pencha sur les billets et examina la carte, sans rien toucher.

« Si c'est le cas, j'en suis sincèrement désolé. » Sa voix donnait l'impression que du gravier roulait dans sa gorge. « Croyez-moi. Mais ma sécurité personnelle vaut plus que six cents dollars. Si je me mettais à parler de tous ceux qui sont venus acheter ici, mon espérance de vie…

— Inquiétez-vous plutôt pour votre espérance de vie dans une prison congolaise.

— Bien joué, Hole. » Van Boorst rit de nouveau. « Mais je connais bien le chef de la police de Goma, et en plus… » Il écarta les bras. « … qu'est-ce que j'ai fait ?

— Ce que vous avez fait n'est pas très intéressant. » Harry tira une photo de sa poche de poitrine. « L'État norvégien est l'un des principaux soutiens du Congo. Quand les pouvoirs publics norvégiens appelleront Kinshasa et vous désigneront comme source récalcitrante de l'arme du crime dans un double assassinat norvégien, que va-t-il se passer, à votre avis ? »

Van Boorst ne souriait plus.

« On ne vous condamnera pas à tort, grands dieux. Vous serez juste placé en détention préventive, qu'il ne faut pas confondre avec une sanction. Maintien en détention d'une personne, par exemple le temps de l'enquête, quand on craint une destruction de preuves. Mais prison malgré tout. Et cette enquête peut prendre du temps. Vous avez déjà vu l'intérieur d'une prison congolaise, van Boorst ? Non, j'imagine que peu de Blancs l'ont vu. »

Van Boorst resserra son peignoir. Regarda Harry en mâchonnant son fume-cigarette.

« OK. Mille dollars.

— Cinq cents, répliqua Harry.

— Cinq cents ? Mais vous…

— Quatre cents.

— Marché conclu ! s'écria van Boorst, les bras levés. Que voulez-vous savoir ?

— Tout. » Harry s'appuya au mur et sortit son paquet de cigarettes.

Une demi-heure plus tard, lorsque Harry émergea de chez van Boorst et gagna la Land Rover de Joe, la nuit était tombée.

« À l'hôtel. »

L'hôtel se trouvait au bord du lac. Joe déconseilla la baignade à Harry. Pas à cause du ver de Guinée, qu'il ne découvrirait sans doute pas avant qu'un ver apparaisse un jour sous sa peau, mais parce que du méthane remontait du fond en grosses bulles qui pouvaient le mettre K-O et provoquer la noyade.

Harry s'installa sur le balcon, regarda deux créatures à longues pattes parcourir d'une démarche saccadée la pelouse éclairée. On aurait dit deux flamants roses déguisés en paons. Sur le court de tennis illuminé, deux jeunes Noirs jouaient avec seulement deux balles, en si mauvais état qu'on aurait dit deux chaussettes roulées en boule effectuant des allers et retours au-dessus d'un filet en partie déchiré. De temps à autre, un avion passait dans un rugissement juste au-dessus de l'hôtel.

Harry entendait les bouteilles s'entrechoquer au bar. Qui se situait à soixante-huit pas de l'endroit où était assis Harry. Ni plus ni moins. Il avait compté à son arrivée. Il sortit son téléphone et composa le numéro de Kaja.

Elle avait l'air contente d'entendre sa voix. Contente, en tout cas.

« Je suis coincée par la météo à Ustaoset, expliqua-t-elle. Tu n'as pas idée de ce qu'il tombe comme neige. Mais, au moins, j'ai été invitée à dîner. Et le registre était intéressant.

— Ah oui ?

— La page correspondant à la date que nous cherchons a disparu.

— Tiens donc. Tu as vérifié si...

— Oui, j'ai vérifié s'il y avait des empreintes digitales ou des traces sur la page suivante. » Elle pouffa de rire, et Harry supposa qu'elle avait bu plusieurs verres de vin.

« Mmm. Je pensais plus à...

— Oui, j'ai regardé qui s'était inscrit la veille et le lendemain. Mais presque personne ne reste plus d'une nuit dans un refuge aussi fruste que Håvasshytta. À moins d'être coincé par les intempéries. Et le 7 novembre, il faisait beau. Le lensmann du coin m'a promis de contrôler dans les registres des chalets environnants pour la veille et le lendemain, histoire de voir quels clients avaient prévu de passer par Håvasshytta.

— Bien. On dirait que tu brûles.

— Peut-être. Et toi ?

— À peine tiède, je le crains. J'ai trouvé van Boorst, mais aucun de ses quatorze acheteurs n'était scandinave. Il en est quasiment certain. J'ai six noms avec une adresse, mais ce sont des collectionneurs notoires. Autrement, des noms qu'il se rappelait vaguement, des descriptions, des nationalités, c'est tout. Il reste deux pommes, mais van Boorst croit savoir qu'elles sont chez un collectionneur à Caracas. Tu as vérifié avec Adele et le visa ?

— J'ai appelé le consulat du Rwanda en Suède. Je dois avouer que je m'attendais à un beau bazar, mais ils sont drôlement ordonnés.

— Le gentil grand frère du Congo.

— Ils ont une copie de la demande de visa d'Adele, et les dates correspondent. Le visa a expiré depuis longtemps, mais ils n'ont aucune idée de l'endroit où elle est, bien sûr. Ils m'ont conseillé de contacter les services de l'immigration à Kigali. J'ai obtenu le numéro, j'ai essayé et on m'a renvoyée comme une balle de flipper de bureau en bureau. J'ai fini par tomber sur un monsieur important qui m'a expliqué en anglais que nous n'avons aucun accord de coopération avec le Rwanda dans ce domaine, s'est poliment excusé de devoir m'éconduire avant de me souhaiter à moi et ma famille une longue et bonne vie. Toi aussi, tu as fait chou blanc ?

— Oui. J'ai montré la photo d'Adele à van Boorst. Il a dit que son seul acheteur femme avait de grosses boucles rousses et un accent d'Allemagne de l'Est.

— D'Allemagne *de l'Est* ? Ça existe ?

— Je ne sais pas, Kaja. Ce type se promène en peignoir, utilise un fume-cigarette, il est alcoolo et spécialiste des accents. J'ai essayé de m'en tenir à notre affaire, puis je me suis tiré. »

Elle rit. Vin blanc, paria Harry. Les buveurs de vin rouge rient moins.

« Mais j'ai une idée, continua-t-il. Les fiches d'immigration.

— Oui ?

— Il faut préciser où on passe la première nuit. S'ils conservent les cartes, à Kigali, je saurai peut-être où est partie Adele. Il peut y avoir une piste, là. À ce qu'on en sait, elle est peut-être la dernière personne vivante à avoir une idée de qui était à Håvasshytta cette nuit-là.

— Bonne chance, Harry.

— Bonne chance à toi. »

Il raccrocha. Rien ne l'aurait empêché de lui demander avec qui elle dînait, mais elle le lui aurait dit si ça avait eu de l'importance pour l'enquête.

Harry resta sur le balcon jusqu'à la fermeture du bar et l'interruption des tintements de bouteilles, qui furent remplacés par la bande sonore d'un coït provenant d'une fenêtre ouverte au-dessus de lui. Des cris rauques, monotones, qui lui rappelèrent les mouettes d'Åndalsnes quand son grand-père et lui se levaient à l'aube pour aller pêcher. Son père ne les accompagnait jamais. Pourquoi ? Et pourquoi Harry n'y avait-il jamais pensé, pourquoi avait-il instinctivement compris que son père n'avait pas sa place dans le canot ? Alors qu'il n'avait que cinq ans, avait-il compris que son père avait étudié, avait fui la ferme justement pour ne pas se retrouver dans ce bateau ? Pourtant, il souhaitait retourner là-bas pour y passer l'éternité. La vie était étrange. La mort, en tout cas.

Harry alluma une autre cigarette. Le ciel était d'un noir d'encre, sauf au-dessus du cratère du Nyiragongo, où il rougeoyait. Harry sentit un insecte le piquer. Malaria. Magma. Méthane. Le lac Kivu scintillait au loin. *Très beau, très profond.*

Un grondement parvint des montagnes et se répercuta sur l'eau. Éruption ou coup de tonnerre ? Harry leva les yeux. Un nouveau claquement dont l'écho fut renvoyé entre les montagnes. Et un autre écho, lointain, parvint au même moment à Harry.

Très profond.

Les yeux grands ouverts dans le noir, il remarqua à peine que le ciel se déchirait et que la pluie battante assourdissait les cris des mouettes.

CHAPITRE 32

Police

« Je suis heureux que vous ayez quitté Håvasshytta avant que ça tombe, déclara le lensmann Krongli. Vous auriez pu être bloquée plusieurs jours par la neige. » Il fit un mouvement de tête vers les grandes fenêtres panoramiques du restaurant de l'hôtel. « Mais c'est assez joli, vous ne trouvez pas ? »

Kaja regardait la neige qui tombait dru. Even aussi était comme ça : il se laissait enthousiasmer par la force de la nature, qu'elle travaille pour ou contre eux.

« J'espère que mon train arrivera, répondit-elle.

— Mais oui. » Krongli joua avec son verre de vin, en un geste que Kaja trouva inhabituel. « On va y veiller. Ainsi qu'aux registres dans les autres chalets.

— Merci. »

Krongli passa une main dans ses boucles folles et fit un sourire en coin. Chris de Burgh et *Lady in Red* coulaient comme du sirop depuis les haut-parleurs.

Il n'y avait que deux autres clients dans le restaurant, deux trentenaires assis chacun à une table à nappe blanche, un demi devant eux. Ils regardaient tomber la neige, dans l'attente de quelque chose qui ne se produirait pas.

« On ne se sent pas trop seul, ici, parfois ? demanda Kaja.

— Ça dépend, répondit le lensmann en suivant son regard. Si on n'a ni femme ni famille, on se retrouve dans des endroits comme celui-ci.

— Pour être seul avec quelqu'un.

— C'est ça. » Krongli sourit et les resservit. « Mais ça ne doit pas être très différent à Oslo ?

— Non. Ça ne l'est pas. Vous avez une famille ? »

Krongli haussa les épaules.

« J'avais une copine. Ça a fini par être trop lugubre ici, alors elle est partie là où vous habitez. Je la comprends. Il faut avoir un boulot intéressant, dans un endroit comme ça.

— C'est votre cas ?

— Je trouve. Je connais tout le monde, et tout le monde me connaît. On s'entraide. Ils me sont utiles, et... euh... » Il tripota son verre.

« Vous leur êtes utile, compléta Kaja.

— Je crois, oui.

— Et c'est important.

— Oui, ça l'est », approuva Krongli d'une voix ferme. Il la regarda. Les yeux d'Even qui avaient toujours en eux les restes d'un rire, et donnaient toujours l'impression qu'il était arrivé quelque chose de drôle ou dont on puisse se réjouir. Même si ce n'était pas vrai. Surtout quand ce n'était pas vrai.

« Et Odd Utmo ?

— Oui ?

— Il est reparti dès qu'il m'a débarquée. Que fait-il, un soir comme celui-là ?

— Comment savez-vous qu'il n'est pas chez lui avec sa femme et ses mioches ?

— Si j'ai jamais rencontré un solitaire, lensmann...

— Appelez-moi Aslak, répondit-il en riant, le verre levé. Et je vois que vous êtes une vraie policière. Mais Utmo n'a pas toujours été comme ça.

— Ah non ?

— Avant la disparition de son fils, il discutait sans problème. Oui, il était même fréquentable. Mais ça n'a jamais été un rigolo.

— Je ne me serais pas doutée qu'un type comme Utmo était marié.

— Sa femme était belle, d'ailleurs. Quand on voit à quel point il est laid. Vous avez vu ses dents ?

— J'ai vu qu'il avait un appareil, oui.

— Il dit que c'est pour que ses dents soient bien droites. » Aslak Krongli secoua la tête, du rire dans les yeux mais pas dans la voix. « Mais c'est la seule chose qui les tient en place et leur évite de dégringoler.

— Dites-moi, c'était vraiment de la dynamite qu'il avait sur sa motoneige ?

— *Vous*, vous l'avez vu. Pas moi, rit Krongli.

— Que voulez-vous dire ?

— Bon nombre d'autochtones ne voient pas trop le charme de passer des heures la canne à pêche à la main au bord des lacs du coin. Ils préfèrent avoir le poisson qu'ils considèrent comme le leur pour le dîner.

— Ils balancent de la dynamite dans les lacs ?

— La glace prend vite.

— Ce n'est pas comme qui dirait illégal, lensmann ? »
Krongli leva les mains devant lui.

« Puisque je vous dis que je n'ai rien vu.

— Non, c'est vrai, vous habitez ici. Vous avez peut-être de la dynamite, vous aussi ?

— Seulement pour le garage. Que je prévois de construire.

— Je vois. Et la pétoire d'Utmo ? Elle avait l'air moderne, avec une lunette et tout le bazar.

— Oh oui. C'était un bon chasseur d'ours, Utmo. Jusqu'à ce qu'il devienne à moitié aveugle.

— J'ai vu son œil, oui. Que s'est-il passé ?

241

— Son gamin lui a renversé un verre d'acide dessus, dit-on.

— Dit-on ? »

Krongli haussa les épaules.

« Utmo est le seul à savoir ce qui est arrivé, maintenant. Son fils a disparu quand il avait quinze ans. Juste après, sa femme a disparu à son tour. Mais ça fait dix-huit ans, je n'avais pas encore emménagé ici. À la suite de ça, Utmo a vécu seul dans la montagne, pas de télé ni de radio, il ne lit même pas les journaux.

— Comment ont-ils disparu ?

— Mmm, allez savoir. Il y a pas mal de ravins dans lesquels tomber autour de la ferme d'Utmo. Et de neige. On a retrouvé une chaussure de son fils juste à côté d'une avalanche, mais il n'y avait aucune trace de lui quand la neige a fondu cette année-là, et c'était quand même un peu bizarre de perdre une godasse comme ça dans la neige. Certains ont pensé que c'était un ours. Mais à ce que j'en sais, il n'y avait plus d'ours là-haut il y a dix-huit ans. Et puis il y a ceux qui pensaient que c'était Utmo, et personne d'autre.

— Ah ? Pourquoi ?

— Eh ben, hésita Aslak. Le gamin avait une vilaine cicatrice en travers de la poitrine. Les gens disaient que c'était son père qui la lui avait faite. Que ça avait un rapport avec la mère, Karen.

— Comment ça ?

— Qu'ils se la disputaient. »

Aslak vit la question dans les yeux de Kaja et secoua la tête.

« C'était avant mon arrivée. Et Roy Stille, qui était lensmann ici depuis la nuit des temps, est allé chez Utmo, mais il n'y avait qu'Odd et Karen. Ils ont dit tous les deux la même chose : le gamin était parti chasser et n'était pas rentré. C'était en avril.

— Pas en période de chasse, donc ? »

Aslak secoua la tête. « Depuis, personne ne l'a revu. L'année suivante, Karen a disparu. Les gens disent que le chagrin l'a brisée, qu'elle a sauté dans un ravin. »

Kaja crut entendre un frémissement dans la voix du lensmann, mais pensa que ce devait être le vin.

« Qu'en pensez-vous ? demanda-t-elle.

— Je pense que c'est vrai. Et que le gosse a été enseveli par une avalanche. Étouffé sous la neige. Emporté par la fonte des glaces jusqu'à un lac, où il est toujours. Avec sa mère, on peut imaginer.

— Ça a l'air plus agréable qu'un ours, en tout cas.

— Non. »

Kaja leva la tête. Il n'y avait plus de rire dans les yeux du lensmann.

« Enterré vivant par une avalanche. » Son regard se perdait au loin. « Le noir. La solitude. Vous ne pouvez pas bouger, ça vous tient d'une main de fer, ça rit de vos tentatives pour vous libérer. La certitude que vous allez mourir. La panique, les affres de la mort au moment où vous ne pouvez plus respirer. Il n'y a pas pire manière. »

Kaja but une gorgée de vin. Posa son verre.

« Combien de temps y êtes-vous resté ?

— Il m'a semblé que c'était trois ou quatre heures. Quand ils m'ont sorti, ils m'ont dit que j'y avais passé un quart d'heure. Cinq minutes de plus, et j'étais mort. »

Le serveur vint leur demander s'ils désiraient autre chose, ils avaient dix minutes avant l'heure limite. Kaja déclina, et le serveur déposa l'addition devant Aslak.

« Pourquoi Utmo traîne-t-il ce fusil ? voulut savoir Kaja. À ma connaissance, on n'est pas en période de chasse.

— Il dit que c'est à cause des animaux sauvages. Légitime défense.

— Il y a des animaux sauvages, ici ? Des loups ?

— Il ne m'a jamais dit à quel genre d'animal il faisait allusion. En plus, une rumeur veut que, la nuit, le fantôme de ce gamin disparu erre sur le plateau. Et si vous le voyez, il faut faire attention, c'est synonyme de ravin ou d'avalanche à proximité. »

Kaja vida son verre.

« Je peux prolonger d'une heure l'autorisation de servir de l'alcool, si vous voulez.

— Merci, Aslak, mais je me lève tôt demain matin.

— Aïe ! s'exclama-t-il, avant de rire et de gratter ses boucles. J'ai l'impression de… » Il s'interrompit.

« Quoi donc ?

— Rien. Vous devez avoir un mari ou un compagnon, là-bas. »

Kaja sourit, ne répondit pas.

« La police locale n'encaisse pas deux verres de vin sans se mettre à raconter des bêtises, murmura-t-il, les yeux baissés sur la nappe.

— Pas de problème. Je n'ai pas de compagnon. Et je vous aime bien. Vous me faites penser à mon frère.

— Mais ?

— Mais quoi ?

— N'oubliez pas que je suis un vrai policier, moi aussi. Je vois bien que vous n'êtes pas une solitaire. Il y a quelqu'un, n'est-ce pas ? »

Kaja rit. D'ordinaire, elle ne l'aurait pas fait. C'était peut-être le vin. Ou parce qu'elle appréciait Aslak Krongli. Ou parce qu'elle n'avait eu personne à qui raconter ces choses-là, plus depuis la mort d'Even, et qu'Aslak était un inconnu, loin d'Oslo, quelqu'un qui ne parlerait à aucun de ses proches.

« Je suis amoureuse, s'entendit-elle répondre. D'un policier. »

Penaude, elle porta son verre à sa bouche, comme pour la dissimuler. Curieusement, la chose ne paraissait vraie que maintenant qu'elle avait prononcé les mots à voix haute.

Aslak leva son verre.

« À la santé d'un veinard. Et d'une veinarde. J'espère. »

Kaja secoua la tête.

« Il n'y a pas de quoi trinquer. Pas encore. Peut-être jamais. Bon sang, ce que je papote…

— Que pouvons-nous faire d'autre ? Racontez.

244

— C'est compliqué. *Il* est compliqué. Et je ne sais pas s'il veut de moi. Ça, c'est assez simple.

— Laissez-moi deviner. Il a une nana, et il ne peut pas s'en passer.

— Peut-être, soupira Kaja. Je n'en sais rien. Aslak, merci de votre aide, mais je…

— … dois aller me coucher, maintenant. » Le lensmann se leva. « J'espère que ça va foirer avec votre type, là, et que vous voudrez fuir un chagrin d'amour en ville ; à ce moment-là, pensez à ceci. » Il lui tendit une feuille A4 à en-tête du bureau de lensmann de Hol.

Kaja lut et éclata de rire.

« Officier du lensmann ?

— Roy Stille prend sa retraite à l'automne, et c'est difficile de trouver de bons policiers. C'est notre proposition de poste. On l'a publiée la semaine dernière. Notre bureau est dans le centre de Geilo. Un week-end sur deux libre, et dentiste gratuit. »

Quand Kaja se coucha, elle entendit un grondement lointain. L'orage et les chutes de neige allaient rarement ensemble.

Elle appela Harry et tomba sur sa messagerie. Elle laissa une petite histoire effrayante mettant en scène le fameux Odd Utmo avec ses dents pourries et son appareil, son fils qui devait être encore plus affreux parce que ça faisait dix-huit ans qu'il hantait le secteur. Elle rit, reconnut qu'elle était pompette et lui souhaita bonne nuit.

Elle rêva d'avalanches.

Il était onze heures du matin. Harry et Joe avaient quitté Goma à sept heures, passé la frontière du Rwanda sans encombre, et Harry était dans un bureau au premier étage du terminal de l'aéroport de Kigali. Deux officiers en uniforme le toisaient de la tête aux pieds. Pas de manière hostile, mais comme pour s'assurer qu'il était ce qu'il prétendait être : un policier norvégien. Harry rangea sa carte dans la poche de sa veste, et sentit le papier lisse de l'enveloppe couleur café qu'il avait là. Le problème, c'est qu'ils étaient deux. Comment soudoie-t-on deux fonctionnaires en même temps ? En leur demandant de partager le contenu de l'enveloppe et en leur recommandant de ne pas balancer le collègue ?

L'un des officiers, celui qui avait contrôlé le passeport de Harry deux jours plus tôt, repoussa son béret vers l'arrière de son crâne.

« Alors vous voulez une copie du formulaire d'immigration de... pouvez-vous répéter la date et le nom ?

— Adele Vetlesen. Nous savons qu'elle est arrivée dans cet aéroport le 25 novembre. Et je paie les frais de recherche. »

Les deux officiers se regardèrent, et sur le signal de l'un, l'autre disparut par la porte. Celui qui restait alla à la fenêtre et regarda le petit DH8 qui venait d'atterrir et qui emmènerait Harry pour la première étape de son voyage retour dans cinquante-cinq minutes.

« Des frais de recherche, répéta l'officier à voix basse. Je suppose que vous savez qu'il est interdit d'essayer de soudoyer un officier de l'administration publique, monsieur Hole. Mais vous vous êtes sans doute dit : "Et puis merde, c'est l'Afrique." »

Harry se rendit compte que la peau du type était si noire qu'elle en avait presque l'air laquée.

Il sentit sa chemise adhérer à son dos. La même chemise. Ils en vendaient peut-être à l'aéroport de Nairobi. S'il parvenait jusque-là.

« C'est vrai », admit Harry.

L'officier rit et se retourna.

« Un dur, hein ? Vous êtes un dur, Hole ? Je l'ai vu quand vous êtes arrivé. Que vous étiez policier.

— Ah ?

— Vous m'avez observé avec autant de minutie que moi. »

Harry haussa les épaules.

La porte s'ouvrit. L'autre officier était de retour, accompagné d'une employée de bureau à talons claquants et lunettes au bout du nez.

« Je suis désolée, commença-t-elle dans un anglais irréprochable, les yeux rivés sur Harry. Nous avons contrôlé la date. Nous n'avons aucune Adele Vetlesen arrivée par ce vol.

— Mmm. Il a pu y avoir un loupé ?

— Improbable. Les formulaires d'immigration sont classés par date. Le vol dont vous parlez est un DH8 en provenance d'Entebbe, avec trente-sept places. La vérification a été vite faite.

— Mmm. Si c'est à ce point clair, puis-je vous demander de vérifier autre chose pour moi ?

— Vous pouvez demander, bien sûr. De quoi s'agit-il ?

— Une liste de toutes les étrangères qui sont arrivées par ce vol.

— Et pourquoi vous la fournirais-je ?

— Parce que Adele Vetlesen avait réservé sur ce vol. Ou bien elle a montré un faux passeport, ici...

— J'en doute, intervint le préposé aux passeports. Nous examinons en détail la photo, puis le passeport est scanné pour que son numéro soit comparé à ceux du registre international ICAO.

— ... ou quelqu'un d'autre a voyagé sous l'identité d'Adele Vetlesen, mais a passé le contrôle ici avec son propre passeport. Ce qui est tout à fait possible, puisque les numéros de passeport ne sont pas vérifiés à l'enregistrement ou à l'embarquement.

— C'est exact, concéda le préposé aux passeports en tirant sur son béret. Les employés des compagnies aériennes regardent juste si le nom et la photo du passeport correspondent à peu près. Et on peut se faire faire un faux passeport pour cinquante dollars n'importe où dans le monde. Ce n'est qu'au moment de quitter l'aéroport pour la destination finale que le numéro est vérifié et qu'un faux passeport est repéré. Mais ça ne change rien à la question : pourquoi vous aiderions-nous, monsieur Hole ? Vous êtes en mission officielle, ici, et vous avez les papiers qui en attestent ?

— J'étais en mission officielle au Congo, mentit Harry. Mais je n'y ai rien découvert. Adele Vetlesen a disparu, et nous craignons qu'elle ait été assassinée par un tueur en série qui a tué au moins

247

trois autres femmes, dont un membre de l'Assemblée nationale norvégienne. Elle s'appelait Marit Olsen, vous pouvez vérifier sur Internet. Si je suis la procédure, je rentre à la maison, ça passe par les canaux officiels, on perd plusieurs jours et on donne d'autant plus d'avance au meurtrier. Du temps pour tuer de nouveau. »

Harry vit que ses mots produisaient leur effet. La femme et le préposé aux passeports discutèrent, puis la femme quitta la pièce au pas de charge.

Ils attendirent en silence.

Harry regarda l'heure. Il ne s'était pas encore présenté à l'enregistrement.

Six minutes s'étaient écoulées lorsqu'ils entendirent se rapprocher le claquement des talons.

« Eva Rosenberg, Juliana Verni, Veronica Raul Gueno et Claire Hobbes. »

Elle avait craché les noms, rajusté ses lunettes et posé quatre formulaires d'immigration sur la table devant Harry avant que la porte ne soit refermée derrière elle.

« Il ne vient pas tant d'Européennes que ça, ici », conclut-elle.

Harry parcourut les cartes. Elles avaient toutes donné une adresse d'hôtel à Kigali, mais jamais le Gorilla Hotel. Il regarda leurs adresses personnelles. Eva Rosenberg avait déclaré habiter à Stockholm.

« Merci. » Harry nota les noms, adresses et numéros de passeport au dos d'une facture de taxi trouvée dans la poche de sa veste.

« Désolée de ne pas pouvoir vous aider davantage. » La femme rajusta encore une fois ses lunettes.

« Au contraire. Vous avez été d'une aide précieuse. Très précieuse.

— Et maintenant, policier, commença le grand officier mince, avec un sourire luisant sur son visage noir comme l'encre.

— Oui ? » Harry attendit, prêt à sortir l'enveloppe couleur café.

« Il est temps que vous enregistriez vos bagages pour le vol à destination de Nairobi.

— Mmm. » Harry regarda sa montre. « Possible que je doive prendre le suivant.

— Le suivant ?

— Il faut que je retourne au Gorilla Hotel. »

Kaja était installée dans le prétendu compartiment confort de la NSB. Ça signifiait seulement, hormis des journaux gratuits, deux tasses de café offertes et la possibilité de brancher un PC, qu'on y était serré comme des sardines, au contraire de la classe économique, où il n'y avait pour ainsi dire personne. Alors quand son téléphone sonna et qu'elle vit que c'était Harry, elle y fila.

« Où es-tu ? voulut savoir Harry.

— Dans le train. Je viens de passer Kongsberg. Et toi ?

— Gorilla Hotel, à Kigali. J'ai pu voir la fiche d'Adele Vetlesen. Je ne partirai qu'avec l'avion de l'après-midi, mais je serai rentré demain matin. Peux-tu appeler ton copain citrouille, au commissariat de Drammen, pour lui emprunter la carte postale rédigée par Adele ? Demande-leur de l'apporter à la gare, le train s'arrête à Drammen.

— C'est beaucoup demander, mais je vais essayer. Qu'est-ce qu'on va en faire ?

— Comparer les signatures. Un graphologue du nom de Jean Hue travaillait pour la Kripos avant d'être mis en invalidité. Convoque-le au bureau à sept heures demain matin.

— Aussi tôt ? Tu crois qu'il...

— Tu as raison. Je vais scanner la fiche d'Adele et te l'envoyer par mail, tu pourras apporter les deux à Jean ce soir.

— Ce soir ?

— Ça lui fera plaisir d'avoir de la visite. Si tu avais d'autres projets, ils sont annulés.

— Super. D'ailleurs, excuse-moi de t'avoir appelé tard hier soir.

— Pas du tout. C'était une histoire divertissante.

— J'étais un peu pompette.

— Tu m'en diras tant. »

Harry raccrocha.

« Merci de votre aide. »

Le réceptionniste sourit en guise de réponse.

L'enveloppe couleur café avait enfin changé de propriétaire.

Kjersti Rødsmoen entra dans la salle de séjour et rejoignit la femme assise près de la fenêtre qui regardait la pluie tomber sur les maisons en bois de Sandviken.

« On a trouvé ce téléphone dans votre chambre, Katrine, commença-t-elle à voix basse. L'infirmière en chef me l'a donné. Vous savez que ce n'est pas autorisé ? »

Katrine hocha la tête.

« Quoi qu'il en soit, il sonne. » Rødsmoen lui tendit l'appareil.

Katrine Bratt saisit le mobile qui vibrait, et appuya sur « Oui ».

« C'est moi, annonça la voix à l'autre bout du fil. J'ai quatre noms de femme. Je veux savoir laquelle n'était pas à bord du vol RA101 à destination de Kigali le 25 novembre. Et vérifie que la personne en question n'était pas non plus dans le système de réservation d'un hôtel rwandais ce soir-là.

— Je vais bien, tata. »

Une seconde de silence.

« Je comprends. Appelle quand tu pourras. »

Katrine rendit le téléphone à Rødsmoen. « Ma tante qui voulait me souhaiter un bon anniversaire. »

Kjersti Rødsmoen secoua la tête.

« Le règlement interdit l'usage de téléphones mobiles. Mais je ne vois aucun inconvénient à ce que vous en ayez un tant que vous ne l'utilisez pas. Veillez juste à ce que l'infirmière en chef ne le trouve pas, OK ? »

Katrine acquiesça, et Rødsmoen disparut.

Katrine continua à regarder par la fenêtre un moment avant de se lever et de se diriger vers la salle de loisir. Elle allait entrer quand la voix de l'infirmière en chef lui parvint.

« Que faites-vous, Katrine ?

— Une partie de solitaire », répondit-elle sans se retourner.

CHAPITRE 33

Leipzig

Gunnar Hagen prit l'ascenseur pour descendre au sous-sol. Descente. Désaffection. Défaite.

Il sortit et s'engagea dans le souterrain.

Bellman avait tenu parole, il n'avait pas cafté. Et il lui avait lancé une bouée de sauvetage, un poste en vue dans la nouvelle et plus vaste Kripos. Le rapport de Harry avait été court et concis. Aucun résultat. C'était à la portée de n'importe quel idiot de comprendre que l'heure était venue de nager vers la bouée de sauvetage.

Hagen ouvrit la porte au bout du couloir sans frapper.

Kaja Solness lui fit un grand sourire, tandis que Harry Hole — assis devant l'ordinateur, un téléphone à l'oreille — ne se retourna même pas, se contentant d'un « assieds-toi-chef-un-peu-de-mauvais-café ? » comme si l'esprit annonciateur du directeur de Brigade avait déjà fait part de son arrivée.

Hagen n'alla pas plus loin que la porte.

« On m'a dit que vous n'aviez pas retrouvé Adele Vetlesen. Il est temps de remballer. C'est terminé, on a besoin de vous pour d'autres tâches. De toi, en tout cas, Solness.

— *Danke schön, Günther.* » Harry posa son téléphone et fit pivoter son fauteuil.

« *Danke schön* ? répéta Hagen.

253

— La police de Leipzig, expliqua Harry. Il faut aussi que je te transmette le bonjour de Katrine Bratt, chef. Tu te souviens d'elle ? »

Hagen regarda son inspecteur principal d'un air soupçonneux.

« Je croyais que Bratt était dans un hôpital psychiatrique.

— C'est incontestable. » Harry se leva et alla jusqu'à la cafetière. « Mais cette fille est vachement douée pour faire des recherches sur Internet. À propos de recherche, chef…

— De recherche ?

— Tu verrais un inconvénient à nous donner les pleins pouvoirs pour une recherche de personne ? »

Hagen dévisagea l'inspecteur principal, incrédule. Puis éclata de rire.

« Tu es impossible, Harry ! Vous venez de torpiller la moitié du budget de déplacements pour une expédition ratée au Congo, et maintenant tu veux lancer un avis de recherche ? Cette opération est terminée à compter de cet instant. Tu comprends ?

— Je comprends… » Harry remplit deux tasses de café et en tendit une à Hagen. « … des tas de choses. Et ce sera bientôt ton cas aussi, chef. Prends mon fauteuil et écoute un peu. »

Hagen regarda tour à tour Harry et Kaja. Son regard inquiet glissa sur le contenu de sa tasse. Puis s'assit.

« Vous avez deux minutes.

— C'est assez simple. D'après la liste des passagers de la Brussels Airlines, Adele Vetlesen est partie pour Kigali le 25 novembre. Mais selon le contrôle des passeports, personne de ce nom n'en est descendu. Ce qui s'est passé, c'est qu'une femme munie d'un faux passeport au nom d'Adele est partie d'Oslo. Le faux passeport fonctionne très bien jusqu'à ce qu'elle parvienne à sa destination finale, Kigali, parce que c'est là que le passeport est scanné et son numéro vérifié, et pas avant, d'accord ? Cette mystérieuse femme a dû utiliser son véritable passeport, à ce moment-là. On ne compare pas avec le nom inscrit sur le billet, et une éventuelle différence entre le passeport et le billet n'est pas détectée. Et on ne la cherche pas, évidemment.

— Alors que toi, si ?

— Ouais.

— Ça ne peut pas être dû à une erreur administrative, qu'ils aient omis d'enregistrer l'arrivée d'Adele ?

— Oh si. Mais il y a cette carte... »

Harry fit un signe de tête à Kaja, qui tendit une carte postale. Hagen vit la photo de ce qui ressemblait à un volcan fumant.

« Elle a été postée à Kigali le jour même de son arrivée présumée, précisa Harry. Mais pour commencer, c'est la photo du Nyiragongo, un volcan qui se trouve au Congo, et pas au Rwanda. En second lieu, on a demandé à Jean Hue de comparer la signature sur cette carte avec celle qui figure sur la fiche remplie au Gorilla Hotel par la soi-disant Adele Vetlesen.

— Il a affirmé que ce n'est pas la même personne, intervint Kaja. Ce que je vois aussi.

— OK, OK, répondit Hagen. Mais où voulez-vous en venir ?

— Quelqu'un a déployé de gros efforts pour faire croire qu'Adele Vetlesen était allée en Afrique. Je parie qu'Adele était en Norvège et a été contrainte d'écrire cette carte ici. Elle a ensuite été emportée en Afrique par une autre personne, qui l'a postée sur place. Tout ça pour créer l'illusion qu'Adele était allée là-bas et avait écrit chez elle pour parler de l'homme de sa vie et dire qu'elle ne rentrerait qu'en mars.

— Une idée sur l'identité de ce messager ?

— Oui.

— Oui ?

— Les services d'immigration de l'aéroport de Kigali avaient une fiche remplie par une certaine Juliana Verni. Mais à en croire notre copine siphonnée de Bergen, ce nom ne figure ni sur une quelconque liste de passagers pour le Rwanda ni dans aucun hôtel doté d'un outil d'enregistrement moderne à la date qui nous intéresse.

Mais elle est sur la liste de Rwandair au départ de Kigali trois jours plus tard.

— Ai-je envie de savoir comment vous vous êtes procuré cette information ?

— Non, chef. Mais tu as envie de savoir qui est Juliana Verni, et où elle est.

— Et où est-elle ? »

Harry regarda l'heure.

« Les informations sur sa fiche d'immigration la font habiter à Leipzig, en Allemagne. Tu es déjà allé à Leipzig, chef ?

— Non.

— Moi non plus. Mais je sais que la ville est célèbre pour être celle de Goethe et de Bach, plus un de ces rois de la valse. Comment s'appelait-il, déjà ?

— Quel rapport avec...

— Et Leipzig est connue pour avoir abrité les archives de la Stasi. Elle se trouve en ex-Allemagne de l'Est. Tu savais que le parler des Allemands de l'Est a eu le temps d'évoluer au cours des quarante années d'existence de la RDA, et qu'une oreille attentive peut faire la différence entre eux et les Allemands de l'Ouest ?

— Harry...

— Désolé, chef. L'important, c'est qu'une femme qui parlait avec un accent est-allemand était à la même période à Goma, donc à trois heures de Kigali en voiture. C'est là qu'elle a acheté l'arme qui a tué Borgny Stem-Myhre et Charlotte Lolles, j'en suis convaincu.

— Nous avons envoyé une copie du double que la police garde quand elle établit un passeport, s'immisça Kaja en tendant une feuille à Hagen.

— Ça correspond à la description que van Boorst donne de l'acheteuse, reprit Harry. Juliana Verni avait de grosses boucles rousses.

— Rouge brique, rectifia Kaja.

256

— Plaît-il ? » demanda Hagen.

Kaja désigna la feuille.

« Elle a un passeport à l'ancienne, où la couleur des cheveux est précisée. Ils disent *"brick red"*, rouge brique. La conscience professionnelle allemande, tu sais.

— J'ai demandé à la police de Leipzig de lui confisquer son passeport et de contrôler qu'il porte le tampon de Kigali à la date voulue. »

Gunnar Hagen fixa la feuille d'un œil vide, et parut tenter d'intégrer ce qu'avaient dit Harry et Kaja. Il releva enfin la tête, un sourcil haussé.

« Tu me dis… tu me dis que tu pourrais avoir la personne qui… » L'agent supérieur de police déglutit, chercha une façon détournée de le formuler, de peur que ce miracle, ce mirage, ne disparaisse s'il le disait carrément. Mais il laissa tomber : « … est notre tueur en série ?

— Je ne dis rien d'autre que ce que je dis. Pour le moment. Mon collègue à Leipzig vérifie l'identité et le casier judiciaire, alors on en saura bientôt un peu plus sur Fräulein Verni.

— Mais ce sont des nouvelles fantastiques ! » s'exclama Hagen avec un large sourire. Harry et Kaja hochèrent la tête.

« Pas… commença Harry avant de boire une gorgée de café, pour la famille d'Adele Vetlesen. »

Le sourire de Hagen disparut.

« C'est vrai. Tu crois qu'il reste de l'espoir pour que… ? »

Harry secoua la tête.

« Elle est morte, chef.

— Mais… »

À cet instant, le téléphone sonna.

Harry répondit. « Oui, Günther ? » Et répéta avec un sourire forcé : « Oui, Harry Klein. *Genau.* »

Gunnar Hagen et Kaja contemplèrent Harry, qui écoutait en silence. Il conclut par un « *danke* » et raccrocha. Se racla la gorge.

« Elle est morte.

— Oui, tu l'as déjà dit.

— Non. Juliana Verni. On l'a retrouvée dans l'Elster le 2 décembre. »

Hagen poussa un juron silencieux.

« Cause du décès ? voulut savoir Kaja.

— Noyade, répondit Harry, le regard perdu dans le vague.

— C'est peut-être un accident ? »

Harry secoua lentement la tête.

« Elle ne s'est pas noyée dans l'eau. »

Dans le silence qui suivit, ils entendirent le bourdonnement de la chaudière dans la pièce voisine.

« Des piqûres dans la bouche ? demanda Kaja.

— Vingt-quatre, acquiesça Harry. On l'a envoyée en Afrique chercher ce avec quoi elle allait être assassinée. »

CHAPITRE 34

Medium

« Donc, Juliana Verni a été retrouvée morte à Leipzig trois jours après son retour de Kigali, résuma Kaja. Où elle était partie sous le nom d'Adele Vetlesen, avait pris une chambre au Gorilla Hotel sous ce nom, et posté une carte écrite par la véritable Adele, sans doute sous la dictée.

— Ouais. » Harry était occupé à préparer du café.

« Vous pensez donc que Verni a dû le faire en collaboration avec quelqu'un d'autre, embraya Hagen. Et que cette autre personne l'a tuée pour ne pas laisser de traces.

— Oui.

— Alors il n'y a plus qu'à trouver un rapport entre elle et cette autre personne. Ça ne devrait pas être si compliqué, ils devaient avoir des liens assez forts pour commettre ce genre de délit ensemble.

— Dans le cas présent, ça va être très compliqué, je dirais.

— Pourquoi ?

— Parce que, commença Harry avant de refermer le couvercle de la cafetière et d'allumer l'appareil, Juliana Verni avait un casier. Stupéfiants. Prostitution. Vagabondage. En clair, c'était une personne facile à recruter pour un boulot comme celui-là, à condition que la rémunération soit suffisante. Tout dans cette affaire indique que le commanditaire n'a laissé aucune trace, qu'il a pensé quasiment à tout. Katrine a découvert que Verni avait fait le trajet Leipzig-Oslo. C'est de là qu'elle a continué son voyage sous le nom d'Adele Vetlesen, jusqu'à Kigali. Pourtant, Katrine n'a pas trouvé la moindre conversation téléphonique entre le mobile de Verni et la Norvège. Cette personne a pris ses précautions. »

Hagen secoua la tête, découragé.

« Si proche... »

Harry s'assit sur le bureau.

« Il y a un autre petit dilemme qu'il va falloir se colleter. Les clients de Håvasshytta cette nuit-là.

— Oui ?

— On ne peut pas exclure que la page qui a disparu du registre soit une liste de victimes. Il faut les prévenir.

— Comment ? On ne sait même pas de qui il s'agit.

— Par les médias. Même si ça doit informer le meurtrier qu'on est sur cette piste. »

Hagen secoua lentement la tête.

« Une liste de victimes. Et c'est maintenant que tu y penses ?

— Je sais, chef. » Harry croisa le regard de Hagen. « Si j'étais allé trouver les médias dès qu'on a entendu parler de Håvasshytta, ça aurait pu sauver Elias Skog. »

Le silence s'abattit sur la pièce.

« Nous ne pouvons pas aller trouver les médias, décréta Hagen.

— Pourquoi ?

— Si quelqu'un se manifeste, on saura peut-être qui d'autre s'y trouvait, et ce qui s'est passé, objecta Kaja.

— Nous ne pouvons pas aller trouver les médias, répéta Hagen en se levant. Nous avons enquêté sur une disparition et révélé des liens avec une affaire de meurtres dont la Kripos a la charge. Nous devons leur transmettre les informations et les laisser s'en occuper. Je vais appeler Bellman.

— Attends ! s'écria Harry. C'est à lui que reviendra le mérite de tout le boulot que nous avons fait ?

— Pas sûr qu'il y ait beaucoup de mérite à la clé, si ? » Hagen gagna la porte. « Et vous allez commencer l'évacuation.

— Ce n'est pas un peu prématuré ? » lança Kaja.

Les deux autres la regardèrent.

« Je veux dire… on est toujours devant une disparition. On ne devrait pas essayer de la retrouver avant de faire nos valises ?

— Et comment comptes-tu t'y prendre ? voulut savoir Hagen.

— Comme l'a dit Harry. Une recherche.

— Vous ne savez même pas où chercher !

— Harry le sait. »

Ils regardèrent l'homme qui venait de retirer la verseuse d'une main et tenait son gobelet de l'autre sous le jet brun sale de la cafetière.

« C'est vrai ? finit par demander Hagen.

— Mais oui.

— Et où ?

— Ça va t'attirer des ennuis.

— Ta gueule, et vide ton sac », répliqua Hagen sans remarquer la contradiction. Parce qu'il pensait qu'il recommençait. Comment ce grand policier blond parvenait-il toujours à entraîner quelqu'un dans sa chute ?

Olav Hole regarda Harry et la femme qui l'accompagnait.

Elle s'était légèrement inclinée en se présentant, et Harry avait vu que son père appréciait, il se plaignait souvent que les femmes ne s'inclinent plus.

« Alors vous êtes la collègue de Harry. Il se conduit comme il faut ?

— Nous travaillons à l'organisation d'une recherche, expliqua Harry. On passait juste voir comment ça allait. »

Son père eut un sourire pâlot, haussa les épaules et fit signe d'approcher à Harry. Celui-ci se pencha et écouta. Avant de se redresser d'un coup.

261

« Ça devrait être possible, dit-il d'une voix soudain plus rauque. Je reviens ce soir, d'accord ? »

Une fois ressorti dans le couloir, Harry arrêta Altman et laissa Kaja partir devant.

« Écoutez, je me demandais si vous pourriez me rendre un grand service, commença-t-il quand Kaja fut assez loin. Mon père vient de me dire qu'il souffre. Il ne l'aurait jamais avoué devant vous, de peur que vous lui administriez encore plus d'antalgiques. Vous comprenez, il a une peur maladive de la dépendance... C'est une histoire de famille.

— Ze vois », zézaya l'infirmier, et il y eut un court instant de confusion avant que Harry comprenne qu'Altman avait dit « je vois ».

« Le problème, c'est que je fais sans arrêt la navette entre les services.

— Je vous le demande comme une faveur. »

Altman ferma très fort les yeux derrière ses lunettes, les rouvrit, et fixa un point entre Harry et lui.

« Je vais voir ce que je peux faire.

— Merci. »

Pendant que Kaja conduisait, Harry contacta le central d'urgence de la caserne de Briskeby.

« Ça a l'air d'être quelqu'un de bien, ton père », déclara-t-elle quand Harry raccrocha.

Harry réfléchit.

« Maman en a fait quelqu'un de bien. Quand elle était vivante, il était bon. Elle a su tirer le meilleur de lui.

— On dirait que c'est quelque chose que tu as vécu personnellement.

— Quoi donc ?

— Que quelqu'un ait su tirer le meilleur de toi. »

Harry regarda par la vitre. Hocha la tête.

« Rakel ?

— Rakel et Oleg.

— Désolée, je ne voulais pas…

— Pas de problème.

— C'est juste que quand je suis arrivée à la Criminelle, tout le monde parlait de l'affaire du Bonhomme de neige. Qu'il avait été à deux doigts de les tuer. Toi aussi. Mais c'était déjà fini entre vous avant le début de cette affaire, non ?

— Si on veut.

— Tu n'as plus de contact avec eux ? »

Harry secoua la tête.

« Il fallait essayer de tirer un trait. Aider Oleg à oublier. Quand ils sont aussi jeunes, ils y arrivent encore.

— Pas toujours », contra Kaja avec un sourire en coin.

Harry lui lança un coup d'œil.

« Et toi, qui a fait de toi quelqu'un de bien ?

— Even, répondit-elle très vite, sans hésitation.

— Pas de grand amour ?

— Aucun XL. Seulement quelques Small. Et un Medium.

— Quelqu'un dans la ligne de mire ?

— Dans la ligne de mire ? » répéta-t-elle avec un petit rire sourd.

Harry sourit.

« Mon vocabulaire est un peu désuet dans ce domaine. »

Elle hésita.

« Je suis amoureuse d'un gars.

— Et les perspectives ?

— Mauvaises.

— Laisse-moi deviner. » Harry baissa sa vitre et alluma une cigarette. « Il est marié et dit qu'il veut plaquer femme et enfants pour toi, mais il ne le fait pas ? »

Elle rit.

« Laisse-moi deviner. Tu fais partie de ces gens qui se croient super doués pour savoir ce que pensent les autres parce que tu n'as retenu que les fois où tes suppositions étaient vraies.

263

« — Il a dit qu'il faut juste que tu lui laisses un peu de temps ?

— Deuxième erreur. Il ne dit rien. »

Harry hocha la tête. Il allait poser d'autres questions lorsqu'il le sentit : il n'avait pas envie de savoir.

CHAPITRE 35

Plongée

Le brouillard planait sur la surface brillante du Lyseren. Les arbres sur la rive faisaient penser à des témoins silencieux et tristes, les épaules tombantes. Le silence fut rompu par des ordres, des communications radio et des bruits d'éclaboussure lorsque les plongeurs se laissèrent tomber des canots pneumatiques. Ils avaient commencé près du bord, au pied de la corderie. Les responsables avaient envoyé leurs plongeurs en éventail. Ils cochaient maintenant sur la carte quadrillée les zones couvertes, et marquaient les endroits où ils voulaient que les plongeurs s'arrêtent ou retournent. Les sauveteurs professionnels, comme Jarle Andreassen, étaient en outre équipés d'une ligne qui leur permettait de communiquer.

Six mois s'étaient écoulés depuis que Jarle avait suivi une formation de sauveteur, et ces plongées faisaient toujours battre son cœur plus vite que de raison. Et un pouls rapide était synonyme de consommation d'oxygène élevée. Les plongeurs plus expérimentés de la caserne de Briskeby l'appelaient « le Flotteur », parce qu'il remontait tout le temps à la surface pour changer ses bouteilles.

Jarle savait que la lumière diurne était encore suffisante là-haut, mais là où il était, l'obscurité était complète. Il essaya de se maintenir à un mètre cinquante au-dessus du fond, mais ne parvint pas à empêcher la vase de s'élever et de refléter la lumière de son projecteur, qui l'aveugla presque. Il avait beau savoir que d'autres plongeurs l'entouraient à quelques mètres seulement, il se sentait très seul. Seul et frigorifié. Et il avait peut-être encore plusieurs heures de plongée devant lui. Il savait qu'il lui restait moins d'air que les autres, et jura. Passe encore qu'il soit le premier plongeur du centre de secours d'Oslo à changer de bouteilles, mais il craignait en plus d'être contraint de jeter l'éponge avant les volontaires des clubs de plongée locaux. Il regarda devant lui et cessa de respirer. Pas comme une action délibérée pour réduire sa consommation. Mais parce que pile dans le faisceau de sa lampe, dans la forêt ondoyante de tiges qui poussaient près du bord, une silhouette oscillait doucement. Une silhouette qui n'avait pas sa place ici, qui ne pouvait pas y vivre. Un corps étranger. C'est ce qui rendait le tableau aussi fantastique qu'effrayant. Et peut-être parce que la lumière de son projecteur se reflétait dans les yeux sombres, comme si la silhouette était encore vivante.

« Tout va bien, Jarle ? »

C'était la voix du coordinateur. L'une de ses tâches consistait à écouter la respiration de ses plongeurs. Pas seulement s'ils respiraient, mais si leur respiration trahissait de l'agitation. Ou un calme exagéré. Dès vingt mètres de profondeur, le cerveau stockait assez d'azote pour que l'ivresse des profondeurs apparaisse. Une narcose à l'azote faisait qu'on oubliait des choses, que des travaux simples se compliquaient, et elle pouvait à des profondeurs plus grandes déboucher sur une torpeur, une vision en tunnel et un comportement irrationnel. Jarle ne savait pas si c'étaient juste des histoires à dormir debout, mais on lui avait parlé de plongeurs qui arrachaient leurs masques en riant par cinquante mètres de fond. Chez lui, cette ivresse ne s'était encore manifestée que comme la détente provoquée par le vin rouge qu'il buvait avec sa compagne le samedi en fin de soirée.

« Tout va bien », répondit Jarle Andreassen, qui se remit à respirer. Il inhala le mélange d'azote et d'oxygène, et entendit un grondement tout près de ses oreilles lorsqu'il souffla des grappes de bulles qui remontèrent à toute vitesse vers la surface.

C'était un gros cerf mâle. Il était coincé la tête en bas, et donnait l'impression d'avoir été bloqué dans sa chute, ses impressionnantes cornes les premières. Il avait dû brouter près du bord et tomber. Ou quelqu'un l'avait peut-être pourchassé dans l'eau. Qu'avait-il à y faire, sinon ? Il s'était sans doute emberlificoté dans les roseaux et les tiges longues de plusieurs mètres des nénuphars ; il avait essayé de se dégager, mais n'était parvenu qu'à s'empêtrer davantage dans les coriaces tentacules verts. Il avait sombré, et s'était débattu jusqu'à la noyade avant de rejoindre le fond, où il était resté jusqu'à ce que les bactéries et la chimie le remplissent de gaz. Il était alors remonté vers la surface, mais était resté accroché par les cornes dans le filet vert de la végétation du fond. Dans quelques jours, le cadavre se viderait de son gaz et coulerait de nouveau. Comme un noyé. Il avait pu arriver la même chose à la personne qu'ils recherchaient, c'était peut-être pour ça que le corps n'avait pas été découvert, parce qu'il n'était pas encore remonté à la surface. Le cas échéant, il devait être à proximité, sous plusieurs couches de vase. Une vase qui s'élevait sans qu'on n'y puisse rien, et qui permettait même à de petites zones de recherche bien définies comme celle-là de conserver leurs secrets à tout jamais.

Jarle Andreassen tira son gros couteau de plongée, nagea jusqu'au cerf et coupa les tiges sous les bois. Il se doutait que ses supérieurs n'apprécieraient pas, mais il ne supportait pas l'idée que ce bel animal doive rester ici, sous l'eau. Le cadavre remonta de cinquante centimètres, mais fut retenu par d'autres tiges. Jarle veilla à ce que sa ligne ne se mêle pas aux végétaux, et se dépêcha de couper. Puis il sentit une secousse dans sa ligne. Assez forte pour l'agacer. Pour lui faire perdre un instant sa concentration. Le couteau lui avait échappé de la main. Il braqua sa lampe vers le fond et eut le temps de voir la lame briller avant de disparaître dans la boue. Il suivit avec précaution. Tendit la main vers la vase qui l'entourait

267

comme de la cendre. Tâta le fond. Sentit des cailloux, des branches rendues glissantes par la pourriture. Puis quelque chose de dur. Une chaîne. Sûrement celle d'un bateau. Encore de la chaîne. Autre chose. De dur. Les contours de Dieu sait quoi. Un trou, une ouverture. Il entendit le grondement soudain des bulles avant que son cerveau ne parvienne à formuler l'idée. Qu'il avait peur.

« Tout va bien, Jarle ? Jarle ? »

Tout n'allait pas bien. Car même à travers ses gants épais, même avec un cerveau qui aurait aimé avoir davantage d'oxygène, il ne doutait pas de l'endroit où avait atterri sa main. Dans la bouche grande ouverte d'un être humain.

PARTIE IV

CHAPITRE 36

Hélicoptère

Mikael Bellman arriva en hélicoptère au Lyseren. Les pales du rotor faisaient de la barbe à papa dans le brouillard tandis qu'il courait, plié en deux, entre l'appareil et le champ derrière la corderie. Kolkka et Beavis le suivaient. Quatre hommes chargés d'une civière arrivaient à leur rencontre. Bellman les intercepta et écarta la couverture. Alors que les brancardiers regardaient ailleurs, Bellman se pencha pour examiner en détail le visage nu, blanc et gonflé.

« Merci. » Puis il les laissa poursuivre en direction de l'hélicoptère.

Bellman s'arrêta au sommet du raidillon et regarda les gens entre le bâtiment et l'eau. Parmi les plongeurs qui enlevaient leur tenue, il aperçut Beate Lønn et Kaja Solness. Et, plus loin, Harry Hole qui discutait avec ce que Bellman pensa être Skai, le lensmann local.

L'agent supérieur de police dit à Beavis et à Kolkka de l'attendre, et dévala prestement la pente.

« Bonjour, lensmann. » Bellman épousseta quelques brindilles de son manteau long. « Je suis Mikael Bellman, de la Kripos, on s'est parlé au téléphone.

— Exact, acquiesça Skai. C'était le soir où ses gars ont trouvé la corde. » Il pointa un pouce en direction de Harry.

271

« Et il est revenu. La question, c'est : que fait-il sur ma scène de crime ? »

Harry se racla la gorge.

« Pour commencer, ce n'est pas une scène de crime. En second lieu, je cherche une disparue. Et on dirait que nous avons trouvé. Ça va, ce triple meurtre ? Trouvé quelque chose ? Tu as eu notre information sur Håvasshytta ? »

Le lensmann vit le coup d'œil que Bellman lui adressait, et il se retira en toute discrétion, mais vite.

Bellman regarda l'eau et se passa un index sur la lèvre inférieure, comme pour faire pénétrer une pommade.

« Alors, Hole. Tu as conscience d'avoir tout fait pour que toi et ton chef, Gunnar Hagen, perdiez votre boulot, avec en prime des poursuites pour manquement au service ?

— Mmm. Parce que nous faisons le boulot qu'on nous a confié ?

— Je crois que le ministère exigera une explication assez poussée pour savoir pourquoi vous avez effectué des recherches pour retrouver une disparue juste devant la corderie d'où provenait la corde qui a tué Marit Olsen. Je vous ai donné une chance, vous n'en aurez pas d'autre. *Game over*, Hole.

— Alors on donnera une explication poussée au ministre, Bellman. Elle mentionnera bien entendu que nous avons trouvé d'où venait la corde, remonté la piste Elias Skog et Håvasshytta, découvert qu'il y avait une quatrième victime, une certaine Adele Vetlesen, et que nous l'avons trouvée ici, aujourd'hui. Un boulot que la Kripos n'a pas réussi à faire en plus de deux mois, avec toutes ses ressources, entre autres humaines. Alors, Bellman ? »

Bellman ne répondit pas.

« Peur que ça puisse pourrir l'appréciation du ministre de la Justice sur l'unité qui est la plus à même d'enquêter sur des meurtres dans ce pays ?

— N'enfonce pas trop le bouchon, Hole. Je te réduirai en bouillie comme ça. » Il claqua des doigts.

« OK. Aucun de nous n'a le beau jeu. Alors on se couche, qu'en penses-tu ?

— Qu'est-ce que tu veux dire, merde ?

— On te donne tout. Tout ce qu'on a. On t'en cède le mérite. »

Bellman toisa Harry d'un regard soupçonneux.

« Et pourquoi nous aiderais-tu ?

— C'est simple. » Harry tira la dernière cigarette de son paquet. « On me paie pour contribuer à l'arrestation d'un meurtrier. C'est mon boulot. »

Bellman fit la grimace et remua les épaules et la tête comme s'il riait, mais sans émettre le moindre son.

« Allez, Hole. Qu'est-ce que tu veux ? »

Harry alluma sa cigarette.

« Je veux que ni Gunnar Hagen, ni Kaja Solness, ni Bjørn Holm ne ramassent. Leurs perspectives professionnelles dans la maison doivent rester inchangées. »

Bellman pinça sa pulpeuse lèvre inférieure entre le pouce et l'index.

« Je vais voir ce que je peux faire.

— Et je veux participer. Je veux avoir accès à toutes les données que vous avez, et aux ressources d'investigation.

— Stop ! cria Bellman, la main levée. Tu es sourd, Hole ? Je t'ai donné la consigne de ne pas te mêler de cette affaire.

— On chopera cet assassin ensemble, Bellman. Pour l'instant, c'est plus important que de savoir qui décidera après ?

— Ne me… ! » cria Bellman, mais il s'interrompit lorsqu'il vit plusieurs têtes se tourner vers eux. Il fit un pas vers Harry et baissa le ton : « Ne me parle pas comme à un idiot, Hole. »

Le vent chassa la fumée de la cigarette de Harry dans le visage de Bellman, mais il ne cilla pas. Harry haussa les épaules.

« Tu sais quoi, Bellman ? Je crois que plus qu'un amateur de pouvoir et de politique, tu es un petit garçon qui veut être le mec qui a sauvé la planète. C'est aussi simple que ça. Et tu as la frousse que je te sabote ton épopée. Mais il y a une manière simple de trancher le litige. Si on se défroquait, ici et maintenant, pour voir qui arrive à pisser jusqu'au bateau des plongeurs ? »

Mikael Bellman rit de nouveau, mais pour de bon, avec le son et tout.

« Tu devrais lire les mises en garde, Harry. »

Sa main droite jaillit si vite que Harry n'eut pas le temps de réagir, et il chipa la cigarette entre ses lèvres avant de l'envoyer promener d'une chiquenaude. Elle toucha la surface avec un petit grésillement.

« Ça pourrait te tuer. Bonne journée. »

Harry entendit l'hélicoptère décoller tandis qu'il regardait sa dernière cigarette flotter sur le lac. Le papier gris, mouillé, et l'extrémité noire, morte.

La nuit commençait à tomber lorsque l'équipe de plongeurs débarqua Harry, Kaja et Beate Lønn près du parking. Il y eut aussitôt du mouvement sous les arbres, et des flashes ne tardèrent pas à partir. Harry leva une main, par réflexe, et entendit la voix de Roger Gjendem dans le noir :

« Harry Hole, des rumeurs disent que vous avez découvert une jeune femme ? Comment s'appelle-t-elle ? Et quel degré de certitude avez-vous qu'il y ait un lien avec les autres meurtres ?

— Aucun commentaire, répondit Harry, qui se mit à marcher, à moitié aveuglé. Il s'agit toujours d'une disparition, et tout ce que nous pouvons dire, c'est qu'une femme, probablement la disparue, a été retrouvée. Concernant les meurtres auxquels je pense que vous faites allusion, vous pouvez voir ça avec la Kripos.

— Le nom de cette femme ?

— Il faut d'abord l'identifier, et informer ses proches.

— Mais vous n'excluez pas que…

— Je n'exclus rien, comme d'habitude, Gjendem. Le communiqué de presse viendra. »

Harry parvint à la voiture, que Kaja avait déjà fait démarrer. Beate Lønn était installée à l'arrière. Ils rejoignirent la route sous le feu nourri des flashes.

« Alors, commença Beate Lønn, penchée entre les sièges avant. Tu ne m'as pas encore expliqué comment vous en êtes venus à chercher Adele Vetlesen ici et pas ailleurs.

— Simple logique déductive, répondit Harry.

— C'est ça, soupira Beate.

— J'aurais bien sûr dû m'en douter avant. Je me demandais pourquoi le meurtrier s'était donné le mal de venir jusqu'à une corderie désaffectée rien que pour trouver un morceau de corde. Surtout puisqu'une corde comme celle-là — à la différence d'une qu'il aurait achetée dans un magasin — pouvait nous faire remonter ici. La réponse est évidente. Pourtant, il a fallu que j'aille au bord d'un profond lac africain pour comprendre. Que ce n'était pas pour la corde qu'il était venu ici. Selon toute vraisemblance, il l'a utilisée ici, l'a emportée, et s'en est servi pour tuer Marit Olsen — parce qu'il l'avait sous la main. S'il est venu ici, c'est pour se débarrasser d'un cadavre. Adele Vetlesen. Le lensmann Skai nous l'a clairement dit lors de notre première visite. Que c'était le côté profond du lac. L'assassin lui a rempli le pantalon de cailloux, l'a ficelée à la taille et aux chevilles et l'a passée par-dessus bord.

— Comment sais-tu qu'elle était morte avant d'arriver ici ? Il a pu la noyer.

— Elle avait une grosse coupure à la gorge. Je parie que l'autopsie démontrera qu'elle n'a pas d'eau dans les poumons.

— Et qu'elle a de la kétamine dans le sang, comme Charlotte et Borgny, compléta Beate.

— J'ai appris que c'est un anesthésique rapide. Curieux que je n'en aie jamais entendu parler avant.

— Pas tant que ça. C'est un vieil ersatz bon marché du Kétalar, qu'on utilise pour les anesthésies générales, et qui a l'avantage de permettre au patient de continuer à respirer par ses propres moyens. La kétamine a été interdite dans les années 1990 en Union européenne et en Norvège à cause de ses effets secondaires, et on la trouve maintenant surtout dans les pays en voie de développement. La Kripos en a fait sa piste principale un temps, mais elle n'est arrivée à rien. »

Ils déposèrent Beate à la Brigade technique quarante minutes plus tard, et Harry demanda à Kaja d'attendre un peu dans le véhicule.

« Je voulais te demander quelque chose.

— Oui ? » Beate frissonna et se frotta les mains.

« Que fais-tu sur une scène de crime potentielle ? Pourquoi Bjørn n'était-il pas là ?

— Parce que Bellman a mis Bjørn en service spécial.

— Ce qui veut dire ? Corvée de chiottes ?

— Non. Coordination de la Technique et enquête tactique.

— Quoi ? C'est une promotion. »

Beate haussa les épaules.

« Bjørn est compétent. Il n'était que temps. Autre chose ?

— Non.

— Bonsoir.

— Bonsoir. Non, attends. Je t'ai appelée pour te demander de faire savoir à Bellman que nous avions trouvé la corde. Quand lui as-tu transmis l'info ?

— Tu m'as appelée en pleine nuit, alors j'ai attendu la première heure le lendemain matin. Pourquoi ?

— Comme ça, comme ça. »

Au moment où il remonta en voiture, Kaja glissa son téléphone dans la poche de sa veste.

« La découverte du corps est déjà sur les pages Internet d'*Aftenposten*, annonça-t-elle.

— Ah oui ?

— Ils disent qu'il y a une grande photo de toi, avec ton nom complet, et que tu es mentionné comme "le responsable de l'enquête". Évidemment, ils relient cette affaire aux autres meurtres.

— Tiens donc. Mmm. Dis-moi, tu as faim toi aussi ?

— Un peu.

— Tu as des projets ? Sinon, je paie le dîner.

— Super ! Où ça ?

— Restaurant d'Ekeberg.

— Ouille ! La classe. Une raison particulière ?

— Moui. J'y ai pensé quand un copain m'a rappelé une vieille histoire.

— Je t'écoute.

— Il n'y a rien à écouter, c'est juste une bête histoire de puberté…

— De puberté ! Raconte ! »

Harry émit un petit rire. Et tandis qu'ils allaient vers le centre d'Oslo et attaquaient l'ascension de la colline d'Ekeberg, Harry parla de Killer Queen, la reine du restaurant d'Ekeberg, jadis le plus chouette bâtiment fonctionnaliste de la capitale. Et qui l'était redevenu — après réfection.

« Mais dans les années 1980, la baraque tombait tellement en ruine que les gens l'avaient purement et simplement oubliée. C'était devenu un restaurant d'alcoolos où l'on s'invitait à danser entre convives d'une même table, en essayant de ne pas trop renverser les verres. Avant de partir traîner des pieds sur la piste, en se soutenant l'un l'autre.

— Je vois.

— Øystein, Tresko et moi allions souvent tout en haut des bunkers allemands de Nordstrand, pour boire de la bière et attendre la fin de l'adolescence. Quand on a eu dix-sept ans, on s'est risqués au restaurant d'Ekeberg, et on est entrés grâce à un petit mensonge sur notre âge. Pas besoin de gruger tant que ça, l'endroit était en mal de clients. L'orchestre était minable, mais ils jouaient *Nights in White Satin*, au moins. Et ils avaient une attrac-

277

tion invitée chaque soir. Nous, on l'appelait juste "Killer Queen". Une belle frégate.

— Une frégate ? répéta Kaja en riant. Dans la ligne de mire ?

— Ouais. Elle arrivait vers toi toutes voiles dehors, prodigue et sordide à souhait. Clinquante comme une fête foraine. Avec des courbes de montagnes russes. »

Kaja rit encore plus fort.

« Le parc d'attractions local, rien de moins ?

— Si on veut. Mais elle allait avant tout au restaurant d'Ekeberg pour être vue et courtisée, je crois. Et pour les verres gratos que lui payaient les aficionados fanés de la danse, bien sûr. Personne n'a jamais vu Killer Queen en raccompagner un seul chez lui. C'est peut-être ça qui nous fascinait. Une nana qui avait dû descendre d'une division ou deux en termes d'admirateurs, mais qui gardait un certain style malgré tout.

— Et puis ?

— Øystein et Tresko ont dit qu'ils me payaient chacun un whisky si j'osais l'inviter. »

Ils passèrent sur les rails du tramway et attaquèrent le dernier raidillon avant le restaurant.

« Et alors ?

— J'ai osé.

— Et puis ?

— On a dansé. Jusqu'à ce qu'elle me dise qu'elle en avait assez de se faire marcher sur les pieds, et qu'il valait mieux que nous sortions. Elle est partie devant. C'était en août, il faisait chaud, et comme tu vois, il n'y a que des bois, ici. Feuillage épais et plein de sentiers qui vont Dieu sait où. J'étais beurré, mais assez excité pour savoir qu'elle entendrait le frémissement dans ma voix si je parlais. Alors je l'ai bouclée. Et ça ne posait pas de problème, elle s'est chargée de faire la conversation. Le reste aussi. Ensuite, elle m'a demandé si je voulais l'accompagner chez elle.

— Ouille ! pouffa Kaja. Qu'est-ce qui s'est passé ?

278

— On verra la suite pendant le dîner, on est arrivés. »

Ils s'arrêtèrent sur le parking, descendirent de voiture et montèrent les marches du restaurant. Le maître d'hôtel leur souhaita la bienvenue à la porte de la salle et demanda son nom à Harry. Il répondit qu'ils n'avaient pas réservé.

Le maître d'hôtel réussit presque à s'empêcher de lever les yeux au ciel.

« Plein les deux prochains mois, jeta Harry d'un ton mauvais quand ils ressortirent, une fois qu'il eut acheté des cigarettes au bar. Je crois que je préférais cet endroit quand l'eau fuyait dans la salle, et quand les rats te haranguaient derrière les toilettes. En tout cas, nous sommes *entrés*.

— Fumons », proposa Kaja.

Ils allèrent jusqu'au muret, où les bois descendaient vers la ville. Les nuages à l'ouest étaient rouge et orange, les phares de voitures sur l'autoroute scintillaient comme du plancton phosphorescent dans les ténèbres urbaines. Oslo semblait les attendre, sur le qui-vive, songea Harry. Un prédateur en embuscade. Il alluma deux cigarettes et en tendit une à Kaja.

« La suite de l'histoire, demanda Kaja en tirant une bouffée.

— Où en étions-nous ?

— Killer Queen t'a emmené chez elle.

— Non, elle m'a demandé. Et j'ai poliment décliné.

— Ah oui ? Non, tu mens. Pourquoi ?

— C'est aussi ce que m'ont demandé Øystein et Tresko quand je suis revenu. Je leur ai dit que je ne pouvais quand même pas me tailler alors que j'avais deux potes et du whisky gratuit qui m'attendaient. »

Kaja éclata de rire et souffla la fumée sur le panorama.

« Mais c'était du flan, bien sûr, poursuivit Harry. La loyauté n'avait rien à voir dans cette histoire. L'amitié ne signifie rien pour un homme si tu lui fais une proposition assez alléchante. Rien. La vérité, c'est que je n'ai pas osé. Killer Queen était beaucoup trop sordide pour moi. »

Ils se turent un instant. Écoutèrent le ronronnement de la ville et regardèrent les volutes de fumée.

« Tu réfléchis, constata Kaja.

— Mmm. Je pense à Bellman. À quel point il a été bien informé. Non seulement il savait que je rentrais en Norvège, mais aussi par quel avion.

— Il a peut-être appelé l'hôtel de police.

— Mmm. Et au Lyseren, aujourd'hui, le lensmann Skai a dit à Bellman qu'il l'avait appelé à propos de la corde le soir où nous étions allés à la corderie.

— Oui ?

— Mais Beate dit qu'elle n'a pas parlé de la corde à Bellman avant le lendemain matin. »

Harry suivit des yeux un brin de tabac incandescent qui tombait.

« Et Bjørn a été promu coordinateur technique et tactique. »

Kaja le regarda, effarée.

« Ce n'est pas possible, Harry. »

Il ne répondit pas.

« Bjørn Holm ! Il aurait tenu Bellman au courant de ce que nous faisions ? Vous travaillez ensemble depuis si longtemps, Bjørn et toi, vous êtes… amis ! »

Harry haussa les épaules.

« Comme je t'ai dit, je crois… » Il lâcha sa cigarette et l'écrasa sous son talon. « … que l'amitié ne signifie rien à partir du moment où la proposition est assez alléchante. Tu me suis sur le plat du jour chez Schrøder ? »

Je rêve tout le temps, maintenant. C'était l'été et je l'aimais. J'étais très jeune, et je croyais qu'il suffisait de désirer très fort quelque chose pour l'obtenir.

Adele, tu avais son sourire, ses cheveux et son cœur fallacieux. La page Internet d'Aftenposten indique qu'ils t'ont retrouvée. J'espère que tu étais aussi laide à l'extérieur qu'à l'intérieur.

Ils disent aussi que l'inspecteur principal Harry Hole a été mis sur cette affaire. C'est lui qui a arrêté le Bonhomme de neige. Il y a peut-être de l'espoir, la police est peut-être susceptible de sauver des vies, malgré tout ?

J'ai imprimé une photo d'Adele trouvée sur le site de VG, et je l'ai punaisée au mur, à côté de la page arrachée au registre de Håvasshytta. Le mien compris, il ne reste plus que trois noms.

CHAPITRE 37

Profil

Ce jour-là, Schrøder proposait de la pyttipanna[1] servie avec des œufs miroir et de l'oignon cru.

« Délicieux, apprécia Kaja.

— Le cuisinier doit être à jeun, aujourd'hui, approuva Harry, avant de tendre un doigt. Regarde. »

Kaja se retourna et leva la tête vers le téléviseur que lui montrait Harry.

« Tiens donc ! » s'exclama-t-elle.

Le visage de Mikael Bellman emplissait l'écran, et Harry fit signe à Nina qu'ils voulaient avoir le son. Il observa la bouche de Bellman qui remuait. Ses traits doux, presque féminins. Son intense regard brun scintillait sous des sourcils bien dessinés. Les taches blanches comme de la neige fondue sur la peau ne l'enlaidissaient pas ; au contraire, elles le rendaient plus intéressant, comme un animal exotique. S'il n'était pas sur liste rouge comme la plupart des enquêteurs, sa boîte de réception serait bientôt pleine de SMS scabreux ou énamourés. Le son arriva :

« ... à Håvasshytta la nuit du 7 au 8 novembre. Nous deman-

1. Plat traditionnel composé de pommes de terre sautées avec des restes de viande.

dons par conséquent à tous ceux qui s'y trouvaient de prendre contact sans tarder avec la police. »

Le présentateur réapparut pour exposer le sujet suivant.

Harry repoussa son assiette et commanda le café d'un geste.

« Dis voir ce que tu penses de ce meurtrier, maintenant qu'on a retrouvé Adele. Donne-moi un profil.

— Pourquoi ? demanda Kaja avant de boire une gorgée d'eau. À compter de demain, on bossera sur autre chose.

— Pour s'amuser.

— Établir le profil d'un tueur en série, ça correspond à ta définition de "s'amuser" ? »

Harry suçota un cure-dents.

« Je sais qu'il y a une bonne réponse à cette question, mais je ne la trouve pas.

— Tu es malade.

— Alors, qui est-il ?

— Pour commencer, c'est toujours un homme. Et toujours un tueur en série. Je ne crois pas qu'Adele était forcément sa première.

— Pourquoi ?

— Parce que c'est trop impeccable pour qu'il n'ait pas eu la tête froide. La première fois qu'on tue, on n'a pas la tête froide. En plus, il l'a trop bien cachée, il ne voulait pas que nous la trouvions. Ça signifie qu'il peut avoir tué d'autres personnes qui sont encore dans les statistiques des disparitions.

— Bon. Continue.

— Ouais…

— Allez. Tu viens de dire qu'il a bien planqué Adele Vetlesen. La première de ses victimes, à notre connaissance. Comment évoluent les meurtres ?

— Il est de plus en plus téméraire et sûr de lui. Il ne les cache plus. Charlotte a été découverte derrière une voiture dans les bois, et Borgny au sous-sol d'un immeuble de bureaux en plein centre.

— Et Marit Olsen ? »

Kaja réfléchit un moment.

« C'est trop grotesque. Il a perdu le contrôle, sa maîtrise lui échappe.

— Ou alors… Il est passé au niveau supérieur. Il veut montrer à quel point il est doué, alors il commence à mettre ses meurtres en scène. Le meurtre de Marit Olsen à la piscine de Frogner est un cri pour attirer l'attention, mais il y a peu de signes de perte de contrôle dans sa réalisation. La corde utilisée relève au pire de la bourde, mais en dehors de ça, il n'a laissé aucune trace. D'accord ? »

Elle réfléchit, puis hocha la tête.

« Elias Skog, ensuite, poursuivit Harry. Du changement, ici ?

— Il torture sa victime en lui infligeant une mort lente. Le sadique apparaît en lui.

— La pomme de Léopold est aussi un instrument de torture. Mais je suis d'accord avec toi, c'est la première fois que nous voyons le sadisme. En même temps, c'est un choix délibéré, il dévoile, sans se dévoiler. C'est toujours lui qui tire les ficelles. »

Cafetière et tasses atterrirent devant eux.

« Mais… commença Kaja.

— Oui ?

— Ce n'est pas un peu bizarre qu'un assassin sadique s'en aille avant d'avoir assisté aux souffrances de ses victimes et à leur mort ? La propriétaire a dit avoir entendu les coups dans la baignoire après le départ de l'invité. Il a snobé tout le… euh, la rigolade.

— Bien vu. Alors qu'avons-nous ? Un faux sadique ? Et pourquoi essayer de le faire croire ?

— Parce qu'il sait que nous essaierons de construire un profil comme on le fait en ce moment, s'anima Kaja. Et qu'on le cherchera au mauvais endroit.

— Mmm. Peut-être. Un assassin sophistiqué, le cas échéant.

— Qu'en penses-tu, ô vieux sage ? »

Harry servit le café.

« Si c'est vraiment un tueur en série, je trouve que les meurtres partent dans tous les sens. »

Kaja se pencha sur la table, et la lumière joua sur ses dents pointues lorsqu'elle murmura :

« Tu crois que ce n'est pas un tueur en série ?

— Eh bien... Il me manque une signature. En général, il y a des règles particulières dans un meurtre qui excitent un tueur en série, donc certaines choses qui reviennent dans sa réalisation. Ici, rien n'indique que le meurtrier se soit livré à quoi que ce soit de sexuel en lien avec le meurtre. Et il n'y a aucune similitude entre les méthodes, sauf pour Borgny et Charlotte qui ont été tuées à l'aide de la pomme de Léopold. Les lieux sont très différents, les victimes aussi. Les deux sexes sont représentés, il y a différents âges, différents vécus, différents physiques.

— Mais elles n'ont pas été choisies au hasard, elles ont passé une nuit ensemble dans le même chalet.

— Et voilà. C'est pour ça que je ne suis pas certain d'avoir affaire à un tueur en série au sens classique. Ou plus exactement, pas avec un mobile classique. Pour les tueurs en série, le meurtre en lui-même suffit, en général. Que ce soient des prostituées, par exemple, ça n'a le plus souvent rien à voir avec le péché, mais avec le fait que ce sont des proies faciles. Je ne connais qu'un cas de tueur en série qui choisissait ses cibles en fonction de ce qu'elles étaient.

— Le Bonhomme de neige.

— Je ne crois pas du tout qu'un tueur en série choisisse ses victimes à partir d'une page prise au hasard dans le registre d'un refuge. Et s'il s'est passé quelque chose à Håvasshytta qui a fourni un mobile à l'assassin, on ne parle pas de meurtres en série classiques. En plus, l'évolution vers la révélation du tueur est trop rapide pour que nous soyons face à ce genre de criminel.

— Que veux-tu dire ?

— Il a envoyé une femme au Rwanda et au Congo pour masquer un meurtre et acheter en même temps l'arme du suivant. Et puis il la tue. En d'autres termes, il a fait des efforts incroyables pour dissimuler ce meurtre. Pour le deuxième, quelques semaines plus tard, il ne fait rien du tout. Pour le suivant, deux ou trois semaines après, il est comme un matador qui roule des mécaniques devant nous en agitant sa cape. C'est un changement de personnalité en accéléré. Ça ne colle pas.

— Tu crois qu'il peut y avoir plusieurs tueurs ? Qui ont des méthodes distinctes ? »

Harry secoua la tête.

« Il y a une similitude. Le meurtrier ne laisse aucune trace. Si les tueurs en série ne sont pas légion, celui qui ne laisse pas d'indices, c'est un oiseau rare. Il n'y en a qu'un dans cette affaire.

— Bon, alors de quoi parlons-nous ? » Kaja écarta les bras. « Un tueur en série aux personnalités multiples ?

— Un oiseau rare avec une trompe. Non, je ne sais pas. Et peu importe, de toute façon, on fait ça juste pour s'amuser. C'est l'affaire de la Kripos, maintenant. » Il termina son café. « Je prendrai un taxi pour aller à l'hôpital.

— Je peux te déposer.

— Non merci, rentre chez toi et prépare-toi à tes nouvelles et passionnantes missions. »

Kaja poussa un soupir.

« Pour Bjørn…

— N'en parle à personne. Dors bien. »

À l'hôpital civil, Altman sortait de la chambre du père de Harry lorsque celui-ci arriva.

« Il dort. Je lui ai donné dix milligrammes de morphine, expliqua l'infirmier. Vous pouvez y aller, mais il ne se réveillera pas avant des heures.

— Merci.

— Ce n'est rien. J'avais une mère qui… qui a dû endurer plus de souffrances que nécessaire.

— Mmm. Vous fumez, Altman ? »

En voyant l'air coupable de son interlocuteur, Harry comprit que c'était le cas, et il l'invita à sortir. Tandis qu'ils fumaient, Altman, prénom Sigurd, raconta que c'était à cause de sa mère qu'il s'était spécialisé en anesthésie.

« Alors quand vous avez fait la piqûre à mon père…

— C'était un service entre fils, sourit Altman. Mais c'était convenu avec le médecin. Je préférerais garder mon boulot.

— Futé. J'aimerais l'être autant. »

Ils terminèrent leurs cigarettes, et Altman allait partir quand Harry lui demanda :

« Puisque vous êtes infirmier anesthésiste, vous pouvez me dire où on peut espérer trouver de la kétamine ?

— Aïe. C'est une question à laquelle il vaudrait mieux que je ne réponde pas.

— Ça va, répondit Harry avec un sourire en coin. C'est pour l'enquête sur laquelle je travaille.

— Je vois. À moins de travailler comme anesthésiste, il est difficile de se procurer de la kétamine en Norvège. Ça fait l'effet d'une balle, au sens propre, le patient tombe comme une mouche. Mais les effets indésirables sur l'estomac ne sont pas négligeables. En outre, le risque d'arrêt cardiaque est important en cas de surdosage, ça a servi pour des suicides. Mais plus maintenant, la kétamine a été interdite en Union européenne et en Norvège il y a plusieurs années.

— Je sais, mais où iriez-vous pour vous en procurer ?

— Euh… en Russie. Ou en Afrique.

— Au Congo, par exemple ?

— Sans aucun doute. Les labos la vendent à prix cassé depuis l'interdiction en Europe, et ils la refourguent aux pays pauvres, comme toujours. »

Harry s'était installé à côté du lit de son père et regardait la mince cage thoracique s'élever et s'abaisser sous le pyjama. Au bout d'une heure, il se leva et s'en alla.

Il attendit d'être rentré pour allumer son téléphone, mit *Don't Get Around Much Anymore*, l'un des Duke Ellington préférés de son père, et alla chercher l'opium. Il constata que Gunnar Hagen avait laissé un message-fleuve, mais il n'avait pas l'intention de l'écouter puisqu'il savait à peu près de quoi il était question. Que Bellman l'avait de nouveau tanné, et que dorénavant ils n'approchaient plus de cette affaire quelles que soient leurs bonnes raisons. Et que Harry devait se présenter à l'endroit et à l'heure habituels s'il voulait continuer à travailler dans la police. Bon, peut-être pas ce dernier point. Il était temps de se tirer. Et le voyage allait commencer ici, maintenant, ce soir. Il sortit son briquet d'une main, tandis que l'autre ouvrait les deux SMS restants. Le premier était d'Øystein. Il proposait une « soirée entre mecs » dans un avenir proche, et d'inviter Tresko, qui était probablement le plus fortuné des trois. L'autre venait d'un numéro que Harry ne connaissait pas. Il ouvrit le message.

*Je lis sur la page Internet d'*Aftenposten *que tu t'occupes de cette affaire. Je peux t'aider un peu. Elias Skog a parlé avant d'être collé à la baignoire.*
C.

Harry lâcha son briquet, qui atterrit avec fracas sur la table en verre, et il sentit son cœur accélérer. Dans les affaires de meurtres, ils recevaient toujours un tas de tuyaux, de conseils et de suppositions. De gens qui juraient volontiers avoir vu, entendu ou entendu dire, si la police voulait bien consacrer du temps à les écouter. C'étaient souvent les mêmes qui se manifestaient, mais il y avait toujours de nouveaux causeurs désaxés. Harry savait déjà que ça, ce n'en était pas un. La presse avait beaucoup écrit sur cette affaire, les gens avaient beaucoup d'informations. Mais personne dans le public ne savait qu'Elias Skog avait été collé à sa baignoire. Ou ne connaissait le numéro de Harry.

CHAPITRE 38

Infirmité permanente

Harry avait baissé Duke Ellington, et avait son téléphone à la main. La personne savait pour la Super glue. Et connaissait le numéro de Harry. Devait-il chercher le nom et l'adresse correspondant au numéro, peut-être même faire arrêter cette personne avant de l'effaroucher ? D'un autre côté, elle attendait une réponse.

Il valida « Appeler l'auteur du message ».

Il y eut deux sonneries, puis une voix grave :

« Oui ?

— Ici Harry Hole.

— Comment va, Hole ?

— Mmm. On se connaît ?

— Tu ne te rappelles pas ? L'appartement d'Elias Skog. La Super glue. »

Harry sentit le sang battre dans sa carotide et sa gorge se serrer.

« J'y étais. Qui êtes-vous, et que faisiez-vous là-bas ? »

Il y eut un moment de silence à l'autre bout du fil, et Harry crut pendant une ou deux secondes que son correspondant avait raccroché. Mais la voix fut de retour, avec un « a » qui n'en finissait plus.

« Aaah désolé, j'ai peut-être signé *C* tout court ?

— Oui.

291

— Je le fais souvent. C'est Colbjørnsen. L'inspecteur principal de Stavanger. Tu m'as donné ton numéro, *remember* ? »

Harry jura tout bas, se rendit compte qu'il retenait toujours son souffle et se remit à respirer en émettant un long chuintement.

« Tu es là ?

— Oui, oui. » Harry ramassa la cuiller à café sur la table et détacha un petit fragment d'opium. « Tu dis que tu as quelque chose pour moi ?

— Oui, et c'est vrai. Mais à une condition.

— Laquelle ?

— Que ça reste entre nous.

— Pourquoi ?

— Parce que je ne supporte pas ce con de Bellman, qui débarque ici avec la conviction d'être l'envoyé de Dieu pour une enquête criminelle. Que lui et cette saloperie de Kripos essaient de s'approprier le monopole sur tout le pays. Il peut aller se faire foutre. Le problème, ce sont mes chefs. On m'interdit de mettre le nez dans cette putain d'affaire Skog.

— Alors pourquoi t'adresses-tu à moi ?

— Je suis un provincial de base, Hole. Mais quand je vois dans *Aftenposten* que tu as été mis sur cette affaire, je comprends ce qui se passe. Je comprends que tu es comme moi, tu veux juste te coucher et mourir, c'est ça ?

— Eh bien… répondit Harry, les yeux braqués sur le bloc brun devant lui.

— Alors si tu peux utiliser ce que je vais te dire pour te payer cet enfoiré, et si ça peut torpiller les projets d'*evil empire* de Bellman, ne te prive pas. J'attendrai après-demain pour lui envoyer mon rapport. Tu as toute la journée de demain devant toi.

— Qu'est-ce que tu as ?

— J'ai discuté avec les gens de l'entourage de Skog. Autant dire pas grand monde puisque c'était un original, plus intense que la moyenne, et qui faisait le tour du monde tout seul. Deux personnes, pour être exact. Sa propriétaire. Et une fille qu'on a retrouvée grâce aux numéros qu'il avait appelés les jours avant sa mort. Elle s'appelle Stine Ølberg, et nous a dit qu'elle avait parlé à Elias le soir de sa mort. Ils étaient dans le bus, et il a dit avoir été à Håvasshytta en même temps que les victimes dont parlaient les journaux. Il trouvait curieux que personne n'ait découvert qu'elles étaient passées au même refuge, et il hésitait à aller voir la police. Mais ça l'ennuyait, il ne voulait pas être impliqué. Et c'est compréhensible. Il avait déjà eu affaire à la police, dénoncé deux fois pour harcèlement. Il n'avait rien fait de mal, d'accord, mais il était assez insistant. Stine a dit qu'elle avait eu peur de lui, mais que ce soir-là, au contraire, c'était lui qui semblait avoir peur.

— Intéressant.

— Stine a fait mine de ne pas savoir qui étaient les trois victimes, et Elias lui a dit vouloir lui parler d'une autre personne présente, qu'elle connaissait sans doute. C'est là que ça devient très intéressant. C'est un type connu. Assez connu, en tout cas.

— Ah oui ?

— D'après Elias Skog, Tony Leike était là.

— Tony Leike. Je devrais le connaître ?

— Il est maqué à la fille d'Anders Galtung, l'armateur. »

Des manchettes de journaux défilèrent à toute vitesse sur la rétine de Harry.

« Tony Leike est soi-disant investisseur, ce qui signifie qu'il est devenu riche sans que personne comprenne bien comment, hormis que ce n'est pas le fruit d'un travail acharné. En plus, c'est un minet de première. Ce qui ne veut pas dire que c'est Mister Nice Guy. Et le plus intéressant : ce type a une *sheet*.

— Une *sheet* ? répéta Harry en feignant de ne pas comprendre, pour exprimer en douce son point de vue sur les anglicismes de Colbjørnsen.

— Un casier. Tony Leike a été condamné pour violences aggravées.

293

— Mmm. Des détails ?

— Tony Leike a rossé et mutilé un certain Ole S. Hansen un 6 août entre vingt-trois heures vingt et vingt-trois heures quarante-cinq. Ça s'est passé devant la salle des fêtes du patelin où Tony logeait chez son grand-père. Tony avait dix-huit ans, Ole dix-sept, et il était évidemment question d'une gonzesse.

— Mmm. Les jeunes jaloux qui en viennent aux mains quand ils sont pétés, ça ne sort pas de l'ordinaire. Tu parlais de violences aggravées ?

— Oui, parce que ça ne s'arrête pas là. Quand Leike a eu flanqué l'autre par terre, il s'est assis dessus et a joué du couteau sur le visage du malheureux. Le gosse en a gardé une infirmité permanente, mais à en croire le juge, ça aurait pu encore plus mal tourner si des gens n'étaient pas arrivés pour retenir Leike.

— Rien d'autre que cette condamnation ?

— Tony Leike était connu pour son caractère emporté, et il participait régulièrement à des bagarres. Pendant le procès, un témoin a raconté qu'au collège Leike avait failli l'étrangler avec une ceinture parce qu'il avait eu des paroles peu flatteuses sur le père de Tony.

— On dirait que quelqu'un va devoir aller causer en bonne et due forme avec Tony Leike. Tu sais où il habite ?

— Dans ta ville. Holmenveien... attends... 172.

— Le Vestkant. Bon. Merci, Colbjørnsen.

— Pas de quoi. Ah, autre chose : un type est monté dans le bus juste après Elias. Il est descendu au même arrêt, et Stine dit l'avoir vu marcher derrière Elias. Mais elle n'a pas pu en donner de description, il avait le visage dissimulé par un chapeau. Ça n'a peut-être aucun intérêt.

— Non.

— Alors je compte sur toi, Hole.

— Tu comptes sur quoi ?

— Que tu feras ce qu'il faut.

— Mmm.

— Bonne nuit. »

Harry écouta un moment le Duke. Puis il saisit son téléphone et chercha le numéro de Kaja dans ses contacts. Il allait appuyer sur le bouton d'appel, mais hésita. Il était sur le point de recommencer. Entraîner des gens dans sa chute. Harry reposa le téléphone. Il avait deux possibilités. L'intelligente, appeler Bellman. Et l'idiote, jouer perso.

Il poussa un soupir. Que se figurait-il ? Il n'avait pas le choix. Il fourra le briquet dans sa poche, remballa l'opium dans le papier aluminium, le rangea dans le bar, se déshabilla, régla le réveil sur six heures et se coucha. Pas le choix. Prisonnier de son propre schéma comportemental, où chaque action est en réalité un acte compulsif. De ce point de vue, il n'était ni moins bon ni meilleur que ceux qu'il traquait.

C'est avec cette idée qu'il s'endormit, le sourire aux lèvres.

La nuit est d'un calme béni, qui soigne les yeux, éclaircit les idées. Le policier. Hole. Je dois lui dire. Pas tout lui montrer, juste assez pour qu'il comprenne. Pour qu'il puisse arrête ça. Que je n'aie pas besoin de faire ce que je fais. Je crache sans interruption, mais le sang emplit ma bouche, encore et encore.

CHAPITRE 39

Recherche de connexion

Harry arriva à l'hôtel de police à sept heures moins le quart. Le garde à l'accueil était la seule personne dans le grand espace derrière les lourdes portes du bâtiment.

Harry lui adressa un signe de tête, passa sa carte dans le lecteur du sas et prit l'ascenseur pour descendre au sous-sol. Puis il parcourut au petit trot le souterrain et déverrouilla la pièce. Il alluma sa première cigarette de la journée et composa un numéro de mobile pendant que le PC se mettait en marche. Katrine Bratt n'avait pas l'air réveillée.

« Je veux que tu lances tes recherches de connexion, maintenant, déclara Harry. Entre un certain Tony Leike et chacune des victimes. Y compris Juliana Verni, Leipzig.

— La salle de loisir sera vide au moins jusqu'à huit heures et demie, répondit-elle. Je m'y mets maintenant. Autre chose ? »

Harry hésita.

« Tu peux voir ce que tu trouves sur un dénommé Jussi Kolkka ? Un policier.

— Qu'est-ce que tu lui reproches ?

— C'est justement ça. Je ne sais pas ce que je lui reproche. »

Harry posa le téléphone et se mit au travail sur le PC.

En effet, Tony Leike avait déjà fait l'objet d'une condamnation.

297

Et d'après le casier judiciaire, il avait eu deux fois affaire à la police par la suite. Comme l'avait laissé entendre Colbjørnsen, il s'agissait de voies de fait. Dans le premier cas, la plainte avait été retirée, dans l'autre, l'affaire classée.

Harry chercha Tony Leike sur Google et trouva d'autres références dans les journaux. La plupart étaient liées à sa fiancée Lene Galtung, tandis que d'autres provenaient de la presse financière, qui le présentait tour à tour comme un investisseur, un spéculateur en Bourse et un imbécile fini. C'était *Kapital* qui émettait ce dernier avis, en disant que Leike faisait partie des moutons qui suivaient le bélier dans tout ce qu'il faisait : achat de titres, chalets et voitures, choix des bistrots, boissons, femmes et adresses personnelles et professionnelles idéales.

Harry parcourut les liens jusqu'à ce qu'il tombe sur un titre de *Finansavisen*.

« Bingo », murmura-t-il.

Tony Leike était de toute évidence en passe de se faire un nom. Et un prénom. En tout état de cause, *Finansavisen* mentionnait un projet minier dont Leike était l'initiateur et l'exploitant. Il y avait une photo de lui avec ses partenaires, deux jeunes hommes arborant la raie sur le côté. Ils ne portaient pas les habituels costumes branchés, mais des combinaisons de mécanicien et des tenues de travail, et posaient sur un tas de planches devant un hélicoptère. Tony Leike avait le plus large sourire. Il avait une belle carrure, des membres longs, il était brun de peau et de cheveux, et possédait un impressionnant nez en bec d'aigle qui, associé au reste, suggéra à Harry que Leike devait avoir du sang arabe dans les veines. Mais ce fut la manchette qui suscita chez Harry un juron étouffé :

« LE ROI DU CONGO ? »

Harry continua à suivre les liens.

La presse people s'intéressait surtout à son mariage imminent avec Lene Galtung et à la liste des invités.

Harry regarda sa montre. Sept heures cinq. Il appela Police-Secours.

« J'ai besoin d'assistance pour une interpellation dans Holmenveien.

— Une arrestation ? »

Harry savait très bien qu'il ne disposait pas de tous les éléments pour demander un mandat d'arrêt à leur juriste.

« Convocation pour interrogatoire.

— Je croyais que c'était une arrestation ? Et pourquoi demander de l'assistance si c'est juste…

— Tu as deux hommes et une voiture prêts devant le garage dans cinq minutes ? »

Harry entendit un « pff » narquois, et l'interpréta comme un oui. Il tira deux fois sur sa cigarette avant de l'éteindre, se leva, verrouilla la porte et s'en alla. Il avait parcouru dix mètres dans le souterrain lorsqu'il entendit un faible son derrière lui : le téléphone fixe qui sonnait.

Il était sorti de l'ascenseur et se dirigeait vers la porte quand il entendit quelqu'un crier son nom. Il se retourna et vit le garde Securitas lui faire signe. Devant le guichet, Harry vit le dos d'un manteau en laine jaune moutarde.

« Ce monsieur te demande », déclara le garde.

Le manteau se retourna. C'était un de ceux qui veulent passer pour du cachemire, et qui en sont parfois. Dans le cas présent, Harry supposa que c'en était. Parce qu'il était porté sur les épaules larges d'une personne élancée aux yeux et aux cheveux sombres, qui avait sans doute du sang arabe dans les veines.

« Vous êtes plus grand que vous n'en avez l'air sur la photo », constata Tony Leike. Il exhiba une rangée de grandes dents en porcelaine et tendit la main.

« Bon café », complimenta Tony Leike avec une apparente sincérité. Harry regarda les longs doigts tordus de Leike autour de la tasse. Leike l'avait expliqué en riant à Harry quand il lui avait tendu la main. Ce n'était pas contagieux, juste une bonne vieille arthrite, un truc congénital qui au moins faisait de lui un météorologue fiable.

« Mais en toute honnêteté, je croyais qu'ils attribuaient de meilleurs bureaux aux inspecteurs principaux. Un peu chaud ?

— Les chaudières de la prison. » Harry leva sa tasse. « Alors vous avez lu *Aftenposten* ce matin ?

— Oui. Pendant mon petit déjeuner. J'ai failli m'étrangler, en fait.

— Pourquoi ? »

Leike oscilla très légèrement dans son fauteuil, comme un pilote de Formule 1 dans son siège baquet avant le départ.

« Je voudrais que ce que je vais dire reste entre nous.

— Qui ça, "nous" ?

— La police et moi. Et surtout vous et moi. »

Harry espéra que sa voix ne trahirait aucune excitation.

« Et pour quelle raison ? »

Leike inspira à fond.

« Je ne veux pas que les gens apprennent que j'étais à Håvasshytta la même nuit que la parlementaire. Marit Olsen. Je suis plutôt en vue dans les médias en ce moment, à cause de mon mariage proche. Il serait assez malvenu que je sois associé à un meurtre maintenant. La presse s'emparerait de l'affaire, et ça pourrait… faire remonter des éléments de mon passé que je veux garder enterrés et oubliés.

— Bon, répondit Harry d'un ton innocent. Il va bien sûr me falloir tenir compte de pas mal de paramètres, et je ne peux donc rien promettre. Mais ce n'est pas un interrogatoire, juste une discussion, et je n'ai pas l'habitude de faire part de ces choses-là à la presse.

— À mes… euh, proches non plus ?

— Pas sans raison. Si vous avez peur qu'on sache que vous y étiez, pourquoi êtes-vous venu quand même ?

300

— Vous avez demandé aux gens qui y étaient de se faire connaître, alors c'est mon devoir de citoyen, non ? » Il interrogea Harry du regard. Puis fit la grimace. « Bon Dieu, ce que j'ai eu peur ! J'ai compris que les gens qui étaient allés à Håvasshytta étaient peut-être condamnés. J'ai sauté dans la voiture et je suis venu sans attendre.

— Il s'est passé quelque chose de particulier, ces derniers temps, qui vous a rendu nerveux ?

— Non. » Tony Leike réfléchit un instant. « Hormis une effraction de la porte de la cave, il y a quelques jours. Bordel, je devrais faire installer une alarme, non ?

— Vous en avez parlé à la police ?

— Non, ils ont juste pris un vélo.

— Vous croyez que les tueurs en série donnent aussi dans le vol de bicyclettes ? »

Leike émit un petit rire et hocha la tête avec un sourire. Pas le sourire gêné de quelqu'un qui a honte d'avoir proféré une sottise, songea Harry. Mais le sourire désarmant, triomphant, qui dit : « Tu m'as eu, mon pote », les félicitations galantes d'un habitué de la victoire.

« Pourquoi avez-vous demandé à me voir, moi ?

— Le journal disait que vous enquêtiez sur cette affaire, alors j'ai trouvé ça normal. En plus, comme je vous l'ai dit, j'espérais que ça pourrait rester entre nous, alors j'ai tapé tout de suite au sommet.

— Je ne suis pas le sommet, Leike.

— Ah non ? Ça en donnait l'impression, dans *Aftenposten*. »

Harry passa une main sur sa pommette saillante. Il n'avait pas encore décidé ce qu'il pensait de Tony Leike. C'était un homme à l'apparence soignée, combinée à un charme de voyou qui rappela à Harry un joueur de hockey vu dans une campagne de publicité pour des sous-vêtements. Il semblait vouloir donner l'impression d'une assurance froide et nonchalante pour masquer une personne authentique, faite de chair et de sang. À moins que ce ne soit le contraire : c'était peut-être la froideur qui était authentique, et les sentiments feints.

« Que faisiez-vous à Håvasshytta, Leike ?

— Une randonnée à skis, évidemment.

— Seul ?

— Oui. Il y avait eu quelques journées intenses au boulot, j'avais besoin de faire une pause. Je suis souvent à Ustaoset et à Hallings-karvet. Je dors dans les refuges. C'est chez moi, si on peut dire.

— Pourquoi n'y avez-vous pas votre propre chalet, alors ?

— Là où j'en voudrais un, on n'a plus le droit de construire. Décret des Parcs nationaux.

— Pourquoi votre fiancée ne vous accompagne-t-elle pas ? Elle ne fait pas de ski ?

— Lene ? Elle… » Leike but une gorgée de café. Le genre de gorgée que les gens boivent au milieu d'une phrase quand ils ont besoin d'un petit délai de réflexion, se dit Harry. « Elle était à la maison. Je… nous… »

Il leva sur Harry un regard un peu perdu, comme pour appeler au secours. Harry ne lui en offrit aucun.

« Merde ! Pas de médias, hein ? »

Harry ne répondit pas.

« Bon, reprit Leike, comme si Harry avait confirmé. J'avais besoin de respirer, de prendre le large. Réfléchir. Les fiançailles, le mariage… ce sont des décisions d'adulte. Et je réfléchis mieux quand je suis seul. Surtout dans la montagne.

— La réflexion a aidé, j'ai l'impression ? »

Leike montra de nouveau son mur d'émail. « Oui.

— Vous vous souvenez des autres personnes qui étaient dans le refuge ?

— Je me souviens de Marit Olsen, oui. On a bu un verre de vin rouge ensemble. Je ne savais pas qu'elle était parlementaire avant qu'elle le dise.

— D'autres ?

— Il y avait trois ou quatre personnes, à qui j'ai à peine dit bonjour. Mais je suis arrivé assez tard, alors certains devaient être déjà couchés.

— Ah ?

— Il y avait six paires de skis dans la neige. Je m'en souviens parce que je les ai rentrés à cause du risque d'avalanche. Je me rappelle avoir pensé que les autres n'avaient peut-être pas une très grande expérience de la montagne. Si le chalet est à moitié enseveli sous trois mètres de neige, vous êtes mal barré si personne n'a ses skis. J'étais le premier levé le lendemain matin, comme d'habitude, et je suis parti avant que les autres ne se réveillent.

— Vous dites que vous êtes arrivé tard au chalet. Vous étiez donc seul dans le noir, en pleine montagne ?

— Lampe frontale, carte et boussole. La randonnée s'est décidée au dernier moment, alors je ne suis arrivé qu'en soirée à Ustaoset, par le train. Mais comme je vous l'ai dit, je connais le coin, j'ai l'habitude de m'orienter dans le noir en terrain découvert. Et le temps était beau, clair de lune sur la neige, je n'ai eu besoin ni de ma lampe ni de la carte.

— Vous pouvez me parler de ce qui s'est passé au refuge pendant que vous y étiez ?

— Il ne s'est rien passé. J'ai discuté du vin avec Marit Olsen, et des difficultés à maintenir vivante une relation moderne. En fait, je crois que sa relation était plus moderne que la mienne.

— Elle n'a pas mentionné qu'il s'était passé quelque chose au chalet ?

— Rien du tout.

— Et les autres encore debout ?

— Ils discutaient de rando près de la cheminée, en buvant. De la bière, peut-être. Ou je ne sais quelle boisson énergisante. Deux filles et un gars, entre vingt et trente-cinq ans, je dirais.

— Des noms ?

— On s'est juste fait signe pour se saluer. J'étais monté là-haut pour être seul, pas pour me faire de nouveaux amis.

— Apparence ?

— Il fait plutôt sombre dans un chalet comme ça, le soir, mais je dirais que l'une était blonde, l'autre brune, sans certitude. Je ne me rappelle même pas s'ils étaient trois ou quatre.

— Dialecte ?

— Une fille parlait comme dans l'Ouest, je crois.

— Le dialecte de Stavanger ? De Bergen ? Du Sunnmøre ?

— Désolé, je ne suis pas très calé là-dessus. Ce n'était peut-être pas l'Ouest, mais le Sud.

— OK. Vous vouliez être seul, mais vous avez discuté de relation avec Marit Olsen.

— Ça s'est trouvé comme ça. Elle s'est assise près de moi. Pas une nana timide. Bavarde. Mais ronde et sympa. »

Il le dit comme s'il était naturel que les deux éléments aillent de pair. Harry se rendit soudain compte que la photo qu'il avait vue de Lene Galtung montrait une femme très mince — comparé à la moyenne nationale.

« Alors, à part Marit Olsen, vous ne pouvez rien dire sur personne ? Même si je vous montre des photos des gens qui s'y trouvaient, d'après ce que nous savons ?

— Si, sourit Leike. Je crois que je peux.

— Ah oui ?

— Au moment de me coucher dans l'une des chambres, il a fallu que j'allume pour voir quelle couchette était libre. Et j'ai vu deux personnes dormir. Un homme et une femme.

— Vous pensez être en mesure de me les décrire ?

— Pas les décrire, mais je suis presque certain que je les reconnaîtrais.

— Ah ?

— On se souvient des visages si on les revoit, non ? »

Harry savait que ce que disait Leike était vrai. Les descriptions des témoins étaient très souvent délirantes, mais si on leur proposait un tapissage, les erreurs étaient rares.

Harry alla au classeur qu'il avait fait rapporter, ouvrit les dossiers des différentes victimes et en sortit les photos. Il donna les cinq clichés à Leike, qui les parcourut.

« Ça, c'est Marit Olsen, commença-t-il avant de tendre la photo à Harry. Et je crois que ce sont les deux filles qui étaient assises près de la cheminée, mais je ne suis pas certain. » Il tendit à Harry les photos de Borgny et de Charlotte. « Ça, c'était peut-être le type. » Elias Skog. « Mais ce n'était aucun de ceux-là que j'ai vus dans la chambre.

— Vous n'êtes pas sûr à propos de gens avec qui vous êtes resté un moment dans la même pièce, mais pour ceux que vous n'avez vus que deux ou trois secondes, vous l'êtes ? »

Leike hocha la tête. « Ils dormaient.

— Les gens qui dorment sont plus faciles à reconnaître ?

— Non, mais ils ne vous regardent pas, eux. Alors on peut les observer sans problème.

— Mmm. Pendant deux ou trois secondes ?

— Peut-être un peu plus longtemps. »

Harry rangea les photos dans les dossiers.

« Vous avez des noms ? demanda Leike.

— Des noms ?

— Oui, je me suis levé le premier, et j'ai mangé des tartines près de la planche à pain dans la cuisine. Le registre du chalet y était, et je ne m'étais pas inscrit. Pendant que je terminais de manger, je l'ai ouvert et j'ai regardé les noms de ceux qui s'étaient inscrits la veille au soir.

— Pourquoi ?

— Pourquoi ? » Tony haussa les épaules. « Ce sont souvent les mêmes personnes qui font le tour des chalets. Je voulais voir si j'en connaissais certains.

— Et ?

— Aucun. Mais si vous me donnez les noms de ceux dont vous êtes plus ou moins sûrs qu'ils y étaient, je me rappellerai peut-être les avoir vus dans le registre, non ?

— Ce n'est pas absurde, mais désolé, nous n'avons aucun nom. Ni adresse.

— Bon, tant pis. » Leike commença à reboutonner son manteau. « Alors je crains de ne pas vous être d'un grand secours. Si ce n'est que vous pouvez m'exclure.

— Mmm. Puisque vous êtes venu, j'aurais deux ou trois autres questions. Si vous avez le temps ?

— Je suis mon propre maître. Pour le moment, en tout cas.

— Super. Vous avez évoqué des choses pas nettes dans votre passé. Vous pouvez me dire en quelques mots de quoi il s'agit ?

— J'ai essayé de tuer un mec, répondit Leike d'un ton égal.

— Ah oui ? » Harry se renversa dans son fauteuil. « Pourquoi ?

— Parce qu'il m'a agressé. Il a prétendu que je lui avais fauché sa nana. La vérité, c'est qu'elle n'était pas sa gonzesse et ne voulait pas l'être, et que je ne fauche pas les copines des autres. Je n'en ai pas besoin.

— Mmm. Il vous a pris en flagrant délit et l'a frappée ?

— Que voulez-vous dire ?

— J'essaie juste de comprendre quel genre de situation a pu vous conduire à tenter de le tuer. Si c'est vraiment ce que vous vouliez faire.

— Il m'a frappé *moi*. C'est pour ça que j'ai essayé de le tuer. Au couteau. J'allais y parvenir quand des copains nous ont séparés. J'ai été condamné pour violences aggravées. Pas trop cher payé, pour une tentative de meurtre.

— Vous avez conscience que ce que vous me dites là pourrait faire de vous un suspect de meurtre ?

— Dans *cette* affaire ? » Leike posa sur Harry un regard incrédule. « Vous plaisantez, n'est-ce pas ? Vous n'êtes pas perdus à ce point ?

— Si vous avez eu la volonté de tuer une fois...

— J'ai eu la volonté de tuer plus d'une fois, moi. Et je l'ai probablement fait.

— Probablement ?

— Ce n'est pas facile de voir des nègres dans la jungle en pleine nuit. On tire au hasard.

— Et vous l'avez fait ?

— Pendant ma jeunesse pécheresse, oui. Après avoir purgé ma peine, j'ai suivi une formation de sous-officier dans l'armée et j'ai fichu le camp en Afrique du Sud, où j'ai travaillé comme mercenaire.

— Mmm. Mercenaire en Afrique du Sud ?

— Pendant trois ans. L'Afrique du Sud, c'est juste l'endroit où on m'a engagé, les combats avaient lieu dans les pays voisins. Il y avait toujours une guerre, toujours un marché pour les pros, surtout blancs. Les Noirs croient toujours que nous sommes plus intelligents, vous comprenez, ils font plus confiance à des officiers blancs qu'aux leurs.

— Vous êtes peut-être allé au Congo, alors ? »

Le sourcil droit de Tony Leike dessina un angle noir.

« Pourquoi ça ?

— J'y suis allé il y a peu, alors je me posais juste la question.

— Ça s'appelait le Zaïre, à l'époque. Mais la plupart du temps, nous ne savions pas trop dans quel pays nous étions. C'était juste vert, vert, et puis noir, noir jusqu'à ce que le soleil se lève. J'ai travaillé pour une prétendue société de sécurité dans des mines de diamant. C'est là que j'ai appris à lire une carte et une boussole à la lumière d'une lampe frontale. La boussole, d'ailleurs, on peut l'oublier, il y a trop de métal dans la montagne. »

Tony Leike se renversa sur son siège. Détendu, serein, constata Harry.

« À propos de métal, reprit Harry, il me semble avoir lu que vous êtes dans l'exploitation minière dans ces contrées.

— Exact.

— Quel genre de métal ?

— Vous avez entendu parler du coltan ? »

Harry hocha lentement la tête.

« On s'en sert dans les téléphones mobiles.

— Très juste. Et dans les consoles de jeu. Quand la production mondiale de téléphones mobiles a décollé, dans les années 1990, ma troupe et moi étions en mission dans le nord-est du Congo. Des Français et des autochtones y exploitaient une mine, ils employaient des gosses pour extraire le coltan à coups de pelle et de pioche. Ça ressemble à de la pierre banale, mais on s'en sert pour révéler le tantale, c'est ça qui sert réellement. J'ai compris qu'à condition de trouver quelqu'un pour me financer, je pouvais mettre en place une exploitation minière digne de ce nom, moderne, et faire de moi et mes partenaires des hommes riches.

— Et ça s'est passé comme ça ? »

Tony Leike rit.

« Pas tout à fait. J'ai pu emprunter de l'argent, j'ai été grugé par des partenaires finauds et j'ai tout perdu. J'ai emprunté plus d'argent, j'ai encore été roulé dans la farine, avant d'emprunter encore plus et de gagner un peu.

— Un peu ?

— Quelques millions pour rembourser ma dette. Mais j'avais créé un réseau et les journaux avaient parlé de moi ; je vendais la peau de l'ours bien avant de l'avoir tué, et ça a suffi pour entrer dans le groupe où il y avait tout le pognon. Pour en faire partie, il n'y a que le nombre de zéros à votre fortune qui compte, pas s'il y a un plus ou un moins devant. »

Leike rit de nouveau, un rire franc, bruyant, et Harry ne put s'empêcher de sourire.

« Et maintenant ?

— Maintenant, on est devant la grosse affaire, parce que c'est maintenant que le coltan va être récolté. Oui, ça fait longtemps que je dis ça, mais cette fois-ci, c'est la bonne. Il a fallu que je vende mes titres dans le projet en échange d'options d'achat, de façon à liquider ma dette. C'est fait, il ne reste plus qu'à trouver de l'argent pour libérer mes actions, et je redeviendrai partenaire pour de bon.

— Mmm. Et cet argent ?

— Certains trouveront judicieux de m'en prêter contre une petite rétribution. Le rendement est énorme, le risque minimum. Tous les grands investissements sont faits, y compris la corruption locale. Nous avons même aménagé une piste dans la jungle, pour charger sur place les avions cargo qui partiront vers l'Ouganda. Vous êtes riche, Harry ? Je peux voir s'il y a une possibilité de vous obtenir quelques parts. »

Harry secoua la tête.

« Vous êtes allé à Stavanger, récemment, Leike ?

— Moui. Cet été.

— Pas depuis ? »

Leike réfléchit, et secoua la tête.

« Vous n'êtes pas tout à fait sûr ?

— Je présente mon projet à des investisseurs potentiels, et ça implique un tas de voyages. J'ai dû aller trois ou quatre fois à Stavanger cette année, mais pas depuis cet été, il me semble.

— Leipzig, alors ?

— C'est maintenant qu'il faut que je demande si j'ai besoin d'un avocat, Harry ?

— Je veux juste vous rayer de cette affaire aussi vite que possible, alors on pourra se concentrer sur des choses plus importantes. » Harry se passa un index sur le nez. « Si vous ne voulez pas que les médias l'apprennent, je pense que vous n'avez pas envie d'impliquer un avocat, d'être convoqué pour un interrogatoire formel et tout le bazar ? »

Leike hocha lentement la tête.

« Vous avez raison, bien sûr. Merci du conseil, Harry.

— Leipzig ?

— Désolé, répondit Leike, dont la voix et le visage reflétaient un regret sincère. Je n'y suis jamais allé. J'aurais dû ?

— Mmm. Il faut que je vous demande où vous étiez et ce que vous faisiez à certaines dates.

— Je vous en prie. »

Harry dicta les quatre dates de meurtre, que Leike nota dans un carnet Moleskine à reliure de cuir.

« Je vérifie dès mon retour au bureau, promit-il. Voici mon numéro, d'ailleurs. »

Il tendit à Harry une carte de visite où figurait « Tony C. Leike, entrepreneur ».

« Que représente le *C* ?

— Bonne question. » Tony se leva. « Tony n'est que l'abréviation d'Anthony, alors j'ai pensé qu'il me fallait une initiale. Ça donne plus de poids, vous ne trouvez pas ? Je crois que les étrangers aiment bien. »

Au lieu de reprendre le souterrain, Harry et Leike remontèrent par l'escalier de la prison. Ils frappèrent à un carreau, et un gardien vint leur ouvrir.

« J'ai l'impression de jouer dans une série policière », déclara Leike lorsqu'ils se retrouvèrent sur l'allée de gravier devant les murs plus ou moins vénérables de l'ancienne prison.

« C'est plus discret comme ça. Votre visage est de plus en plus connu, et à l'hôtel de police, les gens arrivent au boulot.

— À propos de visage, je vois qu'on vous a esquinté la mâchoire.

— J'ai pu tomber et me blesser. »

Leike secoua la tête et sourit.

« J'en connais un rayon en fractures de la mâchoire. Ça, c'est consécutif à un coup. Je vois que vous ne vous en êtes pas occupé. Vous auriez dû faire arranger ça, ce n'était pas grand-chose.

— Merci pour le conseil.

— Vous leur deviez beaucoup d'argent ?

— Vous en connaissez un rayon là-dessus aussi ?

— Oui ! s'exclama Leike en écarquillant les yeux. Hélas.

— Mmm. Une dernière chose, Leike…

— Tony. Ou Tony C. » Leike exhiba ses mandibules étincelantes. Comme quelqu'un qui n'a pas le moindre souci, pensa Harry.

« Tony. Vous êtes déjà allé du côté du Lyseren ? Le lac dans l'Øst...

— Oui, bien sûr ! rit Tony. La ferme Leike est à Rustad. J'y passais tous les étés, chez mon grand-père. J'y ai aussi habité deux ou trois ans. Un endroit super, hein ? Pourquoi, d'ailleurs ? » Son sourire disparut d'un seul coup. « Oh merde, c'est là que vous avez retrouvé cette fille ! Drôle de coïncidence, hein ?

— Eh bien... ce n'est peut-être pas si improbable. Le Lyseren est grand.

— Pas faux. Mais merci encore, Harry. » Leike lui tendit la main. « Et si vous trouvez des noms en lien avec Håvasshytta, ou si quelqu'un se manifeste, appelez-moi, je verrai si je m'en souviens. On collabore, Harry. »

Harry se vit serrer la main d'un homme dont il venait de décider qu'il avait assassiné cinq personnes au cours des trois derniers mois.

Un quart d'heure après le départ de Leike, Katrine Bratt appela.
« Oui ?

— Négatif pour quatre sur cinq.

— Et le cinquième ?

— Un lien. Au fin fond des entrailles des informations digitales.

— Poétique.

— Ça va te plaire. Le 16 février, Elias Skog a été appelé par un numéro impossible à identifier. Donc un numéro secret. Et c'est peut-être pour ça que vous...

— La police de Stavanger.

— ... n'avez pas encore découvert le lien. Mais dans ces entrailles très, très profondes...

— Ça veut dire dans le registre de numéros interne et hyper protégé de Telenor ?

— Un truc dans le genre. Là, on trouve le nom d'un certain Tony Leike, Holmenveien 172, comme destinataire des factures relatives à ce numéro secret.

« — Formidable ! cria Harry. Tu es un ange !

— La métaphore n'est pas très heureuse, si tu veux mon avis. Puisque à t'entendre je viens d'envoyer quelqu'un finir ses jours en prison.

— Salut.

— Attends ! Tu ne veux pas en apprendre plus sur Jussi Kolkka ?

— Je l'avais presque oublié. Ouvre le feu. »

Elle ouvrit le feu.

CHAPITRE 40

La proposition

Harry trouva Kaja à la Brigade criminelle, dans la zone rouge au cinquième étage. Son visage s'éclaira lorsqu'elle vit Harry à l'entrée de son bureau.

« Ta porte est toujours ouverte ? demanda-t-il.

— Toujours. Et toi ?

— Fermée. Toujours. Mais je vois que tu as fait comme moi, tu as bazardé le fauteuil des visiteurs. Pas bête. Les gens aiment bien papoter. »

Elle rit. « Tu t'es trouvé quelque chose d'intéressant à faire ?

— Si on veut. » Il entra et s'appuya contre le mur.

Elle posa les mains sur le bord de son bureau et poussa ; elle roula sur son fauteuil en direction du classeur. Elle ouvrit un tiroir, en sortit une lettre et la posa devant Harry.

« J'ai pensé que tu voudrais être au courant.

— Qu'est-ce que c'est ?

— Le Bonhomme de neige. Son avocat a demandé qu'il soit transféré de la prison d'Ullersmo dans un hôpital ordinaire, pour raisons de santé. »

Il s'assit sur le bureau et lut.

« Mmm. Sclérodermie. Elle se développe vite. Pas trop, j'espère. Il ne le mérite pas. »

313

Il leva les yeux, et vit qu'elle était secouée.

« Ma grand-tante est morte de sclérodermie, expliqua-t-elle. Une maladie épouvantable.

— Et un homme épouvantable. D'ailleurs, je suis tout à fait d'accord avec les gens qui disent que la faculté de pardon est révélatrice de la qualité d'une personne. Je suis très mal classé.

— Loin de moi l'idée de te critiquer.

— Je promets d'être meilleur dans ma prochaine vie. » Harry baissa les yeux et se gratta la nuque. « Qui, si les hindous ont raison, sera celle d'un scarabée. Mais je serai un *gentil* scarabée. »

Il leva la tête, vit que ce que Rakel appelait son « foutu charme juvénile » fonctionnait plus ou moins. « Écoute, Kaja, je suis venu te voir parce que j'ai une proposition à te faire.

— Ah ?

— Oui. » Harry entendit la solennité dans sa voix. Celle d'un homme sans faculté de pardon, sans scrupule, sans aucun autre intérêt que ses propres buts. Et il poursuivit avec la technique de persuasion inversée qui lui avait trop souvent réussi : « Et je te conseille de la refuser. Il se trouve que j'ai tendance à détruire la vie des gens auprès de qui je m'investis. »

À sa grande surprise, il constata qu'elle était rouge pivoine.

« Mais j'ai pensé que ce n'était pas juste de le faire sans toi, poursuivit-il. Pas maintenant que nous sommes aussi proches.

— Proches… de quoi ? » Elle avait retrouvé une teinte normale.

« Proches de l'arrestation du coupable. J'allais voir notre juriste pour lui demander un mandat d'arrêt.

— Ah… évidemment.

— Évidemment ?

— Je veux dire, arrêter qui ? » Elle rapprocha le fauteuil de son bureau. « Et pour quoi ?

— Notre assassin, Kaja.

— C'est vrai ? » Il vit ses pupilles se dilater, petit à petit, par à-coups. Et sut ce qui se passait en elle. La soif de sang avant la mise à mort, la traque du gibier. L'arrestation. Celle qui figurerait sur son CV. Comment pouvait-elle résister ?

Harry hocha la tête.

« Il s'appelle Tony Leike. »

Le rouge réapparut sur ses joues. « Ça me dit quelque chose.

— Il doit se marier avec la fille de…

— Ah oui, c'est le fiancé de la fille de Galtung. » Elle plissa le front. « Tu veux dire que tu as des preuves ?

— Des indices. Et une coïncidence. »

Il vit ses pupilles se rétracter un soupçon.

« Je suis certain que c'est notre homme, Kaja.

— Persuade-moi », répondit-elle, et il entendit la faim. L'envie d'avaler tout cru, d'avoir le prétexte pour prendre la plus mauvaise décision de toute sa vie. Et il n'avait absolument pas l'intention de la protéger contre elle-même. Car il avait besoin d'elle. Elle était parfaite pour les médias : une femme jeune, intelligente, ambitieuse. Avec un visage et un dossier sympathiques. En bref, elle avait tout ce que lui n'avait pas. Une Jeanne d'Arc que le ministère n'oserait pas brûler sur un bûcher.

Harry prit une inspiration. Puis restitua sa conversation avec Tony Leike. En détail. Sans même remarquer qu'il la restituait mot à mot. Il y avait toujours eu des collègues pour trouver cette capacité remarquable.

« Håvasshytta, le Congo et le Lyseren, résuma Kaja quand il eut terminé. Il est allé partout.

— Oui. Et il a déjà été condamné pour voies de fait. Il reconnaît que son intention, c'était de tuer.

— Pas mal. Mais…

— Il y a mieux. Il a appelé Elias Skog. Deux jours avant que Skog ne soit retrouvé mort. »

Les pupilles de la jeune femme n'étaient plus que deux soleils noirs.

« On le tient, murmura-t-elle.

« — Est-ce que ce "on" traduit ce que je pense ?

— Oui. »

Harry soupira.

« Tu as conscience du risque que tu prends en me suivant là-dessus ? Même si j'ai raison en ce qui concerne Leike, pas sûr que cette arrestation et une explication suffisent à faire pencher la balance du pouvoir en faveur de Hagen. Et là, tu serais mal.

— Et toi ? » Ses petites dents de piranha scintillèrent. « Pourquoi est-ce que *toi*, tu crois que ça vaut la peine de prendre le risque ?

— Je suis un policier au rebut qui n'a presque plus rien à perdre, Kaja. Pour moi, c'est tout ou rien. Je ne peux pas bosser aux Stups ou aux Mœurs, et les propositions ne viendront pas de la Kripos. Mais dans ton cas, c'est probablement un mauvais choix.

— Mes choix le sont souvent, répondit-elle d'un ton grave.

— Bien. » Harry se leva. « Je vais voir notre juriste. Tiens-toi prête.

— Je reste ici, Harry. »

Harry se retourna, et se retrouva face à un homme qui avait dû passer un certain temps à la porte.

« Désolé, commença le type avec un grand sourire. Je veux juste essayer d'emprunter cette fille. »

Il fit un signe de tête en direction de Kaja, du rire dans les yeux.

« Je vous en prie. » Harry lui adressa un bref sourire, et partit à pas rapides dans le couloir.

« Aslak Krongli ! s'exclama Kaja. Quel bon vent amène un gars de la campagne dans la grande et vilaine ville ?

— Comme d'habitude, je suppose, répondit le lensmann d'Ustaoset.

— Les émotions, les néons et le murmure de la foule ? »

Aslak sourit. « Le boulot. Et une femme. Je peux t'inviter à prendre un café ?

— Pas maintenant. Il se passe des choses, je dois rester à la base. Mais je te paie volontiers une tasse à la cantine. C'est au dernier

316

étage, et si tu pars devant, ça me laisse le temps de donner un coup de téléphone. »

Il leva un pouce et disparut.

Kaja ferma les yeux et prit une longue inspiration frémissante.

Le bureau du juriste de la police était dans la zone rouge du cinquième étage, Harry n'avait donc pas beaucoup de chemin à faire. La juriste, de toute évidence une jeune femme embauchée depuis la dernière visite de Harry dans ce bureau, le regarda entrer par-dessus ses lunettes.

« Besoin d'un petit papier bleu, annonça Harry.

— Et vous êtes ?

— Harry Hole, inspecteur principal. »

Il lui tendit sa carte, bien qu'il ait constaté à sa réaction un peu fébrile qu'elle avait entendu parler de lui. Il ne pouvait qu'imaginer en quels termes, et il laissa tomber. Elle, de son côté, nota son nom sur le formulaire en plissant exagérément les yeux, comme si elle avait des difficultés extrêmes à épeler son nom.

« Deux croix ? demanda-t-elle.

— Avec plaisir. »

Elle cocha pour l'arrestation et la perquisition. À la façon dont elle se renversa dans son fauteuil, Harry supposa qu'elle singeait ce qu'elle avait vu ses collègues plus expérimentés faire quand ils prenaient la pose vous-avez-trente-secondes-pour-me-convaincre.

Harry savait d'expérience que le premier argument serait le plus important, c'était à ce moment-là que le juriste se décidait, et il commença donc par dire que Leike avait appelé Elias Skog deux jours avant le meurtre, même si, dans sa conversation avec Harry, Leike avait laissé entendre qu'il ne le connaissait pas et ne lui avait pas parlé à Håvasshytta. L'argument numéro deux, c'était la condamnation pour voies de fait que Leike présentait lui-même comme une tentative de meurtre, et Harry vit dès cet instant que le papier bleu était dans la poche. Il expédia donc l'histoire des coïncidences avec le Congo et le Lyseren sans entrer dans les détails.

Elle retira ses lunettes.

« Je suis a priori d'accord, mais j'ai besoin d'y réfléchir. »

Harry jura intérieurement. Un juriste plus expérimenté lui aurait donné ce qu'il réclamait sans plus de cérémonie, mais elle devait être si nouvelle qu'elle n'osait pas le faire sans consulter quelqu'un d'autre. Il aurait dû y avoir écrit « En formation » sur sa porte, et il aurait pu aller voir l'un des autres. À présent, il était trop tard.

« C'est urgent, insista Harry.

— Pourquoi ? »

Piégé. Harry fit un vague geste de la main, du genre qui signifie tout et rien à la fois.

« Je prendrai une décision dès que j'aurai déjeuné… » Elle baissa ostensiblement les yeux sur le formulaire. « … Hole. Au besoin, je laisserai le papier dans votre casier. »

Harry serra les dents pour s'empêcher de rien lâcher de trop vif. Car il savait qu'elle procédait comme il fallait. Évidemment, elle surcompensait son jeune âge, son inexpérience et sa position de femme dans un milieu dominé par les hommes. Mais elle montrait une volonté de se faire respecter, de faire comprendre dès la première occasion que la technique du rouleau compresseur ne fonctionnait pas avec elle. Bien. Il eut envie de lui chiper ses lunettes et d'en faire plusieurs morceaux.

« Vous pouvez m'appeler sur mon poste quand vous aurez pris votre décision ? demanda-t-il. Pour l'instant, mon bureau est assez loin de mon casier.

— D'accord », concéda-t-elle, généreuse.

Harry était dans le souterrain, à environ cinquante mètres du bureau, quand il entendit la porte s'ouvrir. Quelqu'un sortit, referma en hâte et vint à pas rapides vers lui. Avant de se figer en le voyant.

« Je t'ai fait peur, Bjørn ? » demanda Harry à voix basse.

Il y avait toujours vingt mètres entre eux, mais les parois répercutèrent le son jusqu'à Bjørn Holm.

« Un peu », répondit le natif de Toten. Il rajusta son bonnet rasta qui couvrait ses cheveux roux. « On dirait que tu essaies de te cacher.

— Mmm. Et toi ?

— Quoi, moi ?

— Que fais-tu ici ? Je croyais que tu avais de quoi t'occuper à la Kripos. Tu as un chouette nouveau boulot, à ce qu'on raconte. »

Harry s'arrêta à deux mètres de Holm, qui n'avait pas l'air de bien se remettre.

« Chouette, si on veut. Je n'ai plus le droit de faire ce que j'aime vraiment.

— C'est-à-dire ?

— Des recherches techniques, tiens. Tu me connais.

— Sans blague ?

— Hein ? » Holm fronça les sourcils. « Coordination de tactique et de technique, qu'est-ce que c'est que ce bazar ? Transmettre des messages, organiser des réunions, envoyer des rapports.

— C'est une promotion. Le début de quelque chose de bien, tu ne crois pas ? »

Holm ricana.

« Tu sais ce que je crois ? Bellman m'a mis là pour me tenir à l'écart de la course, veiller à ce que je n'aie aucune information. Parce qu'il soupçonne que si je me procurais ces informations, pas sûr qu'il les ait avant toi.

— Mais il se trompe. » Harry se planta devant le technicien.

Bjørn Holm cligna deux fois des yeux.

« Qu'est-ce qui se passe, Harry ?

— Oui, qu'est-ce qui se passe ? » La voix de Harry était cinglante. « Qu'est-ce que tu foutais dans le bureau, Bjørn ? Toutes tes affaires ont été évacuées.

« — Ce que je faisais ? Je suis venu chercher ça. » Il leva la main droite. Elle tenait un livre. « Tu as dit que tu le laisserais à l'accueil, tu te souviens ? »

Hank Williams, The Biography.

Harry sentit le rouge de la honte envahir son visage.

« Mmm.

— Mmm, le singea Bjørn.

— Je l'avais pris, mais on a fait demi-tour à la moitié du souterrain et on est revenus. Et puis j'ai tout oublié.

— OK. Je peux y aller, maintenant ? »

Harry fit un pas de côté, et Bjørn repartit à pas lourds dans le souterrain, en poussant des jurons.

Il déverrouilla le bureau.

Se laissa tomber dans son fauteuil.

Regarda autour de lui.

Le bloc-notes. Il le parcourut. Il n'avait rien retranscrit de la conversation, rien qui pût trahir que Tony Leike était soupçonné. Il ouvrit les tiroirs du bureau pour voir si quelqu'un les avait fouillés. Tout paraissait intact. Se trompait-il, finalement ? Pouvait-il espérer que Holm ne transmettait pas des informations à Bellman, en fin de compte ?

Harry regarda l'heure. Espéra que la nouvelle juriste mangeait vite. Il appuya sur une touche du clavier, et l'écran s'éveilla. Il montrait toujours la page de sa dernière recherche Google. Dans le champ de saisie, un nom attirait l'attention : Tony Leike.

CHAPITRE 41

Papier bleu

« Donc », commença Aslak Krongli en faisant tourner sa tasse de café. Kaja avait l'impression de voir un coquetier dans son énorme paluche. Elle était assise en face de lui à la table la plus proche de la fenêtre. La cantine était du genre standard, norvégien, c'est-à-dire grande, claire et propre, mais pas agréable au point de persuader les gens de rester plus longtemps que nécessaire. Son atout principal, c'était la vue qu'elle offrait sur la ville, mais celle-ci ne paraissait pas intéresser Krongli outre mesure.

« J'ai contrôlé les registres des autres refuges non gardés du coin, poursuivit-il. Les seules personnes à avoir mentionné en marge qu'elles prévoyaient de passer la nuit en question à Håvasshytta, c'étaient Charlotte Lolles et Iska Peller, qui étaient à Tunvegghytta la veille au soir.

— Elles, on les connaît déjà.

— Oui. Alors au fond, je n'ai que deux choses qui peuvent t'intéresser.

— Oui ?

— J'ai appelé un couple d'un certain âge qui a passé la même nuit que Lolles et Peller à Tunvegghytta. Ils m'ont dit que, dans la soirée, un type est arrivé, a mangé un morceau, a changé de chemise puis est reparti vers le sud-ouest. Bien qu'il ait fait nuit. Et le seul refuge dans cette direction, c'est Håvasshytta.

— Ce type...

— Ils l'ont à peine vu. Il n'avait pas l'air de vouloir être vu, d'ailleurs, il n'a retiré ni sa cagoule ni ses lunettes de ski démodées, même quand il a changé de chemise. La femme a pensé qu'il avait dû être grièvement blessé.

— Pourquoi ?

— Elle se rappelle juste qu'elle a pensé ça, elle ne sait pas pourquoi. De toute façon, il a pu bifurquer quand il a été hors de vue, pour aller vers un autre chalet.

— Bien sûr. » Kaja regarda l'heure.

« Vous avez eu des réponses à votre invitation à se manifester auprès de la police, d'ailleurs ?

— Non.

— Tu as l'air de penser "oui". »

Kaja lança un coup d'œil rapide à Aslak Krongli, qui réagit en tendant les deux mains devant lui :

« Un plouc en ville ! Désolé, ce ne sont pas mes oignons.

— Pas de problème. »

Ils baissèrent les yeux sur leur tasse de café.

« Tu as dit que deux choses pouvaient m'intéresser, relança Kaja. Quelle est la seconde ?

— Je sais que je vais regretter de le dire. » Le rire silencieux était revenu dans ses yeux.

Kaja comprit au même instant quelle orientation allait prendre leur conversation, et sut qu'il avait raison : il allait le regretter.

« Je loge au Plaza cette nuit, et je me demandais si tu accepterais de dîner avec moi ce soir. »

Elle vit sur le visage du jeune homme que le sien n'était pas très difficile à lire.

« Je ne connais personne d'autre dans cette ville, déclara-t-il avec une grimace peut-être censée être un sourire désarmant. Hormis mon ex, et elle, je n'ose pas l'appeler.

— Ça aurait été sympa... » commença Kaja. Conditionnel

passé. Elle vit qu'Aslak Krongli le regrettait déjà. « … mais je ne suis pas libre, ce soir.

— Pas de problème, je m'y prends trop tard, sourit Krongli en passant les doigts dans ses boucles folles. Et demain ?

— Je… euh, je suis occupée, en ce moment, Aslak. »

Le lensmann hocha la tête, comme pour lui-même.

« Bien sûr. Bien sûr que tu es occupée. Celui qui était avec toi quand je suis arrivé, c'est peut-être ça ?

— Non, j'ai un autre chef, à présent.

— Je ne pensais pas à un chef.

— Ah ?

— Tu m'as dit que tu étais amoureuse d'un policier. Et celui-là, il a l'air de pouvoir te convaincre assez facilement. Plus que moi, en tout cas.

— Non, non, tu délires, ce n'était pas lui ! Je… bon, j'avais peut-être un peu trop bu ce soir-là. » Kaja entendit son rire bête, et sentit le sang affluer dans son cou.

« Bon, bon. » Krongli termina sa tasse. « Je repars dans la grande ville froide. Il y a bien des musées à voir et des bars à écumer.

— Oui, profite de l'occasion. »

Il haussa un sourcil, et son regard pleura comme une madeleine et rit à gorge déployée en même temps. Comme l'avait fait celui d'Even, sur la fin.

Kaja le raccompagna en bas.

« Appelle-moi si la solitude te pèse, je verrai si je peux me libérer », ne put-elle s'empêcher de dire au moment où elle lui serra la main.

Elle vit dans son sourire qu'il lui était reconnaissant de lui avoir donné l'occasion de refuser une offre, ou en tout cas de ne pas la saisir.

Dans l'ascenseur qui la remontait au cinquième, Kaja se souvint de ce qu'il avait dit : « … *te convaincre assez facilement.* » Combien de temps les avait-il écoutés depuis la porte ?

323

À une heure, le téléphone sonna devant Kaja. C'était Harry.

« J'ai enfin le petit papier bleu. Prête ? »

Elle sentit son cœur s'emballer. « Oui.

— Gilet ?

— Gilet et arme.

— Les armes, c'est le groupe Delta. Ils sont prêts dans une voiture devant le garage, il n'y a plus qu'à descendre. Prends le papier dans mon casier, s'il te plaît.

— OK. »

Dix minutes plus tard, ils traversaient le centre-ville vers l'ouest, dans l'une des fourgonnettes douze places du groupe Delta. Kaja écoutait Harry lui expliquer qu'une demi-heure plus tôt il avait appelé Leike à la société de l'immeuble où il louait ses bureaux, et qu'on lui avait répondu qu'il travaillait chez lui. Harry avait alors appelé dans Holmenveien, où Tony Leike avait répondu, et il avait raccroché. Harry avait insisté pour que les opérations soient dirigées par Milano, un gars brun et trapu aux sourcils épais, mais qui en dépit de son nom n'avait pas une goutte de sang italien dans les veines.

Ils passèrent l'Ibsentunnel, où des rectangles de lumière reflétée glissèrent sur les visières et les casques des huit policiers qui paraissaient plongés dans une profonde méditation.

Kaja et Harry étaient assis sur le siège du fond. Harry portait un blouson noir marqué POLICE en grosses lettres jaunes devant et derrière, et il avait sorti son revolver de service pour contrôler qu'il y avait une cartouche dans chaque chambre.

« Huit hommes de Delta et la centrifugeuse, résuma Kaja, qui se référait au gyrophare qui tournait sur le toit du véhicule. Tu ne crois pas que c'est un peu brutal ?

— Ça *doit* être brutal. Si on veut attirer l'attention sur ceux qui procèdent à l'arrestation, il faut d'autres procédés que d'habitude.

— La presse est au courant ? »

Harry la regarda.

« Si tu veux attirer l'attention, j'entends. Imagine que le célèbre Tony Leike soit arrêté pour le meurtre de Marit Olsen, ils laisseraient tomber une naissance princière pour pouvoir en parler.

— Et si sa fiancée est là ? Ou sa mère ? Elles seront dans les journaux et en direct à la télé, elles aussi ? » Harry fit tourner le barillet pour le positionner comme il fallait.

« Quels procédés avons-nous, alors ?

— La presse viendra plus tard, répondit Harry. Ils interrogeront les voisins, les passants, nous. Ils sauront quel show grandiose ça a été. Ça suffit. Pas de dégâts collatéraux, et on a notre première page. »

Elle lui lança un coup d'œil à la dérobée lorsque les ombres du tunnel suivant les recouvrirent. Ils traversèrent Majorstua et remontèrent Slemdalsveien, passèrent Vinderen, et elle le vit regarder par la vitre, vers la station de tramway, une expression nue et tourmentée sur le visage. Elle eut envie de poser une main sur la sienne, de dire quelque chose, n'importe quoi, qui puisse effacer cette expression. Elle regarda sa main. Elle serrait le revolver, très fort, comme si c'était tout ce qui lui restait. Ça ne pouvait pas durer, quelque chose allait se rompre. S'était déjà rompu.

Ils montaient sans cesse, la ville était sous eux. Ils bifurquèrent sur les rails de tramway, les traversèrent au moment où les lumières se mettaient à clignoter derrière eux et où la barrière s'abaissait.

Ils étaient dans Holmenveien.

« Qui vient avec moi à la porte, Milano ? cria Harry vers le siège passager.

— Delta trois et quatre », cria Milano en retour. Il se retourna et désigna un homme dont la combinaison était ornée d'un grand trois à la craie sur la poitrine et dans le dos.

« OK. Et le reste ?

— Deux hommes de chaque côté de la maison. Procédure Dyke 1-4-5. »

Kaja savait que c'était un code pour indiquer la façon d'appro-

325

cher, que la méthode était empruntée au football américain, et que le but était de communiquer vite et de manière incompréhensible pour l'adversaire au cas où celui-ci parvenait à capter les fréquences utilisées par le groupe Delta. Ils s'arrêtèrent à quelques numéros de chez Leike. Six hommes et leur MP-5 bondirent du véhicule. Kaja les vit progresser à travers d'immenses jardins faits d'herbe brune fanée, de pommiers nus et de ces hautes haies qu'ils aimaient ici, dans le Vestkant. Elle regarda sa montre. Quarante secondes s'étaient écoulées quand la radio de Milano crépita : « Tout le monde en place. »

Le conducteur relâcha la pédale d'embrayage, et ils avancèrent doucement vers la maison.

La villa que possédait Tony Leike depuis assez peu de temps était jaune, sur deux niveaux, d'une taille impressionnante, mais l'adresse était plus tape-à-l'œil que son architecture, à mi-chemin entre le fonctionnaliste et le cageot, à ce qu'en vit Kaja.

Ils s'arrêtèrent devant les deux portes de garage au bout d'une allée de gravier qui remontait vers l'entrée principale. Quelques années plus tôt, pendant la prise d'otages dans le Vestfold, où le groupe Delta avait encerclé une maison, les preneurs d'otages avaient gagné le garage attenant à la maison, ils avaient démarré la voiture du propriétaire puis filé tranquillement sous le nez des policiers armés jusqu'aux dents, qui les regardèrent partir bouche bée.

« Reste derrière nous et observe, ordonna Harry à Kaja. La prochaine fois, ce sera ton tour. »

Ils descendirent, et Harry se dirigea sans tarder vers la maison, à la pointe d'un triangle formé par lui et les deux autres policiers qui se tenaient un pas en arrière. À sa voix, Kaja entendit que son cœur battait plus vite que d'habitude. Elle le voyait aussi à son langage corporel, à la tension dans sa nuque, à la souplesse exagérée dans ses déplacements.

Ils montèrent les marches. Harry sonna. Les deux autres s'étaient positionnés de part et d'autre de la porte, dos au mur.

Kaja compta. Dans la fourgonnette, Harry lui avait expliqué que le FBI préconisait de sonner ou de frapper, de crier « Police ! » et « Ouvrez, s'il vous plaît ! », de le répéter et d'attendre dix secondes avant d'entrer par la force. La police norvégienne n'avait aucune instruction aussi précise, ce qui ne voulait pas dire qu'il n'y avait pas de règles.

Ce matin-là dans Holmenveien, aucune d'elles ne fut mise en application.

La porte s'ouvrit en grand, et Kaja recula instinctivement d'un pas quand elle vit le bonnet rasta dans l'ouverture, l'épaule de Harry bouger, et qu'elle entendit le son d'un poing fermé qui atteignait la chair.

CHAPITRE 42

Beavis

Le geste fut automatique, Harry ne parvint tout simplement pas à l'arrêter.

Quand le visage un rien lunaire du technicien criminel Bjørn Holm apparut à la porte de Tony Leike et quand Harry vit d'autres TIC en pleine perquisition derrière lui, il lui fallut une seconde pour comprendre ce qui s'était passé, et la colère prit le dessus.

Il ne sentit que l'onde de choc dans tout son bras, et la douleur dans ses phalanges. Quand il rouvrit les yeux, Bjørn Holm était agenouillé dans l'entrée, et le sang coulait de son nez sur sa bouche et son menton.

Les deux policiers du groupe Delta avaient bondi et braquaient leur arme sur Holm, mais leur perplexité était manifeste. Ils avaient sans doute déjà vu son célèbre bonnet rasta, et comprenaient que les autres types en blanc étaient des techniciens d'investigation criminelle.

« Faites savoir que la situation est sous contrôle, commanda Harry au policier immatriculé 3 sur la poitrine. Et que le suspect a été arrêté. Par Mikael Bellman. »

Harry était vautré dans un fauteuil, et ses jambes allongées atteignaient le bureau de Gunnar Hagen.

« C'est d'une simplicité désarmante, chef. Bellman a appris qu'on était sur le point d'interpeller Tony Leike. Bordel, ils ont l'ordre national des juristes juste en face de chez eux, dans le même immeuble que la Brigade technique. Il lui a suffi de traverser la rue pour se faire délivrer le mandat, ça n'a pas dû prendre plus de deux minutes. Alors que moi, j'ai lanterné pendant deux plombes !

— Tu n'as pas besoin de crier.

— *Toi*, peut-être pas, mais *moi*, si ! brailla Harry en donnant un coup de poing sur l'accoudoir.

— Estime-toi heureux que Bjørn n'ait pas voulu porter plainte. Pourquoi est-ce sur *lui* que tu as tapé, d'ailleurs ? C'était de lui que venait la fuite ?

— Autre chose, chef ? »

Hagen regarda son inspecteur principal. Puis secoua la tête. « Prends quelques jours de congé, Harry. »

On avait donné un nombre incroyable de sobriquets à Truls Berntsen depuis qu'il était petit. Il en avait oublié la plupart. Mais au début des années 1990, à sa sortie du lycée, on lui en avait donné un qui était resté : Beavis. Ce crétin de la série animée sur MTV. Blond, prognathe et doté d'un rire porcin. OK, il riait peut-être comme ça. Depuis la primaire, surtout quand quelqu'un prenait une raclée. Surtout quand lui-même prenait une raclée. Il avait lu dans un magazine de bandes dessinées que le gars qui avait créé Beavis et Butt-Head s'appelait Judge, il ne se rappelait pas le prénom. Mais ce Judge disait qu'il imaginait le père de Beavis comme un alcoolique qui battait son fils. Truls Berntsen se souvenait qu'il avait envoyé promener le magazine dans la librairie et était ressorti en émettant son rire porcin.

Il avait deux oncles policiers, et son admission à l'École supérieure de police n'avait tenu qu'à un poil de foufoune et deux recommandations. Il avait passé l'examen avec un hurlement de détresse et l'assistance de son voisin. C'était la moindre des choses, ils étaient copains depuis toujours. Enfin, copains… Pour être honnête, Mikael Bellman était son chef depuis qu'ils avaient douze ans et se retrouvaient sur le grand terrain vague qui allait bientôt être aménagé à Manglerud. Bellman l'avait pris sur le fait alors qu'il essayait de mettre le feu à un rat mort. Et lui avait montré que c'était beaucoup plus rigolo de ficher un bâton de dynamite dans la gueule de l'animal. Truls avait même pu allumer la mèche. Depuis ce jour, il avait suivi Mikael Bellman partout. Quand il en avait le droit. Mikael réussissait partout où Truls échouait. L'école, la gym, comment parler pour qu'on ne se foute pas de votre gueule. Il avait même des copines, l'une d'entre elles avait un an de plus et des nichons que Mikael pouvait peloter autant qu'il le voulait. Truls le surpassait en une seule chose : prendre des roustes. Mikael se défilait toujours quand un grand arrivait les poings levés parce qu'il ne supportait pas que ce minet lui ait cassé du sucre sur le dos. À ce moment-là, Mikael poussait Truls devant lui. Car Truls savait encaisser. Il avait l'habitude à la maison. Ils pouvaient le frapper jusqu'à ce que le sang coule, mais il ne tombait pas, et continuait à rigoler de ce rire qui les rendait encore plus furieux. Il ne pouvait pas s'en empêcher. Il savait que Mikael le remercierait d'une tape sur l'épaule, et si c'était dimanche, Mikael dirait peut-être que Julle et Te-Ve allaient de nouveau faire la course. Ils iraient sur le pont près de Ryenkrysset, sentiraient le parfum de l'asphalte gorgé de soleil et entendraient les moteurs 1 000 cc des Kawa rugir sous les cris des deux supporters. Puis les motos de Julle et Te-Ve dévaleraient l'autoroute déserte, passeraient sous eux pour continuer vers le tunnel et Bryn, et — si Mikael était de bonne humeur et si la mère de Truls était de garde à l'hôpital d'Aker — ils iraient dîner chez Mme Bellman.

Un jour que Mikael était venu sonner chez eux, le père avait crié à Truls que c'était Jésus qui venait chercher son disciple.

Ils ne s'étaient jamais disputés. C'est-à-dire, Truls n'avait jamais embrayé si Mikael était de mauvais poil et balançait des vannes. Pas plus pendant la soirée où Mikael l'avait appelé Beavis et où tout le monde avait ri ; Truls avait compris instinctivement que ce surnom allait lui rester. Truls n'avait riposté qu'à une occasion. La fois où Mikael avait qualifié son père de pochard de chez Kadok. Truls s'était avancé vers Mikael, le poing brandi. Mikael s'était recroquevillé en riant, le bras levé pour se protéger, lui avait dit de se calmer, ce n'était qu'une blague, mille excuses. Mais par la suite, c'est Truls qui s'était senti mal et avait demandé pardon.

Un jour, Mikael et Truls étaient allés à la station-service où ils savaient que Julle et Te-Ve volaient leur carburant. Ils se contentaient de remplir le réservoir de leur Kawa aux pompes en libre-service pendant que leurs nanas attendaient à l'arrière des motos, le blouson en jean noué autour de la taille, de sorte que le vêtement pendait négligemment devant les plaques d'immatriculation. Les mecs sautaient ensuite sur leur moto et partaient en trombe.

Mikael donna les noms complets de Julle et de Te-Ve, mais celui d'une seule des filles, la copine de Te-Ve. Le gérant avait l'air sceptique, il se demandait s'il n'avait pas vu Truls sur l'une des caméras de vidéosurveillance en train de voler un jerrycan d'essence juste avant que la baraque de chantier désaffectée de Manglerud prenne feu. Mikael dit qu'il ne désirait rien en échange des informations, hormis que le coupable soit puni. Qu'il espérait que le gérant connaissait aussi son devoir de citoyen. L'adulte hocha la tête, éberlué. Mikael avait ce pouvoir sur les gens. En repartant, Mikael déclara qu'après le lycée il essaierait d'entrer à l'École supérieure de police, et que Beavis devait envisager de faire la même chose, vu qu'il avait des policiers dans sa famille.

Peu de temps après, Mikael et Ulla sortaient ensemble, et ils s'étaient moins vus. Mais après le lycée et l'École de police, ils avaient eu un poste dans le même commissariat à Stovner, le vrai Østkant avec ses bandes, son tapage nocturne et un meurtre de temps en temps. Un an plus tard, Mikael était marié avec Ulla et le supérieur de Truls, ou Beavis comme il s'appelait depuis le tout début ; l'avenir s'annonçait bien pour Truls et très, très bien pour Mikael. Jusqu'à ce qu'un abruti, un intérimaire civil du service de la comptabilité, accuse Bellman de lui avoir fracturé la mâchoire après la fête de Noël. Il n'avait aucune preuve, et Truls savait que Mikael ne l'avait pas fait. Mais dans la tourmente, Mikael donna sa démission, obtint un poste à Europol, déménagea au quartier général de La Haye, où il devint assez vite incontournable là aussi.

À son retour en Norvège pour intégrer la Kripos, l'une des choses qu'il fit, ce fut d'appeler Truls pour lui demander : « Beavis, tu es prêt à faire sauter d'autres rats ? »

La première, ce fut d'embaucher Jussi.

Jussi Kolkka maîtrisait une demi-douzaine de techniques de combat portant des noms que l'on oublie avant même de les avoir entendus en entier. Il avait travaillé quatre ans pour Europol, après avoir été policier à Helsinki. Jussi Kolkka avait dû quitter Europol à la suite de certains excès pendant l'enquête sur une série de viols sur des adolescentes dans le sud de l'Europe. D'accord, Kolkka avait passé un violeur à tabac avec tant d'application que même son avocat avait eu du mal à le reconnaître. Mais aucun mal à menacer Europol de poursuites. Truls avait essayé de se faire raconter les délicieux détails par Jussi, mais l'autre s'était contenté de le regarder sans rien dire. Tant pis, Truls n'était pas bavard non plus. Il avait remarqué que moins on en dit, plus les gens ont tendance à vous sous-estimer. Ce qui n'était pas toujours un inconvénient. Peu importe. Ce soir, ils avaient de bonnes raisons de faire la fête. Mikael, lui, Jussi et la Kripos avaient gagné. Et puisque Mikael n'était pas là, ils allaient s'occuper de l'organisation.

« Vos gueules ! » cria Truls, le doigt braqué sur le téléviseur accroché au mur au-dessus du bar du Justisen. Il entendit son propre grognement nerveux lorsque ses collègues s'exécutèrent. Le silence se fit autour des tables et au comptoir. Plus personne ne quittait des yeux le présentateur qui déclarait ce qu'ils attendaient tous, en regardant la caméra bien en face :

« Aujourd'hui, la Kripos a arrêté un homme soupçonné de cinq meurtres, dont celui de Marit Olsen. »

Les cris fusèrent, les chopes de bière virevoltèrent et couvrirent la suite jusqu'à ce qu'une grosse voix empreinte d'un fort accent finno-suédois tonne : « Vos gueules ! »

Les gens de la Kripos obéirent et se concentrèrent sur Mikael Bellman, debout devant leur bâtiment de Bryn, et sous le nez de qui on poussait un micro pelucheux :

« Cette personne est soupçonnée, sera interrogée par la Kripos puis placée en détention préventive.

— Ça veut dire que vous considérez que la police a résolu cette affaire ?

— Trouver le coupable et le faire condamner, ce sont deux choses distinctes, répondit Bellman, un tout petit sourire au coin des lèvres. Mais l'enquête menée par la Kripos a révélé assez d'indices et de coïncidences pour que nous décidions de procéder sans délai à une arrestation, car le risque de récidive aussi bien que celui de perte de pièces à conviction existaient.

— Vous avez arrêté un homme d'environ trente ans. Vous pouvez en dire plus sur lui ?

— Il a déjà été condamné pour voies de fait, voilà ce que je peux dire.

— Sur Internet, beaucoup de rumeurs circulent sur l'identité de cet homme. Ce serait un célèbre investisseur fiancé à la fille d'un armateur connu. Confirmez-vous ces rumeurs, Bellman ?

— Je ne confirme ni n'infirme rien d'autre que l'espoir partagé à la Kripos que cette affaire connaisse un dénouement prochain. »

Le reporter se tourna vers la caméra pour sa conclusion, mais fut couvert par les salves d'applaudissements au Justisen.

Truls commanda une bière, tandis que l'un des enquêteurs sautait sur une chaise pour clamer que les gars de la Brigade criminelle pouvaient la lui sucer, en tout cas le bout, s'ils demandaient gentiment. Les rires se déchaînèrent dans le bar qui sentait le renfermé et la transpiration.

Au même instant, la porte s'ouvrit, et dans le miroir, Truls vit une silhouette emplir l'ouverture.

Il ressentit une étrange excitation à cette vision, la certitude frémissante qu'il allait se passer quelque chose, qu'il allait y avoir de la baston.

C'était Harry Hole.

Grand, large, le visage maigre, les yeux injectés de sang enchâssés dans leurs orbites. Il ne bougeait pas. Et malgré tout — sans que personne ait crié de la fermer — le silence gagna toute la salle du Justisen, jusqu'à ce qu'on entende un dernier « chut » à l'adresse de deux TIC bavards. Quand le silence fut complet, Hole prit la parole :

« Vous fêtez l'exploit d'avoir volé le travail que nous avions déjà fait ? »

Les mots étaient murmurés, presque chuchotés, et pourtant, chaque syllabe résonnait dans la pièce.

« Vous fêtez votre chef, qui n'hésite pas à piétiner des cadavres — que ce soient ceux qui se sont entassés jusqu'à maintenant ou ceux qui ne vont pas tarder à être évacués du cinquième étage de l'hôtel de police — rien que pour devenir le roi-soleil de Bryn. Bon. Voilà cent couronnes. »

Truls vit Hole brandit un billet.

« Celui-là, vous n'aurez pas à le voler. Tenez. Payez-vous des bières, le pardon, un godemiché pour la partie à trois de Bellman... »

Il froissa le billet en une petite boule, qu'il lança par terre. Du coin de l'œil, Truls vit que Jussi était déjà en mouvement.

« ... ou une balance supplémentaire. »

Hole fit un pas de côté, et Truls comprit enfin que ce gars, bien qu'il ait la diction claire d'un prêtre, était rond comme une queue de pelle.

335

L'instant suivant, Hole décrivit une demi-pirouette quand le droit de Jussi Kolkka l'atteignit sur le côté gauche du menton, et une élégante révérence au moment où le gauche du Finlandais s'enfonça dans son plexus solaire. Truls pensa que, dès qu'il aurait récupéré assez d'air dans les poumons, Hole allait vomir. Ici. Et Jussi pensa sans doute la même chose. Il valait mieux que ce soit dehors. C'était étrange de voir cet homme trapu, presque cubique, lever le pied avec la grâce d'une ballerine, le poser contre l'épaule de Harry et pousser avec une certaine délicatesse. Le policier recroquevillé bascula en arrière et repassa la porte par laquelle il était entré.

Les plus jeunes et les plus beurrés hurlèrent de rire, tandis que Truls grognait. Quelques-uns des anciens crièrent, et l'un d'entre eux demanda à Kolkka de se maîtriser. Mais personne ne fit rien. Truls savait pourquoi. Personne n'avait oublié l'histoire. Harry avait traîné leur uniforme dans la boue, chié dans le nid, tué l'un de leurs meilleurs hommes.

Jussi revint vers le bar, sans rien exprimer, comme quelqu'un qui n'a rien fait d'autre que sortir les poubelles. Truls pouffait et grognait. Il ne comprendrait jamais les Finlandais, les Sames et les Esquimaux ou Dieu sait qui ils étaient. Dans le fond de la salle, un type s'était levé et partait en courant vers la porte. Truls ne l'avait jamais vu à la Kripos, mais il reconnut un policier sous les boucles brunes.

« Appelez si vous avez besoin d'aide, lensmann », cria quelqu'un à sa table.

Ce n'est que trois minutes plus tard, quand Céline Dion fut de nouveau audible et quand les conversations reprirent, que Truls osa se lever, posa le pied sur le billet de cent couronnes et l'emporta au comptoir.

Harry reprit son souffle. Et vomit. Une fois, deux fois. Puis il s'effondra à nouveau. L'asphalte était si froid qu'il lui brûlait le flanc à travers sa chemise, et en même temps si lourd qu'il avait l'impression de le porter et non l'inverse. Des taches rouge sang et des serpents noirs dansaient à l'intérieur de ses paupières.

« Hole ? »

Harry entendit la voix, mais il savait que s'il montrait qu'il était conscient, ça appelait le coup de pied. Alors il garda les yeux fermés.

« Hole ? » La voix s'était rapprochée, et il sentit une main sur son épaule.

Harry savait que l'alcool diminuerait sa rapidité, sa précision et son appréciation des distances, mais il le fit quand même. Il ouvrit les yeux, se retourna et frappa vers la pomme d'Adam. Avant de s'effondrer de nouveau.

Il avait manqué son coup d'une cinquantaine de centimètres.

« Je vais t'appeler un taxi, reprit la voix.

— Que dalle ! gémit Harry. Casse-toi, pauvre enfoiré.

— Je ne fais pas partie de la Kripos. Je m'appelle Krongli. Le lensmann d'Ustaoset. »

Harry se retourna et le regarda.

« Je suis juste un peu bourré », se défendit Harry d'une voix rauque. Il essaya de respirer calmement, de sorte que les douleurs dans son ventre ne le fassent pas vomir encore une fois. « Ce n'est pas très grave.

— Je suis un peu saoul, moi aussi, sourit Krongli en passant un bras de Harry par-dessus son épaule. Et pour être honnête, je n'ai pas la moindre idée de l'endroit où trouver un taxi. Tu arrives à te lever ? »

Harry plaça une jambe puis l'autre sous lui, cligna plusieurs fois des yeux et conclut qu'au moins il se trouvait de nouveau à la verticale. Et à moitié dans les bras du lensmann d'Ustaoset.

« Où dors-tu cette nuit ? » voulut savoir Krongli.

Harry regarda le lensmann d'un air méfiant.

« Chez moi. Et de préférence seul, si ça ne te pose pas de problème. »

Au même instant, une voiture de police se rangea devant eux, et une vitre descendit. Harry entendit la fin d'un rire, puis une voix calme :

« Harry Hole, Brigade criminelle ?

— C'est moi, soupira Harry.

— Nous venons de recevoir un coup de téléphone d'un enquêteur de la Kripos, avec la consigne de venir vous chercher pour vous reconduire à bon port.

— Alors ouvre la portière ! »

Harry s'installa à l'arrière, posa la nuque contre l'appuie-tête, ferma les yeux, sentit que tout se mettait à tourner, mais il préférait cela aux regards des deux occupants des sièges avant. Krongli leur donna un numéro et leur demanda de l'appeler quand « Harry » serait rentré chez lui. Qu'est-ce qui avait fichu dans le crâne de ce gusse qu'ils étaient potes ? Harry entendit la vitre remonter, puis la voix agréable à l'avant :

« Où habites-tu, Hole ?

— Allez tout droit, répondit Harry. On va voir quelqu'un. »

Quand Harry sentit le véhicule se mettre en marche, il ouvrit les yeux, se retourna et vit Aslak Krongli planté sur le trottoir de Møllergata.

CHAPITRE 43

Visite à domicile

Allongée sur le flanc, Kaja avait les yeux grands ouverts dans l'obscurité de la chambre. Elle avait entendu le portail et des pas sur le gravier à l'extérieur. Elle retint sa respiration et attendit. Puis on sonna. Elle se glissa hors du lit, enfila un peignoir et alla à la fenêtre. On sonna une seconde fois. Elle jeta un coup d'œil entre les rideaux. Et soupira.

« Un policier bourré », lança-t-elle à voix haute dans la pièce.

Elle mit ses pantoufles et gagna l'entrée à pas traînants, puis la porte. L'ouvrit et se planta sur le seuil, les bras croisés.

« Sal-lut, tréjor », bafouilla le policier. Kaja se demanda si c'était censé être une parodie du sketch de l'ivrogne. Ou si c'en était l'atterrante version originale.

« Qu'est-ce qui t'amène ici à cette heure ? demanda-t-elle.

— Toi. Je peux entrer ?

— Non.

— Mais tu as dit que je pouvais me manifester si la solitude devenait trop pesante. Et elle l'est devenue.

— Aslak Krongli, gronda-t-elle. J'étais couchée. Rentre à ton hôtel. On pourra prendre un café demain matin.

— C'est maintenant que j'ai besoin d'un café, je crois. Dix minutes, et on appelle un taxi, hein ? On pourra discuter de meurtres et de tueurs en série en attendant. Qu'en dis-tu ?

339

— Désolée. Je ne suis pas seule. »

Krongli se redressa d'un coup, en un mouvement qui poussa Kaja à douter qu'il fût aussi rond qu'il en avait eu l'air.

« Tiens donc. Il est ici, le policier dont tu es toquée ?

— Peut-être bien.

— C'est à lui, ça ? » demanda le lensmann d'une voix lente en filant un coup de pied dans les deux grandes chaussures posées à côté du paillasson.

Kaja ne répondit pas. Il y avait quelque chose dans la voix de Krongli, non, juste derrière, qu'elle n'avait encore jamais entendu. Comme un grondement à basse fréquence, à peine audible.

« Ou est-ce que tu les as juste sorties pour faire peur ? » Pleurs et rire dans les yeux. « Il n'y a personne ici, hein, Kaja ?

— Écoute, Aslak…

— Ce policier dont tu parles, ce Harry Hole, s'est retrouvé dans la panade, ce soir. Il s'est pointé au Justisen bourré comme un coing, il a provoqué la baston et il l'a eue. Une voiture de patrouille est venue le chercher pour le reconduire chez lui. Alors tu es peut-être libre ce soir, finalement, hein ? »

Le cœur de Kaja battait plus vite, elle n'avait plus froid dans son peignoir.

« Ils l'ont peut-être amené ici, à la place », répliqua-t-elle, et elle remarqua que sa voix à elle aussi était différente.

« Non, ils m'ont appelé pour me dire qu'ils l'avaient emmené loin sur la colline, où il allait voir quelqu'un. Quand ils ont découvert que c'était l'hôpital civil, ils lui ont clairement déconseillé d'y aller, et il est descendu pendant que la voiture attendait à un feu rouge. J'aime bien le café fort, d'accord ? »

Une lueur intense était apparue dans ses yeux, la même que dans ceux d'Even quand il n'allait pas bien.

« Aslak, va-t'en. Il y a des taxis dans Kirkeveien. »

Sa main partit, et avant qu'elle ait eu le temps de réagir, il l'avait attrapée par le bras et repoussée dans l'entrée. Elle essaya de se dégager, mais il passa un bras autour d'elle et serra.

« Tu veux être exactement comme elle ? feula la voix de l'homme dans son oreille. Esquiver, te barrer ? Être comme vous êtes toutes, espèce de... »

Elle gémit et se débattit, mais il serrait fort.

« Kaja ! »

La voix venait de la chambre, dont la porte était restée ouverte. Une voix masculine ferme, exigeante, que Krongli aurait peut-être reconnue dans d'autres circonstances. Étant donné qu'il l'avait entendue au Justisen une heure plus tôt seulement.

« Qu'est-ce qui se passe, Kaja ? »

Krongli l'avait déjà lâchée et la dévisageait, les yeux et la bouche grands ouverts.

« Rien, répondit Kaja sans quitter Krongli du regard. Juste un plouc d'Ustaoset bourré, qui rentre chez lui. »

Krongli recula sans bruit vers la porte, ouvrit. Se glissa dehors et claqua le battant derrière lui. Kaja avança jusqu'à la porte, verrouilla et posa le front contre le bois froid. Elle avait envie de pleurer. Pas de peur ou à cause du choc. Mais parce qu'elle était désespérée. Tout s'écroulait autour d'elle. Tout ce qu'elle avait cru pur et juste lui apparaissait enfin sous son véritable aspect. C'était le cas depuis longtemps, mais elle n'avait pas *voulu* le voir. Car ce qu'avait dit Even était vrai : personne n'est ce dont il a l'air, et la plupart des choses, exception faite de la trahison authentique, ne sont que mensonge et tromperie. Et le jour où nous découvrons que nous ne sommes pas différents, c'est le jour où nous n'avons plus envie de vivre.

« Tu viens, Kaja ?

— Oui. »

Kaja s'arracha à la porte par laquelle elle avait une immense envie de se sauver. Entra dans la chambre. Le clair de lune tombait entre les rideaux sur le lit, la bouteille de champagne qu'il avait apportée pour célébrer l'instant, sur son torse nu et musclé, sur ce visage qui lui était un jour apparu comme la plus belle chose au monde. Les taches blanches sur sa peau luisaient comme de la peinture phosphorescente. Comme s'il avait la lumière en lui.

CHAPITRE 44

L'ancre

Kaja s'immobilisa à la porte pour le regarder. Mikael Bellman. Pour eux, dehors : un agent supérieur doué et ambitieux, bien marié, père de trois enfants et bientôt directeur de la nouvelle et gigantesque Kripos, qui s'occuperait de toutes les enquêtes criminelles en Norvège. Pour elle, Kaja Solness : un homme dont elle était tombée amoureuse dès l'instant de leur rencontre, qui l'avait séduite dans les règles de l'art, plus quelques autres non homologuées. Il avait eu beau jeu, mais ce n'était pas sa faute, c'était celle de Kaja. Dans les grandes lignes. Qu'avait dit Harry ? « Il est marié et dit qu'il veut plaquer femme et enfants pour toi, mais il ne le fait pas ? »

En plein dans le mille. Sans surprise. Nous sommes banals. Nous croyons parce que nous voulons croire. En des dieux parce que ça atténue la peur de la mort. À l'amour parce que ça embellit notre représentation de la vie. En ce que des hommes mariés racontent parce que c'est ce que racontent les hommes mariés.

Elle savait ce que Mikael allait dire. Et il le dit :

« Il va falloir que je rentre. Elle va se douter de quelque chose.

— Je sais », soupira Kaja. Comme d'habitude, elle se retint de poser la question qui jaillissait à tous les coups quand il le disait : Pourquoi ne pas faire en sorte qu'elle cesse de se douter de quelque

343

chose ? Pourquoi ne pas faire ce que tu promets depuis si long-temps ? Et c'était là qu'une nouvelle question était apparue : Et pourquoi ne suis-je plus aussi certaine de *vouloir* qu'il le fasse ?

Harry montait au service d'hématologie de l'hôpital civil, appuyé de tout son poids sur la rampe. Il était trempé de sueur, gelé, et ses dents claquaient comme un moteur deux temps. Et il était ivre. De nouveau ivre. Ivre de Jim Beam, ivre de méchanceté, de lui-même, de merde. Il arriva dans le couloir en titubant, distingua la porte de la chambre de son père tout au bout.

La tête d'une infirmière apparut à la porte de la salle de garde, le regarda et disparut. Harry n'avait plus que cinquante mètres à parcourir lorsque l'infirmière accompagnée d'un infirmier chauve l'interceptèrent.

« Nous ne conservons pas de médicaments dans le service, lança le chauve.

— Ce que vous dites est non seulement un mensonge grossier, répondit Harry en essayant de maîtriser son équilibre et le claque-ment de ses dents. Mais aussi une insulte grossière. Je ne suis pas un junkie, mais un fils qui vient voir son père. Ayez l'amabilité de vous pousser.

— Désolée. » L'infirmière paraissait un rien tranquillisée par la diction claire de Harry. « Mais vous sentez la brasserie, et nous ne pouvons pas permettre…

— La brasserie, c'est pour la bière. Le Jim Beam, c'est du bour-bon. Ce qui veut dire que je sens la *distillerie*, mademoiselle. C'est…

— Quoi qu'il en soit… » L'infirmier saisit Harry par le coude. Et le lâcha aussitôt quand sa main fut tordue. Il gémit et fit une grimace de douleur avant que Harry ne le relâche. Harry le regar-dait.

« Appelez la police, Gerd », demanda l'infirmier à voix basse sans quitter Harry des yeux.

« Si ça ne vous ennuie pas, je m'en occupe », intervint derrière eux une voix empreinte d'un léger zézaiement. C'était Sigurd Altman. Il arrivait d'un pas tranquille, un dossier sous le bras et le sourire aux lèvres. « Vous pouvez m'accompagner là où nous gardons les toxiques, Harry ? »

Harry oscilla deux fois d'avant en arrière. Fit la mise au point sur le petit homme frêle et ses lunettes rondes. Puis il hocha la tête.

« Par ici », invita Altman, qui s'était déjà remis en marche.

Le bureau d'Altman n'était rien de moins qu'un placard à balais. Il n'avait pas de fenêtre, pas de ventilation apparente, mais une table, un PC et un lit de camp pour les nuits de garde pendant lesquelles il pouvait dormir et être réveillé au besoin, expliqua-t-il. Plus une armoire qui fermait à clé, et Harry pensa que les possibilités de connexions et de déconnexions chimiques s'y trouvaient.

« Altman, commença Harry, assis sur le bord du lit, en claquant des lèvres comme s'il avait de la colle dessus. Un nom inhabituel. Je n'en connais qu'un.

— Robert, répondit Sigurd Altman, assis dans l'unique fauteuil de la pièce. Je n'aimais pas celui que j'étais, dans le petit village où j'ai grandi. Dès que j'ai pu m'en extraire, j'ai demandé à changer de nom, le mien était un nom en "-sen" bien trop banal. J'ai étayé ma demande en disant la vérité : Altman était mon réalisateur favori. Le juge devait avoir la gueule de bois, ce jour-là, parce que c'est passé. Ça peut nous faire du bien à tous de renaître de temps en temps.

— *The Player*, cita Harry.

— *Gosford Park*.

— *Short Cuts*.

— Ah, un chef-d'œuvre.

— Bon, mais surestimé. Trop de sujets. Le montage rend l'action inutilement compliquée.

— La vie est compliquée. L'homme aussi. Revoyez-le, Harry.

345

— Mmm.

— Comment ça va ? Des progrès dans l'affaire Marit Olsen ?

— Des progrès, répéta Harry. Le type qui a fait le coup a été arrêté aujourd'hui.

— Fichtre ! Bon, alors je comprends que vous fêtiez ça. » Altman baissa le menton et plissa les yeux par-dessus le bord de ses lunettes. « Je dois avouer que j'espère pouvoir raconter à mes éventuels petits-enfants que ce sont les informations que je vous ai données sur la kétamine qui ont permis de résoudre cette affaire ?

— Vous pouvez, mais c'est un coup de téléphone à l'une des victimes qui l'a confondu.

— Le pauvre.

— Pauvre qui ?

— Tous, je suppose. Alors pourquoi est-ce si urgent de voir votre père cette nuit ? »

Harry leva une main devant sa bouche et rota sans bruit.

« Il y a une raison, reprit Altman. Quel que soit votre degré d'ébriété, il y a toujours une raison. D'un autre côté, c'est de toute évidence quelque chose qui ne me regarde pas, alors je devrais peut-être la ferm…

— On vous a déjà demandé de pratiquer l'euthanasie ? »

Altman haussa les épaules.

« Deux ou trois fois, oui. En tant qu'infirmier anesthésiste, je suis le premier à qui on s'adresse. Pourquoi ?

— Mon père me l'a demandé. »

Altman hocha lentement la tête.

« C'est un lourd fardeau à transmettre à quelqu'un d'autre. C'est pour ça que vous êtes venu maintenant ? Pour que ce soit fait ? »

Le regard de Harry avait déjà fait le tour de la pièce, à la recherche d'une quelconque substance alcoolisée. Il fit un autre tour. « Je suis venu demander pardon. Parce que je ne peux pas le faire pour lui.

— Pas besoin de pardon pour ça. Tuer quelqu'un, ce n'est pas une chose que l'on peut exiger, surtout pas de son propre fils. »

Harry se prit la tête dans les mains. Elle lui parut dure et lourde, comme une boule de bowling.

« Je l'ai déjà fait une fois.

— Pratiqué l'euthanasie ? demanda Altman d'une voix plus abasourdie que choquée.

— Non. Refusé l'euthanasie. À mon pire ennemi. Il souffre d'une maladie incurable, mortelle et très douloureuse. Il est étouffé dans sa propre peau, qui se rétracte.

— Sclérodermie.

— Quand je l'ai interpellé, il a essayé de me pousser à le descendre. Nous étions seuls au sommet d'une tour, rien que lui et moi. Il avait tué un nombre inconnu de personnes, et m'avait blessé, ainsi que des gens que j'aime. Incapacité permanente. Mon revolver était braqué sur lui. Rien que nous. Légitime défense. Je ne risquais rien du tout en l'abattant.

— Mais vous avez préféré qu'il souffre, compléta Altman. La mort, c'était une issue trop facile.

— Oui.

— Et aujourd'hui, vous avez l'impression de faire la même chose avec votre père, vous le laissez souffrir au lieu de le tuer. »

Harry se frictionna la nuque.

« Ce n'est pas parce que j'obéis au principe de l'inviolabilité de la vie ou je ne sais quelle connerie de ce genre. C'est de l'évitement pur et simple. De la lâcheté. Bon Dieu, vous n'avez rien à boire, ici, Altman ? »

Sigurd Altman secoua la tête. Harry ne savait pas si c'était en réponse à sa dernière question ou à propos de ce qu'il avait dit. Peut-être les deux.

« Vous ne pouvez pas dénaturer vos sentiments comme ça, Harry. Vous essayez d'escamoter le fait que, comme tout un chacun, vous êtes mû par les conceptions du bien et du mal. Votre intellect n'a peut-être pas tous les arguments pour ces conceptions, mais elles sont très profondément ancrées en vous. Le bien et le mal. Ça peut être des choses que vous ont dites vos parents quand vous étiez petit, une histoire avec une morale que votre grand-mère lisait, une expérience à l'école que vous avez ressentie comme injuste et à laquelle vous avez beaucoup pensé. La somme de toutes ces choses plus ou moins oubliées. » Altman se pencha. « "Profondément ancrée", c'est une bonne expression. Parce que ça veut dire que vous ne voyez peut-être pas l'ancre, au fond, mais vous ne bougez pas d'un pouce, c'est là que vous êtes, vous avez votre place. Essayez de l'accepter, Harry. Acceptez l'ancre. »

Harry baissa les yeux sur ses mains jointes.

« Les douleurs qu'il ressent...

— Les douleurs physiques ne sont pas ce avec quoi il est le plus difficile de vivre. Croyez-moi, je le vois au quotidien. La mort non plus. Même pas la peur de la mort.

— Qu'est-ce que c'est, le pire, alors ?

— L'humiliation. Perdre son honneur et sa dignité. Être dénudé, chassé du groupe. C'est ça le pire châtiment : être enterré vivant. Le seul réconfort, c'est de penser que ça ira assez vite.

— Mmm. » Harry observa longtemps Altman. « Vous avez peut-être quelque chose dans ce placard qui pourrait alléger un peu l'ambiance ? »

CHAPITRE 45

Interrogatoire

Mikael Bellman avait de nouveau rêvé de chute libre. Escalade en solo à El Chorro, la prise qui ripe, la paroi qui file devant les yeux, le sol qui se rapproche de plus en plus vite. Le réveil qui sonne au tout dernier moment. Il essuya du jaune d'œuf au coin de sa bouche et regarda Ulla qui remplissait sa tasse de café. Elle avait appris à savoir à quel moment précis il avait terminé de manger, et c'était à cet instant, pas une seconde plus tôt, qu'il voulait son café, brûlant, dans sa tasse bleue. Ce n'était qu'une des raisons pour lesquelles il l'appréciait. Une autre tenait à son assez bonne condition physique, qui attirait encore les regards au cours des soirées où on les invitait de plus en plus souvent. Ulla était la reine de beauté incontestée à Manglerud quand ils étaient sortis ensemble ; il avait dix-huit ans, elle dix-neuf. Une troisième, c'était le sacrifice discret qu'elle avait fait de son propre rêve d'études pour donner la priorité à sa carrière. Mais les trois principales raisons se chamaillaient à table pour savoir à qui reviendrait le personnage en plastique de la boîte de céréales et le privilège de s'asseoir à l'avant quand elle les emmènerait à l'école. Deux filles, un garçon. Trois excellentes raisons de louer cette femme et la compatibilité de leurs gènes.

« Tu rentres tard ce soir aussi ? » Elle lui caressa les cheveux en un geste furtif. Il savait qu'elle adorait ses cheveux.

« L'interrogatoire risque de durer, répondit-il. On commence avec le suspect aujourd'hui. » Il savait que, dans la journée, les journaux annonceraient ce qu'ils savaient déjà : la personne interpellée était Tony Leike, mais il avait fait de son devoir de réserve un principe à la maison aussi. Ça lui permettait d'ailleurs d'expliquer ses heures supplémentaires par un « je ne peux pas en parler, chérie ».

« Pourquoi ne l'avez-vous pas interrogé hier ? demanda-t-elle tandis qu'elle rangeait les sandwiches dans les cartables des enfants.

— Nous devons rassembler davantage d'éléments. Et terminer la perquisition de son domicile.

— Vous avez trouvé quelque chose ?

— Je ne peux pas entrer dans les détails, chérie. » Il agrémenta les mots d'un regard « devoir de réserve ». Pour ne pas avoir à révéler qu'elle avait touché un point sensible. Pendant la perquisition, Bjørn Holm et les autres TIC n'avaient rien trouvé qui puisse être relié de façon catégorique à l'un des meurtres. Mais ça n'avait encore qu'une importance réduite.

« Ça ne lui aura pas fait de mal de mûrir un peu dans une cellule cette nuit, poursuivit-il. Ça le rendra plus réceptif quand nous commencerons. Le début d'un interrogatoire, c'est toujours essentiel.

— Ah oui ? » Il entendit qu'elle voulait donner l'impression de s'intéresser.

« Il faut que je file. »

Il se leva et l'embrassa sur la joue. Oh oui, il l'appréciait vraiment. L'idée de renoncer à elle et aux enfants, à ce qui constituait la charpente et l'infrastructure à la base du carriérisme et de la promotion sociale, était absurde. Suivre les pulsions du cœur, tout abandonner pour une passade ou Dieu sait ce que c'était, relevait de l'utopie, un rêve dont il pouvait parler et auquel il pouvait penser à voix haute devant Kaja, bien sûr. Mais en matière de rêves, Mikael Bellman préférait des rêves plus grands que celui-là.

Il examina ses incisives dans le miroir de l'entrée et vérifia que sa cravate en soie tombait bien. La presse serait sans aucun doute rassemblée devant l'entrée de l'hôtel de police.

Combien de temps pourrait-il garder Kaja ? Il lui semblait avoir remarqué du doute chez elle, la veille au soir. Et un enthousiasme plus que relatif durant leur rapport. Mais il savait aussi que tant qu'il viserait le sommet comme il l'avait fait jusqu'à présent, il la contrôlerait. Pas parce que Kaja était une arriviste qui ne songeait qu'à ce qu'il pourrait faire en faveur de sa carrière une fois arrivé au sommet. Ce n'était pas de l'intellect, mais de la biologie pure. Les femmes pouvaient être aussi modernes qu'elles le voulaient, mais quand il était question de se soumettre au mâle dominant, elles n'étaient que des primates. Mais si elle commençait à douter parce qu'elle comprenait qu'il ne renoncerait jamais à sa femme pour elle, l'heure était peut-être venue de la stimuler. Il avait encore besoin des informations internes qu'elle lui transmettait de la Brigade criminelle, jusqu'à ce que toutes les pistes flottantes soient reliées, que cette bataille soit finie. Et la guerre gagnée.

Il alla à la fenêtre et boutonna son manteau. La maison dont ils avaient hérité à la mort de ses parents se trouvait à Manglerud, pas le plus beau quartier de la ville selon les habitants du Vestkant. Mais ceux qui y avaient grandi avaient tendance à y rester, c'était un quartier qui avait une âme. Et c'était son quartier. D'où l'on voyait le reste de la ville. Qui ne tarderait pas à lui appartenir aussi.

« Ils arrivent », annonça l'agent. Il se tenait à la porte d'une des nouvelles salles d'interrogatoire de la Kripos, équipée de la vidéo.

« OK », répondit Mikael Bellman.

Certains responsables d'interrogatoire aimaient faire attendre le suspect, pour qu'il comprenne qui décidait. Avant de faire leur entrée et d'ouvrir les hostilités quand le suspect était le plus sur la défensive, le plus vulnérable. Bellman préférait être prêt à l'arrivée du suspect. Marquer son territoire, lui montrer qui était le maître.

Il pourrait toujours faire lanterner le suspect en feuilletant et en lisant ses papiers, sentir monter la nervosité de l'autre et — le moment venu — lever les yeux et ouvrir le feu. Mais c'étaient les détails raffinés de la technique d'interrogatoire. Il était tout à fait disposé à en discuter avec d'autres responsables compétents. Il vérifia encore une fois que la lumière rouge témoin de l'enregistrement était allumée. Se mettre à vasouiller avec la technique après l'arrivée du suspect pouvait gâcher toute la définition initiale du rapport de force.

Par la fenêtre, il vit Beavis et Kolkka entrer dans le bureau voisin. Tony Leike, qu'ils étaient allés chercher en préventive à l'hôtel de police, marchait entre eux.

Bellman inspira à fond. Oui, son pouls s'était un rien accéléré. Un mélange d'agressivité et de nervosité. Tony Leike avait décliné l'offre d'être assisté d'un avocat. En principe, c'était bien sûr un avantage pour la Kripos, ça leur laissait les coudées franches. Mais en même temps, ça trahissait que Leike pensait ne pas avoir grand-chose à craindre. Le pauvre. Il ne savait pas que Bellman avait la preuve que Leike avait téléphoné à Elias Skog juste avant sa mort. Alors qu'il avait dit ne même pas connaître son nom.

Bellman baissa les yeux sur ses papiers et entendit Leike entrer dans la pièce. Beavis ferma la porte derrière lui comme on le lui avait ordonné.

« Asseyez-vous », dit Bellman sans lever les yeux.

Il entendit Leike faire ce qu'on lui demandait.

Bellman s'arrêta sur un papier au hasard et se passa un index sous la lèvre inférieure tout en commençant à compter en silence. Le silence vibrait dans la petite pièce fermée. Un, deux, trois. Ses collègues et lui avaient été envoyés en formation sur la nouvelle méthode d'interrogatoire qu'ils étaient contraints d'appliquer, l'*investigative interviewing*. À en croire les doux rêveurs spécialisés qui l'avaient mise au point, l'essentiel était l'ouverture, le dialogue et la confiance. Quatre, cinq, six. Bellman avait écouté sans rien dire, le modèle avait quand même été choisi au plus haut niveau, mais à quel genre de public ces gens-là pensaient-ils que la Kripos avait affaire ? Des âmes à vif mais conciliantes qui vous raconteraient tout ce que vous voulez à condition de leur offrir une épaule sur laquelle pleurer ? Ils prétendaient que la méthode utilisée jusque-là par la police, la méthode traditionnelle à neuf étapes du FBI, était misanthropique, manipulatrice, qu'elle poussait des innocents à avouer des choses qu'ils n'avaient pas faites, et qu'elle était donc contre-productive. Sept, huit, neuf. OK, quelques personnes influençables s'étaient retrouvées au trou, mais qu'en était-il de la racaille hilare qui repartirait du commissariat en riant aux larmes de « l'ouverture, du dialogue et de la confiance » ?

Dix.

Bellman joignit les mains et leva les yeux.

« Nous savons que vous avez appelé Elias Skog d'Oslo, et que deux jours plus tard vous étiez à Stavanger. Et que vous l'avez tué à ce moment-là. Ce sont les faits que nous avons, ce que je ne sais pas, c'est pourquoi. Ou peut-être n'aviez-vous pas de mobile, Leike ? »

C'était la première étape du modèle des agents du FBI Inbaud, Reid et Buckley : confrontation, effet de choc pour porter le coup de grâce sur-le-champ, prétendre qu'on sait déjà tout, que ça ne sert à rien de nier. Car il ne s'agissait que d'une chose : l'aveu. Dans le cas présent, Bellman combinait la première étape avec une autre technique : relier une certitude à une ou plusieurs suppositions. Ici, la date incontestable de l'appel reliée au voyage de Leike à Stavanger et à sa culpabilité dans le meurtre. En entendant les preuves de la première affirmation, Leike croirait automatiquement qu'ils avaient aussi des preuves irréfutables pour les autres. Et que ces éléments étaient si évidents et irréfutables qu'on pouvait tout aussi bien en venir tout de suite à la question qui demeurait : pourquoi ?

Bellman vit Leike déglutir, essayer de découvrir ses dents blanches comme des bornes d'accotement en un sourire, le trouble dans ses yeux, et il sut qu'il avait d'ores et déjà gagné.

« Je n'ai appelé aucun Elias Skog », répondit Leike.

Bellman soupira.

« Vous voulez que je vous montre le relevé du central d'exploitation de Telenor ? »

Leike haussa les épaules.

« Je n'ai pas appelé. J'ai perdu un téléphone mobile il y a quelque temps. Quelqu'un a peut-être appelé ce Skog, là, avec ?

— N'essayez pas de jouer au plus fin, Leike. On parle de votre téléphone *fixe*.

— Je ne l'ai pas appelé, j'ai dit.

— J'ai entendu. D'après l'état civil, vous vivez seul ?

— Oui. Enfin...

— Votre fiancée dort parfois chez vous. Il vous arrive de vous lever avant elle et de partir travailler pendant qu'elle est encore dans l'appartement ?

— Ça arrive. Mais je suis plus souvent chez elle.

— Tiens donc ? La fille de l'armateur Galtung aurait une crèche plus classieuse que la vôtre, Leike ?

— Peut-être. Plus agréable, en tout cas. »

Bellman croisa les bras et sourit.

« Donc, si ce n'est pas vous qui avez téléphoné à Skog depuis chez vous, ce doit être elle. Je vous donne cinq secondes pour vous décider à nous parler raisonnablement, Leike. Dans cinq secondes, une voiture de patrouille partira dans les rues d'Oslo avec l'instruction de rouler toutes sirènes hurlantes jusqu'à son agréable piaule, lui passer les menottes, la ramener ici, la laisser appeler son père pour lui expliquer que vous lui faites porter le chapeau dans cette histoire de coup de téléphone à Skog. Comme ça, Anders Galtung pourra fournir à sa fille la meute d'avocats la plus sanguinaire de Norvège, et vous vous retrouverez face à un adversaire digne de ce nom. Quatre, trois... »

Leike haussa de nouveau les épaules.

« Si vous pensez que c'est suffisant pour obtenir un mandat d'arrêt contre une jeune fille dont le casier judiciaire est tout à fait vierge, je ne peux pas vous en empêcher. Mais je ne crois pas que c'est moi qui me ferai un ennemi. »

Bellman observa Leike. L'avait-il sous-estimé ? Il était difficile à décoder, à présent. De toute façon, ils en avaient terminé avec la première étape. Sans aveux. Pas de problème, il en restait huit. La deuxième consistait à sympathiser avec le suspect en normalisant l'événement. Mais ça impliquait qu'il connaisse le mobile, qu'il ait quelque chose à normaliser. Les raisons qui l'avaient poussé à tuer toutes les personnes qui avaient passé par hasard la même nuit dans un refuge de montagne n'étaient pas évidentes, d'autant que la plupart des mobiles chez les tueurs en série se cachent dans des régions de la conscience où beaucoup d'entre nous n'allons jamais. Bellman choisit donc d'effleurer l'étape de la sympathie avant de sauter à celle de la motivation : donner au suspect une raison d'avouer.

« Ce que je veux dire, Leike, c'est que je ne suis pas votre ennemi. Je suis juste quelqu'un qui veut comprendre pourquoi vous faites ce que vous faites. Ce qui vous anime. Vous êtes de toute évidence compétent et intelligent, il n'y a qu'à voir ce à quoi vous êtes arrivé en affaires. Ça me fascine, les gens qui se fixent des objectifs et qui les poursuivent quoi que les autres puissent en penser. Des gens qui se démarquent de la foule médiocre. J'oserais même dire que je me reconnais là-dedans. Je vous comprends mieux que vous ne le pensez, Tony. »

Bellman avait demandé à un enquêteur d'appeler l'un des meilleurs copains de Leike pour savoir s'il préférait que l'on prononce son prénom « Towni », « Tauni » ou « Tonni ». La réponse avait été « Tauni ». Bellman planta son regard dans celui de Leike au moment précis où il prononçait « Tauni ».

« Je vais vous dire quelque chose que je ne devrais pas révéler, Tony. À cause de quelques raisons internes qui nous laissent très

355

peu de temps dans cette affaire, nous voudrions des aveux rapides. Normalement, nous ne ferions aucune négociation pour les aveux d'un suspect vis-à-vis de qui nous avons des indices aussi flagrants que dans votre cas, mais ça accélérera la procédure. Et pour ces aveux — dont nous n'avons d'ailleurs même pas besoin pour vous faire condamner — je veux vous proposer une réduction de peine significative. Je suis malheureusement limité par la loi en matière de réduction de peine, mais disons tout de suite qu'elle sera *significative*. D'accord, Tony ? C'est promis. Et c'est enregistré. »

Il désigna la lampe rouge sur la table entre eux.

Leike regarda longtemps Bellman, pensif. Puis il ouvrit la bouche.

« Les deux qui m'ont arrêté m'ont dit que vous vous appeliez Bellman.

— Appelez-moi Mikael, Tony.

— Ils ont aussi dit que vous étiez un homme très intelligent. Dur, mais fiable.

— Vous vous apercevrez que c'est le cas, je crois.

— Vous avez dit significative, n'est-ce pas ?

— Vous avez ma parole. » Bellman sentit son pouls s'accélérer. « Bon.

— Super. » Mikael Bellman se pinça légèrement la lèvre inférieure. « Alors on commence par le commencement ?

— Volontiers. » Leike tira de sa poche revolver un papier que Truls et Jussi lui avaient laissé conserver. « Harry Hole m'a donné les dates et les heures, alors ça devrait aller vite. Borgny Stem-Myhre est morte entre vingt-deux et vingt-trois heures le 16 décembre à Oslo.

— C'est exact. » Bellman sentit la joie se mettre à bouillonner dans son cœur.

« J'ai vérifié mon emploi du temps. À ce moment-là, j'étais à Skien, dans la salle Peer Gynt de la maison Ibsen, où je parlais de mon projet sur le coltan. Vous pouvez vous le faire confirmer par le propriétaire et les vingt investisseurs potentiels présents. Je suppose que vous savez qu'il faut environ deux heures pour y aller en voiture. La seconde, c'était Charlotte Lolles, entre… voyons voir… vingt-trois heures et minuit le 3 janvier. À ce moment, j'étais à un dîner en compagnie de quelques petits investisseurs à Hamar. À deux heures de voiture d'Oslo. D'ailleurs, j'ai pris le train ; j'ai essayé de retrouver mon billet, mais en vain. »

Il fit un sourire d'excuse à Bellman, qui avait cessé de respirer. Les bornes d'accotement de Leike étaient à peine visibles entre ses lèvres lorsqu'il conclut :

« Mais j'espère que *certains* des douze témoins présents au dîner pourront être considérés comme dignes de foi. »

« Et puis il a dit qu'il pouvait être inculpé pour le meurtre de Marit Olsen, car même s'il était à la maison avec sa fiancée, il était sorti seul pendant deux heures pour aller faire un tour de ski sur les pistes éclairées du Sørkedal, ce soir-là. »

Mikael Bellman secoua la tête et enfonça les mains plus profondément dans ses poches en contemplant *La Jeune Fille malade*.

« À l'heure où Marit Olsen est morte ? » demanda Kaja. Elle pencha un rien la tête sur le côté et observa la bouche de la pâle jeune fille mourante. Elle avait l'habitude de se concentrer sur une seule chose chaque fois qu'ils se retrouvaient au musée Munch. Ce pouvait être les yeux, le paysage dans le fond, le soleil ou simplement la signature d'Edvard Munch.

« Il a dit que ni lui ni la fille de Galtung, là…

— Lene, précisa Kaja.

— … ne se souvenaient bien, mais il pouvait être assez tard, il le fait parce qu'il aime avoir les pistes pour lui tout seul.

— Alors Tony Leike a pu aller dans le parc Frogner, à la place. S'il est allé dans le Sørkedal, il a dû passer la barrière de péage à l'aller et au retour. S'il a un dispositif de télépéage, l'heure aura été enregistrée. Et alors… »

Elle s'était retournée, et s'interrompit quand elle vit le regard froid de Bellman.

« … mais vous avez déjà vérifié, bien sûr, termina-t-elle.

— On n'a pas eu besoin. Il n'a pas d'émetteur télépéage, il s'arrête pour payer en espèces à chaque passage. La voiture n'est donc pas enregistrée. »

Elle hocha la tête. Ils avancèrent jusqu'au tableau suivant, s'arrêtèrent devant une poignée de Japonais qui gesticulaient en caquetant. L'avantage de se retrouver en semaine au musée Munch — hormis son emplacement entre la Kripos à Bryn et l'hôtel de police à Grønland — c'était la certitude de ne jamais y rencontrer collègues, voisins ou connaissances.

« Qu'a dit Leike sur Elias Skog et Stavanger ? » voulut savoir Kaja.

Mikael secoua de nouveau la tête.

« Il a dit qu'on pouvait à coup sûr l'inculper pour ça aussi. Puisqu'il avait dormi seul chez lui cette nuit-là, et n'avait donc pas d'alibi. Je lui ai alors demandé s'il était allé bosser le lendemain, et il m'a répondu qu'il ne s'en souvenait pas, mais il supposait qu'il s'était présenté au boulot à sept heures, comme d'habitude. Et que je pouvais voir avec la réceptionniste de leurs bureaux si je pensais que c'était important. Je l'ai fait, et il est apparu que Leike avait réservé l'une des salles de réunion pour neuf heures et quart. J'ai discuté avec quelques-uns des investisseurs du bureau, et deux d'entre eux avaient assisté à cette réunion avec Leike. S'il est parti de chez Elias Skog à trois heures du matin, il a fallu qu'il prenne l'avion pour être à l'heure. Et son nom ne figure sur aucune liste de passagers.

— Ça ne veut pas dire grand-chose, il a pu voyager sous un faux nom. En plus, on a toujours son coup de téléphone à Skog. Comment l'explique-t-il ?

— Il n'a même pas essayé, il a nié en bloc, répondit Bellman en ricanant. Pourquoi les gens doivent à tout prix croire que *La Danse de la vie* est un bon tableau ? Il n'y a même pas de vrais visages. On dirait des zombies, si tu veux mon avis. »

Kaja observa les danseurs sur le tableau.

« C'est peut-être ce qu'ils sont.

— Des zombies ? » Bellman émit un petit rire. « Tu es sérieuse ?

— Des gens qui marchent, qui dansent, mais se sentent morts à l'intérieur, enterrés, en décomposition. Sans aucun doute.

— Une théorie intéressante, Solness. »

Elle avait horreur qu'il l'appelle par son nom de famille, ce qu'il faisait en général quand il était en colère ou jugeait pertinent de lui rappeler sa supériorité intellectuelle. Elle l'avait laissé faire, parce que c'était de toute évidence important pour lui. Et c'était peut-être vrai. N'était-ce pas l'une des raisons qui l'avaient fait craquer pour lui, son intelligence flagrante ? Elle ne s'en souvenait plus avec précision.

« Il faut que je retourne bosser.

— Pour faire quoi ? » Mikael lança un coup d'œil au gardien qui bâillait derrière la corde au fond de la salle. « Compter les trombones dans l'attente de la liquidation de la Crim ? Tu sais que tu m'as mis dans un sacré pétrin avec ce Leike ?

— *Moi ?* s'exclama-t-elle.

— Calme-toi, chérie. C'est toi qui m'as appelé pour me dire ce que Harry avait trouvé sur Leike. Qu'il était sur le point de l'arrêter. Je t'ai fait confiance. Je t'ai assez fait confiance pour arrêter Leike sur tes informations, et pour laisser entendre à la presse que l'affaire était dans le sac. Et voilà que cette satanée merde nous a pété à la gueule. Ce gars a un alibi en béton pour au moins deux meurtres, chérie, on va être obligés de le relâcher dans le courant de la journée. Son beau-père Galtung doit déjà penser à une action en justice pour tout le bazar, et le ministre de la Justice va vouloir savoir comment on a pu faire une boulette pareille. Et la tête qui est sur le billot à l'heure qu'il est, ce n'est pas la tienne, ni celle de Hole ou de Hagen, c'est la mienne, Solness. Tu piges ? Rien que

359

la mienne. Et il va falloir faire quelque chose. Que *tu* fasses quelque chose.

— Quoi ?

— Presque rien, juste un petit truc, on s'occupe du reste. Je veux que tu emmènes Harry faire un tour. Ce soir.

— Moi ?

— Il t'aime bien.

— Qu'est-ce qui te fait croire ça ?

— Je ne t'ai pas dit que je vous avais vus fumer sur la terrasse ? »

Kaja pâlit.

« Tu es arrivé tard, mais tu n'as pas mentionné que tu nous avais vus.

— Vous étiez si absorbés l'un par l'autre que vous ne m'avez pas remarqué quand je suis arrivé, alors je me suis garé et je vous ai observés. Il t'aime bien, chérie. Je veux que tu l'emmènes quelque part, pour deux ou trois heures, pas plus.

— Pourquoi ? »

Mikael Bellman sourit.

« Il reste trop chez lui. À dormir, entre autres. Hagen n'aurait jamais dû lui donner des jours de congé, les gens comme Hole ne le supportent pas. Nous ne voulons pas qu'il se soûle à Oppsal, si ? Invite-le à dîner. Au cinéma. À boire une bière. Arrange-toi juste pour qu'il ne soit pas chez lui entre huit et dix heures. Et fais attention. Je ne sais pas s'il est observateur ou paranoïaque, mais il a pas mal regardé ma voiture, ce soir-là, quand il t'a laissée. D'accord ? »

Kaja ne répondit pas. Le sourire de Mikael était de ceux dont elle pouvait rêver pendant les longues périodes où il n'était pas là, quand le boulot et les contraintes familiales l'empêchaient de la voir. Alors pourquoi ce même sourire lui donnait-il maintenant l'impression que ses tripes se tordaient ?

« Tu... tu n'as pas l'intention de...

— J'ai l'intention de faire ce que je dois faire, répondit Mikael avec un coup d'œil à sa montre.

— C'est-à-dire ? »

Il haussa les épaules.

« À ton avis ? Mettre une autre tête sur le billot, tiens.

— Ne me demande pas ça, Mikael.

— Mais je ne te le demande pas, chérie. Je te l'ordonne.

— Et si... commença-t-elle d'une voix à peine audible. S'il me venait l'idée de refuser ?

— Alors je t'écraserais en même temps que Hole. »

La lumière des plafonniers tombait sur les taches de son visage. Si beau, se dit-elle. Il fallait que quelqu'un peigne son portrait.

Les marionnettes dansent comme il faut, à présent. Harry Hole a découvert que j'avais appelé Elias Skog. Je l'aime bien. Je crois que nous aurions pu être amis si nous nous étions connus enfants ou adolescents. Nous avons plusieurs points communs. Comme l'intelligence. Il est le seul enquêteur à sembler avoir le don de voir derrière le voile des choses. Bien sûr, ça veut aussi dire qu'il faut que je fasse attention avec lui. J'attends la suite avec impatience. Comme un enfant.

PARTIE V

CHAPITRE 46

Scarabée rouge

Harry ouvrit les yeux et observa un énorme scarabée rouge et carré qui arrivait vers lui entre les deux bouteilles vides, en ronronnant comme un chat. Il cessa, puis se remit à ronronner, et avança de cinq autres centimètres sur la surface vitrée de la table basse en laissant une petite trace dans la cendre derrière lui. Harry tendit la main, saisit la bestiole et la porta à son oreille. Sa voix lui fit penser à un concasseur de pierre en action.

« Arrête de m'appeler, Øystein.

— Harry…

— Qui est-ce, bon sang ?

— Kaja. Que fais-tu ? »

Il regarda l'écran pour s'assurer que la voix disait la vérité. « Je me repose. » Il sentit que son ventre se préparait à se délester de son contenu. Encore.

« Où ça ?

— Sur le canapé. Je raccroche, si ce n'est pas urgent.

— Ça veut dire que tu es chez toi, à Oppsal ?

— Eh bien… attends que je vérifie. Le papier peint est le même, en tout cas. Dis voir, il faut que je me sauve. »

Harry jeta le téléphone au pied du canapé, se leva, s'inclina pour placer son centre de gravité devant lui et partit d'un pas titubant, en utilisant sa tête comme antenne gonio et comme bélier. Elle le conduisit jusque dans la cuisine sans collision notable, et il eut le temps de poser une main de chaque côté de l'évier avant que le jet de vomi ne sorte de sa bouche.

Lorsqu'il rouvrit les yeux, il vit que l'égouttoir à vaisselle était toujours dans l'évier. Le vomi liquide vert jaunâtre coulait sur une assiette esseulée rangée sur la tranche. Harry ouvrit le robinet. L'un des avantages à être un alcoolo en rechute, c'est qu'à partir du deuxième jour votre vomi ne bouche plus l'évacuation.

Harry but un peu d'eau à même le robinet. Pas beaucoup. Un autre avantage chez les alcooliques, c'est qu'ils savent ce que leur estomac peut encaisser.

Il retourna dans le salon, les jambes écartées comme s'il avait fait dans son pantalon. Il n'avait pas encore vérifié ce point, d'ailleurs. Il s'allongea sur le canapé et entendit un coassement sourd à ses pieds. La petite voix d'une personne miniature criait son nom. Il chercha entre ses pieds et colla le téléphone rouge à son oreille.

« C'est à quel sujet ? »

Il se demanda ce qu'il devait faire de la bile qui lui brûlait le gosier comme de la lave, la cracher ou l'avaler. Ou la laisser le brûler, comme il le méritait.

Il l'écouta expliquer qu'elle voulait le voir. S'il voulait la retrouver au restaurant d'Ekeberg ? Maintenant, par exemple ? Ou dans une heure ?

Harry regarda les deux bouteilles vides de Jim Beam sur la table basse, puis sa montre. Sept heures. Le Vinmonopol était fermé. Le bar du restaurant.

« Maintenant », répondit-il.

Il raccrocha, et le téléphone sonna de nouveau. Il regarda l'écran et appuya sur la touche « Répondre » :

« Salut, Øystein.

— Tu réponds *enfin* ! Putain, Harry, faut pas me faire peur comme ça, j'ai cru que tu t'étais payé une Hendrix.

— Tu peux me conduire au restaurant d'Ekeberg ?

— Et pour qui tu me prends, pour un putain de chauffeur de taxi ? »

Dix-huit minutes plus tard, la voiture d'Øystein s'arrêtait devant l'escalier de la maison.

« Tu veux un coup de main pour fermer ta putain de porte, poivrot ? » cria-t-il en riant par sa vitre baissée.

« Un dîner ? s'étonna Øystein tandis qu'ils roulaient dans Nordstrand. Pour baiser ou parce que vous avez baisé ?

— Relax. On bosse ensemble.

— C'est ça. Comme disait mon ex : on désire ce qu'on voit tous les jours. Elle avait dû lire ça dans un magazine. Si ce n'est qu'elle ne faisait pas allusion à moi, mais au sale con du bureau voisin.

— Tu n'as jamais été marié, Øystein ?

— J'aurais pu. Ce mec portait un pull en laine épaisse sur une cravate *et* parlait néo-norvégien. Pas un dialecte, mais cette saleté de néo-norvégien d'Ivar Aasen, je ne déconne pas. Tu imagines ce que ça fait d'être seul au pieu en pensant que ce-qui-aurait-pu-être-ta-femme baise sur un bureau, imaginer un pull en laine au-dessus d'un cul blanc de plouc qui s'agite jusqu'à ce qu'il se crispe et que son propriétaire gueule en néo-norvégien : JE JOUIS ! »

Øystein regarda Harry, mais n'obtint aucune réaction.

« Putain, Harry, c'est du super humour. Tu es beurré *à ce point* ? »

Installée à une table près de la vitre, Kaja regardait le centre-ville, plongée dans ses pensées, lorsqu'un faible toussotement la fit se retourner. C'était le maître d'hôtel, il avait ce regard désolé c'est-dans-le-menu-mais-hélas-nous-n'en-avons-plus, et elle l'entendait à peine bien qu'il se soit penché vers elle.

« Je regrette de devoir vous dire que la personne que vous attendiez est arrivée. » Puis il se corrigea, tandis que le rouge lui montait aux joues : « Je veux dire, je regrette, nous n'avons pas pu le laisser

367

entrer. Il est un rien… éméché, je le crains. Et notre règlement en ce qui…

— Pas de problème. » Kaja se leva. « Où est-il ?

— Il attend dehors. Je crains qu'il ait commandé un verre au bar en arrivant, et il est sorti avec. Auriez-vous l'obligeance de nous le rapporter ? Nous pouvons perdre notre licence à cause de ça, vous savez.

— Bien sûr, donnez-moi mon manteau, s'il vous plaît. » Kaja traversa à pas rapides le restaurant, tandis que le maître d'hôtel trottinait sur ses talons.

Quand elle sortit, elle vit Harry. Il titubait près du parapet, où ils s'étaient assis la dernière fois.

Elle s'arrêta à côté de lui. Il y avait un verre vide sur le muret.

« On dirait que nous n'arriverons jamais à manger dans ce restaurant, soupira-t-elle. Qu'est-ce que tu proposes ? »

Il haussa les épaules et but une gorgée d'une flasque.

« Le bar du Savoy. Si tu n'as pas trop faim. »

Elle resserra son manteau.

« Je n'ai pas très faim, en réalité. Tu me fais visiter le coin ? C'est ici que tu as grandi, et je suis en voiture. Tu pourrais me montrer les bunkers où vous alliez.

— Froids et laids. Ils puent la pisse et la cendre humide.

— On pourrait fumer. Et profiter du point de vue. Tu as mieux à faire ? »

Un bateau de croisière, illuminé comme un sapin de Noël, avançait lentement et sans bruit dans l'obscurité vers la ville sur le fjord en contrebas. Ils étaient assis à même le béton humide du toit des bunkers, mais ni Harry ni Kaja ne sentaient le froid qui les pénétrait. Kaja but une gorgée de la flasque que Harry lui tendait.

« Du vin rouge dans une flasque, constata-t-elle.

— C'est tout ce qui restait dans le bar du vieux. De toute façon, il n'y avait que des conserves. Comédien préféré, alors ?

— À toi de commencer. » Elle but une grosse rasade.

« Robert De Niro. »

Elle fit la grimace. « *Mafia Blues* ? *Mon beau-père, mes parents et moi* ?

— J'ai juré une fidélité éternelle à *Taxi Driver* et *Voyage au bout de l'enfer*. Mais oui, ça a été difficile. Et toi ?

— John Malkovich.

— Mmm. Bien. Pourquoi ? »

Elle réfléchit.

« Je crois que c'est la méchanceté cultivée. Pas quelque chose que j'aime en tant que caractéristique, mais j'adore sa façon de l'exprimer.

— Et puis il a une bouche de femme.

— C'est bien, ça ?

— Ouais. Tous les meilleurs acteurs ont une bouche féminine. Et/ou une voix aiguë. Kevin Spacey, Philip Seymour Hoffman. » Harry tira son paquet de cigarettes et lui en proposa une.

« Seulement si tu l'allumes pour moi. Ces gars-là ne sont pas très masculins…

— Mickey Rourke. Voix de nana. Bouche de fille. James Wood. Une bouche qui appelle le baiser, comme une rose obscène.

— Mais pas une voix aiguë.

— Un bêlement. Une chèvre. Animal femelle. »

Kaja rit et prit la cigarette allumée. « Allez, les machos au cinéma ont la voix grave et rauque. Prends Bruce Willis.

— Oui, Bruce Willis. Rauque, d'accord. Mais grave ? Sûrement pas. » Harry plissa les yeux et chuchota vers la ville d'une voix de fausset : « *From up here it doesn't look like you're in charge of jack shit.* »

Kaja éclata de rire, la cigarette jaillit de sa bouche et dansa le long du muret vers les buissons, dans un nuage d'étincelles.

« C'était mauvais ?

— Tu n'as pas idée, hoqueta-t-elle. Et zut, tu m'as fait oublier le macho à voix de fille que je voulais mentionner. »

Harry haussa les épaules.

« Ça te reviendra, va.

— Even et moi avions aussi un endroit comme celui-là. » Kaja prit une autre cigarette, la tint entre le pouce et l'index, comme un clou sur lequel elle s'apprêtait à taper. « Un endroit à nous, qu'on croyait être les seuls à connaître, où on pouvait se cacher pour se raconter nos secrets.

— Tu as envie de m'en parler ?

— De quoi ?

— De ton frère. Ce qui s'est passé.

— Il est mort.

— Ça, je sais. Je me disais que tu voudrais me raconter le reste.

— Et qu'est-ce que c'est, le reste ?

— Bah… Pourquoi tu l'as canonisé, par exemple.

— J'ai fait ça, moi ?

— Non ? »

Elle le regarda longuement.

« Du vin », demanda-t-elle.

Harry lui tendit la flasque, et elle en but une gorgée avide.

« Il a laissé un mot. Even était très sensible et vulnérable. Pendant quelque temps, il pouvait n'être que sourire et rire, c'était comme si le soleil l'accompagnait. Si tu avais des problèmes, ils disparaissaient presque quand il arrivait, comme… oui, comme de la buée au soleil. Et pendant les périodes sombres, c'était le contraire. Tout devenait silencieux autour de lui, il planait une espèce de tragédie en devenir, et on l'entendait dans son silence. Musique mineure. Belle et épouvantable en même temps, tu comprends ? Mais c'était comme si du soleil s'était accumulé dans son regard, ses yeux continuaient à rire. C'était très désagréable. »

Elle frissonna.

« C'était pendant les grandes vacances, il faisait beau, le genre de journée qu'Even était seul à savoir faire. Nous étions dans notre maison de campagne de Tjøme, je m'étais levée pour aller acheter de la confiture de fraises à l'épicerie. Quand je suis revenue, le petit déjeuner était prêt, et maman appelait Even à l'étage. Mais il ne répondait pas. On a supposé qu'il dormait, il lui arrivait de rester une bonne partie de la journée au lit. Je suis montée chercher quelque chose dans ma chambre, et en passant, j'ai frappé à sa porte, j'ai passé la tête et j'ai dit "fraises". J'attendais toujours une réponse quand j'ai ouvert la porte de ma chambre. Lorsque tu entres dans ta chambre, tu ne regardes pas autour de toi, tu vas directement où tu avais prévu d'aller, la table de nuit où tu as laissé ton livre, ou l'appui de fenêtre où il y a les cuillers pour la pêche. Je ne l'ai pas vu tout de suite, j'ai juste remarqué qu'il y avait quelque chose de bizarre avec la lumière. Alors j'ai regardé sur le côté et j'ai vu ses pieds nus. Je connaissais ses pieds par cœur, il me donnait souvent une couronne pour que je les chatouille, il adorait ça. J'ai d'abord pensé qu'il volait, qu'il avait fini par apprendre. Mon regard a continué vers le haut, il portait le pull bleu clair que je lui avais tricoté. Il s'était pendu au plafonnier avec une rallonge électrique. Il avait dû attendre que je me lève et que je descende pour entrer dans ma chambre. J'ai voulu m'enfuir, mais je n'arrivais plus à bouger, j'avais l'impression que mes pieds étaient collés par terre. Alors je le regardais, il était tout près, j'ai appelé maman, j'ai fait tout ce qu'il faut pour crier, mais aucun son ne sortait de ma bouche. »

Kaja se pencha en avant et fit tomber la cendre de sa cigarette. Inspira à fond en tremblant.

« Je n'ai que des bribes de souvenirs du reste. Ils m'ont filé des médicaments, des tranquillisants. Quand j'ai été remise, trois jours plus tard, on l'avait déjà enterré. C'était aussi bien que je n'y aie pas assisté, l'épreuve aurait été trop lourde. Je suis tombée malade juste après, et j'ai passé une bonne partie de l'été au lit, avec de la fièvre. J'ai toujours pensé que ça avait été un peu rapide, cet enterrement, comme si sa façon de mourir avait un côté honteux, tu ne trouves pas ?

— Mmm. Tu as dit qu'il avait écrit un mot ? »

Kaja regarda vers le fjord.

« Il était sur ma table de nuit. Il disait qu'il aimait une fille qu'il n'aurait jamais, qu'il n'avait plus envie de vivre, et demandait pardon pour toutes les souffrances qu'il nous infligeait, il savait qu'on l'aimait.

— Mmm.

— J'ai été surprise. Even ne m'avait jamais raconté qu'il y avait une fille, et il me racontait quasiment tout. Sans Roar...

— Roar ?

— Oui. Je sortais avec un garçon pour la première fois, cet été-là. Il était gentil et patient, il est venu me voir presque tous les jours pendant que j'étais malade, pour m'écouter parler d'Even.

— Et de quel être extraordinairement fantastique il avait été.

— Tu as tout compris. »

Harry haussa les épaules.

« J'ai fait la même chose à la mort de ma mère. Øystein n'a pas eu la patience de Roar. Il m'a demandé froidement si j'allais fonder une nouvelle religion. »

Kaja émit un petit rire et tira sur la cigarette.

« Je crois que peu à peu, Roar a compris que le souvenir d'Even excluait tout et tout le monde, y compris lui. Notre histoire a tourné court.

— Mmm. Mais Even était toujours là. »

Elle hocha la tête.

« Derrière chaque porte que j'ouvrais.

— C'est pour ça, alors ? »

Elle acquiesça de nouveau.

« Quand je suis sortie de l'hôpital cet été-là, et qu'il a fallu que j'entre dans ma chambre, je n'ai pas réussi à ouvrir la porte. Je n'ai pas *réussi*. Parce que je savais que si je le faisais il serait encore pendu là. Et ce serait ma faute.

— C'est toujours notre faute, hein ?

— Toujours.

372

— Et personne ne peut nous persuader que ce n'est pas vrai, même pas nous. »

Harry envoya son mégot dans les ténèbres. Alluma une autre cigarette.

Sous eux, le bateau était arrivé à quai.

Une bourrasque émit un son creux et lugubre à travers les créneaux.

« Pourquoi pleures-tu ? demanda-t-il à mi-voix.

— Parce que c'est ma faute, répondit-elle sur le même ton, tandis que les larmes roulaient sur ses joues. Tout est ma faute. Tu le sais depuis le début, n'est-ce pas ? »

Harry tira une bouffée. Retourna sa cigarette et souffla la fumée sur l'extrémité incandescente.

« Pas depuis le début.

— Depuis quand ?

— Depuis que j'ai vu le visage de Bjørn Holm à la porte, dans Holmenveien. Bjørn Holm est un bon technicien d'investigation, mais ce n'est pas De Niro. Et il avait l'air véritablement surpris.

— C'est tout ?

— Ça a suffi. À son expression, j'ai compris qu'il ne se doutait pas que j'étais sur la piste de Leike. Il ne l'avait donc pas trouvé sur mon PC, et ce n'était pas lui qui avait transmis à Bellman. Si la fuite ne venait pas de Holm, elle ne pouvait venir que d'une seule autre personne. »

Elle hocha la tête et essuya ses larmes.

« Pourquoi n'as-tu rien dit ? Rien fait ? Pourquoi ne m'as-tu pas étripée ?

— À quoi bon ? Je me disais que tu avais une bonne raison. »

Elle secoua la tête et laissa les larmes couler.

« Je ne sais pas ce qu'il t'a promis, reprit Harry. Je parierais pour un poste haut placé dans la nouvelle et toute-puissante Kripos. Et que j'avais raison quand j'ai dit que le type pour qui tu en pinces est marié et dit qu'il va plaquer femme et enfants pour toi, mais qu'il ne le fera jamais. »

Elle sanglota en silence, la nuque courbée comme si sa tête était devenue trop lourde. Comme une fleur sous la pluie, songea Harry.

« Ce que je ne comprends pas, c'est pourquoi tu as voulu me voir ce soir », poursuivit-il avec un regard soupçonneux sur sa cigarette. Il devrait peut-être changer de marque. « J'ai d'abord pensé que c'était parce que tu voulais me dire que c'était toi, le sous-marin, mais j'ai compris assez vite que ce n'était pas ça. Est-ce qu'on attend quelqu'un, est-ce qu'il va se passer quelque chose ? Je veux dire, je suis hors-jeu, en quoi je peux nuire, à présent ? »

Elle regarda sa montre. Renifla.

« Je peux te raccompagner, Harry ?

— Pourquoi ? Quelqu'un nous attend ? »

Elle hocha la tête.

Harry but le reste de la flasque.

La porte avait été fracturée. Les copeaux dans l'escalier indiquaient qu'elle avait été forcée au pied-de-biche. Pas de finesse, aucune tentative de faire les choses avec discrétion. L'œuvre de la police.

Harry se retourna sur les marches et regarda Kaja, qui était descendue de voiture et attendait, bras croisés. Puis il entra.

Le salon était plongé dans l'obscurité, l'unique lumière venait du bar ouvert. Mais ce fut suffisant pour lui permettre de reconnaître la personne assise dans l'ombre près de la fenêtre.

« Inspecteur Bellman, commença Harry. Tu es assis dans le fauteuil de mon père.

— Je me suis permis, répondit Bellman. Puisque le canapé a une odeur très particulière. Même les clebs l'ont fui.

— Je peux te proposer quelque chose ? » Harry fit un signe de tête vers le bar et s'assit sur le canapé. « Ou bien tu as trouvé par tes propres moyens ? »

Harry vit l'agent supérieur secouer la tête.

« Pas moi. Mais les chiens, oui.

— Mmm. Je suppose que tu t'es procuré un mandat de perquisition, mais je suis curieux d'en connaître les raisons.

— Un informateur anonyme dit que tu as fait entrer en fraude des stupéfiants dans ce pays par le truchement d'une personne innocente, et qu'on pourrait peut-être les trouver ici.

— Alors ?

— Les chiens des Stups l'ont fait, un morceau de substance brune emballé dans du papier aluminium. Ça ne ressemble pas à ce que nous confisquons d'habitude dans le pays, alors pour le moment on ne sait pas très bien de quoi il s'agit. Mais nous envisageons de l'analyser.

— Vous envisagez ?

— Ça pourrait être de l'opium, mais ça pourrait être une motte de pâte à modeler ou d'argile. Ça dépend.

— De quoi ?

— De toi, Harry. Et de moi.

— Tiens donc ?

— Si tu acceptes de nous rendre un service, je déciderai peut-être qu'il s'agit de pâte à modeler, et je laisserai tomber l'analyse. Un leader doit privilégier l'intérêt commun, non ?

— C'est toi le leader. Quel genre de service ?

— Tu es un homme qui n'a pas besoin de circonlocutions, Hole, alors tu vas l'avoir en clair. Je veux que tu endosses le rôle de bouc émissaire. »

Harry vit un cercle brun au fond d'une des bouteilles de Jim Beam sur la table basse, mais résista à la tentation de la porter à sa bouche.

« Nous avons dû relâcher Tony Leike, puisqu'il a un alibi à toute épreuve pour au moins deux des meurtres. Tout ce qu'on peut lui reprocher, c'est d'avoir appelé l'une des victimes. Nous avons été un chouïa agressifs avec la presse. Avec Leike et son futur beau-père, ils pourraient nous pourrir la vie. Nous devons faire un communiqué ce soir. Et dans ce communiqué, on lira que l'arrestation a été organisée sur la base du mandat d'arrêt que toi, le si controversé Harry Hole, t'es procuré par la ruse auprès de cette pauvre juriste qui vient d'arriver à l'hôtel de police. Qu'il s'agit d'une course en solo, et que tu en assumes l'entière responsabilité. Que la Kripos s'est mêlée de l'affaire parce qu'elle a flairé des problèmes possibles après l'arrestation, et a pu définir après une discussion avec Leike quels étaient les éléments concrets dans cette affaire. Avant de le relâcher sans délai. Tu vas signer le communiqué et ne plus jamais te prononcer sur cette affaire, pas le moindre mot. Compris ? »

Harry reluqua une fois de plus la bouteille.

« Mmm. Une sacrée demande. Tu crois que la presse gobera cette histoire, maintenant que tu as posé les bras en l'air et t'es approprié le mérite de l'arrestation ?

— J'ai endossé la responsabilité, comme on le lira dans le communiqué. J'ai considéré qu'il était de mon devoir de chef d'assumer l'arrestation, même si nous nous doutions qu'un policier avait commis une faute. Mais devant l'insistance de Harry Hole, je l'ai laissé faire car c'est un inspecteur principal chevronné et parce qu'il ne travaille même pas pour la Kripos.

— Ma motivation, ce doit être que si je ne signe pas, je suis mis en examen pour trafic et détention de stupéfiants ? »

Bellman joignit le bout des doigts et bascula en arrière dans son fauteuil.

« Exact. Mais le plus important pour la motivation, c'est que je peux veiller à ce que tu sois mis en détention préventive tout de suite. Dommage, puisque je sais que tu serais volontiers allé voir ton père à l'hôpital, j'ai cru comprendre qu'il n'en avait plus pour longtemps. C'est très triste. »

Harry se renversa sur le canapé. Il savait qu'il aurait dû être furieux. Que l'ancien — le plus jeune — Harry Hole l'aurait été. Mais ce Harry-là avait surtout envie de s'enfouir dans ce canapé puant le vomi et la transpiration, de fermer les yeux et d'espérer

376

qu'ils s'en iraient, Bellman, Kaja, les ombres près de la fenêtre. Pourtant le cerveau poursuivit son raisonnement automatique, induit.

« Indépendant de ma volonté, s'entendit-il dire. Pourquoi Leike soutiendrait-il cette version ? Il sait que c'est la Kripos qui l'a arrêté et interrogé. »

Harry connaissait la réponse avant que Bellman la prononce :

« Parce que Leike sait qu'il y aura toujours une ombre désagréable au-dessus de quelqu'un qui a été arrêté. Particulièrement désagréable pour quelqu'un comme Leike, qui essaie en ce moment même de gagner la confiance des investisseurs, bien sûr. Le meilleur moyen de se débarrasser de cette ombre, c'est de soutenir la version selon laquelle l'arrestation venait d'un électron libre, un élément peu sérieux de la police qui a pris un coup de délire en solo. D'accord ? »

Harry hocha la tête.

« En plus, la maison… commença Bellman.

— Je protège toute l'institution policière si j'endosse la faute. »

Bellman sourit.

« J'ai toujours su que tu étais un homme intelligent, Hole. Ça veut dire que nous nous sommes compris ? »

Harry réfléchit. Si Bellman s'en allait maintenant, il pourrait voir s'il restait quelques gouttes de whisky dans la bouteille. Il hocha la tête.

« Voici le communiqué. Je veux ton nom en bas. »

Bellman poussa une feuille et un stylo sur la table basse. Il faisait trop sombre pour lire. Ça n'avait aucune importance. Harry signa.

« Bien », approuva Bellman avant de ramasser la feuille et de se lever. La lumière du réverbère éclaira son visage, et fit briller ses peintures de guerre.

« C'est le mieux pour nous tous. Penses-y, Harry. Et repose-toi un peu. »

La sollicitude magnanime du vainqueur, pensa Harry. Il ferma les yeux et sentit le sommeil lui souhaiter la bienvenue. Puis il rouvrit les yeux, se leva avec prudence et raccompagna Bellman sur les marches. Kaja était toujours près de la voiture et n'avait pas décroisé les bras.

Harry vit Bellman faire un signe de tête entendu à Kaja, qui répondit par un haussement d'épaules. Le vit traverser la rue, s'asseoir dans une voiture, la même que celle aperçue dans Lyder Sagens gate ce soir-là, puis démarrer et s'en aller. Kaja s'était avancée au pied des marches. Sa voix était toujours déformée par les larmes.

« Pourquoi as-tu frappé Bjørn Holm ? »

Harry se retourna pour rentrer, mais elle fut plus rapide. Elle grimpa l'escalier en deux bonds et lui barra la route à la porte. Sa respiration était haletante et chaude sur son visage.

« Tu l'as frappé alors que tu avais compris qu'il était innocent. Pourquoi ?

— Va-t'en, Kaja.

— Je ne m'en irai pas ! »

Harry la regarda. Sut qu'il ne pourrait pas l'expliquer. La douleur inattendue ressentie quand il avait vu comment tout se tenait. Assez intense pour qu'il frappe, qu'il frappe ce visage lunaire, ébahi et innocent, son propre reflet d'une candeur authentique.

« Que veux-tu savoir ? » demanda-t-il, et il entendit le métal, sentit la fureur se glisser dans sa voix. « Je croyais véritablement en toi, Kaja. Alors je ne peux que te féliciter. Pour une mission bien accomplie. Tu aurais l'amabilité de te pousser, maintenant ? »

Il vit les larmes remplir ses yeux. Elle fit un pas de côté, et il entra en chancelant. Claqua la porte derrière lui. S'immobilisa dans l'entrée, dans le vide muet après le fracas, le silence soudain, le néant exquis.

CHAPITRE 47

Peur du noir

Olav Hole battit des paupières dans l'obscurité.

« C'est toi, Harry ?

— Oui.

— Il fait nuit, c'est ça ?

— Oui. Nuit.

— Comment vas-tu ?

— Je suis vivant.

— Laisse-moi allumer…

— Pas besoin. Je voulais juste te dire quelque chose.

— Je connais ce ton. Je ne suis pas certain de vouloir entendre.

— De toute façon, tu le liras dans les journaux demain.

— Et tu as une autre version à me raconter ?

— Non. Je veux juste être le premier.

— Tu as bu, Harry ?

— Tu veux m'écouter ?

— Ton grand-père buvait. Je l'adorais. Bourré ou à jeun. Peu de gosses peuvent dire ça d'un père aviné. Non, je ne veux pas t'écouter.

— Mmm.

— Et je peux tout aussi bien te le dire. Je t'ai adoré. Toujours. Bourré ou à jeun. Ce n'était même pas difficile. Même si tu as toujours été dans l'opposition. Tu étais en guerre contre presque tout le monde, et en premier lieu contre toi-même. Mais je t'ai toujours aimé, Harry.

— Papa…

— Ce n'est pas le moment de parler de broutilles, Harry. Je ne sais pas si je te l'ai raconté — j'ai l'impression que oui — mais on pense parfois à des choses si souvent et intensément qu'on croit les avoir dites à voix haute. J'ai toujours été fier de toi, Harry. Je te l'ai dit assez souvent ?

— Je…

— Oui ? » Olav Hole tendit l'oreille dans le noir. « Tu pleures, fiston ? Pas de problème. Tu sais de quoi j'ai été le plus fier ? Je ne te l'ai jamais dit, mais, un jour, un instituteur de ton école a appelé. Il m'a dit que tu t'étais de nouveau bagarré dans la cour. Avec deux grands de la classe au-dessus ; cette fois, ça s'était mal passé, ils avaient dû t'envoyer aux urgences pour te recoudre la lèvre et arracher une dent qui ne tenait plus. Tu te souviens peut-être que je t'ai sucré ton argent de poche, cette semaine-là ? Quoi qu'il en soit, par la suite, Øystein m'a parlé de cette bagarre. Tu leur avais volé dans les plumes parce qu'ils avaient rempli d'eau le cartable de Tresko à la fontaine de la cour. Si ma mémoire est bonne, tu n'appréciais pas Tresko plus que ça. Øystein m'a dit que si tu avais été aussi amoché, c'est parce que tu n'avais pas renoncé, tu t'étais relevé, encore et encore, pour finir dans un tel état que les grands avaient eu la frousse. »

Olav Hole émit un rire silencieux. « J'ai pensé que je ne pouvais pas te le dire sur le moment, ça aurait été t'encourager à te bagarrer. Mais j'étais fier à en pleurer. Tu étais très courageux, Harry. Tu avais peur du noir, mais tu allais dans le noir. Et j'étais le papa le plus fier. Je te l'ai déjà dit, Harry ? Harry ? Tu es là ? »

Libre. La bouteille de champagne a éclaté contre le mur, et les bulles ont coulé sur le papier peint comme de la matière cérébrale en ébulli-

tion, sur les photos, les coupures de presse, la copie d'Internet avec la photo de Harry Hole qui endosse la faute. Libre. Libre de culpabilité, libre d'envoyer de nouveau le monde se faire foutre. Je marche sur les tessons, je les enfonce dans le sol, je les entends craquer. Et je suis pieds nus. Je glisse dans mon sang. Et je hurle de rire. Libre. Libre !

CHAPITRE 48

Hypothèse

Le directeur de la Brigade criminelle de la police de Sydney South, Neil McCormack, passa une main dans ses cheveux clairsemés et observa la femme à lunettes de l'autre côté de la table. Elle était venue tout droit de la maison d'édition pour laquelle elle travaillait. Sa tenue était simple et froissée, mais Iska Peller avait quelque chose en elle qui lui fit penser qu'elle devait être chère, qu'elle n'était pas destinée à impressionner des âmes simples comme lui. Mais son adresse indiquait qu'elle n'était pas très riche. Bristol n'était pas le quartier le plus huppé de Sydney. Elle avait l'air adulte et sensée. Pas du tout le genre à dramatiser, exagérer, attirer l'attention par principe. De plus, c'étaient eux qui l'avaient convoquée, pas elle qui était venue les voir. Il regarda l'heure. McCormack avait convenu avec son fils d'aller faire un tour en bateau cet après-midi-là, ils devaient se retrouver à Watson Bay. Voilà pourquoi il espérait que ça ne prendrait pas trop de temps. Ça n'avait pas semblé mal parti, jusqu'à la dernière information.

« Mademoiselle Peller. » McCormack se renversa en arrière et joignit les mains sur son impressionnante bedaine hémisphérique. « Pourquoi n'aviez-vous encore rien dit de tout ça ? »

Elle haussa les épaules.

« Pourquoi l'aurais-je fait ? Personne ne m'a posé la question, et je ne vois pas l'intérêt que ça aurait concernant le meurtre de Charlotte. Je vous le dis maintenant parce que vous me posez des questions précises. Je croyais que c'était ce qui s'était passé au refuge qui vous intéressait, pas ce genre de… d'épisode. Et c'est exactement ça. Un petit épisode, vite passé, vite oublié. Il y a des crétins comme lui partout. On ne peut pas dénoncer chaque vermine de cette espèce. »

McCormack gronda. Elle avait raison, bien sûr. Lui non plus n'avait pas une envie démesurée de poursuivre cette affaire. Ça faisait toujours un tas d'histoires, de désagréments et surtout de boulot supplémentaire quand la personne concernée avait un titre professionnel commençant ou se terminant par « police ». Il regarda par la fenêtre. Le soleil scintillait sur l'eau de Port Jackson et du côté de Manly, où la fumée s'élevait encore bien que le dernier feu de bush fût éteint depuis plus d'une semaine. La fumée dérivait au sud. Un agréable vent chaud du nord. Parfait pour la voile. McCormack avait apprécié Harry Hole. Ou Holy, comme il surnommait le Norvégien. Il avait fait un boulot remarquable quand il les avait assistés dans l'affaire du meurtre du clown. Mais le grand Norvégien blond avait eu l'air fatigué au téléphone. McCormack espérait de tout son cœur que Holy n'était pas en train de chavirer, encore une fois.

« Reprenons les choses depuis le début, mademoiselle Peller. »

Mikael Bellman entra dans la salle de réunion Odin et entendit s'éteindre les conversations. Il alla d'un pas vif à l'estrade, posa ses notes devant lui, connecta le PC à la prise USB et s'immobilisa, les jambes un peu écartées. Le groupe d'enquête comptait trente-six personnes, trois fois plus que de coutume dans une affaire de meurtre. Ils avaient travaillé si longtemps sans résultat qu'il avait dû leur remonter le moral à plusieurs reprises, mais dans l'ensemble, ils n'avaient pas démérité. C'est pour cette raison que Bellman n'avait pas savouré seul, mais en compagnie de ses hommes, ce qui avait ressemblé à leur éclatante victoire : l'arrestation de Tony Leike.

« Vous avez lu les journaux aujourd'hui », commença-t-il en balayant l'assistance du regard.

Il avait sauvé les meubles. La une de deux des trois plus grands journaux était ornée de la même photo : Tony Leike qui montait dans une voiture devant l'hôtel de police. La troisième représentait Harry Hole, une photo d'archive tirée d'une émission télévisée au cours de laquelle il avait parlé du Bonhomme de neige.

« Comme vous le voyez, l'inspecteur principal Hole assume la responsabilité. Ce qui est juste et raisonnable. »

Il entendit les murs lui renvoyer ses mots, et croisa les regards éteints et mal réveillés de ses hommes. Ou s'agissait-il d'une autre forme de fatigue ? En tout état de cause, elle devait être combattue. Car la situation s'était aggravée. Le chef de la Kripos était passé dire que le ministère avait appelé pour poser quelques questions. Le sable filait dans le sablier.

« Nous n'avons donc plus de suspect principal. Mais la bonne nouvelle, c'est que nous avons d'autres pistes. Elles partent toutes de Håvasshytta, à Ustaoset. »

Il alla au PC, appuya sur une touche, et la première page de la présentation PowerPoint qu'il avait préparée dans la nuit apparut.

Une demi-heure plus tard, il avait parcouru tous les éléments qu'ils avaient, y compris les noms, horaires et itinéraires supposés.

« La question, reprit-il après avoir éteint l'ordinateur, c'est de savoir à quel genre de meurtres nous avons affaire. Je crois que nous pouvons exclure des meurtres en série classiques. Les victimes n'ont pas été choisies au sein d'un groupe démographique, mais sont reliées à un endroit donné à un moment donné. Il y a donc des raisons de croire que nous parlons d'un mobile particulier, que l'on peut sans doute considérer comme rationnel. Dans ce cas, la tâche est beaucoup plus simple : trouvons le mobile, et nous aurons l'assassin. »

Bellman vit plusieurs enquêteurs approuver.

« Le problème, c'est qu'il n'y a aucun témoin pour nous aider. Le seul en vie à notre connaissance, Iska Peller, a passé toute la journée et toute la nuit alitée, avec de la fièvre. Les autres sont morts ou ne se sont pas fait connaître. Nous savons par exemple qu'Adele Vetlesen était accompagnée d'un gars qu'elle venait de rencontrer, mais personne parmi ses amis n'a l'air de savoir quoi que ce soit sur ce type, et on supposera donc que la relation a été de courte durée. On vérifie les hommes avec qui elle a été en contact *via* le téléphone ou le Net, mais il faut du temps pour tous les passer en revue. Et tant que nous n'avons pas de témoin, nous devons trouver notre point de départ. Nous avons besoin d'hypothèses sur le mobile. Quel mobile peut-on avoir pour tuer au moins quatre personnes ?

— La jalousie ou des voix dans le crâne, lança-t-on depuis le fond de la salle. Toutes les statistiques vont dans ce sens.

— D'accord. Qui est susceptible d'entendre des voix qui ordonnent de tuer ?

— Tous ceux qui ont un dossier en psychiatrie, chanta une voix dans le dialecte du Finnmark.

— Et tous ceux qui n'en ont pas, répondit une autre voix.

— Bien. Qui peut-on soupçonner d'être jaloux ?

— Les copains ou les conjoints des gens qui étaient présents à ce moment-là.

— Et de qui parlons-nous ? demanda Bellman.

— On a déjà contrôlé les alibis des conjoints des victimes, et leurs mobiles éventuels, intervint quelqu'un d'autre. C'est la première chose que nous faisons. Ou il n'y avait pas de conjoint, ou ils ont été rayés de la liste. »

Mikael Bellman savait qu'ils ne faisaient qu'accélérer alors que les roues patinaient dans la même ornière depuis un bout de temps, mais le plus important pour l'heure, c'était qu'ils soient prêts à ça, justement : accélérer. Car il ne doutait pas que Håvasshytta était une planche à glisser sous les roues pour les désembourber.

« Nous n'avons pas rayé *tous* les copains et conjoints. » Bellman se balança sur les talons. « On a juste trouvé qui ne faisait pas un bon suspect. Qui n'a pas d'alibi pour l'heure où sa femme a été tuée ?

— Rasmus Olsen !

— Exact. Quand je suis allé au Parlement discuter avec lui, il a avoué qu'il y avait eu "une petite affaire de jalousie" quelques mois plus tôt. Une nana avec qui Rasmus avait flirté. Et que Marit Olsen était partie quelques jours à Håvasshytta pour réfléchir. Ça peut correspondre à son passage là-bas. Elle a peut-être fait plus que réfléchir. Elle s'est peut-être vengée. Et voici une information : la nuit où toutes les victimes se trouvaient à Håvasshytta, Rasmus Olsen n'était pas à Oslo, il avait réservé une chambre dans un hôtel d'Ustaoset. Que faisait-il dans le coin si sa femme était à Håvasshytta ? Et a-t-il passé la nuit à l'hôtel, ou à quelque distance de là ? »

Les regards devant lui n'étaient plus lourds et las ; au contraire, il avait allumé la lumière. Il attendit des réponses. En principe, un aussi large groupe d'investigation n'était pas le mieux à même de jouer à ce genre de devinettes improvisées, mais ils travaillaient sur cette affaire depuis assez longtemps pour que chacun ait reçu sa gifle, vu ses indices irréfutables et ses hypothèses délirantes rembarrés et son ego raboté.

L'un des jeunes se lança :

« Il a pu débarquer à l'improviste au chalet, ce soir-là, et la prendre en flagrant délit. Voir ce qui se passait et se tailler. Avant de préparer son coup à tête reposée.

— Peut-être. » Bellman alla sur l'estrade et brandit une note. « Argument numéro un pour cette théorie : le central d'exploitation de Telenor vient de me transmettre ceci. On y voit que Rasmus Olsen a eu sa femme au téléphone dans le courant de la matinée. Alors nous pouvons supposer qu'il savait dans quel chalet elle allait. L'argument numéro deux pour cette hypothèse, c'est le bulletin météo qui indique clair de lune et bonne visibilité toute la soirée et toute la nuit, alors il a très bien pu aller là-bas à skis, comme l'a fait Tony Leike. Contre-argument numéro un : pourquoi tuer d'autres personnes que sa femme et son éventuel partenaire ?

— Elle n'en a peut-être pas eu qu'un », cria l'une des enquêtrices, un petit machin à forte poitrine que Bellman soupçonnait fort d'être lesbienne pour envisager de l'inviter chez Kaja, un soir. Rien qu'une idée, bien sûr. « Il y a peut-être eu une sacrée partouze, là-haut. »

Les rires tonnèrent. Bon, l'ambiance était déjà plus légère.

« Il n'a peut-être pas vu avec qui elle s'éclatait, même pas si c'était un homme ou une femme, juste qu'il y avait quelqu'un sous le drap, suggéra quelqu'un d'autre. Et il a pris ses précautions. »

Encore des rires.

« Arrêtez, on n'a pas de temps à perdre avec ces sornettes », intervint Eskildsen, l'un des anciens, dont personne ne savait depuis combien de temps il était enquêteur. Le silence retomba sur la pièce. « Est-ce que l'un des blancs-becs se souvient de cette affaire qu'ils ont résolue à la Criminelle, il y a plusieurs années, quand tout le monde pensait qu'un tueur en série sévissait à Oslo ? poursuivit-il. Ils ont trouvé l'assassin, et il est apparu qu'il n'avait de mobile que pour la troisième personne de sa liste. Mais il savait qu'on le soupçonnerait s'il n'y avait qu'elle de tuée, alors il en a assassiné d'autres pour faire croire qu'il s'agissait de meurtres en série d'un dément.

— Bordel ! piailla le jeune. La Brigade criminelle a vraiment réussi à résoudre une affaire ? Ça a dû être un coup de bol. »

Il regarda autour de lui, un grand sourire idiot sur les lèvres, et rougit petit à petit en constatant que la réaction se faisait attendre. Car tous ceux qui avaient une certaine expérience du métier se souvenaient de cette affaire. Cette enquête servait de travaux pratiques dans toutes les écoles de police du Nord. Elle était légendaire. Tout comme celui qui l'avait résolue.

« Harry Hole.

— Ici Neil McCormack, Holy. Comment vas-tu ? Et où es-tu ? »

McCormack crut sincèrement que Harry lui répondait « dans le coma », mais supposa que l'autre avait prononcé le nom d'une région norvégienne.

« J'ai parlé à Iska Peller. Comme tu le disais, elle n'avait pas grand-chose à raconter sur la nuit en question, mais le lendemain soir, en revanche…

— Oui ?

— Elle et sa copine Charlotte ont été récupérées au chalet par le policier local et installées chez lui. Pendant que Mlle Peller luttait contre sa grippe, le policier et Charlotte ont pris un verre au salon, et il a essayé de la séduire d'une façon plutôt musclée. Assez pour qu'elle appelle au secours ; Mlle Peller s'est réveillée, s'est levée et est allée au salon, où le policier avait déjà réussi à baisser le pantalon de ski de sa copine jusqu'aux genoux. Il a interrompu sa tentative, et Mlle Peller et son amie ont décidé de partir à la gare et de prendre une chambre d'hôtel dans un patelin dont je ne…

— Geilo.

— Merci.

— Tu parles de tentative de séduction, Neil, mais tu penses à une tentative de viol ?

— Non. Il a fallu que je louvoie avec Mlle Peller avant que nous en arrivions à une formulation précise. Elle a dit que sa copine avait expliqué que le policier lui avait baissé son pantalon contre sa volonté, mais ne l'avait pas touchée de façon plus intime.

— Mais…

— Rien n'empêche d'imaginer que c'était le but, mais on ne le sait pas. L'important, c'est qu'il ne s'était encore rien produit de répréhensible. Elles ne se sont d'ailleurs pas donné la peine de porter plainte, elles ont juste fichu le camp. Le policier a même trouvé je ne sais quel idiot du village pour les conduire tous les trois à la gare et il les a aidées à embarquer. D'après Mlle Peller, le policier n'avait pas l'air bouleversé par cette affaire, il cherchait plus à se procurer le numéro de téléphone de la copine qu'à s'excuser. Comme si ce n'était qu'un banal épisode d'"un homme rencontre une femme".

— Mmm. Autre chose ?

— Non, Harry. Si ce n'est que nous l'avons placée sous protection policière, comme tu l'as suggéré. Vingt-quatre heures sur vingt-quatre, avec livraison de nourriture et autres affaires à la porte. Elle peut profiter à cent pour cent du soleil. Si le soleil brille sur Bristol, s'entend.

— Merci, Neil. Si…

— … il y a du nouveau, je t'appelle. Et vice versa.

— Bien sûr. *Take care.* »

Ben tiens, songea McCormack. Il raccrocha et regarda le ciel bleu de l'après-midi. Les journées étaient un peu plus longues, en été, il pourrait sortir en mer une heure et demie avant la tombée de la nuit.

Harry se leva et passa sous la douche. Immobile, il laissa l'eau bouillante couler sur son corps durant vingt minutes. Il sortit, essuya sa peau douloureuse et piquetée de rouge, et s'habilla. Vit sur son mobile qu'il avait reçu dix-huit appels depuis qu'il s'était endormi. Ils avaient donc réussi à avoir son numéro. Il reconnut les premiers chiffres des trois principaux quotidiens norvégiens et des deux plus grandes chaînes de télévision, puisqu'ils avaient tous des numéros de standard quasi identiques. La fin des numéros était plus arbitraire, et dirigeait sans doute vers des journalistes en mal de commentaires. Mais son regard s'arrêta sur un numéro, sans qu'il sache bien pourquoi. Parce que certains neurones de son cerveau s'amusaient à retenir les chiffres, peut-être. Ou parce que les premiers chiffres indiquaient que l'appel provenait de Stavanger. Il parcourut le journal des appels, et le retrouva deux jours plus tôt. Colbjørnsen.

Harry rappela et coinça l'appareil entre sa joue et son épaule pour lacer ses Doc Martens ; il était temps d'en acheter une autre paire, constata-t-il. La plaque de fer sortait de la semelle.

« Bordel, Harry. Ils ne t'ont pas loupé dans les journaux, aujourd'hui. Un vrai massacre. Qu'en dit ton chef ? »

Colbjørnsen avait l'air de sortir d'une cuite. Ou d'une autre maladie.

« Je ne sais pas. On ne s'est pas parlé.

— La Brigade criminelle s'en sort plutôt bien, c'est toi et toi seul qui endosses la faute. C'est ton chef qui t'a contraint de *take one for the team*[1] ?

— Non. »

La question vint après un moment de silence :

« Pas… Pas Bellman, si ?

— Que veux-tu, Colbjørnsen ?

— Bon Dieu, Harry. J'ai mené une enquête solo *somewhat* illégale, comme toi. Alors il faut que je sache si on est toujours dans la même équipe.

— Je n'ai pas d'équipe, Colbjørnsen.

— Super, je vois qu'on est toujours dans la même. Celle des perdants.

— J'allais sortir.

— *Right on*. J'ai rediscuté avec Stine Ølberg, la fille qui plaisait tant à Elias Skog.

— Oui ?

— Elias Skog lui a raconté plus de choses sur ce qui s'est passé au refuge que je ne l'avais compris pendant le premier entretien.

— Je pense de plus en plus qu'il ne faut pas s'en tenir au premier entretien.

— Hein ?

— Rien. Je t'écoute. »

1. « Se sacrifier pour le bénéfice de son équipe », en anglais dans le texte.

CHAPITRE 49

Bombay Garden

Le Bombay Garden était le genre de troquet qui n'avait de prime abord pas le droit d'exister, mais qui tenait le coup, année après année, contrairement à ses concurrents plus branchés. Son emplacement dans le centre de l'Østkant d'Oslo était lamentable : une petite rue entre un ancien entrepôt de bois et une usine désaffectée qui faisait maintenant office de théâtre libre. La licence IV avait parfois été suspendue à la suite des innombrables entorses à la législation, tout comme le droit de servir à manger. Un jour, les services sanitaires avaient découvert dans la cuisine un rongeur dont ils n'avaient pas bien réussi à déterminer la variété, si ce n'est qu'il présentait un certain nombre de points communs avec le *Rattus norvegicus.* En marge, le représentant desdits services avait laissé libre cours à sa verve, et décrit la cuisine comme une « scène de crime » où avaient sans doute eu lieu « des meurtres de la plus affreuse espèce ». Les machines à sous le long des murs crachaient parfois la monnaie de leur plein gré, mais étaient à intervalles réguliers la cible de vols. Il était d'ailleurs faux que les propriétaires vietnamiens des lieux géraient cet endroit pour blanchir l'argent de la drogue, comme certains les en soupçonnaient. La raison pour laquelle le Bombay Garden arrivait à garder la tête hors de l'eau, il fallait la chercher au fond de la salle, derrière une porte close. On y trouvait

393

un prétendu club privé, et pour y accéder il fallait être membre. Cela signifiait en pratique que l'on signait un formulaire auprès du barman vietnamien, qu'on se voyait aussitôt déclaré membre et qu'on versait cent couronnes de cotisation annuelle. Après quoi on vous accompagnait et on refermait la porte derrière vous.

Vous vous retrouviez alors dans une pièce enfumée — puisque l'interdiction de fumer ne concerne pas les clubs privés — où trônait un champ de courses miniature ovale de quatre mètres sur deux. La piste était recouverte de feutre vert sur lequel couraient sept sillons et où avançaient par à-coups sept chevaux plats en métal. La vitesse de chaque cheval à un instant donné était déterminée par un ordinateur qui ronronnait sous la table, et était — à ce qu'on en avait vu jusque-là — tout à fait aléatoire et juste. En réalité, le programme donnait à certains chevaux une probabilité supérieure de vitesse plus élevée, qui se reflétait dans les cotes et donc dans un éventuel gain. Les membres du club, certains des habitués, d'autres nouvellement arrivés, étaient installés autour de la table, dans de confortables fauteuils pivotants en cuir où ils fumaient, buvaient la bière du bar à prix préférentiel et encourageaient le cheval ou la combinaison sur laquelle ils avaient parié.

Comme le club opérait dans une zone juridique floue en matière de réglementation sur les jeux de hasard, les règles voulaient qu'avec douze ou quinze membres présents, les paris fussent limités à cent couronnes par course. Si les membres étaient moins de douze, les statuts du club stipulaient qu'il s'agissait d'un groupe limité d'amis qui utilisaient les locaux du club pour se retrouver, et que dans une petite réception privée on ne pouvait pas empêcher des adultes de faire des paris privés, et que les sommes engagées ne regardaient que les participants. C'est pour cette raison qu'il y avait si souvent onze personnes — pas une de plus — dans l'arrière-salle du Bombay Garden. Personne ne savait d'où venait le « jardin ».

À quatorze heures dix, un homme dont l'adhésion au club était la plus récente, soit quarante secondes exactement, put pénétrer dans la pièce et constater que les seules personnes présentes à part lui étaient un homme assis le dos tourné dans l'un des fauteuils et un autre sans doute d'origine vietnamienne, chargé de gérer les courses et les paris ; il portait en tout cas le même genre de gilet que les croupiers.

Le dos dans le fauteuil était large et remplissait une chemise en flanelle. Des boucles noires tombaient sur le col.

« Tu gagnes, Krongli ? » demanda Harry, qui s'assit dans le fauteuil à côté du lensmann.

La tête bouclée de ce dernier pivota de mauvais gré. « Harry ! » s'écria-t-il. Sa voix et son visage trahissaient une joie non feinte. « Comment m'as-tu trouvé ?

— Qu'est-ce qui te fait croire que je te cherche ? Je viens peut-être souvent ici. »

Krongli rit et regarda les chevaux remonter la ligne droite, leur jockey en étain sur le dos.

« Nan. Je viens ici chaque fois que je suis à Oslo, et je ne t'ai jamais vu.

— OK. Quelqu'un m'a dit que je te trouverais ici.

— Bon Dieu, c'est ma réputation ? Ce n'est peut-être pas l'idéal pour un policier d'être ici, même si on est encore dans les limites de la légalité.

— À propos de limites de la légalité, commença Harry avant de secouer la tête à l'adresse du croupier, qui désignait la pompe à bière. C'est de ça que je voulais discuter avec toi.

— Je t'en prie. » Krongli ne quittait pas la piste des yeux. Le cheval bleu menait, mais il était dans le sillon extérieur, avant le virage.

« Iska Peller, l'Australienne que tu es allé chercher à Håvasshytta, dit que tu as importuné sa copine. Charlotte Lolles. »

Harry ne distingua aucune modification dans les traits de Krongli. Harry attendit. Krongli finit par lever les yeux.

« Tu veux que je t'en parle ?

— Seulement si tu le veux.

— J'ai l'impression que c'est *toi* qui le veux. "Importuner", ce n'est pas le bon mot. On a un peu flirté. On s'est embrassés. J'ai voulu aller plus loin. Elle trouvait que ça suffisait. Je me suis livré à de la persuasion constructive, comme les femmes peuvent l'attendre d'un homme, ça fait partie du jeu de rôles entre les sexes. Mais rien de plus.

— Ça ne correspond pas exactement à ce qu'Iska Peller rapporte du récit de Charlotte. Tu crois que Peller ment ?

— Non.

— Non ?

— Mais je crois que Charlotte a voulu donner une version un brin différente à sa copine. Les catholiques cherchent toujours à avoir l'air plus vertueuses qu'elles le sont en réalité.

— Elles ont décidé de passer la nuit à Geilo plutôt que chez toi. Alors que Peller était malade.

— C'est l'Australienne qui a insisté pour partir. Je ne sais pas ce qui se passait entre ces filles, les relations entre copines sont souvent des trucs compliqués. D'ailleurs, je parie que cette Peller n'a pas de mec. » Il leva son verre de bière à moitié vide. « Où veux-tu en venir, Harry ?

— C'est assez curieux que tu n'aies pas dit à Kaja Solness que tu avais rencontré Charlotte Lolles quand Kaja était à Ustaoset.

— Et c'est assez curieux que tu travailles encore sur cette affaire. Je croyais que c'était le boulot de la Kripos, surtout après les gros titres dans la presse aujourd'hui. »

Krongli se concentra de nouveau sur les chevaux. À la sortie du virage, le cheval jaune du troisième sillon avait une longueur d'avance.

« Oui, acquiesça Harry. Mais les affaires de viol, c'est toujours la Crim que ça regarde.

— Un viol ? Tu es déjà soûl, Harry ?

— Eh bien... » Harry extirpa un paquet de cigarettes de la poche de son pantalon. « J'espère que je le suis moins que toi,

396

Krongli. » Il se ficha une cigarette pliée entre les lèvres. « Quand tu tabassais et violais ton ex à Ustaoset. »

Krongli se tourna vers Harry et renversa son verre d'un coup de coude. La bière imprégna le feutre vert, la tache se répandit comme la Wehrmacht sur la carte de l'Europe.

« J'arrive de l'école où elle travaille, poursuivit Harry en allumant sa cigarette. C'est elle qui m'a dit que je te trouverais ici. Elle m'a aussi dit que le jour où elle s'est barrée d'Ustaoset, c'était plus une fuite qu'un déménagement. Que tu... »

Harry n'alla pas plus loin. Krongli était rapide ; il fit pivoter le fauteuil de Harry avec le pied et bondit sur lui par-derrière avant que Harry ait le temps de réagir. Celui-ci sentit la prise autour de sa main et sut ce qui se préparait, car c'était l'une des manœuvres qu'ils travaillaient dès la première année à l'école de police : une clé de bras. Pourtant, il fut trop lent d'une seconde, trop mou de quarante-huit heures de beuverie, trop bête de quarante années. Krongli lui tordit le bras dans le dos, et Harry plongea vers le feutre vert, où il atterrit sur la tempe. Du côté où sa mâchoire était abîmée. Harry hurla de douleur et, un court instant, il perdit connaissance. Puis il refit surface, la douleur avec lui, et produisit un violent effort pour se libérer. Harry était fort, il l'avait toujours été, mais il sentit tout de suite qu'il n'avait aucune chance contre Krongli. Le souffle du puissant lensmann était chaud et humide contre son visage.

« Tu n'aurais pas dû faire ça, Harry. Tu n'aurais pas dû parler à cette pute. Elle raconte n'importe quoi. Elle fait n'importe quoi. Elle t'a montré sa chatte ? Elle l'a fait, Harry ? »

Harry entendit un craquement dans sa tête lorsque Krongli accentua la pression. Un cheval jaune et un cheval vert butaient respectivement contre son front et son nez au moment où il leva le pied droit et l'abattit sur le sol. Fort. Il entendit Krongli crier, se libéra, se retourna et frappa. Pas avec le poing, il s'était esquinté assez de phalanges avec ce genre de bêtise, mais avec le coude. Celui-ci atteignit Krongli à l'endroit où Harry avait appris que l'effet était maximal ; pas à la pointe du menton, mais un peu sur le côté. Krongli partit en arrière, bascula sur un fauteuil bas et tomba à terre, les pieds en l'air. Harry remarqua que la Converse droite de Krongli s'ornait d'une coupure sanguinolente après sa rencontre avec la plaque métallique d'une Doc vouée au rebut. Il remarqua aussi que la cigarette était toujours coincée entre ses lèvres. Et — du coin de l'œil — que le cheval rouge du premier sillon allait vers une victoire certaine.

Harry se pencha, chopa Krongli par le col, le souleva et le laissa retomber dans le fauteuil. Il tira sur sa cigarette, à fond, sentit la fumée réchauffer et brûler ses poumons.

« Je conviens que mon histoire de viol ne pèse pas lourd. Surtout si Charlotte Lolles ou ta femme n'ont pas porté plainte. Alors comme je suis enquêteur, je dois essayer de trouver autre chose, d'accord ? C'est pour ça que j'en reviens à Håvasshytta.

— De quoi tu parles, bordel ? » Krongli donnait l'impression d'avoir attrapé un rhume aussi soudain que violent.

« C'est cette fille de Stavanger, à qui Elias Skog s'est confié le soir où il a été tué. Ils étaient dans le bus, Elias lui a dit que cette nuit-là, à Håvasshytta, il avait été témoin de ce qu'il avait ensuite compris être un viol.

— Elias ?

— Elias, oui. Il doit avoir le sommeil léger. Dans la nuit, il a été réveillé par du bruit dehors et il a regardé par la fenêtre. La lune brillait, et il a vu deux personnes dans l'ombre sous le bord du toit des toilettes extérieures. La fille était tournée vers lui, le gars était derrière, et il ne voyait pas son visage. Elias a pensé qu'ils en étaient aux préliminaires, la fille avait l'air de faire la danse du ventre, et le gars lui avait posé une main sur la bouche, de toute évidence pour qu'elle ne réveille personne. Quand le type l'a entraînée dans les toilettes, Elias s'est recouché, un poil déçu de ne pas pouvoir assister au show complet. Jusqu'à ce qu'il lise les articles sur les meurtres dans le journal. La fille essayait peut-être de se libérer. La main devant sa bouche était destinée à étouffer ses appels au secours. » Harry tira une autre bouffée. « C'était toi, Krongli ? Tu y étais ? »

Krongli se frotta le menton.

« Alibi ? demanda Harry d'une voix légère.

— Je dormais seul à la maison. Est-ce qu'Elias Skog a dit qui était la fille ?

— Non. Et il n'a pas vu le type.

— Ce n'était pas moi. Et tu vis dangereusement, Hole.

— Je dois le prendre comme une menace ou comme un compliment ? »

Krongli ne répondit pas. Mais il y avait du rire dans ses yeux, amer et froid.

Harry écrasa sa cigarette et se leva.

« Par ailleurs, ton ex ne m'a rien montré. Nous étions dans la salle des profs. J'ai la vague impression qu'elle a peur de se retrouver seule dans la même pièce qu'un homme. Tu y es peut-être pour quelque chose, Krongli ?

— N'oublie pas de regarder derrière toi, Hole. »

Harry se retourna. Le croupier était resté de marbre pendant cet épisode, et avait déjà placé les chevaux au départ d'une nouvelle course.

« Vous voulez parier ? » demanda-t-il avec un sourire, dans un norvégien bancal.

Harry secoua la tête.

« Désolé, je n'ai rien à miser.

— D'autant plus à gagner », répliqua le croupier.

Harry y réfléchit en sortant, et conclut que c'était une méprise de langage, ou sa propre logique qui ne suivait pas. Ou un mauvais proverbe asiatique, tout simplement.

CHAPITRE 50

Subornation

Mikael Bellman attendait.

C'était le meilleur moment. Les secondes pendant lesquelles il attendait qu'elle ouvre. Dans l'espoir — et en même temps la certitude — qu'elle dépasserait encore une fois ses attentes. Car chaque fois qu'il la voyait, il se rendait compte qu'il avait oublié à quel point elle était belle. Chaque fois que la porte s'ouvrait, il avait presque besoin de deux ou trois secondes pour appréhender toute cette beauté. Laisser la confirmation le pénétrer. La confirmation qu'elle l'avait choisi, lui, parmi les hommes qui la désiraient — en pratique, n'importe quel homme non aveugle doté de penchants plus ou moins hétérosexuels. La confirmation qu'il était le chef de meute, le mâle dominant, le mâle qui avait la priorité quand il s'agissait de s'accoupler avec une femelle. Oui, on pouvait le formuler d'une façon aussi banale, vulgaire. Être le mâle dominant, ce n'était pas une chose à laquelle on aspirait, mais avec laquelle on naissait. Pas forcément la vie la plus simple et la plus agréable pour un homme, mais quand on était désigné, on ne pouvait pas lutter.

La porte s'ouvrit.

Elle portait un pull blanc à col roulé et avait attaché ses cheveux en chignon. Elle avait l'air fatiguée, ses yeux paraissaient plus petits que d'habitude. Et pourtant, elle avait cette élégance, cette classe dont sa femme ne pourrait jamais que rêver. Elle le salua, déclara qu'elle était assise sur la terrasse et lui tourna le dos pour retourner dans la maison. Il lui emboîta le pas, prit une bière dans le frigo et s'installa dans l'un des fauteuils ridiculement lourds et imposants de la terrasse.

« Qu'est-ce que tu fais dehors ? ricana-t-il. Tu vas attraper une pneumonie.

— Ou un cancer du poumon. » Elle prit la cigarette à moitié consumée posée au bord du cendrier et reprit son livre. Il lut le titre. *Ham on Rye*[1]. Charles... Il plissa les yeux. Bukowski ? Comme le commissaire-priseur ?

« J'ai de bonnes nouvelles, commença-t-il. Nous n'avons pas seulement évité une catastrophe, nous avons tourné tout l'incident Leike en notre faveur. Le ministère a appelé, aujourd'hui. » Bellman posa les pieds sur la table et regarda l'étiquette de sa canette. « Ils voulaient me remercier d'être intervenu et d'avoir fait libérer Leike. Ils étaient très inquiets quant à ce que Galtung et sa horde d'avocats auraient fait si la Kripos n'avait pas agi aussi rapidement. Et ils voulaient avoir la certitude que c'était moi qui avais les mains sur le volant, que personne d'extérieur à la Kripos n'aurait la possibilité de mettre le bazar. »

Il porta la canette à sa bouche et but. Il la reposa ensuite d'un geste sec sur la table.

« Qu'en penses-tu, Bukowski ? »

Elle baissa son livre et le regarda.

« Ça devrait t'intéresser un peu, reprit-il. Tu es concernée aussi, tu sais. Que penses-tu de cette affaire, chérie ? Allez. Tu es enquêtrice à la Crim.

— Mikael...

— Tony Leike est un type violent, et on s'est fait avoir. Parce que nous savons que les auteurs d'actes de violence sont incorrigibles. La faculté et la volonté de tuer ne sont pas données à chaque

---

1. *Souvenirs d'un pas grand-chose* en traduction française.

être humain, c'est inné ou acquis. Mais à partir de l'instant où tu as un tueur en toi, il est très, très difficile à faire ressortir. Notre tueur sait peut-être que nous le savons ? Peut-être qu'il nous a servi Tony Leike sur un plateau, pour que nous nous emballions et criions en chœur : "Hé, c'est évident, c'est le mec qui a des penchants violents !" Et c'est pour ça qu'il s'est introduit chez Tony Leike pour appeler Elias Skog. Pour que nous ne cherchions pas qui d'autre était à Håvasshytta.

— Le coup de téléphone passé de chez Leike a eu lieu avant que quelqu'un en dehors de la police sache que nous avions découvert le lien avec Håvasshytta.

— Et alors ? Il devait se dire que ce n'était qu'une question de temps, qu'on finirait par le découvrir. Et merde, on aurait dû le découvrir bien plus tôt ! »

Bellman attrapa sa canette de bière.

« Alors qui est l'assassin ?

— L'inconnu de Håvasshytta, répondit Mikael Bellman. Le soupirant qu'Adele Vetlesen a invité, mais dont tout le monde ignore l'identité.

— Tout le monde ?

— J'ai plus de trente personnes sur le coup. On a fouillé l'appartement d'Adele. Aucune source écrite. Pas de journal intime, de carte ou de lettre, pour ainsi dire pas de mails ou de SMS. Ceux que nous avons identifiés dans l'entourage masculin d'Adele ont été interrogés et rayés de la liste. Dans son entourage féminin aussi. Aucun d'entre eux n'a vu le type qui l'a accompagnée à Håvasshytta, personne ne lui a parlé. Tout le monde avait l'air de trouver ça normal, elle devait changer de partenaire comme de culotte, et elle ne le criait pas sur tous les toits. Tout ce qu'on a pu savoir, c'est qu'Adele aurait dit à une amie qu'il y avait des points positifs et des points négatifs chez ce soupirant des refuges. Le positif, c'est qu'il lui avait demandé de venir à un rendez-vous nocturne dans une usine désaffectée, déguisée en infirmière.

— Si ce truc l'excitait, je me demande ce qui l'aurait refroidie.

— C'était que quand il parlait il lui faisait penser à son copain. Sa copine n'avait pas la moindre idée de ce qu'Adele entendait par là.

— Ce n'était pas son copain, bâilla Kaja. Geir Bruun est pédé. Si cet inconnu a essayé de faire porter le chapeau à Tony Leike, il savait que Leike avait un casier.

— La condamnation pour voies de fait est une information que tout le monde peut se procurer. Y compris où ça s'est produit, dans la commune d'Ytre Enebakk. Leike a failli devenir un meurtrier alors qu'il vivait chez son grand-père près du Lyseren. Si tu étais la tueuse et si tu voulais orienter les projecteurs de la police sur Leike, où te débarrasserais-tu du cadavre d'Adele Vetlesen ? Tout naturellement dans un endroit que la police peut relier à une personne et à une condamnation pour voies de fait qu'ils ont déjà dans leurs registres. C'est pour ça qu'il a choisi le Lyseren. »

Mikael Bellman s'interrompit.

« Dis-moi, je t'ennuie ?

— Non.

— Tu n'as pas l'air intéressée.

— J'ai... d'autres sujets de préoccupation.

— Quand t'es-tu mise à fumer ? D'ailleurs, j'ai un plan pour trouver l'inconnu. »

Kaja le regarda longuement. Bellman soupira.

« Tu ne me demandes pas comment, chérie ?

— Comment ?

— En utilisant la même tactique que lui.

— À savoir ?

— Mettre un innocent sous les feux de la rampe.

— Ce n'est pas ta tactique habituelle ? »

Mikael Bellman leva très vite les yeux. Il commençait à comprendre. Une histoire de mâle dominant.

Il lui exposa son plan. Expliqua comment il voulait attirer

l'inconnu de Håvasshytta. Peu après, il tremblait de froid et de fureur. Il ne savait pas ce qui le mettait le plus en rage. Qu'elle ne réagisse pas le moins du monde, de façon positive ou négative. Ou qu'elle continue à fumer comme si cette affaire ne la concernait absolument pas. Ne comprenait-elle pas que sa carrière à lui, ses avancées au cours de ces journées cruciales, décideraient aussi de son avenir à elle ? Si elle ne pouvait pas être considérée comme la future Mme Bellman, elle pouvait au moins gravir les échelons sous sa protection, à condition d'être loyale et de continuer à le servir. Ou la fureur venait peut-être de sa question. Qu'il s'agissait de *lui*. L'autre. Le vieux mâle dominant décrépit.

Elle parlait de l'opium. Lui demandait s'il l'aurait vraiment utilisé au cas où Hole n'aurait pas endossé la responsabilité de l'arrestation de Leike.

« Bien sûr. » Bellman essaya de voir son visage, mais il faisait trop sombre. « Pourquoi pas ? Il s'agit de trafic de drogue.

— Je ne pense pas à lui. Je me demandais si tu aurais discrédité toute l'institution policière. »

Il secoua la tête.

« On ne peut pas se laisser suborner par ce genre d'égards. »

Le rire de Kaja parut sec au contact du froid compact.

« Tu l'as suborné, toi, de toute évidence.

— Il est corruptible. » Bellman vida sa canette d'un trait. « C'est la différence entre lui et moi. Dis-moi, Kaja, tu essaies de me dire quelque chose ? »

Elle ouvrit la bouche. Voulut le dire. Allait le faire. Mais au même instant, le téléphone de Bellman sonna. Elle le vit plonger la main dans sa poche, tandis qu'il plissait la bouche en cul-de-poule, comme à son habitude. Ça ne mimait pas un baiser, ça lui enjoignait de la boucler. Au cas où ce serait sa femme, son chef ou n'importe quelle autre personne qui ne devait pas apprendre qu'il venait ici sauter une collègue de la Criminelle, laquelle lui donnait en outre tous les renseignements nécessaires pour qu'il puisse manipuler l'unité adverse dans cette enquête de meurtre. Au diable Mikael Bellman. Au diable Kaja Solness. Et en tout premier lieu, au diable...

« Il a disparu, déclara Mikael Bellman en glissant le téléphone dans sa poche.

— Qui ?

— Tony Leike. »

CHAPITRE 51

Lettre

Salut, Tony,

    Tu te demandes depuis longtemps qui je peux bien être. Assez long-temps pour que je pense le moment venu de te le révéler. J'étais à Håvasshytta cette nuit-là, mais tu ne m'as pas vu. Personne ne m'a vu, j'étais invisible comme un fantôme. Mais tu me connais. Tu me connais très, très bien. Et je viens te chercher. Le seul qui puisse m'arrêter, à présent, c'est toi. Tous les autres sont morts. Il ne reste que toi et moi, Tony. Est-ce que ton cœur bat un peu plus vite, à présent ? Est-ce que ta main cherche le couteau ? Frappes-tu à l'aveugle dans le noir, fou de peur à l'idée qu'on puisse te tuer ?

CHAPITRE 52

Visite

Quelque chose l'avait réveillé. Un bruit. Il n'y avait aucun bruit ici, aucun qu'il ne connaisse, et ceux-là ne le réveillaient pas. Il se leva, posa les pieds sur le sol froid et regarda par la fenêtre. Son paysage. Certains parlaient de désert, quoi que cela veuille dire. Car ce n'était jamais désert, il y avait toujours quelque chose. Comme en ce moment. Un animal ? Ou est-ce que ça pouvait être lui, le revenant ? Il y avait quelque chose dehors, il en était certain. Il regarda vers la porte. Elle était verrouillée de l'intérieur. Le fusil était dans le stabbur[1]. Il frissonna dans l'épaisse chemise en flanelle rouge qu'ici il portait jour et nuit. Le salon était vide. Tout comme à l'extérieur. Le monde. Mais pas désert. Il y avait eux deux, les deux qui restaient.

Harry rêvait. D'un ascenseur avec des dents, d'une femme qui tenait un agitateur entre ses lèvres rouge cochenille, un clown qui tenait sa tête hilare sous le bras, une mariée en blanc près de l'autel à côté d'un bonhomme de neige, une étoile dessinée dans la poussière d'un écran de télévision, une jeune fille manchote sur un plongeoir à Bangkok, le parfum douceâtre d'un urinoir, les

1. Grenier traditionnel construit sur pilotis.

contours d'un corps humain qui se dessinent sous le plastique bleu d'un matelas pneumatique, un marteau-perforateur et le sang qui jaillit de son visage, chaud et mortel. L'alcool avait été son crucifix, l'ail et l'eau bénite contre les fantômes, mais cette nuit-là la lune était pleine et le sang de vierge coulait, et ils surgissaient des coins les plus sombres et des tombes les plus profondes. Ils se le renvoyaient dans leur danse, plus violents, plus sauvages que jamais, au rythme cardiaque des affres de la mort et au son d'une alarme incendie impitoyable qui résonne sans cesse en enfer. Puis le silence revint. Pour de bon. C'était de retour. Ça lui remplissait la bouche. Il ne pouvait plus respirer. Il faisait froid, l'obscurité était complète, et il ne pouvait pas bouger, il…

Harry sursauta et cligna des yeux dans le noir, perdu. Un écho mourait entre les murs. L'écho de quoi ? Il empoigna son revolver sur la table de chevet, posa les pieds sur le sol froid et descendit dans le salon. Vide. Le bar vide était encore allumé. Il n'avait contenu qu'une bouteille de cognac Martell. Son père avait toujours été prudent avec l'alcool, il savait quel genre de gènes il portait, et le cognac était réservé à ses invités. Il n'y en avait pas eu beaucoup. La demi-bouteille poussiéreuse avait été emportée par le raz-de-marée, avec le capitaine Jim Beam et le matelot Harry Hole. Harry s'assit dans le fauteuil, plongea un doigt dans l'ouverture de l'accoudoir. Il ferma les yeux et l'imagina, le verre qu'il remplissait à moitié. Le glouglou profond de la bouteille, les reflets dans la substance mordorée. Le parfum, l'excitation au moment de porter le verre à ses lèvres, et il sentit son corps regimber, en proie à la panique. Puis il vida le contenu dans sa bouche.

Il y eut comme un coup contre sa tempe.

Harry écarquilla les yeux. Le silence était total.

Puis cela recommença, avec la même soudaineté.

Elle se fraya un chemin dans son oreille. La sirène infernale. Celle qui l'avait réveillé. La sonnette. Harry regarda l'heure. Minuit et demi.

Il alla dans l'entrée, alluma la lampe extérieure, vit une silhouette de l'autre côté du verre dépoli, brandit son revolver de la main droite tandis que la gauche tournait la poignée, ouvrait la porte en grand.

Dans le clair de lune, il voyait des traces de ski traverser la cour. Ce n'étaient pas les siennes. Et les revenants ne laissent pas de traces, si ?

Elles faisaient le tour de la maison.

Il se rendit compte au même instant que la fenêtre de la chambre était ouverte, qu'il aurait dû… Il retint soudain son souffle. Quelqu'un parut cesser de respirer en même temps que lui. Pas quelqu'un, quelque chose. Un animal.

Il se retourna. Ouvrit la bouche. Son cœur avait cessé de battre. Comment est-ce que cela pouvait s'être déplacé aussi vite et sans un bruit, comment est-ce que ça avait pu arriver… aussi près ?

Kaja le regardait.

« Je peux entrer ? » demanda-t-elle.

Elle portait un imperméable beaucoup trop grand pour elle, les cheveux en bataille, son visage était pâle et ses traits tirés. Il cligna plusieurs fois des yeux avec insistance, pour savoir s'il rêvait encore. Il ne l'avait jamais vue aussi belle.

Harry essaya de vomir aussi silencieusement qu'il le put. Il y avait plus de vingt-quatre heures qu'il n'avait pas bu d'alcool, et son ventre était un animal sensible qui se révoltait aussi bien contre les beuveries soudaines que contre l'abstinence inopinée. Il se rinça la bouche, but avec précaution un verre d'eau et retourna dans la cuisine. La cafetière ronronnait sur la cuisinière, et Kaja le regardait, assise sur une chaise.

« Alors Tony Leike a disparu. »

Elle hocha la tête. « Mikael avait donné l'ordre de le trouver. Mais personne n'y est arrivé, il n'était pas chez lui, pas au bureau, et il n'avait pas laissé de message. Pas de Leike sur les listes de passagers des avions et des bateaux ces dernières vingt-quatre heures. Pour finir, l'un des enquêteurs a joint Lene Galtung. Elle pense qu'il a pu partir dans la montagne. Pour réfléchir, il le fait souvent. Dans ce cas, il a pris le train, parce que sa voiture est dans le garage.

— Ustaoset. Il a dit que c'était chez lui.

— Il n'a pas pris de chambre à l'hôtel.

— Mmm.

— Ils pensent qu'il est en danger.

— Ils ?

— Bellman. La Kripos.

— Je croyais que c'était ton "nous" ? Pourquoi Bellman voulait-il mettre la main sur Tony Leike, d'ailleurs ? »

Elle ferma les yeux. « Mikael avait élaboré un plan. Pour attirer l'assassin.

— Ah oui ?

— Le meurtrier essaie de tuer tous ceux qui étaient à Håvasshytta cette nuit-là. Il voulait donc persuader Tony Leike de servir d'appât. Leike aurait accepté une interview pour un journal, où il parlerait des temps difficiles, et qu'il voudrait maintenant se détendre seul dans un endroit déterminé.

— Où la Kripos tendrait le piège.

— Oui.

— Mais le plan est parti en quenouille. Et c'est pour ça que tu es ici ? »

Elle le regarda longuement, sans ciller.

« Il nous reste *une* personne que nous pouvons utiliser comme appât.

— Iska Peller ? Elle est en Australie.

— Et Bellman sait qu'elle est sous la protection de la police, que tu l'as contactée, ainsi qu'un certain McCormack. Bellman veut que tu la persuades de venir en Norvège pour servir d'appât.

— Pourquoi accepterais-je ? »

Elle regarda ses mains.

« Tu le sais. Même moyen de pression que la dernière fois.

— Mmm. Quand as-tu découvert qu'il y avait de l'opium dans la cartouche de cigarettes ?

— Quand je l'ai posée sur l'étagère à chapeaux dans ma chambre. Tu as raison, ça sent fort. Et ça m'a rappelé l'odeur que j'avais sentie dans ta pension. J'ai ouvert la cartouche, et j'ai vu que l'emballage du dernier paquet était défait. Et j'ai trouvé l'opium à l'intérieur. Je l'ai dit à Mikael. Il m'a dit de te donner quand même la cartouche quand tu me la demanderais.

— Ça t'a peut-être facilité la tâche pour me trahir. De savoir que je m'étais servi de toi. »

Elle secoua la tête avec lenteur.

« Non, Harry. Ça n'a rien facilité. Ça aurait peut-être dû, mais...

— Mais ? »

Elle haussa les épaules.

« Transmettre ce message, c'est le dernier service que je rends à Mikael.

— Ah ?

— Après, je vais lui dire que je ne veux plus le voir. »

Le ronronnement se tut dans la cafetière.

« J'aurais dû le faire il y a longtemps, poursuivit-elle. Je n'ai pas l'intention de te demander pardon pour ce que je t'ai fait, Harry, ce serait trop exiger. Mais je veux te le dire en face, pour que tu comprennes. C'est pour ça que je suis venue. Pour te dire que je le faisais à cause d'une passade stupide. L'amour m'a rendue corruptible. Et je ne pensais pas l'être. » Elle posa le front dans ses mains. « Je t'ai trahi, Harry. Je ne sais pas quoi dire. Si ce n'est que la trahison vis-à-vis de moi-même est encore pire.

— Nous sommes tous corruptibles. Nous exigeons juste des prix différents. En monnaies différentes. La tienne, c'est l'amour. La mienne, c'est l'anesthésie. Et tu sais quoi... »

413

La cafetière chanta de nouveau, une octave plus haut cette fois.

« … je crois que ça fait de toi une meilleure personne que moi. Café ? »

Il se retourna d'un coup et fixa la silhouette. Elle était juste devant lui, immobile, comme si elle était là depuis longtemps, comme son ombre. Le silence était total, il n'entendait que sa propre respiration. Puis il perçut un mouvement, quelque chose que l'on soulevait dans le noir, entendit un sifflement bas dans l'air, et au même instant une drôle d'idée lui vint. Que cette silhouette, c'était justement ça, son ombre. Qu'il…

L'idée parut bégayer, comme une perturbation dans le temps, comme une interruption momentanée de l'image.

Le regard braqué droit devant lui, il sentit une goutte de sueur couler sur son front. Il parlait, mais les mots n'avaient aucun sens, comme si la connexion entre son cerveau et sa bouche était défectueuse. Il entendit encore une fois ce sifflement sourd. Puis le bruit disparut. Tous les bruits. Il n'entendait même plus sa propre respiration. Il se rendit compte qu'il était à genoux, que le téléphone était par terre à côté de lui. Devant lui, un rayon de lune blanc courait sur le plancher grossier, mais disparut quand la goutte de sueur atteignit la racine du nez, coula dans ses yeux et l'aveugla. Et il comprit que ce n'était pas de la sueur.

Le troisième coup lui donna l'impression qu'on lui enfonçait un bloc de glace dans la tête, la gorge et le reste du corps. Le froid fut partout.

Je ne veux pas mourir, pensa-t-il tandis qu'il tentait de lever un bras en protection au-dessus de sa tête, mais comme il ne parvenait plus à bouger du tout, il comprit qu'il était paralysé.

Il ne remarqua pas le quatrième coup, mais l'odeur de bois l'informa qu'il avait le visage contre le sol. Il battit plusieurs fois des paupières, et recouvra la vision d'un œil. Juste devant lui, il vit une paire de chaussures de ski. Et les sons revinrent petit à petit :

sa respiration sifflante, une autre, calme, le sang qui gouttait du bout de son nez sur le plancher. L'autre voix n'était qu'un murmure, mais les mots semblaient hurlés à son oreille : « Nous ne faisons plus qu'un. »

Lorsque l'horloge du salon sonna deux heures, ils discutaient toujours dans la cuisine.

« L'inconnu de Håvasshytta. » Harry les resservit en café. « Ferme les yeux. Comment l'imagines-tu ? Vite, ne réfléchis pas.

— Il est rempli de haine, répondit Kaja. En colère. Déséquilibré, désagréable. Le genre de type que les filles comme Adele abordent, testent et jettent. Il a des tas de revues et de films pornos chez lui.

— Qu'est-ce qui te fait croire ça ?

— Je ne sais pas. Parce qu'il a demandé à Adele de le rejoindre dans une usine désaffectée, déguisée en infirmière.

— Continue.

— Il est féminin.

— Comment ça ?

— Voix aiguë. Adele a dit qu'il lui faisait penser à son coloc homo quand il parlait. » Elle porta la tasse à sa bouche et sourit. « Ou alors il est comédien. Avec une voix aiguë et une bouche sensuelle. Au fait, je ne me souviens toujours pas du nom de cet acteur macho qui a une voix féminine. »

Harry leva sa tasse, comme pour trinquer. « Je t'ai dit ce qu'Elias Skog a vu derrière le refuge, cette nuit-là, je crois. Qui était-ce ? C'est à un viol qu'il a assisté ?

— En tout cas, ce n'était pas Marit Olsen.

— Mmm. Pourquoi ?

— Parce qu'elle était la seule grosse, alors Elias Skog l'aurait reconnue et l'aurait désignée par son nom quand il en a parlé.

— Je suis arrivé à la même conclusion. Mais c'était un viol, à ton avis ?

— On dirait. Il avait une main sur sa bouche, pour étouffer ses cris, l'a traînée de force dans les toilettes, qu'est-ce que ça aurait pu être d'autre ?

— Mais pourquoi Elias Skog n'a-t-il pas compris tout de suite que c'était un viol ?

— Je ne sais pas. Parce qu'il y avait quelque chose dans leur façon… leur attitude, leur langage corporel.

— Exactement. L'inconscient enregistre beaucoup plus de choses que la conscience. Il croyait dur comme fer que c'était une partie de jambes en l'air, et il est retourné se coucher. Ce n'est que longtemps après, quand il a lu ces histoires de meurtres et a repensé à une scène à moitié oubliée, qu'il a pensé à un viol.

— Un jeu. Qui pouvait ressembler à un viol. Qui fait ça ? Pas un homme et une femme qui viennent de se rencontrer dans un refuge et sortent en douce pour faire plus ample connaissance. Il faut être un peu plus sûr de l'autre.

— Alors ce sont deux personnes qui ont déjà été ensemble. Et à notre connaissance, ça ne peut être que…

— Adele et l'inconnu.

— Oui, à moins que quelqu'un d'autre se soit pointé là-bas cette nuit-là. » Harry fit tomber la cendre de sa cigarette.

« Les toilettes ? demanda Kaja.

— Au fond du couloir à gauche. »

Il vit la fumée envelopper l'abat-jour au-dessus de la table. Attendit. Il n'avait pas entendu la porte s'ouvrir. Il se leva et la suivit.

Elle était immobile dans le couloir et fixait la porte. Dans la lumière blafarde, il la vit déglutir, puis aperçut une dent humide, pointue. Il lui posa une main dans le dos et même là, à travers ses vêtements, il sentit son cœur battre.

« Ça ira si j'ouvre ?

— Tu dois penser que je suis névrosée.

— On l'est tous. J'ouvre. D'accord ? »

Elle hocha la tête, et il ouvrit.

Harry était assis à la table de la cuisine quand elle revint. Elle avait passé son imperméable.

« Il va falloir que je rentre. »

Harry acquiesça et la raccompagna dans l'entrée. La regarda se pencher pour enfiler ses bottes.

« Ça n'arrive que quand je suis fatiguée. Ce truc avec les portes.

— Je sais. Je connais la même chose avec les ascenseurs.

— Ah ?

— Oui.

— Raconte !

— Une autre fois. Qui sait, on se reverra peut-être. »

Elle se tut et mit un temps fou à remonter la fermeture éclair de ses bottes. Puis elle se redressa d'un coup, si près de lui qu'il sentit son parfum la suivre, comme un écho.

« Raconte-moi maintenant, demanda-t-elle avec un feu sauvage dans le regard qu'il ne parvint pas à interpréter.

— Bon. » Il sentit que le bout de ses doigts picotait, comme s'il avait eu froid et retrouvait la chaleur. « Quand nous étions gosses, ma petite sœur avait les cheveux très longs. Nous étions allés voir notre mère à l'hôpital, et on redescendait par l'ascenseur. Papa nous attendait en bas, il ne supportait pas les hôpitaux. Ma sœur était trop près de la paroi, et ses cheveux se sont coincés entre le mur et l'ascenseur. J'ai été terrorisé au point de ne plus pouvoir bouger. Je l'ai vue quitter le plancher de la cabine, suspendue par les cheveux.

— Comment ça s'est terminé ? »

Ils étaient un peu trop près l'un de l'autre, songea-t-il. Ils étaient à la limite d'entrer dans la sphère de l'autre. Et ils le savaient. Il inspira à fond :

« Elle a perdu pas mal de cheveux. Ils ont repoussé. Je... j'ai perdu autre chose. Qui n'a pas repoussé.

— Tu as pensé que tu la trahissais.

— C'est un fait acquis, je l'ai trahie.

« — Quel âge avais-tu ?

— Assez pour trahir. » Il sourit. « Ça commence à faire assez d'apitoiement sur soi-même pour une nuit, tu ne crois pas ? Mon père a bien aimé ta petite révérence. »

Kaja émit un rire sourd. « Bonne nuit. » Elle s'inclina.

Il fit un pas de côté et lui ouvrit la porte. « Bonne nuit. »

Elle sortit sur les marches et se retourna.

« Harry ?

— Oui ?

— Tu ne te sentais pas seul, à Hong Kong ?

— Seul ?

— Je l'ai vu en te regardant dormir. Tu avais l'air très... isolé.

— Oui. J'étais seul. Bonne nuit. »

Ils restèrent immobiles une demi-seconde de trop. Cinq dixièmes de seconde plus tôt, elle aurait descendu les marches, et lui serait retourné dans la cuisine.

Les doigts de Kaja entourèrent la nuque de Harry, tirèrent sa tête vers le bas tandis qu'elle se dressait sur la pointe des pieds. Ses yeux devinrent flous, se changèrent en lac scintillant avant qu'elle ne les ferme. Elle avait les lèvres entrouvertes au moment où elle atteignit les siennes. Elle le maintint de la sorte et il ne bougea pas ; il ressentit juste ce doux coup de poignard dans le ventre, comme une bouffée de morphine.

Elle le lâcha.

« Dors bien, Harry. »

Il hocha la tête, sans répondre.

Elle se retourna et descendit. Il rentra, ferma sans bruit la porte derrière lui.

Il débarrassa les tasses, rinça la cafetière et l'avait rangée quand on sonna.

Il alla ouvrir.

« J'ai oublié quelque chose, déclara-t-elle.

— Quoi donc ? »

418

Elle leva la main et lui caressa le front. « À quoi tu ressembles. »

Il l'attira vers lui. Sa peau. Son odeur. Il tomba, en une chute délicieusement vertigineuse.

« Je te veux, chuchota-t-elle. Je veux faire l'amour avec toi.

— Et moi avec toi. »

Ils se lâchèrent. Se regardèrent. Une soudaine solennité semblait les envelopper, et pendant un court instant il se dit qu'elle regrettait. Que lui regrettait. Que c'était trop, trop vite. Qu'il y avait trop d'autres choses, trop de coups, trop de bagages, trop de bonnes raisons. Mais elle lui prit la main, murmura « viens » et le précéda dans l'escalier.

La chambre était froide et sentait les parents. Il alluma.

Le grand lit double était fait, avec deux édredons et deux oreillers.

Harry l'aida à changer les draps.

« De quel côté dormait-il ? voulut savoir Kaja.

— Celui-là.

— Et il a continué à y dormir après sa disparition, murmura-t-elle, comme pour elle. Au cas où. »

Ils se déshabillèrent sans se regarder. Se glissèrent sous la couette et s'y retrouvèrent.

D'abord, ils restèrent l'un contre l'autre, pour s'embrasser, se sonder, doucement, comme pour ne rien gâcher avant de savoir comment ça fonctionnait. Écouter la respiration de l'autre et le souffle des rares voitures au-dehors. Puis les baisers se firent plus gourmands, les caresses plus audacieuses, et il entendit sa respiration siffler à son oreille.

« Tu as peur ? voulut-il savoir.

— Non », gémit-elle. Elle saisit son membre raide, souleva les hanches et voulut l'introduire en elle, mais il écarta sa main et se dirigea lui-même.

Il n'y eut pas un bruit, juste un halètement, lorsqu'il la pénétra. Il ferma les yeux et s'immobilisa, pour ne plus faire que ressentir.

Puis il commença à bouger en douceur. Ouvrit les yeux, croisa son regard. Elle avait l'air au bord des larmes.

« Embrasse-moi », murmura-t-elle.

La langue de Kaja s'enroula autour de celle de Harry, lisse en dessous, rugueuse dessus. Plus vite et plus profond, plus lentement et plus profond. Elle le renversa sur le dos sans lâcher sa langue et s'assit sur lui. Son sexe appuyait sur les muscles du ventre de Harry chaque fois qu'elle redescendait sur lui. Puis elle lâcha sa langue, renversa la tête en arrière et poussa un gémissement rauque. Deux fois, un son grave, animal, qui enflait en une note aiguë au moment où elle n'avait plus d'air dans les poumons et où le son mourait. Sa gorge se gonfla de cris qui ne venaient pas. Il leva la main, posa deux doigts sur la carotide qui frémissait, bleue, sous la peau de sa gorge.

Puis elle cria, comme de douleur, comme de fureur, comme une libération. Harry sentit l'étreinte se resserrer autour de son sexe et jouit. C'était abouti, si insupportablement abouti qu'il leva un poing et l'abattit sur le mur derrière lui. Et comme s'il venait de lui faire une piqûre mortelle, elle s'affaissa sur lui.

Ils s'immobilisèrent ainsi, les membres mêlés, comme après une chute. Harry sentait le sang pulser dans ses oreilles, et le bien-être envahir son corps. Ça, et quelque chose dont il aurait pu jurer que c'était du bonheur.

Il se réveilla quand elle revint dans le lit, tout contre lui. Elle portait un des caleçons du père de Harry. Elle l'embrassa, grommela quelques mots et s'endormit. Sa respiration était légère et tranquille. Harry fixa le plafond et, tout en laissant dériver ses pensées, il sut que ça ne servait à rien de résister.

Ça avait été si bien... Ça n'avait pas été si bien depuis... depuis...

Le store n'était pas baissé, et à cinq heures et demie les faisceaux lumineux des phares des voitures sur la route commencèrent à sillonner le plafond tandis qu'Oslo se réveillait et partait travailler à contrecœur. Il la regarda encore une fois. Puis s'endormit à son tour.

CHAPITRE 53

Heelhook

Quand Harry se réveilla, il était neuf heures, la chambre baignait dans la lumière du jour, et il n'y avait personne à côté de lui. Mais quatre messages sur son téléphone.

Le premier était de Kaja. Elle disait qu'elle était dans sa voiture et rentrait se changer avant d'aller bosser. Elle le remerciait pour… il n'entendit pas, juste un rire aigu, puis elle raccrocha.

Le deuxième était de Gunnar Hagen, qui se demandait pourquoi Harry n'avait répondu à aucun de ses appels, et disait que la presse le tannait à cause de l'arrestation immotivée de Tony Leike.

Le troisième était de Günther, qui ressortait la blague de Harry Klein et l'informait que la police de Leipzig n'avait pas retrouvé le passeport de Juliana Verni, et ne pouvait donc pas confirmer ou infirmer la présence d'un tampon de Kigali.

Le quatrième avait été laissé par Mikael Bellman. Il demandait à Harry de venir à la Kripos à deux heures, et ajoutait qu'il partait du principe que Kaja l'avait mis au courant.

Harry se leva. Il se sentait bien. Mieux que bien. Fantastiquement bien, même. Il réfléchit. OK, fantastiquement, c'était peut-être exagéré.

Harry descendit, sortit un paquet de craque-pain et passa l'appel le plus important en premier.

« Vous êtes en relation avec la frangine Hole. »

Sa voix était si solennelle qu'il ne put s'empêcher de sourire.

« Et vous êtes en relation avec Harry Hole.

— Harry ! » Elle hurla son nom deux autres fois.

« Salut, Frangine.

— Papa a dit que tu étais rentré ! Pourquoi tu n'as pas appelé plus tôt ?

— Je n'étais pas prêt. Maintenant, je le suis. Et toi ?

— Je suis toujours prête, Harry. Tu le sais.

— Oui, je le sais. On déjeune en ville avant d'aller voir papa ? Je t'invite.

— Oui ! Tu as l'air heureux, Harry. C'est Rakel, tu lui as parlé ? Je lui ai parlé hier. C'est quoi, ce bruit, Harry ?

— Juste le craque-pain qui est tombé par terre. Qu'est-ce qu'elle voulait ?

— Prendre des nouvelles de papa. Elle a appris qu'il était malade.

— Rien d'autre ?

— Non. Si. Elle a dit qu'Oleg allait bien. »

Harry déglutit.

« Super. À bientôt, alors.

— N'oublie pas. Je suis contente que tu sois rentré, Harry. J'ai tant de choses à te raconter ! »

Harry posa l'appareil sur le plan de travail et se pencha pour ramasser le pain quand le téléphone vibra de nouveau. La Frangine avait toujours eu l'esprit d'escalier. Il se redressa.

« Qu'est-ce que c'est ? »

Un toussotement grave. Puis une voix qui se présenta comme Abel. Le nom lui était connu, et Harry chercha dans sa mémoire. Il y avait les dossiers d'anciennes affaires classés avec soin, contenant des informations qui semblaient ne jamais devoir être effacées : noms, visages, numéros de rue, dates, timbres de voix, la couleur d'un véhicule et son année. Mais il pouvait oublier le nom de voisins qui avaient habité trois ans dans l'immeuble, ou la date d'anniversaire d'Oleg. On appelait ça la mémoire d'enquêteur.

Harry écouta sans interrompre.

« Je comprends, finit-il par répondre. Merci d'avoir appelé. »

Il raccrocha et composa un autre numéro.

« Kripos, répondit une voix enrouée de réceptionniste. Vous essayez de joindre Mikael Bellman.

— Oui. Hole, de la Brigade criminelle. Où est Bellman ? »

La réceptionniste donna le renseignement.

« Logique.

— Plaît-il ? bâilla-t-elle.

— C'est ce qu'il fait, non ? »

Harry glissa le téléphone dans sa poche. Regarda par la fenêtre de la cuisine. Le craque-pain crépita sous ses pieds lorsqu'il sortit.

« Centre d'escalade de Skøyen », lisait-on sur la porte vitrée qui donnait sur le parking. Harry entra. Il dut s'arrêter dans l'escalier pour laisser le passage à un groupe d'écoliers excités qui ressortaient. Il se déchaussa près d'un meuble au pied des marches. Une demi-douzaine de personnes s'activaient sur les murs hauts de dix mètres de la grande salle d'escalade. Encore que, des murs… ça ressemblait davantage aux parois rocheuses en papier mâché des films de Tarzan que Harry et Øystein avaient vus au cinéma de Symra pendant leur enfance. Sauf que ceux-ci étaient constellés de prises multicolores et de spits armés de dégaines. Un léger parfum de savon et de transpiration plantaire s'élevait des tapis bleus sur lesquels Harry avançait. Il s'arrêta à côté d'un homme trapu, debout les jambes écartées, qui observait ce qui se passait au-dessus d'eux. Une corde partait de son baudrier et rejoignait un homme suspendu par un bras huit mètres plus haut. Au plus fort de son balancement, il envoya un pied, coinça le talon dans une prise rose en forme de poire, posa l'autre pied sur un gratton de la structure et passa la corde dans le point d'ancrage supérieur avec un ample mouvement gracieux.

« *Got you !* » cria-t-il avant de s'asseoir dans son baudrier, les pieds contre la paroi.

« Joli *heelhook*[1], apprécia Harry. Il est un peu poseur, ton chef, non ? »

Jussi Kolkka ne se donna pas la peine de répondre et ne regarda pas Harry ; il tira simplement sur le levier de son descendeur.

« Ils m'ont dit au bureau que tu étais ici, lança Harry à l'homme qui leur arrivait dessus.

— Toujours à cette heure, chaque semaine, répondit Bellman. L'un des avantages en nature du policier, c'est de pouvoir faire du sport pendant son temps de travail. Comment vas-tu, Harry ? Tu as l'air assez sec, en tout cas. Beaucoup de muscles au kilo, j'imagine. Idéal pour la varappe, tu sais.

— Trop peu d'ambition », déclara Harry.

Bellman atterrit solidement sur ses jambes, tira sur la corde pour défaire son nœud de huit.

« Je ne te suis pas, là.

— Je ne vois pas l'intérêt de grimper si haut. J'escalade quelques boulders, de temps en temps.

— Des boulders, ricana Bellman avant d'enlever son baudrier. Tu sais qu'on se fait plus mal en tombant de deux mètres sans corde que de trente mètres avec ?

— Oui, répondit Harry avec un sourire en coin. Je sais. »

Bellman s'assit sur un banc en bois, quitta ses chaussons d'escalade et se frictionna les pieds pendant que Kolkka commençait à enrouler la corde.

« Tu as eu mon message ?

— Oui.

— Alors on est pressés, disons deux heures ?

— C'était ça que je voulais préciser avec toi, Bellman.

— Préciser ?

1. Crochet du talon.

— Avant qu'on voie les autres. Qu'on se mette d'accord sur les conditions dans lesquelles je rejoins l'équipe.

— *L'équipe ?* » Bellman rit. « De quoi parles-tu, Harry ?

— Tu veux que je sois plus explicite ? Tu n'as pas besoin de moi pour appeler en Australie et persuader une fille de venir jouer les appâts, tu t'en sortirais très bien tout seul. Ce que tu veux, c'est *de l'aide.*

— Harry ! Là, tu…

— Tu es fatigué, Bellman. Tu commences à t'en rendre compte, n'est-ce pas ? Tu trouves que la presse a passé la vitesse supérieure après le meurtre de Marit Olsen. » Harry s'assit sur le banc à côté de Bellman. Même assis, il mesurait près de dix centimètres de plus. « *Feeding Frenzy* dans la presse chaque putain de nouveau jour. Impossible de passer devant un présentoir à journaux ou d'allumer une télé sans qu'on te rappelle l'Affaire. L'Affaire que tu n'as pas résolue. L'Affaire avec laquelle tes chefs te soûlent en permanence. L'Affaire qui nécessite une conférence par jour, où les vautours hurlent leurs questions en même temps. Et à présent, l'homme que tu as toi-même relâché s'est évaporé. Les charognards de la presse se bousculent, certains piaillent déjà en suédois, en danois et même en anglais, Bellman. Bientôt, ils parleront français. Car c'est l'Affaire que tu *dois* résoudre, Bellman. Et l'Affaire piétine. »

Bellman ne répondit pas, mais les muscles de sa mâchoire tressaillaient. Kolkka avait rangé la corde dans son sac et revenait vers eux, mais Bellman le congédia d'un geste. Le Finlandais fit volteface et partit de sa démarche chaloupée, comme un toutou obéissant.

« Que veux-tu, Harry ?

— Je te propose d'expédier la chose ici, entre nous, plutôt que là-haut en réunion.

— Tu veux que je te *demande* ton aide ? »

Harry vit le visage de Bellman s'empourprer.

425

« Tu crois être en position de négocier, Harry ?

— Eh bien, un peu plus qu'il y a quelque temps.

— Tu te trompes.

— Kaja Solness ne veut plus bosser pour toi. Tu as déjà promu Bjørn Holm, et si tu le renvoies enquêter sur les scènes de crime, il en sera ravi. Le seul à qui tu puisses nuire, à présent, c'est moi, Bellman.

— Tu as oublié que je peux te faire coffrer, pour que tu ne revoies jamais ton père vivant ? »

Harry secoua la tête.

« Il n'y a plus personne à revoir, Bellman. »

Surpris, Mikael Bellman haussa un sourcil.

« L'hôpital a appelé ce matin, expliqua Harry. Mon père est tombé dans le coma cette nuit. Son médecin, Abel, dit qu'il ne se réveillera pas. Ce qui n'avait peut-être pas été dit entre mon père et moi ne le sera jamais. »

CHAPITRE 54

Tulipe

Bellman dévisagea Harry. Ou plutôt, ses yeux bruns étaient fixés sur Harry, mais son regard partait à l'envers, vers l'intérieur. Harry savait qu'une réunion de crise s'y déroulait, une réunion assez animée, semblait-il. Avec des gestes lents, Bellman détacha le sac de magnésie de sa taille, comme pour gagner du temps. Du temps pour réfléchir. Puis il le fourra dans son sac à dos en un mouvement de colère.

« Si — et seulement *si* — je te demandais de m'aider sans avoir le moindre moyen de pression sur toi, pourquoi le ferais-tu, bon sang ? demanda-t-il.

— Je ne sais pas. »

Bellman cessa de ranger ses affaires et leva la tête.

« Tu ne sais pas ?

— Eh bien… En tout cas, ce n'est pas par amour pour toi, Bellman. » Harry inspira à fond. Tripota son paquet de cigarettes. « Disons que même ceux qui se croient SDF découvrent de temps à autre qu'ils ont un domicile. Un endroit où ils peuvent espérer être enterrés un jour. Et tu sais où je veux qu'on m'enterre, moi, Bellman ? Dans le parc devant l'hôtel de police. Pas parce que j'adore la police ou parce que j'ai été partisan de ce que l'on appelle "l'esprit de corps". Au contraire, j'ai craché sur la fausse loyauté des

427

gens vis-à-vis de l'institution, cette camaraderie incestueuse uniquement fondée sur l'idée que les gens auront peut-être besoin qu'on leur rende service dans la tourmente. Un collègue qui pourra te venger, témoigner en ta faveur ou au besoin fermer les yeux. Je déteste tous ces trucs-là. »

Harry se tourna vers Bellman.

« Mais la police, c'est tout ce que j'ai. C'est ma tribu. Et mon boulot, c'est d'élucider des meurtres. Que ce soit pour la Kripos ou pour la Brigade criminelle. Tu peux comprendre ce genre de choses, Bellman ? »

Mikael Bellman se pinça la lèvre inférieure entre le pouce et l'index.

Harry fit un signe de tête vers le mur.

« Qu'est-ce que tu grimpais, Bellman ? 7A ?

— 7B. À vue.

— Balèze. Et je parie que tu penses que ça, ça l'est encore plus. Mais c'est ce que je veux. »

Bellman se racla la gorge.

« D'accord, d'accord, Harry. » Il resserra d'un geste brusque les cordons de son sac. « Veux-tu nous aider ? »

Harry rangea son paquet de cigarettes et baissa la tête.

« Évidemment.

— Il faut d'abord que je voie avec ton supérieur si ça ne pose pas de problème.

— Pas besoin. » Harry se leva. « Je l'ai déjà informé que je bosse avec vous, dorénavant. On se voit à deux heures. »

Iska Peller regarda par la fenêtre du bâtiment en pierre de deux étages la rangée de maisons toutes identiques de l'autre côté de la rue. Ça aurait pu être n'importe quelle rue de n'importe quelle ville en Angleterre, mais c'était simplement le quartier de Bristol, à Sydney, en Australie. Un vent frais du sud avait soufflé. La chaleur de l'après-midi disparaîtrait en même temps que le soleil.

Elle entendit un chien aboyer, et la circulation des poids lourds sur l'autoroute à deux pâtés de maisons de là.

L'homme et la femme dans la voiture de l'autre côté de la rue avaient été relevés, et remplacés par deux hommes. Ils buvaient sans se presser le contenu de gobelets en carton à couvercle. Sans se presser, car il n'y a aucune raison de se dépêcher de boire son café quand on a devant soi une garde de huit heures pendant laquelle il ne se passera rien du tout. Ralentissez, freinez votre métabolisme, faites comme les aborigènes : entrez dans cet état d'engourdissement et d'enfermement qui constitue leur mode de veille et dans lequel ils peuvent rester heure après heure, jour après jour si nécessaire. Elle essaya d'imaginer comment ces longs cafés pourraient être d'un quelconque secours s'il se passait *véritablement* quelque chose.

« Je suis désolée », répondit-elle dans le téléphone, en tentant de maîtriser le frémissement de sa voix que la fureur contenue provoquait. « Je ne demande qu'à vous aider à trouver l'assassin de Charlotte, mais ce que vous proposez est inconcevable. » Puis la colère prit le dessus : « Comment osez-vous me le demander ? ! Je suis déjà un appât ici. Rien ne pourrait me faire retourner en Norvège. C'est vous, la police. On vous paie pour attraper ce monstre, pourquoi ne l'attirez-vous pas, vous ? »

Elle interrompit la communication et jeta le téléphone. Il atterrit sur le coussin du fauteuil où l'un de ses chats dormait : il fit un bond et fila dans la cuisine. Elle se cacha le visage dans les mains et laissa les sanglots s'échapper. Chère Charlotte. Sa chère, chère Charlotte adorée.

Elle n'avait jamais eu peur du noir, et elle ne pensait maintenant à rien d'autre ; que, bientôt, le soleil allait se coucher, que la nuit arriverait, impitoyable, encore et encore.

Le téléphone joua les premières notes d'une chanson d'Antony and the Johnsons, et l'écran s'illumina sur le coussin du fauteuil. Elle alla voir. Sentit le duvet de sa nuque se hérisser. Le numéro de l'appelant commençait par +47. La Norvège de nouveau.

Elle porta l'appareil à son oreille.

« Oui ?

— C'est encore moi. »

Elle poussa un soupir de soulagement. Ce n'était que le policier.

« Puisque vous ne voulez pas venir physiquement, je me demandais si nous pouvions au moins emprunter votre nom ? »

Kaja regarda l'homme penché sur les genoux de la rouquine, puis la rouquine qui inclinait son visage sur la nuque offerte de l'homme.

« Que vois-tu ? » demanda Mikael. Sa voix résonnait entre les murs du musée.

« Elle l'embrasse. » Kaja s'écarta d'un pas du tableau. « Ou elle le console.

— Elle le mord et suce son sang.

— Qu'est-ce qui te fait croire ça ?

— C'est une des raisons pour lesquelles Munch a appelé ce tableau *Vampire*. Tout est prêt ?

— Oui. Je prends le train pour Ustaoset dans une heure.

— Pourquoi voulais-tu que nous nous voyions ici, maintenant ? »

Kaja inspira à fond.

« Je voulais te dire que nous ne pouvons plus nous voir. »

Mikael Bellman se balança sur les talons. « Amour et souffrance.

— Quoi ?

— C'est le premier nom que Munch avait donné à ce tableau. Harry t'a mise au courant des détails de notre plan ?

— Oui. Tu as entendu ce que j'ai dit ?

— Merci, Solness, j'entends à la perfection. Si ma mémoire est bonne, tu l'as déjà dit plusieurs fois. Je te propose de réfléchir.

— J'ai réfléchi, Mikael. »

Il passa une main sur son nœud de cravate. « Tu as couché avec lui ? »

Elle se crispa. « Avec qui ? »

Bellman émit un petit rire.

Kaja ne le regarda pas s'en aller, elle avait les yeux rivés sur le visage de la femme tandis qu'elle entendait les pas de Mikael s'éloigner.

La lumière filtrait à travers les stores en acier gris, et Harry se réchauffa les mains sur une tasse de café marquée « Kripos » en lettres bleues. La salle de réunion ressemblait à s'y méprendre à celle dans laquelle il avait passé un nombre incroyable d'heures à la Brigade criminelle. Claire, luxueuse et cependant dépouillée, dans un style non pas minimaliste, mais révélateur d'un certain vide intérieur. Une pièce qui encourage à l'efficacité, afin de pouvoir se barrer au plus vite.

Les huit personnes présentes constituaient ce que Bellman avait présenté comme le noyau dur du groupe d'investigation. Harry n'en connaissait que deux : Bjørn Holm et une enquêtrice costaude, terre à terre, et pas très imaginative, que l'on surnommait le Pélican, et qui avait jadis travaillé à la Brigade criminelle. Bellman avait présenté Harry à tout le monde, y compris Ærdal, un type à lunettes en corne et costume brun d'un modèle qui faisait penser très fort à la RDA. Assis tout seul au bout de la table, il se curait les ongles à l'aide d'un couteau suisse. Harry paria pour un passé dans les services de renseignement de l'armée. Ils avaient fait leurs rapports. Qui confirmaient tous la supposition de Harry : l'affaire piétinait. Il remarqua l'attitude défensive, surtout dans le rapport sur la recherche de Tony Leike. L'auteur parlait des listes de passagers vérifiées, avec quelles compagnies, sans résultat, des responsables de chez tel ou tel opérateur qui déclaraient qu'aucune de leurs stations de base n'avait capté de signaux émis par le mobile de Tony Leike. Il expliqua qu'aucun hôtel de la ville n'avait hébergé de Leike, mais que le Capitaine (même Harry connaissait l'informateur zélé autoproclamé et réceptionniste du Bristol) avait appelé pour dire qu'il avait vu quelqu'un qui ressemblait à Tony Leike. L'enquêteur responsable rendait compte avec une minutie impressionnante de tout ce qui avait été fait, sans remarquer que ça ne faisait que mettre en lumière l'échec. Résultat nul. Rien. Que dalle.

Bellman était assis en bout de table, les jambes croisées dans un pantalon toujours impeccablement repassé. Il remercia pour les rapports et fit une présentation plus formelle de Harry. Il lut très vite une espèce de CV qui mentionnait son diplôme de l'École supérieure de police, sa formation au FBI, à Chicago, sur les tueurs en série, l'affaire du tueur de clown en Australie, sa promotion au grade d'inspecteur principal et, bien sûr, l'affaire du Bonhomme de neige.

« Harry fait donc partie de cette équipe à compter d'aujourd'hui. Il me rend compte.

— Et n'est subordonné qu'à toi ? » gronda le Pélican. Harry se souvint que c'était ce qu'elle faisait à cet instant précis qui lui avait valu son surnom, sa façon de rentrer le menton dans le cou, ce nez long pareil à un bec qui plongeait sur la gorge, quand elle vous regardait par-dessus ses lunettes. Sceptique et gloutonne à la fois, comme si elle envisageait de vous inscrire à son menu.

« Il n'est pas directement subordonné à qui que ce soit, répondit Bellman. Il a un rôle libre dans l'équipe. Considérons l'inspecteur principal Harry Hole comme un consultant. Hein, Harry ?

— Pourquoi pas ? Un type surpayé et surestimé qui pense savoir quelque chose que vous ne savez pas. »

Petits rires prudents autour de la table. Harry échangea un coup d'œil avec Bjørn Holm, qui l'encouragea d'un mouvement de tête.

« Hormis qu'en cet instant précis il ne fait pas que le penser, intervint Mikael Bellman. Tu as parlé à Iska Peller, Harry.

— Oui. Mais d'abord, j'aimerais en savoir un peu plus sur le plan que vous avez élaboré pour l'utiliser comme appât. »

Le Pélican se racla la gorge :

« On ne l'a pas encore peaufiné. Nous prévoyons de la faire venir en Norvège, de diffuser l'information qu'elle se trouve dans un endroit tel que l'assassin sera sûr qu'elle constitue une proie facile. Puis rester dans l'ombre et espérer qu'il mordra à l'hameçon.

— Mmm. Très simple.

— En règle générale, ce sont les choses simples qui fonctionnent, déclara l'homme en costume est-allemand et armé du couteau suisse, concentré sur l'ongle d'un index.

— D'accord, répondit Harry. Mais dans le cas présent, l'appât ne veut pas se présenter. Iska Peller a dit non. »

Des gémissements et des soupirs découragés se firent entendre.

« Alors je propose d'essayer quelque chose d'encore plus simple, poursuivit Harry. Iska Peller a demandé pourquoi nous, qui sommes payés pour capturer ce monstre, ne servirions pas d'appât. »

Il regarda autour de la table. Il avait au moins leur attention. Les convaincre, ce serait une autre paire de manches.

« En effet, nous avons un avantage sur l'assassin. Nous partons du principe qu'il a la page arrachée dans le registre de Håvasshytta, et donc le nom d'Iska Peller. Mais il ne sait pas à quoi ressemble Iska Peller. Même en supposant que l'assassin était à Håvasshytta cette nuit-là, Iska et Charlotte y sont arrivées avant. Iska était malade et a passé la nuit seule dans une chambre qu'elle ne partageait qu'avec Charlotte. Elle n'en est pas sortie avant que tous les autres soient repartis. Aussi, nous pouvons mettre en scène une petite pièce de théâtre où l'un de nous tiendra le rôle d'Iska Peller sans que l'assassin ne puisse le découvrir. »

Un nouveau regard circulaire autour de la table. Le scepticisme était lourd sur les visages inexpressifs.

« Et comment prévois-tu d'inviter les gens à cette pièce de théâtre ? » Ærdal replia son canif.

« En faisant faire à la Kripos ce qu'elle fait de mieux. »
Silence.

« À savoir ? demanda finalement le Pélican.

— Une conférence de presse. »

Le silence était assourdissant dans la salle. Jusqu'à ce qu'un rire démarre. Celui de Mikael Bellman. Ils regardèrent leur supérieur, ébahis. Et comprirent que le plan de Harry avait été sanctionné à l'avance.

« Et donc… » commença Harry.

À l'issue de la réunion, Harry prit Bjørn Holm à part.

« Toujours mal au nez ? voulut savoir Harry.

— Tu essaies de me présenter des excuses ?

— Non.

— Je… non, tu as eu de la chance de ne pas me le casser, Harry.

— Ça aurait pu être un changement positif, tu sais.

— Tu me présentes des excuses, oui ou non ?

— Excuse-moi, Bjørn.

— Bon. Et ça doit vouloir dire que tu vas me demander un service ?

— Oui.

— Et c'est ?

— Je me demandais si vous étiez allés à Drammen pour relever des traces ADN sur les vêtements d'Adele. Elle a quand même vu plusieurs fois le type avec qui elle est allée à Håvasshytta.

— On a inspecté sa garde-robe, mais le problème, c'est que ses vêtements ont été lavés, portés et sans doute en contact avec pas mal de gens depuis.

— Mmm. Ce n'était pas une skieuse expérimentée, à ce que j'ai compris. Vous avez vérifié ses vêtements de ski ?

— Elle n'en avait pas.

— Et cet uniforme d'infirmière ? Il n'a peut-être servi que cette fois-là, et il aura des taches de sperme.

— Rien du tout.

— Pas de minijupe affriolante ou de calot orné d'une croix rouge ?

— Non. Il y avait un pantalon bleu d'hôpital et un haut, mais pas de quoi s'exciter.

434

— Mmm. Elle n'a peut-être pas réussi à se procurer la variante en minijupe. Ou ne s'en est pas donné la peine. Vous pouvez examiner ces vêtements d'hôpital pour moi ? »

Holm soupira.

« Nous avons vérifié tous les vêtements, et ceux qui pouvaient être lavés l'avaient été. Pas la moindre tache ou le moindre cheveu.

— Tu peux l'emporter au labo ? Vérifier en détail ?

— Harry…

— Merci, Bjørn. Et je plaisantais. Tu as un pif au poil. Vraiment. »

Il était quatre heures quand Harry passa chercher la Frangine dans une voiture de la Kripos que Bellman le laissait utiliser jusqu'à nouvel ordre. Ils montèrent à l'hôpital civil et virent le docteur Abel. Harry traduisit ce que la Frangine ne comprenait pas, et elle versa une larme. Ils allèrent ensuite voir leur père, qui avait été changé de chambre. La Frangine serra la main de son père et murmura sans relâche son nom, comme pour le réveiller en douceur.

Sigurd Altman passa, posa une main sur l'épaule de Harry, pas trop longtemps, et dit quelques mots, pas trop.

Après avoir déposé la Frangine près de son petit appartement de Sognsvann, Harry redescendit au centre-ville où il continua à rouler. Il se glissa dans des rues à sens unique, des rues en travaux, des impasses. Traversa le quartier des putes, celui des magasins, celui des dealers, et il ne comprit pas avant d'être arrivé, avec la ville en contrebas, qu'il allait en fait aux bunkers allemands. Il appela Øystein, qui arriva dix minutes plus tard, gara son taxi à côté de la voiture de Harry, entrouvrit sa portière, monta le son de l'autoradio, sortit et s'assit sur le muret à côté de Harry.

« Coma, lâcha Harry. Pas sûr que ce soit si mal. Tu as une cigarette ? »

Ils écoutèrent Joy Division. *Transmission*. Ian Curtis. Øystein avait toujours aimé les chanteurs morts jeunes.

« Dommage que je n'aie pas eu le temps de lui parler après qu'il est tombé malade. » Øystein tira à fond sur sa cigarette.

« Tu ne l'aurais pas fait, de toute façon.

— Non, on se consolera avec ça. »

Harry éclata de rire. Øystein le regarda à la dérobée, sourit ; il n'avait pas l'air de vraiment savoir s'il était permis de rire quand les pères étaient mourants.

« Que vas-tu faire, maintenant ? s'enquit Øystein. Une petite cuite pour marquer le coup ? Je peux appeler Tresko et…

— Non. » Harry éteignit sa cigarette. « Je vais bosser.

— Encore la mort et la pourriture plutôt qu'un petit verre ?

— Tu peux passer voir le vieux et lui dire salut tant qu'il respire encore, tu sais. »

Øystein frissonna.

« Les hôpitaux me filent les boules. En plus, il n'entend rien, si ?

— Ce n'était pas à lui que je pensais, Øystein. »

Øystein plissa les yeux pour les protéger de la fumée.

« Le peu que j'ai eu d'éducation, c'est ton père qui me l'a donné, Harry. Tu le savais ? Le mien ne valait pas un pet de lapin. J'irai demain.

— C'est bien. »

Il leva les yeux sur l'homme au-dessus de lui. Vit sa bouche remuer, entendit les mots qui en sortaient, mais quelque chose devait être endommagé, il n'arrivait pas à les assembler en une formulation sensée. Tout ce qu'il savait, c'était que l'heure était venue. La vengeance. Qu'il allait devoir payer. Et que, d'une certaine manière, c'était un soulagement.

Il était assis par terre, dos au gros poêle rond. Ses bras étaient tirés de part et d'autre du poêle, ses mains attachées par deux dragonnes. De temps en temps, il vomissait, sans doute à cause du

436

traumatisme crânien. Le sang ne coulait plus et les sensations revenaient dans son corps, mais sa vision était perturbée par un brouillard qui allait et venait. Malgré tout, il ne doutait pas. La voix. C'était la voix d'un revenant.

« Tu vas bientôt mourir, murmura ce dernier. Comme elle est morte. Mais il y a toujours quelque chose à gagner. Tu vas avoir le choix de la méthode. Malheureusement, il n'y a que deux possibilités. La pomme de Léopold... »

L'homme montra une boule métallique percée de trous ; un petit cordon sortait de l'un d'entre eux.

« Trois des filles ont pu y goûter. Aucune ne l'a appréciée. Mais c'est rapide et sans douleur. Tu n'as besoin que de répondre à cette question : Comment ? Et qui d'autre est au courant ? Avec qui as-tu collaboré ? Crois-moi, il vaut mieux la pomme que l'autre possibilité. Et comme tu es intelligent, tu as déjà compris ce que c'est... »

L'homme se leva, battit deux fois des bras avec une lenteur excessive et sourit de toutes ses dents. Son murmure était la seule chose qui rompait le silence :

« Il fait un peu froid, ici, tu ne trouves pas ? »

Il entendit alors le raclement suivi d'un crépitement doux. Il regarda l'allumette. La flamme jaune, solide, en forme de tulipe.

CHAPITRE 55

Turquoise

Le soir arriva. Le ciel était dégagé, et il faisait un froid de canard.

Harry gara la voiture dans la côte devant l'adresse qu'il avait obtenue à Voksenkollen. Dans une rue de villas imposantes et luxueuses, celle-là se démarquait nettement. Le bâtiment semblait tiré des contes populaires, une résidence royale en rondins noirs, avec des colonnes de bois surdimensionnées à l'entrée et de l'herbe sur le toit. La cour était délimitée par deux autres bâtiments et la version à la Disney d'un stabbur. Cependant, Harry était sûr qu'Anders Galtung avait assez de place pour stocker ses denrées périssables.

Harry sonna au portail, vit une caméra sur le mur et déclina son identité quand une voix de femme la lui demanda. Il remonta une allée illuminée, recouverte d'un gravier qui parut grignoter ce qui restait des semelles de Harry.

Une femme entre deux âges, aux yeux turquoise et vêtue d'un tablier, l'accueillit à la porte et l'accompagna dans un salon désert. Elle le fit avec un mélange si subtil de dignité, de nonchalance et d'amabilité professionnelle que même lorsqu'elle eut laissé Harry avec un « Du café ou du thé ? », il ne savait pas encore si c'était Mme Galtung, la domestique de la famille ou les deux.

Quand les contes de fées venus d'ailleurs arrivèrent en Norvège, il n'y avait ni rois ni noblesse ; dans leurs versions norvégiennes, le roi fut représenté comme un riche paysan en hermine. Et ce fut exactement ce que vit Harry lorsque Anders Galtung entra dans le salon : un paysan gras, enjoué, transpirant dans son pull en laine. Mais quand il eut serré la main de Harry, son sourire céda la place à une expression inquiète, mieux adaptée à la situation. Sa question fut suivie d'un halètement lourd :

« Du nouveau ?

— Rien, j'en ai peur.

— Tony disparaît souvent, à ce que dit ma fille. »

Harry crut remarquer que Galtung avait quelque difficulté à prononcer le prénom de son futur gendre. L'armateur se laissa tomber dans un fauteuil en rosemaling, en face de Harry.

« Avez-vous... ou pour être plus précis, est-ce que vous, Anders Galtung, avez une théorie ?

— Une théorie ? » Galtung secoua tant la tête que ses bajoues dansèrent. « Je ne le connais pas assez pour théoriser. En montagne, en Afrique, que sais-je ?

— Mmm. En réalité, je venais discuter avec votre fille...

— Lene ne va pas tarder, l'interrompit Galtung. Je voulais juste m'enquérir d'abord.

— Vous enquérir de quoi ?

— Ce que j'ai dit, s'il y avait du nouveau. Et... et si vous êtes sûrs que cet homme a des intentions honnêtes. »

Harry se rendit compte que « Tony » avait été remplacé par « cet homme », et comprit que sa première impression était bonne : le beau-père n'était pas enchanté par le choix de sa fille.

« Et vous, Galtung ?

— Moi ? Je crois que je montre de la confiance. Je suis quand même sur le point d'investir une somme significative dans son projet congolais. Une somme *très* significative.

— Alors c'est la princesse *plus* la moitié du royaume que remporte un Espen Askeladd dépenaillé qui vient de frapper à la porte ? »

Il y eut deux secondes de silence, pendant lesquelles Galtung observa Harry.

« Peut-être, répondit-il.

— Et c'est peut-être votre fille qui exerce une certaine pression sur vous pour que vous investissiez. Car ce projet est assez étroitement lié à l'argent, non ? »

Galtung fit un large geste des bras.

« Je suis armateur. Le risque, c'est ce qui me fait vivre.

— Ou mourir, qui sait.

— Deux facettes de la même question. Sur le marché du risque, le pain de l'un est toujours la mort de l'autre. Jusqu'à présent, ce sont les autres qui sont morts, et j'espère que ça continuera ainsi.

— Que les autres meurent ?

— La compagnie est une affaire de famille, et si Leike entre dans la famille, nous veillerons à ce que... » Il s'interrompit quand la porte du salon s'ouvrit. Une grande fille blonde qui avait les traits grossiers de son père et les yeux turquoise de sa mère, mais dépourvue de la jovialité paysanne de son père et de la dignité sereine de sa mère, entra. Elle marchait le dos voûté comme pour paraître moins grande, pour ne pas se distinguer, et elle regardait davantage ses chaussures que Harry lorsqu'elle lui serra la main et se présenta comme Lene Gabrielle Galtung.

Elle n'avait pas grand-chose à dire. Et encore moins de questions à poser. Elle donnait l'impression de se recroqueviller sous le regard de son père chaque fois qu'elle répondait à Harry, qui commençait à se demander s'il ne s'était pas trompé, quand il avait supposé qu'elle faisait pression sur son père.

Vingt minutes plus tard, Harry remercia et se leva, et comme sur un ordre invisible, elle réapparut : la femme aux yeux turquoise.

Quand elle lui ouvrit la porte, le froid les assaillit et Harry s'arrêta pour boutonner son manteau. Il la regarda.

« Où est Tony, à votre avis, madame Galtung ?

— Je n'ai pas d'avis. »

Ce fut peut-être sa réponse trop rapide, un frémissement au coin de l'œil, ou rien d'autre que le désir intense de Harry de trouver quelque chose, n'importe quoi, mais il ne se sentit pas convaincu qu'elle lui dise la vérité. En revanche, ce qu'elle ajouta ne laissait aucune place au doute :

« Et je ne suis pas Mme Galtung. Elle est en haut. »

Mikael Bellman ajusta le micro devant lui et regarda son public. On entendait des murmures, mais tous les yeux étaient braqués sur le podium, pour ne rien rater. Dans la pièce bondée, il reconnut le journaliste du *Stavanger Aftenblad* et Roger Gjendem d'*Aftenposten*. À côté de lui, il entendit Ninni, vêtue comme à son habitude d'un uniforme impeccablement repassé. Quelqu'un égrena le compte à rebours, c'était habituel pour les conférences de presse retransmises en direct à la radio ou à la télévision. La voix de crécelle de Ninni résonna alors dans les haut-parleurs :

« Bienvenue à tous. Nous avons organisé cette conférence de presse pour vous tenir au courant de la situation. Les questions éventuelles... »

Petits rires.

« ... seront traitées à la fin. Je laisse la parole au responsable de l'enquête, l'agent supérieur Mikael Bellman. »

Bellman se racla la gorge. Ils étaient tous venus, sans exception. Les chaînes de télévision avaient eu la permission de disposer leurs micros sur la table.

« Merci. Je dois vous avertir que vous allez être déçus. Je vois à l'affluence et à vos expressions que nous avons peut-être suscité de trop grandes attentes en vous convoquant. Il n'y aura aucune révélation de percée décisive dans l'enquête. »

Bellman vit la déception se répandre et entendit quelques gémissements découragés.

« Nous faisons ceci pour satisfaire votre désir d'être mieux informés en temps réel. Désolé, donc, si vous aviez des choses plus importantes à faire aujourd'hui. »

Bellman fit un sourire en coin, entendit plusieurs journalistes rire et sut qu'il était pardonné.

Il leur expliqua dans les grandes lignes où ils en étaient. Plus exactement, il revint sur leurs rares succès, comme la connexion entre la corde et une corderie au bord du Lyseren, et il répéta qu'ils avaient découvert une nouvelle victime, Adele Vetlesen. Il parla aussi de l'arme utilisée pour deux des meurtres : ce qu'on appelait une pomme de Léopold. Rien que du réchauffé. Il vit un journaliste étouffer un bâillement. Mikael Bellman baissa les yeux sur les papiers devant lui. Le manuscrit. Car c'était cela : le manuscrit d'une petite pièce de théâtre, rédigé in extenso. Pesé et revu avec un soin extrême. Ni trop ni trop peu, l'appât devait sentir, pas puer.

« Pour finir, deux ou trois choses sur les témoins. » Il vit les journalistes se redresser sur leurs sièges. « Comme vous le savez, nous avons demandé aux gens qui ont passé la même nuit que les victimes à Håvasshytta de se manifester. Une personne a répondu à l'appel, une certaine Iska Peller. Elle arrivera par avion de Sydney ce soir, et accompagnera l'un de nos enquêteurs à Håvasshytta demain. Ils effectueront une reconstitution de la soirée en question, dans la mesure du possible. »

En temps normal, ils n'auraient jamais donné le nom du témoin, mais il importait ici que la personne à qui ils s'adressaient — l'assassin — comprenne que la police avait retrouvé quelqu'un de la liste. Bellman n'avait pas trop insisté sur le « un » en disant « un enquêteur », mais c'était ça le message. Rien qu'eux deux, le témoin et un enquêteur lambda. Dans un refuge. Loin de tout.

« Nous espérons naturellement que Mlle Peller pourra nous donner une description des autres personnes présentes ce soir-là. »

Ils avaient beaucoup débattu sur le choix des termes. Ils voulaient suggérer que le témoin pourrait faire tomber le tueur. Harry avait insisté : il ne fallait surtout pas que la présence d'un seul enquêteur pour accompagner le témoin paraisse suspecte ; d'autre part, l'introduction laconique « pour finir, deux ou trois choses sur les témoins » puis le « espérons naturellement » de banalisation devaient indiquer que la police ne considérait pas encore ce témoin comme important, ce qui aurait justifié de plus gros moyens. Il fallait espérer que le meurtrier ne verrait pas les choses sous cet angle.

« Que pensez-vous qu'elle ait vu ? Et pouvez-vous épeler le nom de ce témoin ? »

C'était le type du Rogaland. Ninni se pencha pour rappeler que les questions viendraient ensuite, mais Mikael l'arrêta en secouant la tête.

« Nous verrons ce qui lui reviendra quand elle retournera à Håvasshytta. » Bellman se pencha vers le micro orné du logo de la NRK, la chaîne nationale. « Elle y part pour vingt-quatre heures, en compagnie de l'un de nos enquêteurs les plus expérimentés. »

Il regarda Harry Hole, debout au fond de la salle, le vit hocher doucement la tête. Il avait lâché l'essentiel. Vingt-quatre heures. Un jour et une nuit. L'appât frétillait. Bellman parcourut la salle des yeux. Trouva le Pélican. Elle avait été la seule à protester : c'était inouï qu'ils cherchent sans vergogne à berner la presse. Il avait demandé une pause, et l'avait prise à part. Après quoi elle s'était ralliée à la majorité. Ninni ouvrit la séance des questions. Le public s'anima, mais Bellman se détendit, se prépara aux réponses vagues, aux formules vaseuses et au « nous ne pouvons pas aborder cette phase de l'enquête » toujours si pratique.

Il avait froid aux pieds, si froid qu'ils étaient engourdis. Comment était-ce possible ? Le reste de son corps était brûlant. Il avait tant crié qu'il n'avait plus de voix, sa gorge était sèche comme de l'amadou, déchirée, une blessure ouverte de sang carbonisé en une poussière rouge. Il flottait une odeur de peau et de poils grillés. Le poêle avait brûlé la chemise de flanelle et son dos, et pendant qu'il hurlait sans relâche, ils s'étaient fondus l'un dans l'autre. Il avait fondu comme un soldat de plomb. Au moment où il sentait que la douleur et la chaleur commençaient à entamer sa conscience, qu'il entrait enfin dans l'évanouissement, il s'était réveillé en sursaut. L'homme lui avait versé un seau d'eau froide dessus. Le soulagement instantané l'avait fait recommencer à pleurer. Puis il avait entendu l'eau bouillante crépiter entre son dos et le poêle, et la douleur était revenue avec une force renouvelée.

« Encore de l'eau ? »

Il leva les yeux. L'homme se dressait au-dessus de lui, avec un autre seau. Le brouillard devant ses yeux s'estompa, et pendant deux ou trois secondes il le vit distinctement. La lueur des flammes filtrait par les trous d'aération du poêle et dansait sur son visage, faisant scintiller les gouttes de sueur sur son front.

« C'est d'une simplicité enfantine. Tout ce que j'ai besoin de savoir, c'est *qui*. Quelqu'un dans la police ? L'un de ceux qui étaient à Håvasshytta cette nuit-là ?

— Quelle nuit ? sanglota-t-il.

— Tu le sais. Ils sont presque tous morts, à présent. Allez.

— Je ne sais pas. Je n'ai rien à voir dans cette histoire, il faut que tu me croies. De l'eau. Sois gentil. Sois…

— … gentil ? Gentil, sans blague ? »

L'odeur. L'odeur de son propre corps qui brûlait. Les mots qu'il parvint à articuler n'étaient qu'un chuchotis rauque : « Il n'y avait… que moi. »

Un rire doux.

« Pas bête. Tu as l'air d'être prêt à dire n'importe quoi pour échapper à la douleur. Pour que je te croie quand tu n'arrives pas à cracher le nom de ton ou tes complices. Mais je sais que tu encaisses mieux que ça. Tu es un dur.

445

— Charlotte... »

L'homme balança le tisonnier. Il ne sentit même pas le coup. Tout s'obscurcit pendant une seconde délicieusement longue. Puis il fut de retour dans l'enfer de souffrances.

« Elle est morte ! gueula l'homme. Trouve quelque chose de mieux.

— Je pensais à l'autre. » Il essaya de faire fonctionner son cerveau. Il s'en souvenait, il avait une bonne mémoire, pourquoi le trahissait-elle maintenant ? Était-il si mal en point ?

« L'Australi...

— Tu mens ! »

Il sentit ses paupières s'abaisser. Une nouvelle douche. Un instant de clarté.

La voix : « Qui ? Comment ?

— Tue-moi ! Pitié ! Je... tu sais que je ne protège personne. Seigneur, pourquoi je le ferais ?

— Je ne sais rien.

— Alors pourquoi ne pas me tuer, tout simplement ? Je l'ai tuée. Tu entends ? Vas-y ! Venge-toi ! »

L'homme posa le seau, se laissa tomber dans le fauteuil et se pencha en avant, le menton sur les poings, les coudes sur les accotoirs.

« Tu sais », commença-t-il d'une voix lente, comme s'il n'avait pas entendu et pensait à autre chose. « Ça fait des années que je rêve de cet instant. Et maintenant que nous sommes ici... j'espérais que ce serait mieux. »

L'homme le frappa de nouveau avec le tisonnier. Pencha la tête sur le côté et le regarda. L'air chiffonné, il lui donna un petit coup de la pointe du tisonnier dans le flanc.

« Je manque peut-être d'imagination ? Ce plat manque peut-être de l'épice adéquate ? »

L'homme fit volte-face. Vers la radio, qui ronflait en sourdine. Il alla vers l'appareil, monta le son. Les informations. Des voix dans une grande pièce. Qui parlaient de Håvasshytta. Un témoin.

Reconstitution. Il avait froid comme jamais, il ne sentait plus ses jambes. Il ferma les yeux et pria son Dieu. Pas d'être libéré de la douleur comme il l'avait fait jusqu'à présent. Il demanda le pardon, le sang de Jésus pour le purifier de tout péché, pour que quelqu'un d'autre endosse tout ce qu'il avait fait. Il avait tué. Oui, il l'avait fait. Il pria pour pouvoir se baigner dans le sang du pardon. Et mourir.

PARTIE VI

CHAPITRE 56

L'appât

Enfer lumineux. Même avec des lunettes de soleil, Harry avait les yeux qui lui brûlaient. Cela revenait à fixer une mer de diamants, une lampe qui clignotait à toute vitesse. Le soleil se reflétait dans la neige qui se reflétait dans le soleil. Harry s'écarta un peu de la fenêtre, bien qu'il sût que de l'extérieur les vitres étaient des miroirs noirs impénétrables. Il regarda l'heure. Ils étaient arrivés à Håvasshytta dans la nuit. Jussi Kolkka s'était installé dans le refuge avec Harry et Kaja, les autres s'étaient enfouis dans la neige en deux groupes de quatre, un à chaque bout du vallon, séparés d'environ trois kilomètres.

Trois raisons les avaient poussés à choisir Håvasshytta pour leur embuscade. En premier lieu, ça paraissait logique. Ensuite, ils espéraient que le meurtrier penserait connaître assez bien les lieux pour ne pas hésiter à frapper. Enfin, parce que c'était un piège parfait. Le vallon dans lequel se trouvait le chalet ne permettait l'accès que par le nord-est et le sud. À l'est, la paroi était trop raide, et à l'ouest, il y avait tant de ravins et de crevasses qu'il fallait très bien connaître les lieux pour passer.

Harry leva ses jumelles et essaya de repérer les autres, mais il ne vit que du blanc. Et de la lumière. Il avait discuté avec Mikael Bellman au sud, et Milano au nord. Normalement, ils se seraient servis de leurs téléphones mobiles, mais le seul réseau qui couvrait ces contrées inhabitées était celui de Telenor. L'ancien opérateur national et unique acteur du marché avait eu les moyens de construire des stations de base sur chaque sommet, mais comme les policiers étaient de plus en plus nombreux à changer d'opérateur, à l'instar de Harry, ils se servaient de talkies-walkies. Pour qu'on puisse le joindre s'il y avait du nouveau à l'hôpital civil, Harry avait enregistré un message sur son répondeur avant de partir, disant qu'il sortait de la zone de couverture, et il avait laissé le numéro de mobile Telenor de Milano.

Bellman prétendait qu'il n'avait pas gelé cette nuit, que leur équipement — sacs de couchage, matelas isothermes et lampes à paraffine — était si efficace qu'ils avaient eu trop chaud. Et que l'eau gouttait à présent des plafonds des igloos qu'ils avaient creusés à flanc de montagne.

La conférence de presse avait été si bien couverte par la télévision, la radio et les journaux qu'il aurait fallu boycotter cette affaire pour ne pas avoir compris que le témoin Iska Peller et un policier se dirigeaient vers Håvasshytta. À intervalles réguliers, Kolkka et Kaja sortaient faire de grands gestes en désignant le chalet, le chemin par lequel ils étaient arrivés et les toilettes. Kaja dans le rôle d'Iska Peller, Kolkka dans celui de l'unique enquêteur qui l'aidait à reconstituer les événements de cette nuit fatidique. Harry restait caché dans le salon, où il avait aussi rentré ses skis et ses bâtons pour qu'on ne voie de l'extérieur que deux paires plantées dans la neige.

Harry suivit des yeux une bourrasque qui labourait le plateau désert et soulevait la poudreuse tombée dans la nuit. La neige était poussée vers les sommets, les ravins, les pentes, les irrégularités du terrain, où elle s'accumulait en vagues figées et en grosses congères, comme celle qui pointait comme un bord de chapeau au sommet de la montagne derrière le chalet.

Harry savait qu'il n'était pas certain que l'homme se montre. Parce que Iska Peller, pour une raison inconnue, ne figurait pas sur la liste, parce que l'occasion ne lui convenait pas, ou alors il avait d'autres projets pour Iska. Ou bien il avait senti le vent tourner. Et il pouvait y avoir d'autres raisons, plus banales. Absent, malade...

Bref. Si Harry avait compté toutes les fois où son intuition l'avait égaré, il aurait décidé d'arrêter de se fier à son intuition. Mais il ne comptait pas. Il s'intéressait plutôt à toutes les fois où son intuition lui avait révélé quelque chose qu'il ne savait pas qu'il savait. Et à présent, elle lui disait que le meurtrier se dirigeait vers Håvasshytta.

Harry regarda de nouveau sa montre. Ils lui donnaient vingt heures. Le feu de bois de sapin crépitait et dansait derrière les mailles fines du pare-feu dans l'énorme cheminée. Kaja s'était allongée pour se reposer dans l'une des chambres, Kolkka graissait un Weilert P11 démonté à la table du salon. Harry reconnut le pistolet allemand à l'absence de guidon sur le canon. Le Weilert avait été conçu pour des situations de combat rapproché où l'on devait pouvoir sortir rapidement l'arme de son holster, de sa ceinture ou de sa poche, et un canon sans fioritures réduisait le risque qu'il accroche quelque chose. Dans ces situations, le guidon était de toute façon superflu : on braquait le pistolet sur la cible et on tirait, on ne *visait* pas. Son autre pistolet, un Sig-Sauer, était monté et chargé à côté. Harry sentait le holster de son propre Smith & Wesson .38 lui titiller les côtes.

Dans la nuit, l'hélicoptère les avait déposés près du Neddalvann, à quelques kilomètres, et ils avaient fait le reste du chemin à skis. Dans d'autres circonstances, Harry aurait peut-être apprécié la beauté d'un plateau enneigé sous le clair de lune. De l'aurore boréale dans le ciel. Ou du visage presque bienheureux de Kaja tandis qu'ils glissaient dans le calme blanc comme dans un conte, dans un silence si complet qu'il avait l'impression que le raclement de leurs skis s'entendait à des kilomètres sur le plateau. Mais il y avait trop en jeu, trop à perdre pour voir autre chose que le boulot, la traque.

C'était Harry qui avait donné à Kolkka le rôle d'« un enquêteur ». Non que Harry eût oublié le Justisen, mais si les choses tournaient mal, ils pourraient avoir besoin des compétences du Finlandais en matière de close-combat. Dans l'idéal, le meurtrier tenterait sa chance en plein jour et serait cueilli par l'un des deux groupes dans la neige. Mais s'il venait la nuit, sans être vu avant d'arriver au refuge, les trois occupants du chalet devraient se débrouiller.

Kaja et Kolkka dormaient chacun dans une chambre, Harry dans le salon. La matinée s'était déroulée sans discussion superflue, même Kaja avait été silencieuse. Concentrée.

Dans le reflet de la fenêtre, il vit Kolkka remonter son pistolet, le lever, viser l'arrière de sa tête et presser la détente avec un claquement sec. Encore vingt heures. Harry espéra que l'assassin se dépêcherait.

Bjørn Holm sortit la tenue hospitalière bleue de la penderie d'Adele. Il sentait le regard de Geir Bruun dans son dos.

« Vous pouvez tout prendre, lança Bruun depuis la porte. Comme ça, ça m'évitera d'avoir à le jeter. Où est votre collègue Harry, d'ailleurs ?

— Parti faire du ski en montagne », répondit Bjørn Holm, qui emballait chaque vêtement dans des sacs plastique qu'il avait apportés.

« Ah oui ? Intéressant, il ne m'a pas donné l'impression d'être un skieur acharné. Où ?

— Je ne peux pas le dire. À propos de ski, que portait Adele quand elle était à Håvasshytta ? Elle n'a pas de vêtements de ski, ici.

— Je lui en ai prêté, évidemment.

— *Vous* lui en avez prêté ?

— Vous avez l'air surpris.

— Vous ne m'avez pas donné l'impression d'être… un skieur acharné. »

Holm perçut que ses mots étaient ambigus, d'une façon plutôt involontaire, et il sentit sa nuque chauffer.

Bruun émit un petit rire et fit un tour complet à la porte. « Exact, je suis un… garçon à fringues. »

Holm se racla la gorge et demanda d'une voix plus grave — sans savoir pourquoi :

« Je peux jeter un œil ?

— Oh là là ! s'écria Bruun, avec l'air de beaucoup s'amuser de la gêne de Holm. Venez, je vais voir ce que je trouve. »

« Quatre heures et demie », déclara Kaja tandis qu'elle passait pour la seconde fois le plat de *lapskaus*[1] à Harry. Leurs mains ne se touchèrent pas. Ni leurs regards. Ni leurs mots. La nuit qu'ils avaient passée ensemble à Oppsal était aussi lointaine qu'un rêve vieux de deux jours. « Le manuscrit dit que je dois me poster au sud du chalet et fumer une cigarette. »

Harry hocha la tête et passa le plat à Kolkka, qui le racla avec soin avant de commencer à bâfrer.

« OK. Kolkka, tu prends la fenêtre ouest ? Le soleil est bas, alors cherche les reflets dans une lunette de fusil.

— Pas avant d'avoir terminé », répondit Kolkka dans un suédois épais et lent, avant de pousser une autre grosse fourchettée dans sa bouche.

Harry haussa un sourcil. Regarda Kaja et lui fit signe d'y aller.

Quand elle fut sortie, Harry s'assit près de la fenêtre et parcourut du regard le plateau et les crêtes rocheuses.

« Bellman t'a donc embauché quand personne d'autre ne voulait de toi. » Il le dit à voix basse, mais le silence était si total dans le salon qu'il aurait aussi bien pu chuchoter.

Quelques secondes s'écoulèrent sans réponse. Harry supposa que Kolkka réfléchissait sur le fait que Harry lui avait parlé d'une affaire personnelle.

« J'ai entendu la rumeur après ton renvoi d'Europol. Que tu

1. Ragoût de bœuf, pommes de terre et oignons.

avais passé à tabac un violeur pendant son interrogatoire. C'est vrai ?

— Ça me regarde, répondit Kolkka, la fourchette devant la bouche. Mais il m'avait peut-être manqué de respect.

— Mmm. Ce qui est intéressant, c'est que la rumeur est partie d'Europol. Parce que c'était une rumeur qui les arrangeait. Toi aussi, je suppose. Ainsi que les parents et les avocats de la fille que tu as interrogée. »

Harry entendit le mâchonnement s'interrompre pour de bon derrière lui.

« Comme ça, ils ont pu avoir leur compensation dans la plus grande discrétion sans devoir intenter un procès contre toi ou Europol. Ça a évité à la fille de témoigner, et d'expliquer que quand tu étais dans sa chambre tu lui as posé des questions sur sa copine qui avait été violée, et que les réponses t'ont tellement excité que tu as commencé à la tripoter. Quinze ans, à en croire la note interne d'Europol. »

Harry entendait que la respiration de Kolkka s'était alourdie.

« Supposons que Bellman aussi ait lu cette note, poursuivit Harry. Il est parvenu jusqu'à toi *via* des contacts et des détours. Il a attendu que la colère t'ait abandonné, que tu sois à bout de souffle, que tu n'en puisses plus. Et il t'a ramassé. T'a rendu un boulot et un peu de la fierté que tu avais perdue. Il savait que tu le rembourserais de ta loyauté. Il achète quand les cours sont au plus bas, Kolkka. C'est comme ça qu'il trouve ses gardes du corps. »

Harry se tourna vers lui. Le visage du Finlandais était livide.

« On t'a acheté, mais on ne te paie pas assez, Jussi. Les esclaves comme toi ne sont pas respectés, pas de *massa* Bellman et pas de moi. Putain, tu ne te respectes même pas toi-même, bonhomme ! »

La fourchette de Kolkka tomba dans son assiette avec un tintement presque assourdissant. Il se leva, plongea une main dans sa veste et en tira son pistolet. Il rejoignit Harry, se pencha sur lui. Harry ne bougea pas, il leva juste la tête, sans hâte.

« Alors comment vas-tu retrouver ce respect, Jussi ? En m'abattant ? »

Les pupilles du Finlandais frémissaient de colère.

« Ou en te mettant au boulot ? » Harry regarda de nouveau par la fenêtre.

Il entendit le halètement lourd de Kolkka. Attendit. L'entendit se retourner. S'éloigner. S'arrêter près de la fenêtre ouest.

La radio crachota. Harry saisit le micro.

« Oui ?

— Il ne va pas tarder à faire nuit. » C'était la voix de Bellman. « Il ne viendra pas.

— Continuez à surveiller.

— Surveiller quoi ? Il y a des nuages, et sans clair de lune on ne verra même pas un…

— Si nous ne voyons pas, il ne voit pas non plus, l'interrompit Harry. Cherchez la lumière d'une lampe frontale. »

L'homme avait éteint sa lampe frontale. Il n'avait pas besoin de lumière, il savait où conduisaient les traces qu'il suivait. Au refuge. Et il voulait accoutumer ses yeux à l'obscurité, avoir de grandes pupilles sensibles à la moindre lumière avant d'arriver. Il était là, le mur de rondins noirs aux fenêtres aveugles. Comme s'il n'y avait personne. La poudreuse grinça sous les pieds de l'homme lorsqu'il poussa et glissa sur les derniers mètres. Il s'arrêta et écouta le silence pendant une poignée de secondes avant d'ôter sans bruit ses skis. Il tira le gros couteau same doté d'une lame terrifiante au manche en bois jaune verni. Il était aussi approprié pour couper des branchettes pour le feu ou pour dépecer un renne. Ou trancher des gorges.

L'homme ouvrit la porte le plus silencieusement qu'il put et entra. S'immobilisa pour écouter à la porte du salon. Rien. Trop calme ? Il appuya sur la poignée et ouvrit la porte en grand, tandis qu'il se collait dos au mur à côté de l'embrasure. Puis, pour rendre la cible aussi furtive et petite que possible, il avança plié en deux dans les ténèbres du salon, le couteau devant lui.

Il distingua la silhouette du mort, assis par terre la tête pendante. Ses bras étreignaient encore le poêle.

Il rangea le couteau dans sa gaine et alluma la lampe près du canapé. Il n'y avait pas encore pensé, que ce canapé était en tout point identique à celui de Håvasshytta, l'office de tourisme avait sans doute eu un prix de gros. Mais le tissu était vieux, le chalet était resté fermé plusieurs années, son emplacement était trop dangereux, il y avait eu des accidents : des gens étaient tombés dans des crevasses quand il faisait mauvais, alors qu'ils cherchaient le refuge.

La tête du mort près du poêle se souleva lentement.

« Désolé de débouler comme ça. » Il vérifia que les chaînes qui retenaient les bras de part et d'autre du poêle étaient bien en place.

Puis il commença à défaire son sac. Il avait tiré son bonnet très bas sur les yeux, était entré puis ressorti très vite de l'épicerie d'Ustaoset. Biscuits. Pain. Journaux. Qui en disaient un peu plus sur la conférence de presse. Et sur ce témoin à Håvasshytta.

« Iska Peller, lança-t-il à voix haute. Australienne. Elle est à Håvasshytta. Qu'en penses-tu ? A-t-elle pu voir quelque chose ? »

Les cordes vocales de l'autre parvinrent tout juste à rassembler assez d'air pour produire un son.

« La police. La police à Håvasshytta.

— Je sais. C'est dans le journal. Un seul enquêteur.

— Ils y sont. La police a loué le chalet.

— Ah ? »

Il regarda l'autre. La police avait-elle tendu un piège ? Et ce porc assis devant lui essayait-il de *l'aider*, de lui éviter de tomber dedans ? L'idée le rendit fou de colère. Mais cette femme devait avoir vu quelque chose, ils ne seraient pas allés la chercher jusqu'en Australie, sinon ? Il saisit le tisonnier.

« Putain, ce que tu schlingues ! Tu t'es chié dessus ? »

La tête du mort retomba sur sa poitrine. Il donnait l'impression de s'être installé ici. Il y avait quelques effets personnels dans les tiroirs. Une lettre. Des outils. De vieilles photos de famille. Un passeport. Comme si le mort fuyait, croyait arriver ailleurs. Ailleurs qu'ici, vers les flammes qui allaient le torturer pour ses péchés. Même s'il avait commencé à penser que ce n'était peut-être pas le mort qui était derrière toutes ces saloperies. Il y a des limites à ce qu'une personne est capable d'endurer avant de parler.

Il vérifia de nouveau son téléphone. Pas de réseau, merde !

Et quelle puanteur. Le stabbur. Il allait le mettre à sécher là-bas. C'est ce qu'on faisait avec la viande fumée.

Kaja s'était allongée dans la chambre et, peut-être, dormait un peu avant son tour de garde.

Kolkka remplit d'abord sa tasse de café filtre, puis celle de Harry.

« Merci. » Harry avait les yeux grands ouverts dans le noir.

« Des skis en bois, déclara Kolkka, qui s'était posté près de la cheminée et observait les skis de Harry.

— Ceux de mon père. » Il avait trouvé le matériel au sous-sol de la maison d'Oppsal. Les bâtons étaient neufs, faits dans un alliage métallique qui semblait plus léger que l'air. Pendant un instant, Harry avait pensé que le tube creux devait être rempli d'hélium. Mais les skis étaient vieux : des skis larges de randonnée.

« Quand j'étais petit, nous allions au chalet de mon grand-père à Lesja, chaque année à Pâques. Il y avait ce sommet que mon père voulait toujours gravir. Alors il nous disait, à ma sœur et moi, que là-haut il y avait une buvette, qu'on y servait du Pepsi, la boisson préférée de ma sœur. Que si seulement on daignait grimper le dernier raidillon… »

Kolkka hocha la tête et passa une main sous les skis blancs. Harry but une gorgée de café.

« Ma sœur oubliait toujours d'une année sur l'autre que c'était le même bluff qu'on lui resservait. Et j'aurais voulu oublier moi aussi. Mais j'avais le défaut d'enregistrer tout ce que mon père m'apprenait. Les règles de conduite en montagne, comment utiliser la nature comme boussole, comment survivre sous une avalanche. La chronologie des rois de Norvège, les dynasties chinoises et les présidents américains.

« — Ce sont de bons skis, apprécia Kolkka.

— Un peu courts. »

Kolkka s'assit à la fenêtre, à l'autre extrémité de la pièce.

« Oui, on pense que ça n'arrivera jamais. Que les skis de ton père seront trop courts pour toi, un jour. »

Harry attendit. Attendit. Et ça vint :

« Je la trouvais très jolie, raconta Kolkka. Et je croyais qu'elle m'aimait bien. Sincèrement. Mais j'ai juste touché ses seins. Elle n'a pas résisté du tout. Elle devait avoir peur. »

Harry réussit à refréner le besoin de quitter la pièce.

« C'est vrai, admit Kolkka. On est loyal vis-à-vis de celui qui vous a sorti du ruisseau. Même quand on voit qu'il vous utilise. Que peut-on faire d'autre ? Il faut choisir son camp. »

Quand Harry comprit que le robinet à mots était refermé, il se leva et alla à la cuisine. Il fouilla dans tous les placards, dans une recherche vaine de ce qu'il savait qu'il ne trouverait pas, une espèce de diversion désespérée pour celui qui lui hurlait dans la tête : « Un verre, juste un. »

Il avait eu une chance. Une seule. Le revenant l'avait détaché et soulevé. Puis il avait juré à cause de la puanteur et l'avait emmené dans la salle de bains, où il l'avait laissé tomber dans le bac de douche et avait ouvert le robinet. Le revenant l'avait observé un moment pendant qu'il essayait de passer un appel sur son mobile. Il avait maudit la couverture du réseau, et était allé au salon pour faire une nouvelle tentative.

Il avait envie de pleurer. Il avait fui jusqu'ici, s'était caché pour que personne ne le retrouve. Installé dans le chalet fermé, avec ce dont il aurait besoin. Pensé qu'il était en sécurité ici, au milieu des ravins. À l'abri des revenants. Il ne pleurait pas. Car pendant que l'eau imprégnait ses vêtements et ramollissait les restes de la chemise en flanelle rouge collée à son dos, il comprit que c'était sa chance. Son propre mobile était dans la poche de son pantalon, plié sur la chaise à côté du lavabo.

Il essaya de se lever, mais ses jambes refusèrent d'obéir. Tant pis, la chaise n'était qu'à un mètre. Il posa ses bras brûlés sur le sol, ignora la douleur et se hissa, entendit les cloques s'ouvrir, sentit l'odeur l'assaillir, mais en deux fois il y fut. Il fouilla dans ses poches, en tira le téléphone. Il était allumé et indiquait cent pour cent de réception du signal. Le carnet d'adresses. Il avait enregistré le numéro à « policier », surtout pour qu'il apparaisse sur l'écran si le policier l'appelait.

Il appuya sur le bouton « Appeler ». Il eut l'impression que le téléphone reprenait son souffle à chaque silence d'une durée infinie entre chaque sonnerie. Une seule chance. La douche faisait assez de raffut pour que l'autre ne l'entende pas parler. Là ! Il entendit la voix du policier. Il l'interrompit de son murmure rauque, mais la voix continua comme si de rien n'était. Et il se rendit compte qu'il parlait à un répondeur. Il attendit que la voix ait terminé, étreignit le téléphone, sentit la peau de sa main s'ouvrir, mais ne lâcha pas. Pouvait pas lâcher. Devait laisser un message pour dire que... abrège, bon Dieu, le signal sonore !

Il ne l'avait pas entendu arriver, la douche avait couvert les pas légers. Le téléphone s'envola de sa main, et il eut le temps de voir la chaussure de ski le viser.

Quand il revint à lui, l'homme observait son téléphone avec intérêt.

« Tu as du réseau, alors ? »

L'homme sortit de la salle de bains tout en composant un numéro, et le bruit de la douche couvrit le reste. Mais il revint peu de temps après.

« On va aller se promener ensemble. Toi et moi. » L'homme avait tout à coup l'air de bonne humeur. Il tenait un passeport à la main. Son passeport. L'autre tenait la pince de la caisse à outils.

« Ouvre la bouche. »

Il déglutit. Seigneur Jésus, aie pitié !

« Ouvre la bouche, j'ai dit !

— Pitié ! Je le jure, j'ai dit tout ce que je... »

Il ne put en dire davantage avant qu'une main lui serre la gorge et bloque sa respiration. Il résista un moment. Puis les larmes vinrent enfin. Et il ouvrit la bouche.

CHAPITRE 57

Tonnerre

Debout près de la grande paillasse du laboratoire, Bjørn Holm et Beate Lønn observaient le pantalon de ski bleu marine qu'éclairait une lampe puissante.

« C'est sans plus de doute une tache de sperme, déclara Beate.

— Ou un jet de sperme, répondit Bjørn Holm. Regarde la traînée.

— Trop peu pour une éjaculation. On dirait qu'un pénis en érection humide a été poussé sous les fesses de la personne qui portait ce pantalon. Tu as dit que Bruun était sans nul doute homosexuel ?

— Oui, mais il affirme qu'il ne l'a pas porté depuis qu'il l'a prêté à Adele.

— Alors je dirais qu'on a une trace de sperme typique d'un viol. Il n'y a plus qu'à l'envoyer à l'analyse ADN, Bjørn.

— D'accord. Que penses-tu de ça ? » Holm désigna le pantalon d'hôpital bleu clair et montra deux taches juste sous les poches arrière.

— Qu'est-ce que c'est ?

— Ça ne part pas au lavage, en tout cas. C'est une substance à base de nonylphénol qu'on appelle le PSG. Ça entre dans la composition des produits d'entretien pour les voitures.

— Elle s'est assise dessus, on dirait.

— Pas seulement assise, c'est entré en profondeur dans la fibre, elle l'a fait pénétrer en frottant. Fort. Comme ça. » Il balança les hanches d'avant en arrière.

« D'accord. Une idée du pourquoi ? »

Beate ôta ses lunettes et regarda Holm, dont la bouche se tordait de diverses façons pour exprimer ce que son cerveau trouvait et rejetait aussi vite.

« Du sexe tout habillé ? Du *dry humping* ? suggéra Beate.

— Oui, répondit Bjørn, soulagé.

— D'accord. Alors où et quand trouve-t-on une femme qui ne travaille pas dans un hôpital vêtue d'une tenue d'infirmière, qui fait du *dry humping* sur du PSG ?

— Facile. Lors d'un rendez-vous nocturne dans une usine de PSG désaffectée. »

Les nuages s'écartèrent, et ils baignèrent de nouveau dans cette lumière bleue magique où tout, même les ombres, était phosphorescent, pétrifié comme dans une nature morte.

Kolkka s'était allongé, mais Harry soupçonnait le Finlandais d'avoir les yeux grands ouverts dans sa chambre, et tous les sens en éveil.

Kaja était assise près de la fenêtre, le menton dans la main, et regardait dehors. Elle portait son pull blanc, étant donné que seuls les radiateurs électriques fonctionnaient. Ils étaient d'accord : ça paraîtrait suspect si de la fumée sortait par la cheminée vingt-quatre heures sur vingt-quatre alors qu'ils n'étaient en principe que deux dans le chalet.

« Si les étoiles de Hong Kong te manquent, parfois, tu n'as qu'à regarder dehors maintenant, lança Kaja.

— Je ne me souviens pas d'y avoir vu les étoiles. » Harry alluma une cigarette.

« Y a-t-il quelque chose qui te manque, de Hong Kong ?

— Les vermicelles de Li Yuan. Chaque jour.

— Tu es amoureux de moi ? » Elle avait à peine baissé le ton, et l'observait avec attention tandis qu'elle attachait ses cheveux avec un élastique.

Harry se sonda. « Pas maintenant. »

Elle rit, une expression étonnée sur le visage. « Pas maintenant ? Qu'est-ce que ça veut dire ?

— Que cette partie de moi est éteinte tant que nous sommes ici. »

Elle secoua la tête. « Tu es déglingué, Hole.

— Sur ce point, dit Harry avec un sourire en coin, aucun doute n'est permis.

— Et quand ce boulot sera terminé, dans… » Elle regarda sa montre. « Dix heures ?

— Alors je serai peut-être de nouveau amoureux de toi. » Harry posa la main sur la table, à côté de celle de Kaja. « Si ce n'est pas avant. »

Elle regarda leurs mains. Celle de Harry, si grande. La sienne, bien plus délicate. Celle de Harry, beaucoup plus pâle et noueuse, et les épais vaisseaux qui serpentaient sur le dessus.

« Alors tu peux tomber amoureux avant que ce boulot soit fini, malgré tout ? » Elle posa la main sur celle de Harry.

« Je voulais dire que le travail pourrait être terminé avant qu'il ne se soit écoulé… »

Elle retira sa main.

Harry la regarda avec surprise. « Je voulais juste dire…

— Écoute ! »

Harry retint son souffle et tendit l'oreille. Mais n'entendit rien.

« Qu'est-ce que c'était ?

— On aurait dit une voiture. » Kaja jeta un coup d'œil dehors. « Qu'en penses-tu ?

— Je pense qu'il y a peu de chances. La plus proche des routes encore ouvertes en cette saison est à plus de dix kilomètres. Un hélicoptère ? Ou un scooter des neiges ?

— Ou mon imagination débordante ? soupira Kaja. On n'entend plus rien. J'ai peut-être rêvé. Désolée, mais on devient vite hypersensible quand on a peur, et...

— Non, l'interrompit Harry avant de tirer le revolver de son holster. Juste assez peur, juste assez sensible. Décris-moi ce que tu as entendu. » Harry se leva et alla à l'autre fenêtre.

« Rien, je te dis ! »

Harry entrebâilla la fenêtre.

« Ton ouïe est meilleure que la mienne. Écoute pour nous deux. »

Ils tendirent l'oreille dans le silence. Les minutes s'écoulèrent.

« Harry...

— Chut.

— Viens t'asseoir ici, Harry.

— Il est ici, murmura Harry, comme pour lui-même. Il est ici, maintenant.

— Harry, maintenant, c'est toi qui es hypersen... »

Il y eut une détonation étouffée. Le son était sourd, profond et comme rond et lent, sans attaque, tel un coup de tonnerre dans le lointain. Mais Harry savait que le tonnerre claquait rarement dans un ciel dégagé par moins sept degrés.

Il retint son souffle.

Et écouta. Un nouveau grondement, différent de la détonation, mais dans les basses fréquences également, comme l'onde sonore d'un caisson de graves, une onde qui déplace l'air, que l'on sent dans le ventre. Harry ne l'avait entendue qu'une fois dans sa vie, mais il ne l'avait jamais oubliée.

« Une avalanche ! cria Harry, qui courait déjà vers la porte de la chambre de Kolkka, orientée vers la montagne. Une avalanche ! »

La porte s'ouvrit, et Kolkka apparut, bien éveillé. Ils sentirent le sol trembler. C'était une grosse avalanche. Même si le chalet avait eu une cave ou un sous-sol, Harry savait qu'ils n'auraient pas eu le temps d'y parvenir. Car, derrière Kolkka, les tessons de ce qui avait été la fenêtre voltigeaient, emportés par le souffle annonciateur des grosses avalanches.

« Donnez-moi la main ! » cria Harry pour couvrir le grondement. Il tendit les bras sur le côté, un vers Kaja et un vers Kolkka. Il les vit se ruer vers lui tandis que l'air était expulsé du chalet, comme si l'avalanche avait soufflé, puis inspiré. Il sentit la main de Kolkka serrer la sienne, et attendit celle de Kaja. Puis le mur de neige atteignit le refuge.

CHAPITRE 58

Neige

Le silence était assourdissant, les ténèbres complètes. Harry essaya de bouger. Impossible. C'était comme si son corps était en plâtre, il ne pouvait absolument pas remuer. D'accord, il avait fait machinalement ce que son père lui avait appris : lever une main devant son visage pour créer un espace. Mais il ne savait pas s'il y avait de l'air dedans. Car Harry ne parvenait pas à respirer. Et il venait de comprendre ce que c'était. Péricardite constrictive. Olav Hole avait expliqué que ça arrivait quand la cage thoracique et l'abdomen étaient tellement comprimés par la neige que les poumons ne parvenaient plus à bouger. Ça voulait dire que vous ne disposiez plus que de l'oxygène déjà présent dans le sang, environ un litre, et avec une consommation normale, autour d'un quart de litre à la minute, vous mouriez en l'espace de quatre minutes. La panique survint : il lui fallait de l'air, il devait respirer ! Harry s'arc-bouta, mais la neige était comme un serpent constricteur qui resserrait son étreinte. Il savait qu'il devait repousser la panique, réfléchir. Réfléchis. Le monde au-dehors avait cessé d'exister. Temps, pesanteur, température, plus rien n'existait. Harry n'avait aucune idée d'où étaient le haut et le bas, ou du temps qu'il avait passé dans la neige. Un autre précepte de son père lui tournicotait dans le crâne. Pour savoir dans quel sens tu es, crache un peu de salive et sens dans quelle direction elle coule sur ton visage. Il passa la langue sur son palais. Sut que la peur et l'adrénaline l'avaient séché. Il ouvrit la bouche et mobilisa les doigts devant son visage pour pelleter de la neige dans sa bouche ouverte. Mâcha, rouvrit la bouche et laissa l'eau couler. La panique revint sur-le-champ quand il sentit ses narines se remplir d'eau. Il ferma la bouche et souffla l'eau. Souffla ce qui restait d'air dans ses poumons. Il allait bientôt mourir.

L'eau lui avait indiqué qu'il avait la tête en bas, le mouvement qu'il était possible de bouger. Il essaya un autre mouvement, contracta tout son corps en un spasme, sentit la neige céder un peu. Assez pour se dégager de l'étreinte de la péricardite constrictive ? Il inspira. Un peu d'air. Pas assez. Son cerveau devait déjà souffrir du manque d'oxygène, mais il se souvenait parfaitement des paroles prononcées par son père à Lesja pendant les vacances de Pâques. Dans une avalanche où vous pouvez respirer un peu, vous ne mourez pas du manque d'air, mais d'un excès de CO_2 dans le sang. Son autre main avait buté contre un objet dur, qui ressemblait à du grillage. Olav Hole : « Sous la neige, tu es comme un requin, tu meurs de ne pas pouvoir bouger. Même si la neige est assez légère pour qu'un peu d'air passe au travers, la chaleur de ta respiration et de ton corps créera vite une couche de glace autour de toi, qui empêchera l'air d'arriver et la toxicité du CO_2 de ta propre respiration de sortir. Tu fais ton propre cercueil de glace, tu comprends ?

— Oui, oui, papa, mais relax. On est à Lesja, pas dans l'Himalaya. »

Le rire de sa mère dans la cuisine.

Harry savait que le chalet était rempli de neige. Qu'au-dessus de lui il y avait un toit. Puis, encore au-dessus, davantage de neige. Il n'y avait aucune issue. Le temps filait. Tout s'arrêtait là.

Il avait prié pour ne plus se réveiller. Pour que la prochaine fois qu'il perdrait connaissance soit la dernière. Il était suspendu la tête en bas. Il avait l'impression qu'elle allait éclater, ce devait être tout le sang qui l'emplissait.

C'était le bruit d'un scooter des neiges qui l'avait réveillé.

Il essaya de ne pas bouger. Au début, il s'était cambré, avait contracté ses muscles, afin de tenter de se libérer. Mais il avait renoncé assez vite. Pas à cause des crochets de boucher dans ses jambes, il avait perdu depuis longtemps toute sensibilité dans les membres inférieurs. C'était le bruit. Le bruit de la chair, des tendons et des muscles qui se déchiraient quand il se tortillait en faisant tinter les chaînes fixées au plafond du stabbur.

Il plongea le regard dans les yeux d'un cerf accroché par les pattes arrière et qui semblait avoir été abattu en pleine chute, les bois en avant. Il l'avait braconné. Avec le fusil qui lui avait servi à tuer sa femme.

Il entendit le crissement plaintif de pas dans la neige à l'extérieur. La porte s'ouvrit, le clair de lune entra. Et il fut de nouveau là. Le revenant. Et c'était étrange, il n'en avait pas été certain avant de le voir à l'envers.

« C'est vraiment toi », chuchota-t-il. C'était très bizarre de parler sans incisives. « C'est vraiment toi, hein ? »

L'homme le contourna, détacha ses mains liées dans le dos.

« P... pourras-tu me pardonner, mon garçon ?

— Tu es prêt à partir ?

— Tu les as tous tués, hein ?

— Oui. Alors on y va. »

Harry creusait de sa main droite. Vers la gauche, celle qui appuyait contre un grillage de nature inconnue. Une partie de son cerveau l'informait qu'il était prisonnier, que c'était un vain combat contre les secondes, que chaque cycle de respiration le rapprochait de la mort. Qu'il ne faisait que prolonger ses souffrances, repousser l'inévitable. L'autre voix disait qu'il préférait mourir désespéré plutôt qu'apathique.

Il avait réussi à creuser jusqu'à son autre main, et caressa le grillage. Posa les deux mains dessus et essaya de pousser, sans succès. Il sentit qu'il respirait déjà plus lourdement, la neige était plus lisse, sa tombe se nappait de glace. Les vertiges allaient et venaient. Une seconde, pas plus, mais il savait que c'était le premier signe qu'il respirait de l'air empoisonné. La torpeur n'allait pas tarder, et le cerveau se fermerait, une pièce après l'autre, comme un hôtel à l'entrée de la saison creuse. Ce fut à ce moment que Harry le sentit, ce qu'il n'avait encore jamais rencontré, pas même lors des pires nuits à Chungking Mansion : une solitude effroyable. Ce ne fut pas la certitude qu'il allait mourir qui le priva soudain de toute volonté, mais celle qu'il allait mourir ici, sans personne, sans ceux qu'il aimait, sans son père, la Frangine, Oleg, Rakel…

L'engourdissement arriva. Harry cessa de creuser. Même s'il savait que c'était synonyme de mort. Une mort séductrice, tentante, qui le prenait dans ses bras. Pourquoi protester, pourquoi résister, pourquoi choisir la douleur alors qu'il pouvait tout aussi bien s'abandonner ? Pourquoi choisir autre chose maintenant que ce qu'il avait toujours fait ? Harry ferma les yeux.

Attends.

Le grillage.

Ce devait être le pare-feu devant la cheminée. Le conduit. En pierre. Si quelque chose avait résisté à l'avalanche, un endroit que la neige n'avait pas pu envahir, c'était le conduit de cheminée.

Harry poussa de nouveau le grillage. Qui ne bougea pas d'un millimètre. Ses doigts grattèrent la maille. Sans force, avec résignation.

C'était décidé. Ça allait se terminer ainsi. Son cerveau empoisonné au CO_2 décelait une logique là-dedans, mais sans trop savoir laquelle. Mais il l'acceptait. Laissa le sommeil doux et chaud le gagner. L'anesthésie. La liberté.

Ses doigts glissèrent le long de la grille. Trouvèrent un objet dur, solide. Des spatules de ski. Ceux de son père. Il accepta l'idée. Que c'était un peu moins solitaire de la sorte, la main sur les skis de son père. Qu'ils allaient entrer dans la mort ensemble, en rythme. Attaquer le dernier raidillon.

Mikael Bellman, les yeux écarquillés, regardait ce qui était devant eux. Ou, plus précisément, ce qui *n'était pas* devant eux. Car il n'était plus là. Le chalet avait disparu. Depuis leur terrier dans la neige, il avait juste l'air d'un gribouillis sur une grande feuille blanche. C'était avant la déflagration et le faible grondement qui l'avaient réveillé. Au moment où il avait enfin trouvé ses jumelles, le silence était revenu, il ne restait que l'écho lointain renvoyé depuis Hallingskarvet. Il avait observé, encore et encore, les jumelles braquées sur le versant. On aurait dit que quelqu'un avait gommé le dessin sur la feuille. Plus de gribouillis, rien que du blanc paisible, innocent. C'était incompréhensible. Un chalet tout entier enseveli ? Ils avaient passé leurs skis en hâte et mis huit minutes pour parvenir sur place. Ou huit minutes et dix-huit secondes. Il avait noté les temps. Il était policier.

« Merde, l'avalanche couvre *un kilomètre carré* ! » cria une voix derrière lui. Il vit les frêles rayons jaunes de leurs lampes courir sur la neige.

Son talkie-walkie crachota. « Le centre de secours dit que l'hélicoptère sera là dans trente minutes. À vous. »

Trop longtemps, songea Bellman. Qu'avait-il lu ? Au bout d'une demi-heure, il y a une chance sur trois de survivre sous la neige. Et à l'arrivée de l'hélicoptère, que feraient-ils ? Ils planteraient des sondes dans la neige, à la recherche des restes du chalet ? « Merci. Terminé. »

Ærdal le rejoignit.

« Coup de bol ! Il y a deux chiens d'avalanche à Ål. Ils les montent à Ustaoset. Le lensmann d'Ustaoset, Krongli, n'est pas chez lui, il ne répond pas, en tout cas, mais un gars à l'hôtel a un scooter des neiges et les amène. » Il battit des bras pour se réchauffer.

Bellman baissa les yeux sur la neige. Kaja était là, en dessous, quelque part.

« Ils ont dit s'il y avait souvent des avalanches, ici ?

— Tous les dix ans », répondit Ærdal.

Bellman se balança sur les talons. Milano dirigeait les autres, qui avançaient en sondant la neige avec leurs bâtons.

« Les chiens d'avalanche ? demanda-t-il.

— Quarante minutes. »

Bellman hocha la tête. Sut que les chiens d'avalanche ne changeraient pas grand-chose. Quand ils arriveraient, l'avalanche remonterait à une heure.

Les chances de survie seraient inférieures à dix pour cent avant même qu'ils ne commencent. Une demi-heure plus tard, elles seraient pour ainsi dire nulles.

Le voyage avait commencé. Il conduisait le scooter des neiges. C'était comme si les ténèbres et la lumière arrivaient vers lui en même temps, comme si le ciel constellé de diamants s'ouvrait pour lui souhaiter la bienvenue. Il savait que derrière lui, dans la neige, il y avait l'homme, le revenant, qui visait son dos brûlé, carbonisé et couvert de cloques à travers la lunette d'une carabine. Mais aucune balle ne l'atteindrait, maintenant il était libre, il allait vers son but, celui vers lequel il était toujours allé. Il n'était plus attaché, et s'il avait été en mesure de bouger les bras et les jambes, il se serait levé sur la selle, aurait tourné à fond la poignée des gaz pour avancer encore plus vite. Il poussa un cri de joie lorsqu'il décolla vers le ciel étoilé.

CHAPITRE 59

L'enterrement

Harry tombait à travers des couches de rêves, de souvenirs et de pensées non formulées. Tout allait bien. Hormis une voix qui ressassait toujours la même chose. La voix de son père :

« … pour finir dans un tel état que les grands avaient eu la frousse. »

Il essaya de la repousser, d'écouter l'une des autres voix. Mais c'était encore celle d'Olav Hole :

« Tu avais peur du noir, mais tu allais dans le noir. »

Merde, merde, merde.

Harry ouvrit les yeux sur les ténèbres. Se tortilla et se débattit dans l'étreinte solide de la neige. Essaya de battre des jambes. Commença à creuser devant le grillage. Dégagea un peu plus d'espace. Ses doigts trouvèrent le bord du pare-feu. Il n'allait pas mourir, Olav Hole partirait devant, tout papa qu'il fût, nom d'un chien ! Les mains de Harry fonctionnaient comme des pelles, maintenant qu'elles avaient assez de place pour bouger. Il agrippa le bord du pare-feu et tira. Là ! Ça avait bougé. Il tira de nouveau. Et le sentit. L'air. Qui empestait la cendre, lourd. Mais de l'air malgré tout. En attendant. Il repoussa de la neige. Il passa les mains à l'intérieur, ses doigts trouvèrent ce qu'il prit pour du polystyrène, mais il comprit que c'étaient des bûches à moitié consumées. Le pare-feu avait résisté à l'avalanche, le foyer n'était pas enneigé. Il continua à creuser.

Quelques minutes, ou peut-être quelques secondes plus tard, il était roulé en boule dans l'immense cheminée et avalait de l'air, toussait des cendres.

Et il se rendit compte que jusque-là il n'avait pensé qu'à une chose : lui-même.

Il passa un bras à l'angle de la cheminée, vers les skis de son père. Fouilla dans la neige jusqu'à ce qu'il trouve. L'un des bâtons. Il saisit la rondelle et tira. Le bâton métallique, lisse, léger et rigide, coulissa sans mal dans la neige. Il le ramena dans la cheminée, le plaça entre ses jambes, serra les pieds et arracha la rondelle. Il avait à présent un pieu d'un peu plus d'un mètre cinquante de long.

Kaja et Kolkka ne devaient pas se trouver très loin de lui. Il traça un quadrillage imaginaire, comme on le faisait sur les scènes de crime où il fallait relever les indices, et se mit à sonder à coups de pointe. Il travaillait vite, piquait avec force, mais c'était un risque calculé. Au pis, il crèverait un œil ou perforerait une gorge, mais ce serait presque un miracle s'ils respiraient encore. Il piqua à gauche de l'endroit où il croyait avoir atterri lorsqu'il sentit la pointe du bâton buter contre quelque chose qui rebondit. Il tira le bâton, le poussa en douceur, et sentit rebondir de nouveau. Quand il le tira, il sentit que le bâton était coincé. Quelqu'un avait attrapé la pointe, et la faisait aller d'avant en arrière pour lui signaler qu'il y avait de la vie ! Harry tira sur le bâton, plus vigoureusement cette fois, mais l'autre le retenait avec une force stupéfiante. Harry avait besoin de son bâton, il le gênerait quand il commencerait à creuser. Il passa alors la main dans la dragonne et dut tirer de toutes ses forces pour réussir à le libérer.

Harry s'immobilisa, et se demanda pourquoi il n'avait pas posé le bâton pour se mettre au travail. Puis il comprit. Hésita une seconde de plus. Puis se remit à planter sa sonde, à droite de sa position initiale cette fois-ci. Au quatrième coup, il fit mouche. La même sensation. Le ventre ? Il tint l'extrémité avec légèreté, à la recherche d'un mouvement, d'une respiration, mais en vain.

Le choix aurait dû être simple. Le premier était plus près et avait donné signe de vie. Sauver ce qui peut l'être. Harry était déjà à genoux et creusait comme un dingue. Vers le second.

Ses doigts étaient engourdis quand il parvint au corps, et il dut se servir du dos de la main pour sentir si c'était la laine d'un pull-over. Le pull. Le blanc. Il saisit une épaule, repoussa de la neige, dégagea un bras et tira le corps inerte à travers le conduit de neige. Ses cheveux lui tombèrent sur le visage, ils avaient encore le parfum de Kaja. Il parvint à loger sa tête et la moitié de son buste dans le foyer et essaya de lui prendre le pouls, mais il avait l'impression que le bout de ses doigts était couvert de ciment. Il approcha son visage de celui de Kaja, mais ne perçut aucune respiration. Il lui ouvrit la bouche, vérifia que la langue n'obstruait pas le passage, inspira et souffla dans sa bouche. Se redressa pour respirer, lutta contre le réflexe tussigène quand il inspira des particules de cendre et souffla de nouveau dans sa bouche. Une troisième fois. Il compta : quatre, cinq, six, sept. Il sentit que tout se mettait à tourner, pensa qu'il était revenu près de la cheminée du chalet de Lesja ; un petit garçon qui soufflait sur les braises pour ranimer les flammes et un père qui riait en voyant son gamin chanceler, au bord de l'évanouissement. Mais il devait continuer, il savait que la probabilité de réveil décroissait de seconde en seconde.

Quand il se pencha pour souffler une douzième fois, il le sentit : un courant chaud contre son visage. Il retint son souffle, attendit, n'osant pas y croire. Le courant chaud disparut. Mais revint. Elle respirait ! Au même instant, son corps se raidit, et elle se mit à tousser. Puis il entendit sa voix, faible : « C'est toi, Harry ?

— Oui.

— Où... Je n'y vois rien.

— Pas grave, on est dans la cheminée. »

Pause.

477

« Que fais-tu ?

— J'essaie de dégager Jussi. »

Quand Harry eut déneigé la tête de Kolkka devant la cheminée, il n'avait aucune idée du temps qui s'était écoulé. Mais il savait que pour Jussi Kolkka il s'était arrêté. Il avait gratté une allumette et vu les yeux du Finlandais ouverts sur le néant avant que la flamme ne s'éteigne.

« Il est mort, constata Harry.

— Tu ne peux pas essayer le bouche-à-bouche…

— Non.

— Bon, et maintenant ? chuchota Kaja, tout bas, sans force.

— Il faut sortir. » Harry trouva sa main. La serra.

« On ne peut pas attendre ici qu'ils nous retrouvent ?

— Non.

— L'allumette. »

Harry ne répondit pas.

« Elle s'est éteinte tout de suite. Il n'y a pas d'air ici non plus. Le chalet tout entier est enseveli sous la neige. C'est pour ça que tu n'as pas voulu essayer de le ranimer. Il n'y a même pas assez d'air pour nous deux, Harry… »

Harry s'était levé, essayait de se glisser dans le conduit de cheminée, mais il était trop étroit, ses épaules se coinçaient. Il s'accroupit, cassa les deux extrémités du bâton pour qu'il ne reste qu'un tube métallique creux, le leva dans le conduit et se redressa, cette fois les mains au-dessus de la tête. Ça allait à peu près. La claustrophobie s'empara de lui, mais disparut à la seconde même, comme si son corps comprenait que les phobies irrationnelles étaient un luxe qu'il ne pouvait pas s'offrir pour l'instant. Il appuya le dos contre la paroi et utilisa ses jambes pour progresser vers le haut. Les muscles de ses cuisses brûlaient, il respirait avec difficulté, et les vertiges étaient revenus. Mais il continua : lever un pied, appuyer, lever l'autre pied… La chaleur augmentait au fur et à mesure qu'il montait, et il sut ce que ça signifiait : l'air chaud qui s'élevait ne s'échappait pas. S'ils avaient fait du feu dans la cheminée au moment de l'avalanche, ils seraient morts depuis longtemps d'intoxication au monoxyde de carbone. On aurait pu parler de chance dans le malheur. Mais l'avalanche n'était pas liée qu'au sort. La déflagration qu'ils avaient entendue…

Le bâton heurta quelque chose au-dessus de lui. Il tâta de sa main libre. C'était une grille en fer. Le genre qu'on pose en haut des conduits de cheminée pour éviter que des écureuils ou autres animaux n'entrent dans le chalet. Il passa les doigts le long du bord. Elle était scellée. Merde !

La voix de Kaja lui parvint.

« J'ai la tête qui tourne, Harry.

— Respire à fond. »

Il glissa le bâton à travers les mailles fines de la grille.

Il n'y avait pas de neige de l'autre côté !

Sans se soucier de l'acide lactique qui rongeait ses cuisses, il poussa avec zèle le bâton un peu plus loin. Et ressentit une vive déception quand celui-ci heurta un objet dur. La mitre. Il aurait dû se rappeler que le refuge était équipé d'un de ces charmants capuchons en métal noir contre la pluie et la neige, au sommet de la cheminée. Il tâtonna jusqu'à glisser le bâton en biais sous le bord de la mitre et sentit de la neige massive, compacte, plus dure que dans le chalet. Mais c'était peut-être aussi parce que la neige s'accumulait maintenant dans l'ouverture du bâton creux. Centimètre après centimètre, il espérait sentir l'absence soudaine de résistance, qui signifierait qu'il avait percé cet enfer neigeux. Qu'il pourrait vider la neige de son bâton, aspirer de l'air, un air frais et plein de vie. Faire monter Kaja pour lui administrer la même injection d'antidote. Mais la percée se faisait attendre. Il avait glissé tout le bâton à travers la grille, et il ne s'était rien passé. Il essaya malgré tout, aspira tant qu'il put, reçut de la neige sèche et froide dans la bouche, et ce fut de nouveau obstrué. Il ne parvint plus à maintenir la pression sur les côtés du conduit et tomba. Cria, écarta les bras et les jambes, sentit la peau de ses mains s'arracher, mais continua à tomber. Il atterrit à pieds joints sur le corps au-dessous.

« Comment ça va ? demanda Harry en se redressant dans le conduit.

— Super, répondit Kaja avec un gémissement sourd. Et toi ? Mauvaises nouvelles ?

— Oui. » Harry s'assit à côté d'elle.

« C'est-à-dire ? Tu n'es pas amoureux de moi, maintenant non plus ? »

Harry émit un rire bas et l'attira contre lui. « Si, maintenant, je le suis. »

Il sentit des larmes chaudes sur sa joue lorsqu'elle murmura :

« On se marie, alors ?

— Oui, marions-nous. » Harry sut que c'était le poison dans son cerveau qui parlait.

Elle rit. « Jusqu'à ce que la mort nous sépare. »

Il sentit la chaleur de son corps. Et un objet dur. Son holster et le revolver de service. Il la lâcha, tâtonna jusqu'à Kolkka. Il lui sembla sentir que le visage du Finlandais avait déjà un peu du froid et de la rigidité du marbre. Il plongea la main dans la neige, le long du cou du défunt, vers la poitrine.

« Qu'est-ce que tu fabriques ? grommela-t-elle.

— J'attrape le pistolet de Jussi. »

Il l'entendit cesser de respirer une ou deux secondes. Sentit sa main dans le dos, qui tâtonnait sans assurance, comme un petit animal désorienté.

« Non, murmura-t-elle. Ne fais pas ça… pas comme ça… on va s'endormir… Even. »

Harry ne s'était pas trompé, Jussi Kolkka s'était allongé avec son holster. Il défit le bouton qui retenait le pistolet en place, saisit la crosse, extirpa le pistolet de la neige. Il passa un doigt sur le canon. Pas de guidon, c'était le Weilert. Il se leva, trop vite, sentit le vertige arriver, pensa à tendre les mains en avant. Et tout s'obscurcit.

Bellman regardait dans le trou profond de presque quatre mètres quand il entendit le flap-flap saccadé de l'hélicoptère de secours qui approchait. Ses hommes se servaient de sacs à dos pour remonter la neige, la hissaient grâce à leurs ceintures de pantalon attachées entre elles.

« La fenêtre ! cria l'homme dans la fosse.

— Casse-la ! » cria Milano en retour.

Il y eut un fracas de verre brisé.

« Oh, bon Dieu de bordel… » entendit-il. Et il sut que le blasphème n'annonçait rien de bon.

« Passez-nous un bâton… »

Bellman attendit en silence. Puis :

« De la neige. De la putain de neige. Jusqu'au toit. »

Bellman entendit des jappements. Et essaya de calculer combien d'heures il leur faudrait pour extraire toute la neige du chalet. Rectification : de jours.

Harry fut réveillé par une vive douleur à la mâchoire, et sentit quelque chose de chaud couler sur son front et entre ses yeux. Il comprit que dans sa chute il avait dû se cogner la tête contre la pierre, sur sa joue meurtrie, c'était ce qui l'avait réveillé. Curieusement, il était toujours debout et n'avait pas lâché le pistolet. Il essaya d'inspirer l'air frais qui n'était pas là. Il ne savait pas s'il lui restait une dernière chance, et alors ? C'était simple : il n'avait rien d'autre à faire. Il fourra le pistolet dans sa poche et recommença l'ascension laborieuse du conduit. Planta les pieds sur le côté quand il fut arrivé en haut, tâtonna la grille et finit par retrouver le bâton toujours enfoncé dans la neige. Le bâton était vaguement conique, avec une extrémité plus large du côté de Harry, dans laquelle il plongea sans hésiter le canon de son arme. Les deux premiers tiers entrèrent, et l'arme se coinça. Ça voulait dire que le bâton était bien dans l'axe du canon, comme un silencieux d'un mètre cin-

481

quante de long. Une balle ne traverserait pas un mètre cinquante de neige, alors que se passerait-il si le bâton était trop court de quelques centimètres seulement pour traverser toute l'épaisseur de neige ?

Il appuya de tout son poids sur le pistolet, pour que le recul ne le fasse pas dévier. Puis il tira. Et encore. Il eut l'impression que ses tympans allaient crever dans cet espace clos et hermétique. Après quatre coups de feu, il s'arrêta, posa les lèvres autour de l'ouverture du bâton, et aspira.

Aspira... de l'air.

Il y eut un instant de surprise telle qu'il manqua tomber une seconde fois. Harry aspira de nouveau, avec précaution, pour ne pas détruire le tunnel de neige creusé par les balles. Deux ou trois cristaux se détachèrent et vinrent se glisser sous sa langue. De l'air. Ça avait le goût d'un whisky rond et doux, *on the rocks*.

CHAPITRE 60

Nains et lutins

Roger Gjendem remontait au pas de course Karl Johans gate, où les magasins ouvraient. Arrivé sur Egertorget, il leva les yeux et vit que les aiguilles de l'horloge publicitaire rouge Freia indiquaient dix heures moins trois. Il accéléra.

Il avait été convoqué en urgence par Bent Nordbø, leur rédacteur en chef retraité et ô combien légendaire, qui était maintenant membre du directoire et gardien du temple.

Il prit à droite dans Akersgata, où tous les grands journaux s'étaient agglutinés à l'époque où l'édition papier régnait encore dans le monde du journalisme. Il bifurqua à gauche vers le palais de justice, à droite dans Apotekergata et entra à bout de souffle au Stopp Pressen. L'endroit donnait l'impression qu'on n'avait pas réussi à se décider entre un pub sportif et un pub traditionnel anglais. Peut-être les deux, puisque le but était que les journalistes de tout poil s'y sentent chez eux. Les murs étaient décorés de photos de presse sur ce qui avait occupé, secoué, réjoui et épouvanté le pays au cours des vingt dernières années. Il était surtout question de sport, de célébrités et de catastrophes naturelles. Et de quelques hommes politiques à classer dans les deux dernières catégories.

Étant donné que l'endroit était à un jet de pierre des deux journaux survivants d'Akersgata — *VG* et *Dagbladet* — Stopp Pressen était un peu considéré comme leur cantine annexe, mais il n'y avait pour l'instant que deux personnes à l'intérieur. Le barman derrière son comptoir et un homme installé à une table tout au fond de la salle, sous une étagère d'œuvres classiques Gyldendal et un vieux poste de radio de toute évidence censé donner aux lieux une certaine patine.

L'homme assis sous l'étagère était Bent Nordbø. Il avait l'allure arrogante de John Gielgud, les lunettes panoramiques de John Major et les bretelles de Larry King. Et il lisait un véritable journal en papier. Roger avait entendu dire que Nordbø ne lisait que le *New York Times*, le *Financial Times*, le *Guardian*, le *China Daily*, le *Süddeutsche Zeitung*, *El País* et *Le Monde*, mais qu'en revanche il les lisait tous les jours. Il pouvait aussi feuilleter la *Pravda* ou le *Dnevnik* slovène, mais il affirmait que « les langues d'Europe de l'Est lui fatiguaient les yeux ».

Gjendem s'arrêta devant la table et toussota. Bent Nordbø termina les dernières lignes de l'article sur le nouveau souffle qu'apportaient les immigrés mexicains dans le quartier jusque-là peu favorisé du Bronx, parcourut la page pour s'assurer qu'il ne ratait rien d'intéressant. Puis il ôta ses énormes lunettes, tira un mouchoir de la poche de poitrine de sa veste en tweed et leva les yeux sur l'homme nerveux, encore essoufflé, qui s'était arrêté près de sa table.

« Roger Gjendem, je suppose.

— Oui. »

Nordbø replia son journal. On avait aussi expliqué à Gjendem que quand ce type le rouvrirait, il pourrait considérer leur conversation comme terminée. Nordbø pencha la tête sur le côté et entama le travail colossal consistant à essuyer les verres de ses lunettes.

« Vous travaillez depuis longtemps sur des affaires criminelles, vous connaissez bien les gens de la Kripos et de la Brigade criminelle, n'est-ce pas ?

— Euh… oui.

— Mikael Bellman, que savez-vous sur lui ? »

Harry referma les yeux pour se protéger du soleil qui inondait la pièce. Il venait de se réveiller, et occupait les premières secondes à se débarrasser des bribes de rêves et à reconstituer la réalité.

Ils avaient entendu ses coups de feu.

Et découvert le bâton dès le premier coup de pelle.

Ils lui avaient raconté que ce qui leur avait fait le plus peur tandis qu'ils creusaient vers la cheminée, ça avait été de se faire tirer dessus.

Sa tête le faisait souffrir comme après une semaine de jeûne strict. Harry s'assit au bord du lit et regarda la chambre qu'on lui avait octroyée à l'hôtel montagnard d'Ustaoset.

Kaja et Kolkka avaient été rapatriés vers l'hôpital civil d'Oslo. Harry avait refusé de les accompagner. Il avait fallu qu'il mente, dise qu'il n'avait pas souffert du manque d'air et se sentait dans une forme olympique, pour qu'ils le laissent tranquille.

Harry pencha la tête sous le robinet de la salle de bains et but. « L'eau n'est jamais tout à fait mauvaise, et souvent assez bonne. » Qui disait toujours ça ? Rakel, quand elle voulait qu'Oleg boive à table. Il alluma son mobile, resté éteint depuis qu'il était parti pour Håvasshytta. L'écran lui indiqua que le réseau parvenait jusqu'à lui. Et qu'un message attendait sur sa boîte vocale. Harry l'écouta, mais il n'y avait qu'une seconde de toux ou de rires. Harry regarda le numéro de l'appelant. Un mobile, ça pouvait être n'importe qui. Il ne lui était pas tout à fait inconnu, mais ça ne venait pas de l'hôpital civil. La personne rappellerait si c'était important.

Mikael Bellman était installé seul dans la salle de petit déjeuner, en majesté solitaire, une tasse de café devant lui. Les journaux, qu'il avait lus dans le détail, étaient repliés sur la table. Harry n'eut pas besoin d'y jeter un œil pour savoir que c'était la même chose : toujours l'Affaire, l'impuissance de la police, toujours plus de pression. Mais l'édition du jour n'avait certainement pas eu le temps d'intégrer le décès de Jussi Kolkka.

« Kaja va bien, déclara Bellman.

— Mmm. Où sont les autres ?

— Ils ont pris le train pour Oslo ce matin.

— Mais pas toi ?

— Je me suis dit qu'il fallait que je t'attende. Qu'en penses-tu ?

— De quoi ?

— De l'avalanche. C'était juste un phénomène naturel ?

— Aucune idée.

— Ah non ? Tu n'as pas entendu la déflagration avant l'avalanche ?

— C'est peut-être la congère au sommet qui s'est détachée et a heurté le versant. Et l'avalanche est partie.

— Tu trouves que ça correspond à la bande-son ?

— Je ne sais pas à quoi ça devrait correspondre. Un bruit a déclenché l'avalanche, voilà tout. »

Bellman secoua la tête. « Même des montagnards expérimentés croient au mythe selon lequel des vagues sonores peuvent provoquer des avalanches. J'ai fait de l'escalade avec un expert en la matière, dans les Alpes, qui m'a expliqué que les gens du coin pensent encore que les avalanches durant la Seconde Guerre mondiale étaient provoquées par les coups de canon. La vérité, c'est qu'il n'y a que quand la neige est directement touchée par des projectiles qu'une avalanche peut partir.

— Mmm. Et donc ?

— Tu sais ce que c'est, ça ? » Bellman leva un petit fragment de métal brillant entre le pouce et l'index.

« Non. » Harry fit comprendre au garçon qui s'apprêtait à desservir qu'il souhaitait une tasse de café.

« "Les nains et les lutins construisent dans la montagne", fredonna Bellman.

— Je passe.

— Tu me déçois, Harry. Mais bon, j'ai peut-être de l'avance sur toi. J'ai grandi à Manglerud dans les années 1970, dans une banlieue en plein essor. Ils déblayaient des terrains partout autour de nous. La bande originale de mon enfance, c'est le son de la dynamite qui sautait. Après le départ des ouvriers, j'allais voir et je retrouvais des morceaux de câble dans du plastique rouge, des petits bouts de papier des bâtons. Kaja m'a raconté qu'ils avaient une façon spéciale de pêcher, ici, que les bâtons de dynamite sont plus courants que le tord-boyaux maison. Ne me dis pas que tu n'y as pas pensé.

— OK, concéda Harry. C'est un fragment de l'amorce. Où et quand l'as-tu trouvé ?

— Après qu'on vous a évacués cette nuit. Avec quelques gars, on est allés voir à l'endroit d'où était partie l'avalanche.

— Des traces ? » Harry prit la tasse que lui tendait le serveur avec un « merci ».

« Non. C'est tellement exposé, là-haut, que le vent avait balayé ce qui pouvait rester de traces de ski. Mais Kaja pensait avoir entendu un scooter des neiges.

— À peine. Et il s'est écoulé quelques secondes entre le moment où elle l'a entendu et celui où l'avalanche a démarré. Il a pu garer l'engin avant d'arriver, pour que nous ne l'entendions pas.

— J'ai pensé la même chose.

— Et maintenant ? » Harry goûta le breuvage.

« Recherche de traces de scooter.

— Le lensmann local…

— Personne ne sait où il est. Mais je me suis procuré une moto-neige, une carte, une corde d'escalade, un descendeur, un piolet, un balai. Alors si tu pouvais déguster un peu plus vite cette tasse de café, ils annoncent de la neige cet après-midi. »

Le directeur danois de l'hôtel avait expliqué que pour accéder au point de départ de l'avalanche, ils devraient faire un grand détour à l'ouest de Håvasshytta, mais sans trop monter vers le nord-ouest,

487

au risque de se retrouver à l'endroit qu'ils surnommaient Kjeften[1]. Le nom venait des blocs de pierre en forme de crocs dispersés alentour. Des failles et des crevasses s'ouvraient soudain dans le plateau, et rendaient dangereux les déplacements par mauvais temps quand on ne connaissait pas le coin.

Il était près de midi quand Harry et Bellman regardèrent en bas du versant, où ils distinguèrent la cheminée dégagée au fond du vallon.

Les nuages arrivaient déjà de l'ouest. Harry regarda vers le nord-ouest, les yeux plissés. Sans soleil, les ombres et les contours s'estompaient.

« Elle a dû partir d'ici. Sans quoi on l'aurait entendue.

— Kjeften », répondit Bellman.

Deux heures plus tard, après avoir sillonné le secteur du sud au nord à toute petite vitesse sans trouver de traces de motoneige, ils firent une halte. S'assirent côte à côte sur le siège de l'engin pour boire le café que Bellman avait apporté dans un thermos. Il tombait une neige légère.

« Un jour, j'ai trouvé un bâton de dynamite intact sur un chantier de Manglerud, raconta Bellman. J'avais quinze ans. À Manglerud, les jeunes avaient le choix entre trois choses : le sport, la messe et la drogue. Rien de tout ça ne m'intéressait. En tout cas, je ne voulais pas attendre assis devant le bureau de poste que le destin m'éloigne du hasch, de la colle et de l'héroïne qui auraient ma peau. Comme ça avait été le cas pour quatre mecs de ma classe. »

Harry remarqua que des expressions du parler de Manglerud s'étaient glissées dans le discours.

« Je ne supportais pas l'idée, poursuivit Bellman. Alors mon premier pas vers le métier de policier, ça a été d'emporter l'explosif derrière l'église de Manglerud, où les dealers de hasch avaient leur chicha souterraine.

— Chicha ?

1. La Gueule.

488

— Ils avaient creusé un trou dans le sol, où du haschisch se consumait sous une canette de bière vide retournée. Ils avaient enterré des tubes en plastique, qui partaient du trou et ressortaient à un mètre cinquante de là. Et ils s'allongeaient dans l'herbe autour de la chicha, et tiraient chacun sur un tube. Je ne sais pas pourquoi...

— Pour faire refroidir la fumée, répondit Harry avec un petit rire. Tu planes plus avec moins de came. Pas mal trouvé, pour des fumeurs de hasch. Je dois sous-estimer Manglerud.

— Quoi qu'il en soit, j'ai sorti l'un des tubes et j'ai mis le bâton de dynamite à la place.

— Tu as fait sauter la chicha ? »

Bellman hocha la tête, et Harry éclata de rire.

« Il a plu de la terre pendant une trentaine de secondes », sourit Bellman.

Ils se turent. Le vent ululait, sourd et rauque.

« Je voulais te remercier, reprit Bellman, les yeux baissés sur son gobelet en carton. D'avoir sorti Kaja à temps. »

Harry haussa les épaules. Kaja. Bellman savait que Harry était au courant. Comment ? Et cela signifiait-il que Bellman était aussi au courant pour Kaja et Harry ?

« Je n'avais rien d'autre à faire, là-bas.

— Oh si. J'ai regardé le cadavre de Jussi avant qu'ils ne l'évacuent. »

Harry ne répondit pas, garda les yeux plissés sur les petits flocons qui tombaient plus dru.

« Il avait une blessure à la gorge. Et d'autres dans les deux paumes. Comme des coups de pointe de bâton. Tu l'as trouvé en premier, n'est-ce pas ?

— Peut-être.

— La plaie dans le cou avait saigné. Son cœur devait battre quand la blessure a été faite, Harry. Et battre fort. Il aurait dû être possible de dégager un homme aussi vivant à temps. Mais tu as donné la priorité à Kaja, n'est-ce pas ?

489

— Eh bien… Je crois que Kolkka avait raison. » Il vida le reste de son café dans la neige. « Il faut choisir son camp », dit-il avec l'accent du Finlandais.

Ils découvrirent la trace du scooter des neiges à trois heures, à un kilomètre du couloir d'avalanche, entre deux énormes blocs rocheux en forme de dents qui ne laissaient pas passer le vent.

« On dirait qu'il s'est garé ici. » Harry indiqua le bord de la trace laissée par les chenilles de l'appareil. « Le scooter a eu le temps de s'enfoncer un peu dans la neige. » Il passa le doigt dans une rainure au milieu de la trace du patin gauche, tandis que Bellman balayait la neige légère et sèche le long de la trace.

« Oui. Il a tourné ici pour repartir vers le nord-ouest.

— On approche des gouffres et il neige plus dru. » Harry leva les yeux vers le ciel et sortit son téléphone. « Il faut appeler l'hôtel et leur demander de nous envoyer un guide à scooter. Merde !

— Quoi ?

— Pas de réseau. On doit retourner à l'hôtel. »

Harry regarda l'écran. Il y avait toujours le message associé à ce numéro vaguement familier. Les trois derniers chiffres, pourquoi les connaissait-il, nom d'un chien ? Et soudain, l'étincelle. La mémoire d'enquêteur. Le numéro était dans un dossier « anciens suspects » et avait été imprimé sur une carte de visite.

Marquée Tony C. Leike, entrepreneur. Harry leva la tête et regarda Bellman.

« Leike est vivant.

— Quoi ?

— Ou son téléphone, en tout cas. Il a essayé de m'appeler pendant que nous étions à Håvasshytta. »

Bellman regarda Harry, sans ciller. Les flocons s'accumulaient sur ses longs cils et les taches pigmentaires semblaient rougeoyer. Sa voix était basse, presque un chuchotis :

« On y voit bien, tu ne trouves pas, Harry ? Et il ne neige pas.

« — On y voit foutrement bien. Et pas le moindre putain de flocon en vue. »

Il sauta sur le scooter des neiges, qui démarrait.

Ils avançaient par saccades dans le paysage, cent mètres à chaque fois, évaluaient la trajectoire probable du scooter. Ils avançaient, balayaient, évaluaient, avançaient. La rainure dans la trace du patin gauche, sans doute abîmé, leur indiquait qu'ils suivaient le bon engin. Par endroits, dans de petits renfoncements ou sur les buttes battues par les vents, la trace était à nu et ils pouvaient progresser plus vite. Mais pas trop, Harry avait déjà crié deux fois de faire attention à une crevasse, et il s'en était fallu de peu. Il était près de quatre heures. Bellman allumait et éteignait sa lampe frontale en fonction des éclaircies. Harry regarda la carte. Il ne savait pas précisément où ils se trouvaient ; il savait juste qu'ils ne cessaient de s'éloigner d'Ustaoset. Et que la lumière du jour n'allait pas tarder à s'estomper. Un tiers de Harry commençait tout juste à s'inquiéter pour le trajet retour. Ce qui voulait dire en clair qu'il s'en foutait, avec une majorité de deux tiers.

À quatre heures et demie, ils perdirent la piste.

La neige tombait si dru qu'ils n'y voyaient presque plus rien.

« C'est de la folie ! hurla Harry pour couvrir le raffut du moteur. Pourquoi n'attendons-nous pas demain ? »

Bellman se retourna vers lui et ne lui répondit que par un sourire.

À cinq heures, ils retrouvèrent la piste. Ils s'arrêtèrent et descendirent du scooter.

« Elle va par là. » Bellman retourna vers l'engin. « Viens !

— Attends.

— Pourquoi ? Viens, il va bientôt faire nuit.

— Quand tu as crié, tu n'as pas entendu un écho ?

— Maintenant que tu le dis… » Bellman s'arrêta. « Une paroi rocheuse ?

— Il n'y en a pas sur la carte. » Harry se tourna dans la direction d'où partaient les traces. « Crevasse ! » hurla-t-il. Et obtint une réponse. Une réponse très, très rapide. Il se tourna de nouveau vers Bellman.

« Je crois que le scooter qui a laissé ces traces est dans une situation des plus délicates. »

« Ce que je sais de Bellman, répéta Roger Gjendem pour gagner du temps. Il a la réputation d'être très compétent et extrêmement professionnel. » Que cherchait le légendaire rédacteur Nordbø ? « Il sait tout faire, il fait tout bien, continua Gjendem. Apprend vite, et il a fini par savoir aussi comment nous gérer, nous autres journalistes. Une espèce de *whiz kid*. Euh, si vous comprenez…

— Je connais plus ou moins cette expression, oui », répondit Bent Nordbø avec un sourire aigre-doux tandis que son pouce et son index droits frottaient sans relâche le mouchoir contre le verre de lunette. Mais ce qui m'intéresse en premier lieu, c'est s'il y a des rumeurs.

— Des rumeurs ? » répéta Gjendem. Il remarqua qu'il retombait dans sa mauvaise habitude de garder la bouche ouverte après avoir parlé.

« J'espère de tout cœur que vous connaissez cette notion, Gjendem. Étant donné que c'est ce dont vous et votre employeur vivez. Alors ?

— Des rumeurs, des rumeurs… » hésita Gjendem.

Nordbø leva les yeux au ciel.

« Des spéculations. Des inventions. Des mensonges caractérisés. Je ne suis pas calé là-dessus, Gjendem. Videz votre sac à ragots, montrez votre volonté de nuire.

— D-des choses n-négatives, alors ? »

Nordbø poussa un gros soupir.

« Mon cher Gjendem. Vous entendez souvent des rumeurs sur l'abstinence des gens, leur générosité dans des histoires de gros sous, leur fidélité envers leur conjoint et leur leadership dénué de toute psychopathie ? La fonction d'une rumeur serait-elle de nous réjouir en nous montrant sous un jour plus flatteur ? » Nordbø avait fini un verre et attaquait l'autre.

« Il y a une rumeur très, très diffuse », commença Gjendem avant d'ajouter très vite : « Et je connais effectivement d'autres personnes poursuivies par cette même rumeur, qui ne le sont absolument pas.

— En tant qu'ancien rédacteur en chef, je vous conseillerais de rayer effectivement ou absolument. Ça fait double emploi. Qui ne sont absolument pas *quoi* ?

— Euh… jaloux.

— Ne le sommes-nous pas tous ?

— Violemment jaloux.

— Il a déjà frappé sa femme ?

— Non, je ne crois pas qu'il l'ait touchée. Ou qu'il ait eu des raisons de le faire. Ceux qui la regardent d'un peu trop près, en revanche… »

CHAPITRE 61

Hauteur de chute

Harry et Bellman étaient allongés sur le ventre au bord du gouffre, là où la piste disparaissait. Ils regardèrent en bas. Des parois noires très abruptes disparaissaient en contrebas, dans la neige qui tombait de plus belle.

« Tu vois quelque chose ? demanda Bellman.

— De la neige, répondit Harry avant de lui tendre les jumelles.

— Le scooter est là. » Bellman se leva et retourna vers leur moto-neige. « On descend.

— On ?

— Toi.

— Moi ? Je croyais que c'était toi l'alpiniste, ici, Bellman.

— Exact. » Bellman avait déjà commencé à enfiler son baudrier. « Il est donc logique que je m'occupe de la corde et du descendeur. La corde mesure soixante-dix mètres. Je te fais descendre autant que possible. D'accord ? »

Six minutes plus tard, Harry était debout au bord, dos au précipice, les jumelles autour du cou et une cigarette allumée au coin de la bouche.

« Nerveux ? sourit Bellman.

— Nan. Pété de trouille. »

Bellman vérifia que la corde ne coinçait pas dans le descendeur,

495

autour du petit tronc d'arbre derrière eux et jusqu'au baudrier de Harry.

Harry ferma les yeux, inspira et se concentra ; il lui fallait se pencher en arrière, à l'encontre de ce que les millions d'années d'expérience de l'espèce humaine lui dictaient : l'homme ne peut pas se perpétuer s'il saute dans les précipices.

Le cerveau coiffa le corps au poteau.

Sur les premiers mètres, il put garder les pieds contre la paroi, mais quand le surplomb s'accentua, il se retrouva suspendu dans les airs. La corde filait par à-coups, mais son élasticité atténuait le resserrement du baudrier autour de sa taille et de ses cuisses. Puis le mouvement s'uniformisa et, au bout d'un moment, il perdit le sommet de vue ; il flottait seul entre les flocons blancs et les parois noires.

Il bascula sur le côté et jeta un œil au-dessous. Et là, vingt mètres plus bas, il distingua des pics rocheux noirs qui émergeaient de la neige. Un éboulis abrupt. Et au milieu de tout ce noir et ce blanc : quelque chose de jaune.

« Je vois le scooter ! » cria Harry, et l'écho de sa voix se répercuta entre les parois. L'appareil était renversé, patins en l'air. Par rapport à la position de Harry, le scooter était à environ trois mètres de son point de chute. À plus de soixante-dix mètres de profondeur. Il devait donc avancer à une vitesse très réduite lorsqu'il avait basculé.

La corde se tendit soudain.

« Plus bas ! » cria Harry.

La réponse caverneuse lui parvint comme depuis une chaire : « Il n'y a plus de corde. »

Harry écarquilla les yeux. Quelque chose dépassait de sous l'engin, du côté gauche. Un bras nu. Noir, gonflé, comme une saucisse restée trop longtemps sur le gril. Une main blanche contre une pierre noire. Il essaya de faire la mise au point, de forcer ses yeux à mieux voir. Paume ouverte, donc main droite. Les doigts. Tordus, déformés. Le cerveau de Harry rembobina. Qu'avait dit

Tony Leike de sa maladie ? Pas contagieuse, juste héréditaire. Arthrite.

Harry regarda l'heure. Réflexe d'enquêteur. Défunt trouvé à dix-sept heures cinquante-quatre. L'obscurité commençait à tomber entre les parois autour de l'éboulis.

« Remonte-moi ! » cria Harry.

Aucune réaction.

« Bellman ? »

Pas de réponse.

Une bourrasque fit tournoyer Harry au bout de la corde. Pierres noires. Vingt mètres. Et soudain, son cœur se mit à tambouriner. Harry empoigna la corde à deux mains, comme pour s'assurer qu'elle n'avait pas disparu. Kaja. Bellman était au courant.

Harry inspira à fond trois fois avant de crier de nouveau :

« Ça s'assombrit, ça souffle et je me les gèle comme pas permis, Bellman. Il est l'heure de rentrer au bercail. »

Toujours pas de réponse. Harry ferma les yeux. Avait-il peur ? Peur qu'un collègue qui pensait en apparence de façon rationnelle le supprime presque sur un coup de tête, à cause de circonstances fortuites, propices ? Un peu, qu'il avait peur. Car ça n'avait rien d'un coup de tête. Ce n'était pas un hasard si Bellman était resté pour emmener Harry au milieu de nulle part. Ou alors… ? Il inspira. Bellman pourrait sans problème déguiser ça en accident. Descendre, faire disparaître la corde et le baudrier, dire que Harry était tombé dans la crevasse, aveuglé par la neige. Sa gorge était sèche. Non, ça n'était pas possible. On ne se sortait pas d'une putain d'avalanche pour être balancé dans un éboulis douze heures plus tard seulement. Par un policier. Non, ça n'était pas possible, ça…

La pression du baudrier disparut. Il tomba. En chute libre.

« La rumeur dit que Bellman aurait malmené un collègue, raconta Gjendem. Juste parce que ce type avait dansé trop de fois avec elle pendant une fête de Noël. Le type a voulu porter plainte pour une mâchoire fracturée et un traumatisme crânien, mais il n'avait aucune preuve, l'agresseur portait une cagoule. Mais tout le monde savait que c'était Bellman. Les ennuis se sont accumulés, et il a postulé à Europol, histoire de prendre le large.

— Vous croyez à ces rumeurs, Gjendem ? »

Roger haussa les épaules. « En tout cas, il semble que Bellman ait une certaine… euh, tolérance pour ce genre de manquements à l'éthique professionnelle. On s'est penchés sur le passé de Jussi Kolkka, après l'avalanche de Håvasshytta. Il a tabassé un violeur pendant son interrogatoire. Et Truls Berntsen, le porte-flingue de Bellman, n'est pas un enfant de chœur non plus.

— Bien. Ce duel entre la Kripos et la Brigade criminelle pour décrocher la responsabilité des enquêtes criminelles à l'échelon national, je veux que vous le couvriez. Je veux que vous lanciez deux ou trois torches incendiaires. Allez-y sur le leadership psychopathe. C'est tout. Et on verra comment réagit le ministre de la Justice. »

Sans geste ni parole de conclusion, Bent Nordbø remit ses lunettes toutes propres, déplia son journal et commença à lire.

Harry n'eut pas le temps de réfléchir. À rien. Et il ne vit pas sa vie défiler, les visages des gens auxquels il aurait dû dire qu'il les aimait ni aucune lumière vers laquelle il se serait senti attiré. Peut-être parce qu'on n'a pas le temps de penser à ces choses-là quand on chute de cinq mètres. Le baudrier se tendit à l'entrejambe et dans son dos, mais l'élasticité de la corde amortit le choc.

Puis il sentit qu'on le remontait. Le vent lui soufflait de la neige dans la figure.

« Qu'est-ce qui s'est passé, merde ? demanda Harry un quart d'heure plus tard, debout au bord de la faille et occupé à détacher la corde de son baudrier.

— Alors, tu as eu peur ? » sourit Bellman.

Au lieu de poser la corde, Harry l'enroula deux ou trois fois autour de sa main droite. Vérifia qu'il avait assez de mou pour fermer le poing. Un petit uppercut à la pointe du menton. Grâce à la corde, il pourrait se servir de sa main le lendemain aussi, pas comme quand il avait frappé Bjørn Holm et que ses phalanges lui avaient fait mal pendant quarante-huit heures.

Il fit un pas vers Bellman. Vit l'effarement sur le visage de l'agent supérieur, qui regardait la main entortillée de Harry. Il le vit reculer, chanceler, partir à la renverse dans la neige.

« Non ! Je… Il a juste fallu que je fasse un nœud au bout de la corde, pour qu'elle reste bloquée dans le descendeur… »

Harry continua vers lui, et Bellman — qui s'était recroquevillé dans la neige — leva par réflexe un bras devant sa tête.

« Harry ! Il… il y a eu une bourrasque et j'ai glissé… »

Harry s'arrêta, regarda Bellman, surpris. Puis il dépassa l'agent supérieur tremblant, en s'enfonçant péniblement dans la neige. Le vent glacial traversait ses vêtements, ses sous-vêtements, sa peau, sa chair, ses muscles, jusqu'à ses os. Harry attrapa un bâton de ski fixé sur le scooter, chercha quelque chose à attacher à l'extrémité mais ne trouva rien, et il était peu recommandé de sacrifier une partie de ce qu'il portait. Il planta alors le bâton dans la neige pour marquer le lieu de la découverte. Dieu seul savait combien de temps ils mettraient à le retrouver. Il appuya sur le démarreur électrique de la motoneige. Trouva l'interrupteur des phares, les alluma. Et Harry comprit tout de suite. À la neige qui tombait horizontalement dans les faisceaux lumineux et formait un mur blanc impénétrable : ils ne sortiraient jamais de ce labyrinthe et n'arriveraient jamais à Ustaoset.

CHAPITRE 62

Transit

Kim Erik Lokker était le plus jeune technicien de la police scientifique. En conséquence de quoi, on lui confiait souvent des tâches dont l'aspect scientifique n'était pas flagrant. Comme d'aller à Drammen. Bjørn Holm avait mentionné que Bruun était un pédé du genre entreprenant, mais que Kim Erik n'avait qu'à déposer les vêtements et s'en aller.

Quand la nana du GPS déclara « Vous êtes arrivé à destination », il se trouvait devant un immeuble assez ancien. Il se gara, monta sans encombre au second étage, et sonna à une porte sur laquelle un bout de papier retenu par deux morceaux de scotch indiquait GEIR BRUUN / ADELE VETLESEN.

Kim Erik sonna encore une fois, et entendit enfin des pas lourds à l'intérieur.

La porte s'ouvrit. L'homme n'avait qu'une serviette autour des reins. Il était d'une blancheur extrême, et son crâne chauve était mouillé et luisant de sueur.

« Geir Bruun ? Je… j'espère que je ne dérange pas. » Kim Erik tendit le sac plastique, à bout de bras.

« Que nenni, j'étais juste en train de baiser, répondit-il de la voix précieuse que Bjørn avait imitée. Qu'est-ce que c'est ?

— Les vêtements que nous vous avions empruntés. Nous allons

501

être obligés de garder le pantalon de ski encore un peu, je le crains.

— Ah oui ? »

Kim Erik entendit s'ouvrir la porte derrière Geir Bruun. « Qu'est-ce qui se passe, trésor ? gazouilla une voix incontestablement féminine.

— Juste quelqu'un qui dépose des affaires. »

Une silhouette se glissa derrière Geir Bruun. Elle n'avait même pas pris la peine de chercher une serviette, et Kim Erik eut le temps de constater que cette frêle créature était une femme à cent pour cent.

« Salut ! minauda-t-elle par-dessus l'épaule de Geir Bruun. S'il n'y a rien d'autre, je vous le reprends. » Elle leva un joli petit pied et poussa. La porte vitrée trembla et tinta longtemps après qu'elle se fut refermée.

Harry avait arrêté le scooter et écarquillait les yeux à travers la neige.

Il y avait eu quelque chose, là.

Bellman avait passé les bras autour de la taille de Harry et il se tassait derrière lui pour se protéger du vent.

Harry attendit. Observa.

Ce fut de nouveau là.

Un chalet. En rondins. Et un stabbur.

Puis ça disparut encore, effacé par la neige, comme s'il n'y avait jamais rien eu. Mais Harry avait une direction.

Alors pourquoi n'accélérait-il pas pour s'y rendre, se mettre en sécurité, pourquoi hésitait-il ? Il ne savait pas. Mais ce chalet était étrange, il l'avait senti dans l'espace des quelques secondes où il l'avait vu. Les fenêtres noires, l'impression de voir un endroit absolument abandonné et pourtant habité. Quelque chose de sinistre. Qui le fit accélérer en douceur, pour ne pas couvrir le bruit du vent.

CHAPITRE 63

Le stabbur

Harry plaça une bûche dans le poêle.

Assis à la table du salon, Bellman claquait des dents. Les taches sur sa peau étaient bleuâtres. Ils avaient tambouriné à la porte et hurlé dans le vent furieux pendant un moment avant de casser la vitre de la fenêtre d'une chambre. Le lit était défait et l'odeur indiqua à Harry que quelqu'un y avait dormi très peu de temps auparavant. Il crut presque sentir que le lit était encore tiède quand il posa la main sur le drap. Et bien que le salon leur parût chaud, tellement ils avaient froid tous les deux, quand Harry plongea la main dans le poêle à la recherche de braises sous la cendre grise, il n'en trouva pas.

Bellman se rapprocha du poêle.

« Tu as vu autre chose que la motoneige, dans l'éboulis ? »

C'étaient les premiers mots qu'il prononçait depuis qu'il avait couru derrière Harry en lui criant de ne pas l'abandonner avant de sauter à l'arrière de l'engin.

« Un bras, répondit Harry.

— Celui de qui ?

— Comment je le saurais ? »

Harry se leva et alla dans la salle de bains. Inspecta les affaires de toilette. Les rares choses qu'il y avait. Savon liquide et rasoir. Pas de brosse à dents. Une personne, un homme. Qui ne se brossait pas les dents ou était parti en voyage. Le sol était humide, même le long des plinthes, comme si on l'avait nettoyé récemment. Quelque chose attira son attention. Il s'accroupit. Un petit objet brun et noir était à moitié dissimulé sous la plinthe. Du gravier ? Harry le ramassa, l'examina. Pas de la lave, en tout cas. Il le glissa dans sa poche.

Dans les tiroirs de la cuisine, il trouva du pain et du café. Il tâta le pain. Assez frais. Le réfrigérateur contenait un pot de confiture, du beurre et deux bières. Harry avait une telle faim qu'il lui sembla sentir un parfum de viande grillée. Il chercha dans les placards. Rien. Merde, ce mec vivait de pain et de confiture ? Il trouva un paquet de biscottes sur une pile d'assiettes. Le même genre d'assiettes qu'à Håvasshytta. Les mêmes meubles aussi. S'agissait-il d'un chalet de l'office de tourisme ? Harry s'immobilisa. Il ne faisait pas que l'imaginer, il *sentait* une odeur de viande grillée — rectification : *brûlée*.

Il retourna dans le salon.

« Tu sens ? demanda-t-il.

— Quoi donc ?

— L'odeur. » Harry s'accroupit près du poêle en fonte. À côté de la trappe, sur le relief d'un cerf, trois fragments noirs non identifiables étaient collés à la paroi.

« Tu as trouvé à manger ? s'enquit Bellman.

— Si on veut, répondit Harry d'un ton pensif.

— Il y a un stabbur de l'autre côté de la cour. Peut-être que…

— Au lieu de dire "peut-être", tu devrais *peut-être* aller voir ? »

Bellman hocha la tête, se leva et sortit.

Harry chercha sur le bureau de quoi gratter les fragments carbonisés. Il ouvrit le tiroir du haut. Vide. Puis les autres, tous vides. À l'exception d'une feuille dans le dernier. Il la prit. Ce n'était pas une feuille, mais une photographie retournée. Ce qui étonna tout d'abord Harry, ce fut de trouver une photo de famille dans un chalet de l'office de tourisme. Elle avait été prise en été, devant une ferme. Une femme et un homme assis sur les marches encadraient un petit garçon debout entre eux. La femme portait une robe bleue, un foulard sur la tête ; elle n'était pas maquillée et souriait d'un air las. La bouche de l'homme était pincée en une grimace sévère, et il avait l'expression grave et fermée des Norvégiens timides qui semblent garder un secret terrible. Mais ce fut le garçon au milieu qui attira l'attention de Harry. Il ressemblait à sa mère, il avait un large sourire ouvert et une beauté douce dans les yeux et le front. Mais il ressemblait aussi à quelqu'un. Ces grandes dents blanches...

Harry retourna près du poêle, il avait de nouveau froid, tout à coup. Cette puanteur de viande grillée... Il ferma les yeux et s'efforça de respirer à fond par le nez plusieurs fois, mais il sentit la nausée monter malgré tout.

Au même instant, Bellman débloula dans la pièce, un grand sourire sur les lèvres : « J'espère que tu aimes le cerf. »

Harry se réveilla et se demanda ce qui l'avait tiré du sommeil. Un bruit ? Ou l'absence de bruit ? Car il se rendit compte qu'on n'entendait rien dans le salon, que le vent était tombé. Il envoya promener la couverture en laine et se leva du canapé.

Il alla jeter un coup d'œil par la fenêtre. C'était comme si quelqu'un avait donné un coup de baguette magique sur le paysage. Ce qui avait été six heures plus tôt un désert impitoyable apparaissait maintenant doux, maternel, presque beau dans le clair de lune irréel. Harry chercha machinalement des traces dans la neige. C'était bien un bruit qui l'avait réveillé. Ce pouvait être n'importe quoi. Un oiseau. Un animal. Il tendit l'oreille, et entendit un ronflement sourd derrière la porte d'une chambre. Ce n'était donc pas Bellman qui s'était levé. Son regard suivit les traces de pas qui allaient de la maison au stabbur. Ou était-ce du stabbur à la maison ? Ou les deux, il y en avait plusieurs. Étaient-ce celles de Bellman, vieilles de six heures ? Quand la neige avait-elle cessé de tomber ?

Harry chaussa ses bottes, sortit et regarda vers les toilettes. Pas de traces. Il tourna le dos au stabbur et pissa contre le mur de la maison. Pourquoi les hommes faisaient-ils ça, pourquoi fallait-il qu'ils pissent *contre* quelque chose ? Les restes d'un instinct de marquage de territoire ? Ou bien… Harry comprit que l'important, ce n'était pas ce contre quoi il pissait, mais ce à quoi il tournait le dos. Le stabbur. Comme s'il se sentait observé depuis cet endroit. Il se reboutonna, se retourna et regarda vers l'édifice en forme de fer de lance. Puis il se mit en marche. Saisit la pelle en passant à côté du scooter couvert de neige. Il avait décidé d'entrer sans hésiter, mais il s'arrêta devant les marches en pierre sous la porte basse. Écouta. Rien. Que foutait-il, il n'y avait personne ici. Il monta les marches, voulut lever la main vers la poignée, mais elle n'obéit pas. Que se passait-il ? Son cœur battait si fort dans sa poitrine qu'il lui faisait mal, comme s'il voulait sortir. Il transpirait, et son corps refusait de suivre les ordres. Harry comprit peu à peu que ça ressemblait en tout point à la description qu'il avait entendue. Les crises de panique. C'est la fureur qui vint à son secours. Il ouvrit la porte d'un violent coup de pied et plongea dans les ténèbres. Une forte odeur de graisse, de viande fumée et de sang séché l'assaillit. Quelque chose bougea dans un rai de lumière, et deux yeux scintillèrent. Harry envoya un coup de pelle. Et fit mouche. Entendit le bruit sourd de la viande, sentit que ça cédait. La porte se rouvrit derrière lui, et le clair de lune entra à flots. Harry fixa le cerf mort qui se balançait devant lui. Et les autres carcasses d'animaux. Il lâcha la pelle et tomba à genoux. Puis ça arriva, tout d'un coup. Le mur qui se crevassait, la neige qui l'engloutissait vivant, la peur panique de ne plus pouvoir respirer, le long souffle de terreur blanche, pure, dans sa chute vers les pierres noires. Si seul. Car ils étaient tous partis. Son père sous assistance respiratoire, en transit. Rakel et Oleg étaient des silhouettes à contre-jour dans un aéroport, eux aussi en transit. Harry voulait revenir. Revenir à cette pièce qui gouttait. Les murs solides, humides. Le matelas imprégné de sueur et la douce fumée qui l'expédiait là où ils étaient. En transit. Harry pencha la tête et sentit des larmes chaudes couler sur son visage.

J'ai imprimé une photo de Jussi Kolkka trouvée sur la page Internet de Dagbladet, *et je l'ai punaisée au mur à côté des autres. Il n'y avait pas un mot aux informations sur Harry Hole et les autres policiers qui étaient là. Ni sur Iska Peller, d'ailleurs. Était-ce un bluff ? Ils essaient, en tout cas. Et un policier mort, maintenant. Ils vont redoubler d'efforts. Il* FAUT *qu'ils redoublent d'efforts. Tu entends, Hole ? Non ? Tu devrais, je suis si près que je pourrais murmurer à ton oreille.*

PARTIE VII

CHAPITRE 64

État

L'état d'Olav Hole restait inchangé, avait dit le docteur Abel.

Assis à côté du lit de son père, Harry regardait l'inchangé tandis qu'un électrocardiogramme jouait sa chanson plip-plop toute en syncopes. Sigurd Altman entra, salua, nota les chiffres de l'écran sur un bloc.

« Je suis venu voir une certaine Kaja Solness, déclara Harry en se levant. Mais je ne sais pas dans quel service elle est. Pourriez-vous…

— Votre collègue, qui est arrivée par hélicoptère la nuit dernière ? Elle est en soins intensifs. Le temps qu'ils aient les résultats d'analyses, elle est restée un peu trop longtemps sous la neige. Quand ils ont mentionné Håvasshytta, j'ai cru que c'était ce témoin australien, dont la police a parlé à la radio.

— Ne croyez pas tout ce que vous entendez, Altman. Quand Kaja était dans la neige, l'Australienne était à Bristol. Bien au chaud et en sécurité, avec des gardes personnels et service en chambre complet.

— Attendez. » Altman observa Harry. « Vous aussi, vous étiez sous la neige ?

— Qu'est-ce qui vous fait croire ça ?

— Vous venez de faire un pas pour ne pas perdre l'équilibre. Vous avez la tête qui tourne ? »

Harry haussa les épaules.

« Désorienté ?

— En permanence. »

Altman sourit.

« Vous avez absorbé trop de CO_2. Le corps s'en débarrasse assez vite quand vous avez de l'oxygène, mais vous devriez faire des analyses de sang, pour qu'on puisse mesurer le taux de dioxyde de carbone.

— Non merci. Comment va-t-il, lui ? demanda Harry en indiquant le lit.

— Que dit le médecin ?

— Inchangé. C'est à vous que je pose la question.

— Je ne suis pas médecin, Harry.

— Donc vous n'avez pas besoin de me répondre comme si vous en étiez un. Donnez-moi une estimation.

— Je ne peux pas...

— Ça restera entre nous. »

Sigurd Altman regarda Harry. Faillit parler. Se ravisa. Se mordit la lèvre inférieure.

« Quelques jours, répondit-il.

— Même pas plusieurs semaines ? »

Altman ne répondit pas.

« Merci, Sigurd. » Harry se dirigea vers la porte.

Le visage de Kaja était pâle et beau sur la taie d'oreiller. Comme une fleur dans un herbier, songea Harry. Sa main était petite et froide dans celle de Harry. Le numéro d'*Aftenposten* du jour était posé sur la table de chevet, et titrait sur l'avalanche de Håvasshytta. Il décrivait les événements tragiques et citait Mikael Bellman, qui expliquait que le décès de l'inspecteur Kolkka, qui était à Håvasshytta pour assister Iska Peller, était une grande perte. Mais qu'il était heureux que le témoin ait été sauvé et se trouve à présent en sécurité.

« L'avalanche a été déclenchée par de la dynamite, alors ? demanda Kaja.

— Sans le moindre doute.

— Mikael et toi avez bien coopéré, là-haut ?

— Mais oui. » Harry se détourna pour que la quinte de toux dont il fut pris n'atteigne pas Kaja.

« J'ai entendu dire que vous aviez découvert un scooter dans un ravin. Avec un possible cadavre dessous.

— Oui. Bellman est retourné à Ustaoset pour retrouver l'endroit, avec le bureau du lensmann.

— Krongli ?

— Non, personne ne sait où il est, lui. Mais son assistant avait l'air d'un type sérieux. Roy Stille. Ils vont avoir du boulot. Nous ne savions absolument pas où nous étions, il a reneigé et venté, et sur ce terrain… » Harry secoua la tête.

« Une idée de l'identité du cadavre ? »

Harry haussa les épaules. « Ça m'étonnerait beaucoup que ce ne soit pas Tony Leike. »

Kaja tourna la tête sur l'oreiller. « Ah ?

— Je ne l'ai encore dit à personne, mais j'ai vu les doigts du cadavre.

— Et ?

— Ils étaient tordus. Tony Leike avait de l'arthrite.

— Tu crois que c'est lui qui a provoqué l'avalanche ? Et qu'il est tombé dans la crevasse, à cause du noir ? »

Harry secoua la tête. « Tony m'a dit qu'il connaissait le coin comme sa poche, que c'était chez lui, là-haut. Il faisait clair, et le scooter n'allait pas vite, il n'était qu'à trois mètres de la verticale de son point de chute. Et il avait un bras calciné, qui ne pouvait pas être dû à la dynamite. En plus, son scooter n'avait pas brûlé.

— Que…

— Je crois que Tony Leike a été torturé, assassiné et balancé dans le trou avec son scooter pour qu'on ne le retrouve pas. »

513

Kaja fit la grimace.

Harry se frictionna l'auriculaire. Il se demandait si son petit doigt n'avait pas gelé.

« Que penses-tu de ce Krongli ?

— Krongli ? » Kaja hésita. « Si c'est vrai qu'il a essayé de violer Charlotte Lolles, il n'aurait jamais dû être policier.

— Il tabassait aussi sa femme.

— Ça ne m'étonne pas.

— Ah ?

— Non. »

Il la regarda. « Y a-t-il quelque chose que tu ne me racontes pas ? »

Kaja haussa les épaules. « C'est un collègue, et je pensais que c'était juste la boisson, rien de plus. Mais oui, j'ai eu un aperçu de cette facette du personnage. Il est venu me voir et m'a signifié d'une façon assez musclée que nous devrions nous amuser un peu.

— Mais ?

— Mikael était là. »

Harry tressaillit.

Kaja se redressa dans son lit.

« Tu ne penses pas sérieusement que Krongli a pu...

— Je ne sais pas. Tout ce que je sais, c'est que celui qui a déclenché cette avalanche connaissait bien le secteur. Krongli a eu affaire avec ceux qui étaient à Håvasshytta. En plus, Elias Skog a raconté avant d'être assassiné qu'il avait vu ce qui pouvait être un viol à Håvasshytta. Aslak Krongli m'a donné l'impression d'être un violeur potentiel.

« Et puis cette avalanche. Si tu devais te débarrasser d'une femme supposée se trouver seule avec un policier sans arme dans un chalet paumé en montagne, comment t'y prendrais-tu ? Provoquer une avalanche, ça ne donne pas un résultat garanti à cent pour cent. Alors pourquoi ne pas faire les choses de façon aussi simple que sûre, emporter ton arme favorite et monter au chalet ? Parce qu'il savait qu'Iska Peller et l'enquêteur n'étaient pas seuls. Il *savait* que nous l'attendions. C'est pour ça qu'il a approché en douce, et attaqué de la seule manière qui lui permette de se tirer après. On parle d'un sous-marin. De quelqu'un qui connaissait nos théories sur Håvasshytta et a fait le rapport quand il nous a entendus mentionner le nom d'un témoin pendant une conférence de presse. Le bureau du lensmann d'Ustaoset...

— Geilo, corrigea Kaja.

— En tout cas, Krongli a reçu la demande urgente de la Kripos pour avoir l'autorisation de faire atterrir un hélicoptère de la police dans le parc national la nuit même. Il a dû comprendre le rapport.

— Alors il aurait aussi dû comprendre qu'Iska Peller n'était pas là, que nous ne voulions pas risquer un témoin. Il est donc curieux qu'il ne se soit pas tenu à distance. »

Harry hocha la tête.

« Bien, Kaja. Je suis d'accord, je ne crois pas que Krongli ait cru une seule seconde qu'Iska Peller était dans le chalet. Je crois que l'avalanche n'était que la suite logique de ce qu'il fait depuis un moment.

— À savoir ?

— Il joue avec nous.

— Il joue ?

— J'ai reçu un appel du mobile de Tony Leike pendant que nous étions à Håvasshytta. Il m'a ajouté à son répertoire. Et je suis presque certain que ce n'est pas lui qui m'a appelé. Si la personne qui appelle ne raccroche pas assez vite, la boîte vocale se déclenche et on entend une seconde de bruit avant la fin de l'appel. Je n'en suis pas certain, mais j'ai eu l'impression que c'était un rire.

— Un rire ?

— Celui de quelqu'un qui s'amuse bien. Parce qu'il vient de m'entendre dire dans l'annonce que je suis en dehors de la zone de couverture pour quelques jours. Imaginons que ce soit Aslak Kron-

515

gli qui vient d'avoir la confirmation que je suis à Håvasshytta, où j'attends l'assassin. »

Harry se tut, et son regard se perdit dans le vague.

« Alors ? relança Kaja au bout d'un moment.

— Je voulais juste voir à quoi ressemblait ma théorie quand je la formulais à voix haute.

— Et ? »

Il se leva. « Elle est assez merdique, en fait. Mais je vais vérifier l'alibi de Krongli pour les dates des meurtres. Salut. »

« Truls Berntsen ?

— Oui.

— Roger Gjendem, d'*Aftenposten*. Vous avez le temps de répondre à deux ou trois petites questions ?

— Ça dépend. Si vous voulez rabâcher sur Jussi, il vaut mieux que vous voyiez…

— Il ne s'agit pas de Jussi Kolkka, mes condoléances.

— OK. »

Roger était assis les pieds sur la table dans son bureau d'où il avait vue sur les bâtiments bas qui composaient la gare centrale d'Oslo et le chantier de l'Opéra qui n'allait pas tarder à être terminé. Après sa conversation avec Bent Nordbø au Stopp Pressen, il avait passé toute la journée — ainsi qu'une partie de la nuit — à s'intéresser de plus près à Mikael Bellman. Hormis la rumeur sur ce stagiaire du commissariat de Stovner qui avait été tabassé, il n'y avait pas grand-chose à glaner. Mais au fil des années passées à couvrir des affaires criminelles, Roger Gjendem avait constitué un réseau de sources régulières et peu dignes de confiance qui n'hésitaient pas à dénoncer père et mère pour le prix d'une bouteille d'alcool ou d'un shoot. Trois d'entre eux habitaient à Manglerud. Après quelques coups de téléphone, il apparut qu'ils y avaient aussi grandi. C'était peut-être vrai, ce qu'il avait entendu dire : que personne ne déménageait de Manglerud. Ou n'y emménageait.

Le milieu n'était manifestement pas si énorme, car ils se souvenaient tous les trois de Mikael Bellman. En partie parce qu'il avait été un con de flic au commissariat de Stovner. Mais surtout parce qu'il avait dragué la nana de Julle pendant que celui-ci purgeait une peine d'un an pour trafic de stupéfiants. C'était une ancienne condamnation avec sursis qui avait été transformée en ferme après que quelqu'un eut balancé Julle sur ses vols de carburant à Mortensrud. La fille en question était Ulla Swart, la plus jolie de Manglerud et plus vieille d'un an que Bellman. À la fin de sa détention, Julle avait quitté la prison en jurant ouvertement qu'il allait s'occuper de Bellman. Deux types l'attendaient au garage où il venait récupérer sa Kawa. Ils portaient des cagoules, et l'avaient tabassé à coups de barre de fer, avant de promettre un autre round s'il touchait Bellman ou Ulla. Les rumeurs disaient que ni l'un ni l'autre n'était Bellman. Mais que l'un des deux était un certain Beavis, le laquais attitré de Bellman. C'était l'unique carte de Gjendem quand il appela Truls « Beavis » Berntsen. Raison de plus de faire comme s'il avait quatre as.

« Je voulais juste vous demander s'il est vrai que vous avez tabassé Stanislav Hesse, il y a un certain temps, quand il était stagiaire au bureau de la paie et du personnel du commissariat de Stovner. Sur ordre de Mikael Bellman. »

Silence assourdissant à l'autre bout du fil.

Roger se racla la gorge. « Alors ?

— C'est un mensonge éhonté.

— Quelle partie ?

— Que Mikael m'a confié cette mission. Tout le monde voyait bien que cet enfoiré de Polak draguait sa femme, n'importe qui a pu se charger de ça. »

Roger Gjendem sentit que le début était vrai, l'histoire de la mission. Mais pas la fin, le « n'importe qui ». Aucun des anciens collègues de Stovner avec qui Roger avait discuté ne se rappelait rien de concrètement mauvais concernant Bellman. Pourtant, il avait transparu que Bellman n'était pas apprécié, que ce n'était pas quelqu'un pour qui ils se seraient sacrifiés. Sauf un.

« Merci, ce sera tout », conclut Roger Gjendem.

Au moment où Gjendem glissait son téléphone dans la poche de son blouson, Harry plongea la main dans la sienne et porta l'appareil à son oreille.

« Oui ?

— Ici Bjørn Holm.

— J'ai vu.

— Fichtre. Je ne pensais pas que tu te donnais le mal de tenir à jour un carnet d'adresses.

— Oh si. C'est un honneur, Holm, tu es l'un des quatre que j'ai entrés.

— C'est quoi ce barouf dans le fond ? Où es-tu, d'ailleurs ?

— Des joueurs qui crient parce qu'ils croient qu'ils vont gagner. Je suis aux courses.

— Quoi ?

— Bombay Garden.

— Ce n'est pas… Tu as pu y entrer ?

— Je suis membre. C'est à quel sujet ?

— Bordel, tu joues aux courses, Harry ? Tu n'as donc *rien* appris à Hong Kong ?

— Relax, je suis ici pour rayer Aslak Krongli de notre liste de suspects. D'après le bureau du lensmann, il était en déplacement à Oslo quand Charlotte et Borgny ont été tuées. Pas étonnant, dans le fond, parce qu'il est assez souvent à Oslo. Et je viens d'en découvrir la raison.

— Bombay Garden ?

— Oui. Aslak Krongli a un léger problème de jeu. J'ai vérifié les relevés de cartes de crédit qu'ils ont sur informatique ici. Avec l'heure et tout et tout. Krongli a dégainé sa carte plusieurs fois, et les horaires lui fournissent un alibi. Malheureusement.

— Bon. Le PC sur lequel ils stockent les données comptables est dans la même pièce que la piste de courses ?

— Hein ? C'est la dernière ligne droite, parle plus fort !

— Ils ont... Oublie. Je t'appelais pour te dire qu'on a trouvé du sperme sur le pantalon de ski qu'Adele Vetlesen portait à Håvasshytta.

— Quoi ? Ce n'est pas une blague ? Ça veut dire que...

— Qu'on aura peut-être bientôt l'ADN de l'inconnu. Si c'est son sperme. Et la seule façon d'en être certain, c'est d'exclure les autres hommes qui étaient à Håvasshytta.

— On a besoin de leur ADN.

— Oui. Pas de problème avec Elias Skog, on a déjà le sien. C'est plus compliqué pour Tony Leike. On en aurait sans aucun doute trouvé chez lui, mais pour ça, il nous faut l'aval de nos juristes. Après ce qui s'est passé ces derniers temps, ça va être coton de l'obtenir.

— Je m'en occupe. On devrait aussi avoir le profil ADN de Krongli. Même s'il n'a pas tué Charlotte ou Borgny, il a pu violer Adele.

— OK. Comment se le procure-t-on ?

— Il est policier, il a bien dû se trouver à un moment ou à un autre sur une scène de crime. » Harry n'eut pas besoin de terminer son raisonnement. Bjørn Holm acquiesçait déjà. Pour éviter les doutes et les méprises, on prenait les empreintes digitales et des échantillons ADN de tous les policiers passés sur une scène de crime et susceptibles de l'avoir souillée.

« Je vais voir au registre.

— Bon travail, Bjørn.

— Attends. Ce n'est pas tout. Tu nous as demandé de chercher une tenue d'infirmière. Et on l'a trouvée. Il y avait du PSG dessus. J'ai vérifié, il y a une usine de PSG désaffectée à Oslo, dans le Nydal. Si elle est vide et si l'inconnu s'est envoyé en l'air avec Adele sur place, on y trouvera peut-être encore du sperme.

— Mmm. Baisée dans le Nydal et sautée à Håvasshytta. L'inconnu a peut-être été appâté par une histoire de cul. Du PSG, tu dis. Ça vient de l'usine Kadok ?

— Oui, comment…

— Le père d'un pote y bossait.

— Répète, il y a un boucan terrible.

— Sprint final. À plus. »

Harry fourra le téléphone dans sa poche, fit pivoter son fauteuil pour éviter le spectacle des visages maussades des perdants autour de la piste de feutre et voir plutôt le grand sourire du croupier :

« Blavo Hally, encole gagné ! »

Harry se leva, enfila son blouson et regarda le billet que le Vietnamien agitait devant lui. Le portrait d'Edvard Munch. Mille couronnes, donc.

« Merci. Mise-le sur le cheval vert dans la prochaine course. J'encaisserai un autre jour, Duc. »

Lene Galtung était installée dans le salon et regardait dans le double vitrage ses deux reflets superposés. Son iPod passait Tracy Chapman. *Fast Car*. Elle pouvait écouter cette chanson en boucle, elle ne s'en lassait jamais. Elle parlait d'une fille pauvre qui veut tout fuir, s'asseoir dans le bolide de son copain et fuir sa vie, son job de caissière au supermarché du coin, la charge de son père alcoolique, couper tous les ponts. Rien ne pouvait moins ressembler à la vie de Lene, et pourtant, c'était d'elle que parlait la chanson. De la Lene qu'elle aurait pu être. Était, en réalité. L'une des deux qu'elle voyait dans son reflet double. La classique, grise. Pendant toutes ces années à l'école, elle avait été terrorisée à l'idée que la porte de la classe s'ouvre tout à coup, et que des gens entrent et la montrent du doigt en disant : Maintenant, on te tient, enlève tes beaux vêtements. Ils lui lanceraient quelques guenilles, avant de dire que tout le monde allait enfin voir qui elle était vraiment, cette bâtarde. Pendant des années, elle s'était cachée, sans faire le moindre bruit, et avait épié la porte, dans l'expectative. Écouté ses amies, et ce qui trahirait qu'elles l'avaient démasquée. La honte, la peur, les défenses érigées ressemblaient à de l'arrogance. Elle savait qu'elle surjouait son rôle de fille riche, heureuse, gâtée, insouciante. Elle n'était pas aussi belle et brillante que les autres filles autour d'elle, celles qui pouvaient chanter « Je n'en sais rien, moi » avec une assurance souriante, convaincues que ce qu'elles ne savaient pas *ne pouvait pas* avoir d'importance et que, de toute façon, le monde ne pourrait jamais rien exiger d'autre d'elles que leur beauté. Alors elle devait faire semblant. Semblant d'être belle. Brillante. Au-dessus de tout. Mais elle en avait marre. Elle aurait voulu monter dans la voiture de Tony et lui demander de filer. Jusqu'à un endroit où elle pourrait être la seule vraie Lene, et pas ces deux fausses personnes qui se détestaient. Tracy Chapman chantait qu'ensemble, elle et Tony pourraient arriver à cet endroit.

Le reflet bougea. Lene sursauta quand elle constata que le visage n'était pas le sien. Elle ne l'avait pas entendue arriver. Lene se redressa et ôta ses écouteurs.

« Pose le plateau ici, Nanna. »

La femme obéit. « Tu devrais l'oublier, Lene.

— Arrête !

— Ce n'était pas un homme bien pour toi.

— Arrête, je te dis !

— Chut ! » La femme posa brutalement le plateau, le service à café tinta, et ses yeux turquoise lancèrent des éclairs. « Ressaisis-toi, Lene. C'est ce que nous avons tous dû faire dans cette maison quand la situation l'imposait. Je le dis juste parce que je suis ta…

— Ma quoi ? ricana Lene. Regarde-toi. Que peux-tu bien être pour moi ? »

La femme lissa son tablier blanc, voulut poser une main sur la joue de Lene, mais celle-ci la repoussa. Le soupir de la femme résonna comme une goutte qui tombe au fond d'un puits. Elle fit volte-face et sortit. Au moment où la porte se refermait, le téléphone noir sonna devant Lene. Elle sentit son cœur s'emballer. Depuis la disparition de Tony, son téléphone était toujours allumé, et constamment à portée de main. Elle l'attrapa :

« Lene Galtung.

— Harry Hole, Brig…, Kripos. Désolé de vous déranger, mais j'ai besoin de votre aide. Il s'agit de Tony. »

Lene sentit que sa voix menaçait de déraper quand elle répondit :

« Est-ce que… il s'est passé quelque chose ?

— Nous cherchons une personne qui est morte dans un ravin près d'Ustaoset… »

Le vertige la prit, elle eut l'impression que le sol montait et que le plafond descendait.

« On ne l'a pas encore trouvée. Il a neigé, et la zone de recherche est grande et difficile d'accès. Vous m'entendez ?

— Ou… oui, oui. »

La voix du policier, un tantinet rauque, poursuivit :

« Quand on retrouvera le corps, nous veillerons à l'identifier aussi vite que possible. Ce que nous savons, c'est que ce corps a été grièvement brûlé. Nous avons donc déjà besoin de l'ADN de tous ceux qui pourraient être cette personne. Et puisque Tony a disparu… »

Le cœur de Lene paraissait vouloir remonter par sa gorge et jaillir de sa bouche. La voix à l'autre bout du fil continua son laïus :

« Je me demandais si vous voudriez bien aider l'un de nos techniciens en lui fournissant de l'ADN de Tony.

— C-comme quoi ?

— Un cheveu sur un peigne, de la salive sur la brosse à dents, ils savent de quoi ils ont besoin. L'important, c'est que vous donniez votre autorisation en tant que fiancée, et que vous vous présentiez en bas de chez lui, avec la clé.

— B-bien sûr.

— Merci beaucoup. J'envoie tout de suite un technicien dans Holmenveien. »

Lene raccrocha. Sentit les larmes monter. Remit les écouteurs de l'iPod dans ses oreilles. Entendit Tracy Chapman chanter le dernier vers, monter dans une voiture rapide et continuer vers cet endroit. Puis la chanson fut terminée. Elle appuya sur « Répéter ».

CHAPITRE 65

Kadok

Le Nydal était une image de la désindustrialisation d'Oslo. Les bâtiments industriels qui n'avaient pas été rasés pour céder la place à d'élégants immeubles de bureaux modernes en verre et en acier avaient été reconvertis en studios de télévision, restaurants et autres locaux en brique rouge ouverts où les conduites d'eau et de ventilation n'avaient pas été dissimulées.

Ces derniers étaient souvent loués par des agences de publicité désireuses de montrer qu'elles ne pensaient pas de façon traditionnelle, que la créativité s'exprimait aussi bien dans des locaux industriels bon marché que dans les bureaux chers et chics en centre-ville de leurs concurrents. Mais les locaux du Nydal coûtaient au moins aussi cher, puisque, dans le fond, toutes les agences de publicité pensent de façon traditionnelle. Plus exactement : elles suivent la mode et font monter les prix de ce qui est à la mode.

Les propriétaires du terrain qu'occupait l'ancienne usine Kadok n'avaient pourtant pas participé à ce nouvel Eldorado. Quatorze ans plus tôt, l'usine avait fini par fermer après des années passées dans le rouge dues à la désaffection de la clientèle, et les héritiers du fondateur s'étaient affrontés avec une belle violence. Pendant qu'ils se disputaient pour savoir qui aurait quoi, l'usine tombait en ruine derrière ses clôtures, sur la rive ouest de l'Akerselva. Les buissons et les arbres avaient poussé à leur guise et fini par dissimuler en totalité l'usine. Malgré tout, le gros cadenas sur le portail parut étrangement neuf à Harry.

« Fais-le sauter », demanda Harry à l'inspecteur de police à côté de lui.

Les mâchoires de l'énorme coupe-boulons tranchèrent le métal comme du beurre, et le cadenas fut coupé en aussi peu de temps qu'il en avait fallu à Harry pour obtenir son petit papier bleu. Le juriste de la Kripos semblait avoir des choses plus importantes à faire que de délivrer des mandats de perquisition, et Harry avait à peine fini de parler qu'il en avait déjà un signé dans la main. Il avait pensé qu'un ou deux de ces juristes efficaces et nonchalants ne feraient pas de mal à la Brigade criminelle.

Le soleil bas de l'après-midi se reflétait dans la mâchoire transparente de vitres brisées en haut des murs en brique. L'atmosphère était empreinte du vide que l'on ne trouve que dans les usines désaffectées, où tout ce que vous voyez a été construit pour une activité soutenue qui a disparu. Où l'écho du métal contre le métal, des cris, des jurons et des rires d'hommes en nage par-dessus le ronronnement des machines résonne encore entre les murs, et où le vent qui souffle à travers les vitres noircies et cassées fait vibrer les toiles d'araignées et les carapaces d'insectes morts.

Il n'y avait pas de cadenas sur la grande porte de l'atelier de production. Les cinq hommes traversèrent une longue pièce, où les sons se répercutaient comme dans une église, et qui évoquait plus une évacuation précipitée qu'une cessation d'activité. Les outils n'étaient pas rangés, une palette chargée de seaux blancs marqués PSG TYPE 3 attendait de partir, une blouse bleue était posée sur le dossier d'une chaise.

Ils s'arrêtèrent au milieu de la pièce. Il y avait une sorte de kiosque dans un coin, en forme de phare, qui se dressait à un mètre au-dessus du sol. Le poste du contremaître, songea Harry. En hauteur, une galerie faisait tout le tour du local, et permettait d'accéder à un entresol fermé. Harry pensa à un réfectoire, l'administration.

« Par où commençons-nous ? s'enquit Harry.

— Comme d'habitude. » Bjørn Holm regarda autour de lui. « Par le commencement.

— Que cherchons-nous ?

— Une table, une paillasse recouverte d'Eternit bleu. Le pantalon était taché juste sous la poche revolver, alors elle devait être assise quelque part, les jambes pendantes, et pas allongée sur le dos.

— Si vous commencez en bas, je monte avec l'inspecteur et le coupe-boulons.

— Ah ?

— Juste pour vous ouvrir les portes. On ne mettra du sperme nulle part, promis.

— Très drôle. Ne…

— … touche à rien. »

Harry et l'inspecteur, qu'il appelait inspecteur pour la simple raison qu'il avait oublié son nom deux secondes après l'avoir entendu, grimpèrent à pas lourds un escalier en colimaçon dont les marches de fer résonnèrent. La porte à laquelle ils parvinrent n'était pas verrouillée, et comme Harry l'avait supposé, elle donnait sur des bureaux vides. Un vestiaire avec des placards métalliques alignés. Une grande douche collective. Mais pas de taches bleues.

« Qu'est-ce que c'est, d'après toi ? » demanda Harry quand ils furent dans le réfectoire. Il désignait une porte étroite fermée par un cadenas à l'autre bout de la pièce.

« La réserve, répondit l'inspecteur, qui s'en allait déjà.

— Attends ! »

Harry alla vers la porte. Gratta de l'ongle le cadenas rouillé. C'était de la vraie rouille. Il le tourna, regarda le cylindre. Pas de rouille.

« Coupe. »

L'inspecteur s'exécuta. Et Harry ouvrit la porte.

527

L'inspecteur émit un claquement de langue.

« Juste une porte de camouflage », constata Harry.

Derrière, il n'y avait ni réserve ni pièce, mais une autre porte. Équipée de ce qui ressemblait à une solide serrure.

L'inspecteur posa son coupe-boulons.

Harry regarda autour de lui et trouva bientôt ce qu'il cherchait. Un gros extincteur rouge suspendu bien en vue au milieu d'un mur du réfectoire. Øystein lui avait raconté un jour que le produit qu'ils fabriquaient là où son père travaillait était si inflammable que le règlement imposait de fumer près de la rivière. Et que les mégots devaient disparaître dans l'eau.

Il décrocha l'extincteur et retourna à la porte. Prit deux pas d'élan, visa en tenant le cylindre de métal comme un bélier devant lui.

La porte se fendit autour de la serrure, mais resta sur ses gonds.

Harry répéta la manœuvre. Des éclats de bois voltigèrent.

« Qu'est-ce qui se passe, bon sang ? » cria Bjørn Holm au rez-de-chaussée.

À la troisième tentative, la porte émit un cri résigné et s'ouvrit. Sur l'obscurité complète.

« Je peux t'emprunter ta lampe ? » Harry posa l'extincteur et s'épongea. « Merci. Attends ici. »

Harry entra dans la pièce. Il y flottait un parfum d'ammoniac. La pièce — qui devait faire trois mètres sur trois — n'avait pas de fenêtre. Le faisceau lumineux balaya une chaise pliante noire, une table de travail, une lampe de bureau et un moniteur de la marque Dell. Le *e* et le *n* du clavier n'étaient pas du tout effacés. Le bureau était rangé et couleur bois clair, sans tache bleue. La poubelle contenait des bandes de papier journal, comme si quelqu'un avait découpé les photos. Et un *Dagbladet* à la couverture mutilée, en effet. Harry lut la manchette au-dessus du cadre vide, et sut qu'ils avaient fait mouche. Ils étaient arrivés. C'était ici.

« MORT DANS UNE AVALANCHE. »

Harry releva machinalement le faisceau, sur le mur au-dessus du bureau, révélant quelques taches bleues. Et ils étaient là.

Tous.

Marit Olsen, Charlotte Lolles, Borgny Stem-Myhre, Adele Vetlesen, Elias Skog, Jussi Kolkka. Et Tony Leike.

Harry s'efforça de respirer avec le ventre. Enregistrer les informations morceau par morceau. Les photos étaient extraites de journaux ou imprimées à partir de pages Internet, semblait-il. Sauf celle d'Adele. Le cœur de Harry battait comme une grosse caisse, et luttait pour envoyer plus de sang au cerveau. Le portrait était imprimé sur du papier photo, et le grain était si gros que Harry pensa que ce devait être l'agrandissement d'un cliché pris au téléobjectif. Derrière la vitre d'une voiture, Adele assise de profil sur un siège dont le plastique n'avait sans doute pas été retiré, et quelque chose pointait de sa gorge. Un gros couteau à manche jaune luisant. Harry se força à poursuivre. Une série de lettres, elles aussi imprimées *via* un PC, étaient accrochées au-dessous. Harry survola les premiers mots de l'une d'entre elles :

C'EST TRÈS SIMPLE. JE SAIS QUI TU AS TUÉ.

TU NE SAIS PAS QUI JE SUIS, MAIS TU SAIS CE QUE JE VEUX.

DE L'ARGENT. SINON, JE T'ENVOIE LES POULETS. SIMPLE, NON ?

Le texte se poursuivait, mais il passa au bas de la lettre. Pas de nom, pas de conclusion. L'inspecteur était à la porte. Harry entendit sa main tâtonner le long du mur tandis qu'il grommelait : « Doit bien y avoir un interrupteur quelque part. »

Harry leva sa lampe sur le plafond bleu, et trouva quatre gros tubes fluorescents.

« En effet. » Harry éclaira de nouveau le mur, vit d'autres taches bleues avant de tomber sur une feuille punaisée à droite des photos. Une toute petite alarme avait commencé à bourdonner dans son cerveau. La feuille avait un bord déchiré, et des lignes et des colonnes manuscrites. Des écritures différentes.

« Le voilà », annonça l'inspecteur.

Pour une raison inconnue, Harry pensa soudain à la lampe de bureau. Au plafond bleu. Et à l'odeur d'ammoniac. Et comprit au même instant que l'alarme dans sa tête n'était pas due à la feuille de papier.

« Ne... » commença Harry.

Mais trop tard.

D'un point de vue technique, l'explosion n'en fut pas une, plutôt — comme le préciserait le rapport signé par le commandant des pompiers le lendemain — un incendie explosif provoqué par une étincelle électrique dans les câbles reliés à une bonbonne d'ammoniac, qui mit le feu au PSG qui recouvrait tout le plafond et une partie des murs.

Harry étouffa quand l'oxygène de la pièce fut englouti par les flammes, en même temps qu'une vague de chaleur intense s'abattait sur sa tête. Il se laissa tomber à genoux et passa les mains dans ses cheveux pour savoir s'ils brûlaient. Quand il releva la tête, les flammes sortaient des murs. Il voulait inspirer, mais réussit à retenir le réflexe. Se releva. La porte n'était qu'à deux mètres, mais il devait prendre... Il tendit la main vers la feuille. Vers la page disparue du registre de Håvasshytta.

« Pousse-toi ! » L'inspecteur était à la porte, l'extincteur sous le bras et l'embout à la main. Comme au ralenti, Harry vit le liquide sortir. Le jet mordoré qui jaillissait du flexible et éclaboussait le mur. Du brun qui aurait dû être blanc, du liquide qui aurait dû être de la poudre. Et avant même de regarder dans la gueule des flammes qui s'élevaient et rugissaient à l'endroit où le liquide arrivait, avant que son nez enregistre le doux picotement de l'odeur de l'essence, avant de voir les flammes remonter le jet d'essence vers l'inspecteur immobile à la porte, comme en état de choc, Harry comprit pourquoi l'extincteur avait été suspendu au milieu du mur du réfectoire, exposé là où il était impossible de ne pas le voir, rouge et neuf, comme un appel à être utilisé.

L'inspecteur se plia en deux quand il reçut l'épaule de Harry en plein ventre, et tous deux furent propulsés à travers le réfectoire.

Ils bousculèrent quelques chaises quand ils glissèrent sous la table. L'inspecteur, asphyxié, gesticulait, ouvrait et fermait la bouche comme un poisson. Harry se retourna. Au milieu des flammes, l'extincteur rouge arrivait en roulant vers eux, dans un grondement sourd. Le flexible projetait du caoutchouc fondu. Harry se leva, tira l'inspecteur derrière lui, vers la porte, tandis qu'un compte à rebours sans chiffres s'égrenait dans sa tête. Il poussa l'inspecteur chancelant sur la galerie, le traîna dans l'escalier au moment où survint ce que le commandant des pompiers qualifierait plus tard d'explosion, soufflant toutes les vitres et incendiant entièrement le réfectoire.

La salle des coupures brûle. C'est aux actualités. Tu es censé servir et protéger, Harry Hole, pas abattre et détruire. Alors tu devras payer une compensation. Sinon, je te prendrai quelque chose qui t'est cher. C'est fait en une seconde. Tu n'imagines pas à quel point ce serait simple.

CHAPITRE 66

Extinction des braises

La nuit était tombée sur le Nydal. Harry, une couverture sur les épaules et un gros gobelet en carton à la main, regardait avec Bjørn Holm les pompiers entrer et sortir en courant, chargés des derniers seaux de PSG qui ne partiraient jamais de l'usine Kadok.

« Alors il avait placardé les photos de toutes les victimes ? demanda Bjørn Holm.

— Ouais. Sauf la prostituée de Leipzig, Juliana Verni.

— Et cette feuille ? Tu es sûr qu'elle venait du registre de Håvasshytta ?

— Oui. J'ai vu le registre quand j'y étais, et c'était celle qui a été arrachée.

— Tu étais à cinquante centimètres d'une feuille où figurait sans doute le nom de l'inconnu, mais tu ne l'as pas vu ? »

Harry haussa les épaules.

« J'ai peut-être besoin de lunettes. C'est allé à toute vitesse, Bjørn. Et mon intérêt pour la lecture a quelque peu faibli quand l'inspecteur s'est mis à asperger le mur d'essence.

— Oui, oui, je ne voulais pas...

— Il y avait des lettres. De chantage, à ce que j'ai pu en lire. Quelqu'un l'avait peut-être démasqué. »

Un pompier les rejoignit. Ses vêtements grinçaient et claquaient quand il marchait.

« Kripos, n'est-ce pas ? » gronda-t-il d'une voix assortie à son casque et ses bottes. Et avec un langage corporel qui disait « chef ».

Harry hésita, mais confirma d'un hochement de tête, aucune raison de compliquer les choses.

« Qu'est-ce qui s'est passé exactement, là-dedans ?

— J'espère que vos gars pourront nous l'expliquer un de ces jours, répondit Harry. Mais je crois qu'on peut dire que le mec qui s'était installé un bureau gratos ici avait une idée précise de ce qui devait arriver si ce bureau recevait la visite d'importuns.

— Ah ?

— J'aurais dû flairer l'embrouille dès que j'ai vu les néons au plafond. S'ils avaient fonctionné, le locataire n'aurait pas eu besoin de lampe de bureau. L'interrupteur était relié à autre chose, un mécanisme d'allumage quelconque.

— Vous croyez ? Bon, bon, on enverra nos experts demain matin.

— Quelle tête ça a, à l'intérieur ? voulut savoir Holm. La pièce où ça a démarré ? »

Le pompier toisa Holm.

« Du PSG sur les murs et le plafond, fiston. Quelle tête tu *crois* que ça a ? »

Harry était fatigué. Fatigué d'en prendre plein la poire, fatigué d'avoir peur, fatigué d'avoir toujours un train de retard. Mais à cet instant précis, il était surtout fatigué des adultes qui ne se fatiguaient jamais de jouer aux maîtres du monde. Harry parla bas, et le pompier dut se pencher vers lui.

« À moins que tu sois sérieusement intéressé par ce que mon technicien croit au sujet de cette pièce où viennent de passer tout un tas de pompiers, je te propose de dire ce que tu sais de façon concise et satisfaisante. Tu comprends, il y a eu un type, dans cette pièce, qui a planifié sept ou huit assassinats. Et qui les a commis.

Alors nous désirons *vraiment* savoir si nous pouvons espérer retrouver des indices susceptibles de nous aider à arrêter ce monsieur très, très méchant. C'était assez concis ? »

Le pompier se redressa. Se racla la gorge. « Le PSG est au plus haut point…

— Écoute voir. On te pose une question sur le résultat, pas sur les causes. »

Le visage du pompier avait pris une couleur qui n'était pas due qu'au PSG en flammes.

« Carbonisée. Complètement carbonisée. Papiers, meubles, PC, tout.

— Merci, chef. »

Les deux policiers regardèrent le dos du pompier s'éloigner.

« *Mon* technicien ? répéta Holm avec une grimace, comme si on lui avait fourré quelque chose de mauvais dans la bouche.

— Il fallait bien que je donne l'impression d'être un peu le chef, moi aussi.

— C'est chouette de se payer la tête de quelqu'un quand on vient de se payer la tienne, hein ? »

Harry acquiesça et resserra la couverture sur lui.

« Il a dit "carbonisé", n'est-ce pas ?

— Carbonisé. Comment te sens-tu ? »

Harry regarda avec découragement la fumée qui sortait toujours des fenêtres de l'usine, dans la lumière des projecteurs des pompiers.

« Baisé dans le Nydal », répondit-il avant de terminer son café froid.

Harry venait de quitter le Nydal, et il était arrêté à un feu rouge dans Uelands gate quand Bjørn Holm appela.

« Le labo a analysé les taches de sperme sur le pantalon d'Adele, et on a un profil ADN.

— Déjà ? s'étonna Harry.

— Un profil partiel. Mais assez pour qu'ils puissent affirmer avec quatre-vingt-treize pour cent de certitude qu'ils ont une correspondance. »

Harry se redressa sur son siège.

Correspondance. Le plus délicieux de tous les mots. Il était peut-être encore possible de sauver la mise.

« Allez, accouche ! cria Harry.

— Il faut que tu apprennes à savourer une pause théâtrale. »

Harry gémit.

« OK, OK. Ils ont trouvé le profil correspondant dans les cheveux de Tony Leike. »

Harry se mit à fixer le vide devant lui.

Tony Leike avait violé Adele Vetlesen à Håvasshytta.

Harry ne l'avait pas vu venir. Tony Leike ? Il avait du mal à tout faire concorder. Violent, d'accord, mais violer une nana qui est venue avec un autre homme au refuge ? Elias Skog avait dit l'avoir vu lui plaquer une main sur la bouche, l'emmener dans les toilettes. Ce n'était peut-être pas un viol, en fin de compte ?

Puis — tout à coup — la fin du compte.

Harry le voyait avec une netteté parfaite.

Ce n'était pas un viol. Et il l'avait : le mobile.

Les voitures klaxonnèrent derrière lui. Le feu était repassé au vert.

CHAPITRE 67

Le Soupirant

Il était huit heures moins le quart, et le jour n'avait pas encore renforcé la couleur et le contraste. La lumière grise de cette matinée montrait le paysage dans sa version grossière en noir et blanc quand Harry se gara à côté de la seule autre voiture de Vøyentangen et rejoignit le ponton. Le lensmann Skai était debout au bord, une canne à pêche à la main et une cigarette au bec. Des touffes de brouillard flottaient comme du coton au sommet des roseaux qui pointaient de la surface noire luisante.

« Hole, constata Skai sans se retourner. Vous êtes tombé du lit ?

— Votre femme m'a dit que je vous trouverais ici.

— Tous les matins entre sept et huit. Ma seule possibilité de réfléchir un peu avant le début du rabâchage.

— Ça mord ?

— Non. Mais il y a du brochet près des roseaux.

— J'ai déjà entendu ça. J'ai peur que le rabâchage commence plus tôt, aujourd'hui. C'est au sujet de Tony Leike.

— Tony, oui. La ferme de son grand-père maternel est à Rustad, sur la rive est du Lyseren.

— Vous vous souvenez bien de lui ?

— C'est un petit patelin, Hole. Mon père et le vieux Leike se côtoyaient, et Tony venait ici tous les étés.

— Quel souvenir en avez-vous ?

— Un type amusant. Beaucoup de gens appréciaient Tony. Surtout les bonnes femmes. Il plaisait aux filles, un peu comme Elvis. Et il arrivait à entretenir le mystère autour de lui. La rumeur voulait qu'il ait grandi seul chez sa mère malheureuse et imbibée, jusqu'à ce qu'elle le lourde un beau jour parce que le mec avec qui elle était n'aimait pas le gosse. Mais les femmes du coin l'appréciaient beaucoup. Et il le leur rendait bien. Il lui est arrivé de se retrouver dans la panade.

— Comme quand il a courtisé votre fille ? »

Skai sursauta comme si un poisson avait mordu à l'hameçon.

« Votre femme, poursuivit Harry. Je lui ai parlé de Tony, et elle me l'a raconté. Que c'est pour votre fille que Tony et l'autre gars se sont bagarrés, à l'époque. »

Le lensmann secoua la tête.

« Pas une bagarre, une vraie boucherie. Pauvre Ole, il s'imaginait que lui et Mia sortaient ensemble, juste parce qu'il était amoureux et conduisait Mia et ses copines au bal. Ce n'était pas un bagarreur, Ole, c'était plutôt le genre bon élève. Mais il est rentré dans le lard de Tony. Qui a fichu Ole à terre, a sorti son couteau et... C'était assez désagréable, on n'est pas habitués à ça, ici.

— Que lui a-t-il fait ?

— Il lui a coupé la moitié de la langue. L'a fourrée dans sa poche avant de repartir. Nous avons arrêté Tony une demi-heure plus tard chez son grand-père, et dit que la langue était attendue au bloc opératoire. Il a répondu qu'il l'avait filée aux corneilles.

— Ce que je voulais vous demander, c'est si vous pourriez soupçonner Tony de viol. À cette époque ou à un autre moment. »

Skai rembobina avec force.

« Je vais être très clair, Hole. Mia n'a plus jamais été la même fille gaie. Elle voulait toujours ce maboul, bien sûr, mais les filles sont comme ça, à cet âge. Et Ole est parti. Chaque fois que le pauvre diable ouvrait la bouche dans le coin, c'était un rappel pour lui et les autres de cette affreuse humiliation. Alors oui, je dirais que Tony Leike est un violeur potentiel. Mais non, je ne crois pas qu'il ait agressé quelqu'un sexuellement. Il l'aurait fait avec Mia, pour dire les choses telles qu'elles sont.

— Elle...

— Ils étaient dans les bois derrière la salle des fêtes. Elle n'a pas laissé Tony approcher. Et il l'a accepté.

— Vous en êtes certain ? Désolé de devoir poser la question, mais il y a... »

L'hameçon jaillit de l'eau et se rapprocha. Les premiers rayons de soleil horizontaux scintillaient.

« Pas de problème, Hole. Je suis policier, et je sais sur quoi vous travaillez. Mia est une fille bien, pas une menteuse. À la barre non plus. Vous pouvez avoir le rapport s'il vous faut les détails. Je voudrais surtout que Mia n'ait pas à en reparler.

— Ça ne sera pas nécessaire. Merci. »

Harry avait informé le public de la salle de réunion Odin que la personne qu'il avait vue sous le scooter — qu'on n'avait pas encore retrouvée en dépit d'efforts redoublés — avait les doigts déformés par l'arthrite comme ceux de Tony Leike. Avant d'exposer sa théorie. Il se renversa sur son siège et attendit les réactions.

Le Pélican observa Harry par-dessus le bord de ses lunettes, mais parut s'adresser à la salle entière :

« Comment peux-tu croire qu'Adele a participé de son plein gré, elle appelait au secours, bon sang !

— C'est ce à quoi Elias Skog n'a pensé qu'après coup, répondit Harry. Sa première impression, c'est qu'il avait vu deux personnes consentantes.

— Mais une femme qui emmène un homme dans un refuge ne s'envoie pas en l'air avec un type qui déboule au milieu de la nuit ! Il doit falloir être une femme pour le piger ! » feula-t-elle, et avec ses dreadlocks toutes nouvelles et fort peu seyantes, elle évoquait à Harry une Méduse furibarde. La réponse vint du voisin de Harry :

« Et tu crois sincèrement que ton sexe te donne automatiquement une compétence supérieure au sujet des préférences sexuelles de la moitié de la population du globe ? » Ærdal s'interrompit et observa un ongle d'auriculaire nettoyé de frais. « N'avons-nous pas précisé qu'Adele Vetlesen changeait de partenaire très souvent, sur un coup de tête ? Qu'elle avait accepté de s'envoyer en l'air avec un quasi-inconnu dans une usine désaffectée, en pleine nuit ? »

Ærdal baissa la main, commença le nettoyage de son annulaire et grommela si bas que Harry fut le seul à l'entendre : « En plus, j'ai tiré plus de filles que toi, échassier de mes deux. »

« Les nanas avaient un faible pour Tony, et inversement, reprit Harry. Tony est arrivé tard au chalet, le prétendant d'Adele faisait la tronche et s'était couché. Adele et lui pouvaient flirter sans retenue. Il avait des soucis chez lui, et elle avait commencé à se lasser du gars avec qui elle était. Adele et Tony avaient envie l'un de l'autre, mais, au refuge, il y avait des gens partout. Alors, dans le courant de la nuit, ils se sont glissés dehors et se sont retrouvés devant les toilettes. Ils ont commencé à s'embrasser, se toucher, il s'est mis derrière elle, a baissé son pantalon, et il était tellement excité qu'il avait ce qu'on appelle du "liquide pré-séminal" au bout du pénis, qui s'est retrouvé sur le pantalon de ski d'Adele avant qu'il ne le lui retire et que le coït ne commence. Son enthousiasme à elle était si bruyant qu'elle a réveillé Elias Skog, qui les a vus de sa fenêtre. Et je crois qu'ils ont aussi réveillé son soupirant, qu'il les a vus depuis sa chambre. Je crois qu'elle s'en fichait. Tony, en revanche, a essayé d'étouffer ses cris.

— Si *elle* s'en fichait, pourquoi pas *lui* ? s'écria le Pélican. C'est toujours les femmes que l'on accuse volontiers de ce genre de légèretés, alors que les hommes y gagnent en prestige ! Auprès des autres hommes, soit dit en passant !

— Tony Leike avait au moins deux bonnes raisons d'étouffer les

540

cris, poursuivit Harry. En premier lieu, on ne souhaite pas toujours retransmettre en direct une partie de jambes en l'air inopinée quand on est fiancé dans la presse people, et encore moins quand l'argent du futur beau-père est la bouée de sauvetage de vos investissements au Congo. En second lieu, Tony Leike était un alpiniste expérimenté, et il connaissait bien le coin.

— Qu'est-ce que ça vient foutre dans cette histoire ? »

On entendit un gloussement, et ils se tournèrent tous vers l'autre extrémité de la table, où Mikael Bellman tressautait sur son siège.

« Une avalanche, rigola-t-il. Tony Leike avait peur que les cris d'Adele Vetlesen ne déclenchent une avalanche.

— Tony savait que plus des trois quarts des avalanches sont provoquées par des gens », termina Harry.

Des rires incrédules se répandirent autour de la table, et même le Pélican ne put s'empêcher de sourire.

« Mais qu'est-ce qui te fait croire que le soupirant d'Adele les a vus ? demanda-t-elle. Et qu'Adele s'en moquait ? Elle était peut-être transportée au point de s'oublier.

— Parce que, répondit Harry en se renversant sur son siège, Adele l'avait déjà fait. Elle a envoyé à son copain un MMS avec une photo d'elle pendant qu'un autre gars la sautait. Un message impitoyable, mais clair. D'ailleurs, à en croire ses amis, elle n'a pas revu ce soupirant après leur excursion à Håvasshytta.

— Intéressant, admit Bellman. Mais où cela nous mène-t-il ?

— Au mobile, répondit Harry. Pour la première fois dans cette affaire, on a peut-être un "pourquoi".

— Alors on laisse tomber la théorie d'un tueur en série fou ? voulut savoir Ærdal.

— Le Bonhomme de neige aussi avait un mobile, intervint Beate Lønn, qui venait d'entrer et s'était installée au bout de la table. Dément, mais avec un mobile.

— C'est plus simple dans le cas présent. De la bonne vieille jalousie. Le mobile de deux meurtres sur trois dans ce pays. Et dans la plupart des autres pays. Sur ce point, les hommes sont assez prévisibles.

— Ça explique à la rigueur les meurtres d'Adele Vetlesen et de Tony Leike, gronda le Pélican. Mais les autres ?

— Il fallait les éliminer, répondit Harry. Ils étaient tous des témoins potentiels de ce qui s'était passé à Håvasshytta et pouvaient le raconter à la police, nous donner le mobile qu'il nous manquait. Et pire encore, peut-être : ils avaient été les témoins de son humiliation totale, être trompé en public. Pour quelqu'un d'instable, ça peut être un mobile suffisant. »

Bellman claqua des mains. « Espérons que nous aurons bientôt des réponses à certaines de ces questions. J'ai eu Krongli au téléphone, et il dit que le temps s'est amélioré dans la zone de recherches ; ils peuvent envoyer des chiens et un hélicoptère. Quelle est la raison qui t'a poussé à ne pas mentionner plus tôt que tu soupçonnes le cadavre d'être Tony, Harry ? »

Harry haussa les épaules.

« Je pensais qu'on le retrouverait bien plus vite, je ne voyais aucune raison de spéculer à voix haute. L'arthrite, ce n'est pas exceptionnel. »

Bellman continua à regarder Harry un moment, puis s'adressa aux autres :

« Nous avons un suspect, les gars. Qui veut le baptiser ?

— L'Inconnu, proposa Ærdal.

— Le Soupirant », contra le Pélican.

Il y eut plusieurs secondes de silence absolu, comme si ce qui avait été dit devait être digéré avant qu'ils ne poursuivent.

« Bon, je ne suis pas enquêtrice tactique », commença Beate Lønn, tout à fait convaincue que tout le monde dans la salle savait que Beate Lønn ne s'exprimait jamais sur un sujet qu'elle n'avait pas potassé à fond. « Mais il n'y a rien qui vous gêne, ici ? Leike avait un alibi pour les meurtres, mais que faites-vous de toutes ces pistes qui pointent vers lui ? Le coup de fil passé de chez lui pour joindre Elias Skog ? L'arme du crime importée du Congo ? D'une région où Leike avait des intérêts économiques, qui plus est. Coïncidence ?

— Non, répondit Harry. Depuis le début, le Soupirant nous a désigné Tony Leike comme l'assassin. C'est le Soupirant qui a payé Juliana Verni pour qu'elle aille au Congo, car il savait que n'importe quelle piste menant au Congo désignerait Tony Leike. En ce qui concerne l'appel passé de chez lui, j'ai vérifié aujourd'hui quelque chose qu'on aurait dû faire il y a longtemps, mais que nous laissons toujours tomber quand nous approchons du but. Parce que nous refusons de compromettre nos preuves. À peu près au moment où on a appelé Skog de la maison de Leike, trois appels sont partis du numéro interne de Leike dans l'immeuble de bureaux d'Aker Brygge. Leike ne pouvait pas être à deux endroits à la fois. Je suis prêt à parier deux cents couronnes qu'il était à Aker Brygge. »

Visages muets, mais attentifs.

« Tu veux dire que le Soupirant a appelé Elias Skog depuis chez Leike ? demanda le Pélican. Comment...

— Quand Leike est venu me voir à l'hôtel de police, il a mentionné qu'il y avait eu une effraction de la porte de la cave quelques jours plus tôt. Ça correspond à l'heure où Skog a été appelé. Le Soupirant est reparti avec un vélo pour dissimuler le véritable but de l'effraction. Leike sait que nous ne faisons rien pour ce genre de vol, alors il n'a même pas porté plainte. Et le Soupirant avait laissé un indice imparable contre Leike.

— Quel roublard ! s'exclama le Pélican.

— J'accepte l'explication du comment, intervint Beate Lønn. Mais pourquoi ? Pourquoi désigner Tony Leike ?

— Parce qu'il a compris qu'à un moment donné nous réussirions à faire le lien entre les victimes et Håvasshytta. Et que ça réduirait le nombre de suspects, de sorte que tous ceux qui y étaient cette nuit-là se retrouveraient sous les feux des projecteurs. Il avait deux raisons de déchirer la page du registre. La première : pour avoir les noms de ceux qui étaient là, pouvoir les retrouver tranquillement et les tuer sans que nous puissions rien arrêter. La seconde, et la plus importante : il gardait son nom secret.

— Logique, concéda Ærdal. Et pour être tout à fait certain que nous ne le retrouverions pas, il devait nous fournir un coupable apparent. Tony Leike.

— C'est pour ça qu'il devait attendre, et tuer Leike en dernier », émit l'un des enquêteurs, un homme affublé d'une grosse moustache à la Nansen, dont Harry ne se rappelait que le nom de famille.

Son voisin, un jeune à la peau et aux yeux luisants, dont Harry ne se rappelait ni le nom ni le prénom, se lança :

« Mais il n'a pas eu de chance, Tony Leike avait un alibi pour les meurtres. Et puisque Tony avait déjà servi de bouc émissaire, il était temps de supprimer enfin l'ennemi numéro un. »

La température avait grimpé dans la pièce, et le soleil hivernal pâle et hésitant semblait l'illuminer. Ils allaient vers quelque chose, ils avaient fini par se désembourber. Harry vit que même Bellman était penché en avant sur son siège.

« C'est bien joli », objecta Beate Lønn. Harry attendit le « mais », il savait ce qu'elle allait demander ; elle se faisait l'avocat du diable parce qu'elle savait qu'il avait les réponses. « Mais pourquoi ce Soupirant s'est-il autant compliqué la vie ?

— Parce que les gens *sont* compliqués. » Harry eut l'impression que c'était l'écho de quelque chose qu'il avait entendu puis oublié. « Nous voulons faire des choses qui se tiennent, qui sont imbriquées, où nous dirigeons des destins et pouvons nous sentir maîtres de nos petits univers. La pièce qui a brûlé à l'usine Kadok, vous savez à quoi elle me fait penser ? À une salle de contrôle. Un quartier général. Et ce n'est pas certain du tout qu'il prévoyait de tuer Tony Leike. Il voulait peut-être qu'il soit arrêté et jugé. »

Le silence était si complet qu'ils entendirent un oiseau pépier à l'extérieur.

« Pourquoi ? s'enquit le Pélican. S'il pouvait le tuer ? Ou le torturer ?

— Parce que la douleur et la mort ne sont pas le pire. » Harry entendit de nouveau l'écho. « Le pire, c'est l'humiliation. C'est ce qu'il voulait pour Leike. L'humiliation de se voir retirer tout ce qu'on possède. La chute, la honte. »

Il vit un petit sourire sur les lèvres de Beate Lønn lorsqu'elle approuva d'un hochement de tête.

« Mais, poursuivit-il, comme on l'a dit, et malheureusement pour notre assassin, Tony avait un alibi. Tony s'en tirait donc avec cette peine subsidiaire. Une mort longue et sans aucun doute affreuse. »

Dans le silence, un souvenir traversa le cerveau de Harry. L'odeur de la chair brûlée. Puis la pièce parut reprendre son souffle.

« Alors, que faisons-nous ? » demanda le Pélican.

Harry leva la tête. L'oiseau qui chantait sur une branche de l'autre côté de la fenêtre était un pinson. Un oiseau migrateur revenu beaucoup trop tôt. Qui annonçait le printemps, mais mourrait de froid à la première nuit de gel.

Pas question, songea Harry. Pas question !

CHAPITRE 68

Pêche au brochet

Ce fut une longue réunion matinale à la Kripos.

Bjørn Holm fit un compte rendu des recherches techniques effectuées chez Kadok. Ils n'avaient pas trouvé de sperme ni d'autres traces physiques de l'assassin. La pièce qu'il avait utilisée était carbonisée à cent pour cent, le PC transformé en bouillie métallique d'où il serait impossible de récupérer des données.

« Il accédait sans doute au Net par les réseaux ouverts à proximité, le Nydal en est plein.

— Alors il a dû laisser des traces électroniques », intervint Ærdal, mais ça ressemblait à un refrain appris par cœur.

« On peut bien sûr essayer de se connecter à ces réseaux et y chercher ce dont nous ignorons tout, admit Holm. Mais ça nous prendra des semaines et des semaines. En supposant qu'on trouve quelque chose.

— Je m'en occupe. » Harry s'était levé et composait un numéro tout en se dirigeant vers la porte. « Je connais quelqu'un. »

Il laissa la porte entrebâillée, et pendant qu'il attendait une réponse, il entendit un enquêteur raconter qu'aucune des personnes avec qui ils avaient discuté n'avait vu quelqu'un chez Kadok ; ce n'était pas étonnant, puisque l'usine était dissimulée derrière des arbres et des buissons, et l'obscurité des mois d'hiver n'arrangeait rien.

Harry obtint une réponse.

« Ici la secrétaire de Katrine Bratt.

— Allô ?

— Mlle Bratt part déjeuner.

— Désolé, Katrine, mais la tambouille attendra. Écoute… »

Katrine écouta pendant que Harry expliquait ce qu'il voulait :

« Le Soupirant avait des photos au mur, selon toute probabilité des impressions de journaux en ligne. Avec ton moteur de recherche, tu peux accéder aux réseaux du coin, vérifier les connexions et trouver qui est allé sur les pages qui traitent des meurtres. Il doit y en avoir pas mal…

— Mais pas aussi souvent que lui. Il suffit que je demande une liste triée par volume téléchargé.

— Mmm. Tu apprends vite.

— C'est mon nom qui veut ça. Bratt[1]. Courbe d'apprentissage. Tu vois ? »

Harry rejoignit les autres.

Ils écoutaient le message que Harry avait reçu depuis le téléphone de Leike. Il avait été envoyé à l'Université des sciences et techniques de Trondheim pour une analyse vocale. Dans les enregistrements de braquage, l'analyse de la bande-son donnait de bons résultats, meilleurs que les images, car la voix est très difficile à déguiser, même quand on la déforme. Mais ils avaient dit à Bjørn Holm qu'un mauvais échantillon d'une seconde de sons indéfinissables, toux ou rires, n'avait aucune valeur et ne pouvait pas servir à construire un profil vocal.

« Flûte ! » Bellman abattit une main sur la table. « Avec un profil vocal, avec un seul bout, on aurait au moins pu commencer à *rayer* des suspects de notre liste.

— Lesquels ? grommela Ærdal.

— Le signal reçu par la station de base nous informe que la per-

---

1. *Bratt* : « abrupt », en norvégien.

548

sonne qui a utilisé le téléphone de Leike se trouvait à proximité du centre d'Ustaoset quand elle a appelé, expliqua Holm. Il a disparu peu de temps après, le réseau de l'opérateur ne couvre que le centre d'Ustaoset. Mais c'est cette disparition, justement, qui renforce la théorie du Soupirant.

— Pourquoi ?

— Même quand on n'utilise pas le téléphone, la station de base de l'opérateur capte le signal toutes les deux heures. Cette absence de signal montre qu'avant et après l'appel le téléphone se trouvait dans les zones montagneuses désertes autour d'Ustaoset. Où il a peut-être assisté à des éboulements ou des séances de torture, ce genre de choses. »

Pas de rires. Harry constata que l'euphorie observée quelques instants plus tôt s'était évaporée. Il se rassit.

« Nous avons une possibilité de trouver ce bout dont parle Bellman, commença-t-il tout bas, car il avait toute leur attention. Revenons à la maison de Leike et au cambriolage. Supposons que le meurtrier se soit introduit chez Leike pour appeler Skog de là-bas. Ça s'est donc passé quelques jours avant qu'on arrête Leike. Supposons que nos TIC aient fait un aussi bon boulot que j'en ai eu l'impression quand j'ai débarqué et que je suis tombé... que j'ai retrouvé Holm. »

Bjørn Holm pencha la tête sur le côté et décocha à Harry un coup d'œil « épargne-nous ton humour ».

« Ne devrions-nous pas avoir des empreintes digitales relevées dans Holmenveien qui appartiennent... au Soupirant ? »

Le soleil illumina de nouveau la pièce. Les autres échangèrent des coups d'œil. Presque honteux. Si simple. Si évident. Et personne n'y avait pensé...

« Ça a été une longue réunion, très riche en informations, conclut Bellman. On dirait que les cervelles commencent à patiner. Mais qu'en penses-tu, Holm ? »

Celui-ci se frappa le front.

« Bien sûr que nous avons toutes les empreintes digitales. Nous les avons relevées parce que nous pensions que Leike était un assassin, et sa maison une scène de crime potentielle. On espérait que certaines empreintes digitales correspondraient à celles des victimes.

— Vous avez beaucoup de jeux qui n'ont pas été identifiés ? s'enquit Bellman.

— C'est ça le problème, répondit Bjørn, toujours hilare. Deux Polonaises venaient faire le ménage chez Leike une fois par semaine. Elles étaient passées six jours plus tôt, et avaient fait du bon boulot. Alors on n'a retrouvé que les empreintes de Leike, Lene Galtung, des deux Polonaises et un jeu qui ne correspond à aucune des victimes. On a arrêté de chercher des correspondances quand Leike a dévoilé son alibi et a été relâché. Mais je ne me rappelle pas où nous avons trouvé les empreintes non identifiées.

— Moi si, intervint Beate Lønn. J'ai reçu le rapport, avec les esquisses et les photos. Les empreintes de la main gauche de X1 étaient sur le plateau de ce bureau pompeux et moche. Comme ça. » Elle se leva et s'appuya sur la main gauche. « Si je ne me trompe pas, c'est là qu'était le téléphone. Comme ça. » Elle leva sa main droite à sa joue, forma le signe universel du téléphone : pouce devant l'oreille, petit doigt tendu devant la bouche.

« Mesdames et messieurs, commença Bellman avec un large sourire, les bras écartés. Je crois bien que nous avons une piste en bonne et due forme. Continue à chercher des correspondances pour X1, Holm. Mais *promets*-moi que ce n'est pas le jules d'une de ces Polonaises, qui l'a accompagnée pour pouvoir appeler chez lui aux frais de la princesse. D'accord ? »

Lorsqu'ils sortirent, le Pélican rejoignit Harry. Elle chassa d'un mouvement de tête ses nouvelles dreadlocks.

« Tu es peut-être meilleur que je le pensais, Harry. Mais quand tu exposes tes théories, ça ne ferait pas de mal que tu ajoutes un "je crois" par-ci par-là. » Elle sourit et lui fila un coup de hanche moqueur.

Harry apprécia le sourire, mais ce coup de hanche… Le téléphone vibra dans sa poche. Il le sortit. Pas l'hôpital civil.

« Il se fait appeler Nashville, déclara Katrine Bratt.

— Comme la ville américaine ?

— Ouais. Il est allé sur les pages de tous les grands quotidiens et a tout lu — je dis bien tout — sur les meurtres. La mauvaise nouvelle, c'est que je n'ai rien d'autre pour toi. Nashville est un ordinateur qui n'a été actif sur le Net que pendant quelques mois, et qui n'a cherché que des choses liées aux meurtres. À croire que ce Nashville s'attendait à ce qu'on le traque.

— On dirait que c'est notre homme, oui.

— Eh bien… Va te falloir chercher les types qui portent un chapeau de cow-boy.

— Quoi ?

— Nashville. La Mecque de la country et tout le toutim. »

Pause.

« Allô ? Harry ?

— Je suis là. Bien sûr. Merci, Katrine.

— Bisou ?

— Tout partout.

— Non merci. »

Ils raccrochèrent.

Harry s'était vu attribuer un bureau avec vue sur Bryn, et il observait la laide simplicité du secteur quand on frappa au chambranle de la porte.

Beate Lønn attendait sur le seuil.

« Alors, quelle impression ça fait de coucher avec l'ennemi ? »

Harry haussa les épaules. « L'ennemi s'appelle le Soupirant.

— Bien. Je voulais juste te dire qu'on a comparé les empreintes sur le bureau avec celles de notre base de données, et il n'y est pas.

— Ça ne m'étonne pas.

— Comment va ton père ?

« — Question de jours.

— C'est triste.

— Merci. »

Ils se regardèrent. Et tout à coup, Harry se dit que c'était un visage qu'il verrait à l'enterrement. Un petit visage blafard qu'il avait vu à d'autres enterrements, gonflé de larmes, percé de grands yeux tragiques. Un visage fait pour les enterrements.

« À quoi penses-tu ? demanda-t-elle.

— Je ne connais qu'un assassin qui a tué de cette façon, répondit Harry, de nouveau tourné vers l'extérieur.

— Il te rappelle le Bonhomme de neige, hein ? »

Harry hocha lentement la tête.

Elle soupira.

« J'ai promis de ne pas le dire, mais Rakel a appelé. »

Harry ne quittait plus des yeux les immeubles de Helsfyr.

« Elle m'a demandé de tes nouvelles. Je lui ai dit que tu allais bien. J'ai fait ce qu'il fallait, Harry ? »

Harry inspira à fond. « Bien sûr. »

Beate resta un moment à la porte. Puis s'en alla.

Comment va-t-elle ? Comment va Oleg ? Où sont-ils ? Que font-ils quand le soir tombe, qui veille sur eux, qui monte la garde ? Harry appuya la tête sur ses bras et plaqua les mains sur ses oreilles.

Une seule personne sait comment pense le Soupirant.

Les ténèbres de l'après-midi s'installèrent sans qu'il se soit rien passé. Le Capitaine, le réceptionniste friand d'informations, appela pour dire que quelqu'un avait téléphoné et demandé si Iska Peller, l'Australienne d'*Aftenposten*, était là. Harry répondit que c'était à coup sûr un journaliste, mais le Capitaine pensait que même les pisse-copie les plus infâmes connaissent les règles du jeu et donnent leur nom et celui du journal pour lequel ils travaillent quand ils appellent. Harry remercia et faillit demander au Capitaine de rappeler s'il y avait du nouveau. Avant de comprendre ce qu'une telle sollicitation impliquerait. Bellman appela pour annoncer une conférence de presse, alors si Harry avait envie de participer…

Harry déclina et sentit que Bellman était soulagé.

Harry tambourina sur le bureau. Décrocha pour appeler Kaja, mais reposa le combiné.

Le reprit et composa les numéros de plusieurs hôtels du centre-ville. Aucun d'entre eux ne se souvenait d'avoir reçu de coup de téléphone de gens qui auraient posé des questions sur Iska Peller.

Harry regarda l'heure. Il avait envie d'un verre. Il avait envie d'aller au bureau de Bellman, lui demander ce qu'il avait foutu de son opium, lever le poing, le voir se ratatiner…

Le seul qui sait.

Harry se leva, donna un coup de pied dans son fauteuil, arracha son manteau de la patère et sortit en hâte.

Il prit la voiture pour descendre au centre-ville et se gara de façon absolument irrégulière devant le Théâtre norvégien. Traversa la rue et entra dans le hall de l'hôtel.

Le Capitaine avait reçu ce sobriquet quand il officiait en tant que portier pour le même hôtel. C'était sans doute dû à la combinaison de son uniforme rouge pompier et à sa manie de commenter — et de commander — tout et tout le monde autour de lui. Il se considérait en outre comme le carrefour de toutes les choses importantes qui avaient lieu dans le centre-ville, l'homme qui prenait le pouls de la cité, l'homme qui *savait*. Un informateur avec un I majuscule, une pièce inestimable dans la machine responsable de la sécurité d'Oslo.

« Dans la partie la plus reculée de mon cerveau, j'entends une voix un peu particulière », déclara le Capitaine en savourant ses propres mots. Harry vit le collègue du Capitaine lever les yeux au ciel derrière le guichet.

« Légèrement tapette, conclut le Capitaine.

— Vous voulez dire aiguë ? » Harry pensa à ce que les amis d'Adele avaient raconté. Adele avait dit que ça avait été une douche froide que son soupirant parle comme son colocataire homo.

« Non, plus comme ça. » Le Capitaine cassa le poignet, battit des paupières et s'écria d'une voix de folle : « Si tu savais comme je t'en veuuuux, Søren ! »

Son collègue, qui portait en effet un badge marqué SØREN, pouffa de rire.

Harry remercia et faillit encore demander au Capitaine de rappeler s'il y avait du nouveau. Il sortit. Alluma une cigarette et leva les yeux vers l'enseigne de l'hôtel. Il y avait quelque chose… Au même instant, il remarqua la voiture de la Brigade de circulation garée derrière la sienne, et un type en uniforme qui notait son numéro d'immatriculation.

Harry traversa la rue et montra sa carte.

« Policier en service.

— Peu importe, un arrêt interdit est un arrêt interdit, répliqua l'uniforme sans cesser d'écrire. Envoyez une plainte.

— Eh bien, tu sais que nous sommes habilités à rédiger des contraventions, nous aussi ? »

L'homme leva les yeux et sourit de toutes ses dents :

« Si tu crois que je vais te laisser rédiger ta propre amende, tu te plantes, mon pote.

— Je pensais plus à *ta* voiture. » Harry tendit un doigt.

« C'est la mienne et celle de la brig…

— Un arrêt interdit est un arrêt interdit. »

L'uniforme lui lança un regard assassin.

Harry haussa les épaules. « Envoie une plainte… mon pote. »

L'uniforme fit claquer son carnet, tourna les talons et regagna sa voiture.

Au moment où Harry virait dans Universitetsgata, son téléphone sonna. C'était Gunnar Hagen. Harry entendit l'excitation frémir dans la voix d'ordinaire si bien maîtrisée du directeur de la Brigade criminelle :

« Il faut que tu viennes immédiatement, Harry.

« — Qu'est-ce qui se passe ?

— Viens. Dans le souterrain. »

Harry entendit les voix et vit les éclairs du flash bien avant d'être arrivé au bout du couloir de béton. Gunnar Hagen et Bjørn Holm étaient devant son ancien bureau. Une femme de la Technique époussetait la porte et la poignée, à la recherche d'empreintes digitales, tandis qu'un clone de Holm prenait en photo une demi-empreinte de botte dans le coin contre le mur.

« Cette empreinte est vieille, l'informa Harry. Elle était là avant qu'on emménage. Qu'est-ce qui se passe ? »

Le clone regarda Bjørn, qui lui indiqua d'un hochement de tête que ça suffisait.

« L'un des agents de la prison a découvert ça par terre devant la porte. »

Hagen brandit un sachet scellé contenant une enveloppe brune. À travers le plastique, Harry lut son propre nom sur l'enveloppe. En majuscules imprimées sur une étiquette collée sur l'enveloppe.

« Il pense qu'elle a pu traîner ici un moment, ce n'est pas tous les jours que des gens passent ici.

— On va mesurer le taux d'humidité du papier, expliqua Bjørn. Laisser une enveloppe similaire au même endroit, et voir en combien de temps elle atteint le même degré d'humidité. Et on saura quand elle a été déposée.

— Tiens donc, ça commence à ressembler un peu aux *Experts*... répondit Harry.

— Ça ne nous avancera guère, objecta Hagen. Il n'y a pas de caméras de surveillance sur le chemin qu'il a dû emprunter pour venir et repartir. Et c'est simple : le hall d'accueil, l'ascenseur, puis le couloir, et pas la moindre porte verrouillée avant de monter à la prison, le cas échéant.

— Non, pourquoi verrouillerait-on ici ? Quelqu'un voit un inconvénient à ce que je m'en fume une ? »

Personne ne répondit, mais les regards étaient éloquents. Harry haussa les épaules.

« Je suppose que quelqu'un, à un moment ou à un autre, va me dire ce qu'il y avait dans cette enveloppe ? »

Bjørn Holm tendit un second sachet scellé.

Harry avait du mal à en distinguer le contenu dans la lumière blafarde, et il avança d'un pas.

« Oh merde ! s'exclama-t-il en reculant légèrement.

— Le majeur, précisa Hagen.

— Le doigt donne l'impression d'avoir d'abord été cassé, indiqua Bjørn. La coupure est nette, lisse, pas de peau déchirée. Tranché. Une hache. Ou un gros couteau. »

L'écho de pas précipités se répercuta dans le souterrain.

Harry écarquilla les yeux. Le doigt était blanc, vidé de son sang, mais le bout en était bleu foncé.

« Qu'est-ce que c'est ? Tu as déjà relevé les empreintes digitales ?

— Oui. Et si on a de la chance, la réponse arrive.

— Je parie que c'est la main gauche.

— Bien vu, répondit Hagen.

— L'enveloppe ne contenait rien d'autre ?

— Non. Tu en sais autant que nous.

— Peut-être. » Harry tripotait son paquet de cigarettes. « Mais je sais autre chose sur ce doigt.

— On y a pensé aussi. » Hagen échangea un regard avec Bjørn Holm. Le son des pas enflait. « Majeur de la main gauche. C'est le doigt que t'a pris le Bonhomme de neige.

— J'ai quelque chose ici », les interrompit la TIC.

Ils se tournèrent vers elle.

Elle était accroupie et tenait un petit objet entre le pouce et l'index. Gris et noir.

« Est-ce que ça ressemble à ce qu'on a trouvé près du corps de Borgny ? »

Harry approcha.

« Oui. De la lave. »

Le coureur était un jeune homme, avec un badge accroché à sa poche de poitrine. Il s'arrêta devant Bjørn Holm et, les mains sur les genoux, chercha à reprendre son souffle.

« Alors, Kim Erik ? demanda Holm.

— On a une correspondance, haleta le jeune.

— Laisse-moi deviner. » Harry se ficha une cigarette entre les lèvres.

Les autres le regardèrent.

« Tony Leike. »

Kim Erik avait l'air sincèrement déçu : « Co… comment… ?

— J'ai vu sa main droite qui dépassait de sous le scooter, et il ne manquait aucun doigt. Alors ça ne pouvait qu'être la main gauche. » Harry fit un signe de tête vers le sachet. « Le doigt n'a pas été cassé, il est juste tordu. De la bonne vieille arthrite. Héréditaire, mais pas contagieux. »

CHAPITRE 69

Pleins et déliés

La femme qui ouvrit la porte de la maison mitoyenne à Hovseter avait des épaules de lutteur, et elle était aussi grande que Harry. Elle le regardait avec patience, comme si elle avait l'habitude d'accorder aux gens le temps nécessaire pour qu'ils se ressaisissent.

« Oui ? »

Harry reconnut la voix de Frida Larsen, qu'il avait eue au téléphone. Celle qui lui avait fait imaginer une petite femme frêle.

« Je suis Harry Hole. J'ai eu votre adresse grâce à votre numéro de téléphone. Felix est là ?

— Il est sorti jouer aux échecs, répondit-elle d'un ton monocorde, comme une réponse enregistrée. Envoyez-lui un mail.

— J'aurais voulu lui parler.

— De quoi ? » Elle emplissait l'ouverture, et il était impossible de voir à l'intérieur. Ça n'était pas dû qu'à sa carrure.

« Nous avons trouvé de la lave au commissariat. Je me demande si cette pierre provient du même volcan que la dernière que nous lui avons envoyée. »

Harry se tenait deux marches plus bas qu'elle, et il lui tendit le petit caillou. Mais elle ne bougea pas du seuil.

« Impossible à voir, répondit-elle. Envoyez un mail à Felix. » Elle fit mine de vouloir refermer.

« La lave, c'est de la lave », lança Harry.

Elle hésita. Harry attendit. L'expérience lui avait appris qu'un spécialiste ne peut jamais s'empêcher de corriger un non-spécialiste.

« Chaque volcan a une lave particulière, commença-t-elle. Mais ça varie aussi d'une éruption à l'autre. Vous devez analyser cette pierre. La teneur en fer compte beaucoup. » Son visage n'exprimait rien, son regard ne manifestait aucun intérêt.

« Ce que je voulais, en réalité, reprit Harry, c'est en savoir un peu plus sur les gens qui font le tour du monde pour voir des volcans. Il ne doit pas y en avoir tant que ça, alors je me demandais si Felix pouvait avoir une vue d'ensemble du milieu norvégien.

— Nous sommes plus nombreux que vous le pensez.

— Vous en faites partie ? »

Elle haussa les épaules.

« Quel est le dernier volcan sur lequel vous êtes allés ?

— Ol Doinyo Lengai, en Tanzanie. Et nous ne nous sommes pas approchés. Il y avait une éruption. Natrocarbonatites magmatiques. La lave qui en sort est noire, mais elle réagit à l'air, et au bout de quelques heures elle est toute blanche. Comme de la neige. »

Sa voix et son visage s'étaient animés d'un coup.

« Pourquoi ne veut-il pas parler ? demanda Harry. Il est muet, votre frère ? »

Le visage de la femme se figea de nouveau. Sa voix était plate et morte :

« Envoyez un mail. »

La porte claqua avec tant de force que de la poussière voltigea dans les yeux de Harry.

Kaja se gara dans Maridalsveien, sauta par-dessus la glissière de sécurité et descendit avec précaution le talus abrupt vers le bois qui abritait l'usine Kadok. Elle alluma sa lampe et traversa des fourrés, repoussa des branches dénudées qui menaçaient de l'atteindre au visage. La végétation était dense, les ombres surgissaient comme des loups silencieux, et même quand elle s'arrêtait pour observer et écouter, les ombres des arbres tombaient sur des arbres qui jetaient leur ombre sur d'autres arbres, et on ne savait plus où était ce qu'on regardait, comme dans un labyrinthe de miroirs. Mais elle n'avait pas peur. Au fond, c'était curieux qu'elle qui avait peur des portes closes n'ait pas peur du noir. Elle écouta le murmure de la rivière. Avait-elle entendu quelque chose ? Un bruit qui n'aurait pas dû être là ? Elle continua. Se baissa pour passer sous un tronc couché par le vent et s'arrêta de nouveau. Mais comme un peu plus tôt, les bruits s'arrêtèrent en même temps qu'elle. Kaja prit une profonde inspiration et alla au bout de son raisonnement : comme si quelqu'un la suivait et ne voulait pas être découvert.

Elle se retourna et éclaira derrière elle. N'était plus aussi sûre au sujet de cette peur du noir. Des branches oscillaient dans le faisceau de sa lampe, mais ce devait être elle qui les avait mises en mouvement ?

Elle se retourna.

Et hurla quand sa lampe éclaira un visage livide, aux yeux grands ouverts. Elle lâcha sa torche par terre et partit à reculons, mais la personne lui emboîta le pas avec un grognement qui pouvait passer pour un rire. Dans l'obscurité, elle la vit se pencher, se redresser, et une seconde plus tard, elle était aveuglée par le faisceau de sa propre lampe.

Elle retint son souffle.

Le rire grogné s'interrompit.

« Tiens ! lança une voix masculine, et la lampe fit un petit saut.

— Tiens ?

— Ta lampe. »

Kaja la prit et braqua le faisceau à côté du type. Pour le voir sans l'aveugler. Il était blond, et prognathe.

« Qui es-tu ? demanda-t-elle.

— Truls Berntsen. Je travaille avec Mikael. »

Bien sûr qu'elle avait entendu parler de Truls Berntsen. L'ombre. Beavis, ce n'était pas comme ça que Mikael l'appelait ?

« Je suis…

— Kaja Solness.

— Oui, comment le sais… » Elle déglutit, reformula sa question : « Que fais-tu ici ?

— La même chose que toi, répondit-il d'une voix rauque et monotone.

— Ah bon ? Et qu'est-ce que je fais ici ? »

Il partit de son rire grogné. Mais ne répondit pas. Il attendait debout devant elle, les bras le long du corps, légèrement écartés. Une de ses paupières frémissait, comme si un insecte était prisonnier dessous.

Kaja soupira.

« Si tu fais la même chose que moi, tu es ici pour surveiller l'usine. Au cas où il reviendrait.

— Oui, au cas où il reviendrait, répéta Beavis sans la quitter des yeux.

— Ce n'est pas si invraisemblable. Pas sûr qu'il sache pour l'incendie.

— Mon père bossait là-dedans, déclara Beavis. Il disait souvent qu'il fabriquait du PSG, qu'il toussait du PSG et qu'il deviendrait du PSG.

— Il y en a d'autres de la Kripos dans le coin ? C'est Mikael qui t'a envoyé ici ?

— Tu ne le vois plus, hein ? Tu vois Harry Hole. »

Kaja sentit le froid envahir son ventre. Comment ce type était-il au courant ? Mikael avait-il parlé d'elle ?

« Tu n'étais pas à Håvasshytta, lança-t-elle pour changer de sujet.

— Ah non ? » Rire grogné. « Je devais être en congé. Repos. Jussi y était, lui.

— Oui, acquiesça-t-elle à mi-voix. Il y était. »

Il y eut un coup de vent, et elle tourna la tête quand une branche lui griffa le visage. L'avait-il suivie, ou était-il déjà là avant qu'elle arrive ?

Quand elle voulut lui poser la question, il n'était plus là. Elle éclaira entre les arbres. Il avait disparu.

Il était deux heures du matin lorsqu'elle se gara dans la rue, franchit le portail et monta les marches vers la maison jaune. Elle appuya sur le bouton au-dessus de la plaque en céramique peinte marquée « Fam. Hole » en pleins et déliés compliqués.

Quand elle eut sonné pour la troisième fois, elle entendit toussoter derrière elle et se retourna, juste à temps pour voir Harry fourrer son revolver de service dans la ceinture de son pantalon. Il avait sans doute contourné la maison sans faire de bruit.

« Qu'est-ce qu'il y a ? demanda-t-elle, effrayée.

— Mesure de prudence. Tu aurais dû appeler pour dire que tu venais.

— Je... Je n'aurais pas dû venir ? »

Harry grimpa les marches, passa devant elle et ouvrit. Elle entra à sa suite, le ceintura par-derrière, se serra contre son dos, referma la porte d'un coup de talon. Il se libéra, se retourna et faillit parler, mais elle l'en empêcha d'un baiser. Un baiser glouton qui demandait une réplique. Elle glissa ses mains froides sous la chemise de Harry, sentit à sa peau bouillante qu'il venait de se lever, tira le revolver de sa ceinture et le posa sur la table de l'entrée, où il atterrit avec un bruit sec.

« Je te veux », chuchota-t-elle. Elle lui mordit l'oreille et plongea la main dans son pantalon. Son membre était chaud et doux.

« Kaja...

— Je peux t'avoir ? »

Elle crut remarquer une infime hésitation, un rien de mauvaise volonté. Elle passa l'autre main sur la nuque de Harry, le regarda droit dans les yeux : « S'il te plaît... »

Il sourit. Puis ses muscles se détendirent. Et il l'embrassa. Doucement. Plus doucement qu'elle ne l'aurait voulu. Elle gémit de frustration, défit le bouton de son pantalon. Empoigna son sexe sans bouger la main, pour le sentir grossir.

« Que le diable t'emporte », gémit-il avant de la soulever. Il la porta dans l'escalier. Ouvrit la porte de la chambre d'un coup de pied et l'allongea sur le lit. Du côté de sa mère. Elle renversa la tête en arrière, ferma les yeux, sentit ses vêtements disparaître, vite, avec efficacité. Sentit la chaleur dégagée par le corps de Harry une seconde avant qu'il descende vers elle et force ses cuisses à s'écarter. Oui, songea-t-elle. Que le diable m'emporte.

La joue posée sur la poitrine de Harry, elle écoutait battre son cœur.

« À quoi pensais-tu ? chuchota-t-elle. Là-haut, quand tu croyais que tu allais mourir ?

— Que j'allais vivre.

— C'est tout ?

— C'est tout.

— Pas que tu allais… revoir ceux que tu aimais ?

— Non.

— Moi si. C'était étrange. J'avais tellement peur que quelque chose s'est cassé. Puis la peur est passée, et j'ai été remplie de paix. Je me suis endormie. Et tu es arrivé. Tu m'as réveillée. Sauvée. »

Harry lui tendit sa cigarette, et elle tira une bouffée. Elle pouffa de rire.

« Tu es un héros, Harry. Le genre de gars à qui on décerne des médailles, rien que ça. Qui l'eût cru ? »

Harry secoua la tête.

« Crois-moi, chérie, je ne pensais qu'à moi. Je n'ai daigné penser à toi que quand je suis arrivé à la cheminée.

— D'accord, mais à ce moment-là, la quantité d'air disponible était toujours limitée. En me dégageant, tu savais que nous consommerions l'oxygène deux fois plus vite.

— Qu'est-ce que tu veux que je te dise ? Je suis généreux. »

Elle rit et lui asséna une bourrade dans la poitrine. « Un héros ! »

Harry tira une grosse bouffée.

« Ou c'est peut-être l'instinct de survie qui s'est joué de la conscience.

— Qu'est-ce que tu veux dire ?

— Celui que j'ai trouvé en premier était si fort qu'il a presque réussi à retenir mon bâton. J'ai compris que ce devait être Kolkka et qu'il était vivant. Je savais que c'était une question de secondes ou de minutes, mais au lieu de le dégager, je me suis mis à donner des coups de bâton dans la neige, jusqu'à ce que je te trouve. Tu ne bougeais pas du tout. J'ai cru que tu étais morte.

— Et alors ?

— Alors j'ai peut-être pensé, inconsciemment, que si je dégageais d'abord le mort, celui qui était encore vivant mourrait dans l'intervalle. Comme ça, j'aurais tout l'oxygène pour moi. Ce n'est pas facile de savoir ce qui anime quelqu'un. »

Elle se tut. Au-dehors, le vacarme d'une moto enfla avant de décroître. Une moto en février. Et aujourd'hui, elle avait vu un oiseau migrateur. Tout était déréglé.

« Tu gamberges toujours autant ? voulut-elle savoir.

— Non. Peut-être. Je ne sais pas. »

Elle se serra un peu plus contre lui.

« Sur quoi gamberges-tu, en ce moment ?

— Comment il arrive à savoir ce qu'il sait. »

Elle soupira. « Notre assassin ?

— Et pourquoi il joue avec moi. Pourquoi il m'envoie un morceau de Tony Leike. Comment il pense.

— Et comment comptes-tu t'y prendre pour le découvrir ? »

Il écrasa sa cigarette dans le cendrier sur la table de chevet. Inspira à fond et souffla en un long soupir rauque.

« Là est tout le problème. Je ne vois qu'une seule façon. Il faut que je lui parle.

— Lui ? Le Soupirant ?

— Quelqu'un *comme* lui. »

Avec le sommeil vint le rêve. Il regardait fixement un clou. Planté dans la tête d'un homme. Mais cette nuit, le visage était familier. Un portrait connu, quelqu'un qu'il avait vu un grand nombre de fois. Récemment. Le corps étranger dans la bouche de Harry explosa, et il sursauta. Il dormait.

CHAPITRE 70

Angle mort

Harry parcourait les couloirs de l'hôpital, accompagné d'un surveillant pénitentiaire en civil. Le médecin marchait deux pas devant eux. Elle avait informé Harry de l'état du patient, l'avait préparé à ce qui l'attendait.

Ils arrivèrent à une porte, et le surveillant ouvrit. De l'autre côté, le couloir se poursuivait sur quelques mètres. Il y avait trois portes dans le mur de gauche. Un autre gardien, en uniforme celui-là, se tenait devant l'une d'elles.

« Il est réveillé ? » demanda le médecin tandis que le gardien en uniforme fouillait Harry. Le gardien hocha la tête, posa le contenu des poches de Harry sur la table, déverrouilla et s'écarta.

Le médecin fit signe à Harry d'attendre dehors, et entra avec le surveillant. Elle ressortit peu après.

« Un quart d'heure maximum, décréta-t-elle. Il va mieux, mais il est toujours faible. »

Harry hocha la tête. Inspira à fond. Et entra.

Il pila tout de suite après la porte, et la sentit se refermer derrière lui. Les rideaux étaient tirés, et la pièce plongée dans l'obscurité à l'exception d'une lampe allumée au-dessus du lit. La lumière tombait sur une silhouette à demi assise dans le lit. Sa tête baissée était encadrée par des cheveux longs.

« Approche, Harry. » Sa voix avait changé, elle faisait penser au couinement de charnières mal huilées. Mais Harry la reconnut, et un frisson glacial le parcourut.

Il alla jusqu'au lit et s'assit sur la chaise sortie pour l'occasion. L'homme leva la tête. Et Harry cessa de respirer.

Quelqu'un semblait lui avoir renversé de la cire liquide sur le visage. Elle s'était figée en un masque trop étroit, qui tirait la peau du front et de la mâchoire vers l'arrière et transformait la bouche en un petit trou dépourvu de lèvres au milieu d'un paysage tourmenté de tendons pétrifiés. Son rire se résuma à deux rapides hoquets.

« Tu ne me reconnais pas, Harry ?

— Je reconnais tes yeux. Ça suffit. C'est toi.

— Des nouvelles de… » La petite bouche de carpe parut essayer de sourire. « … notre Rakel ? »

Harry s'y attendait, s'y était préparé comme un boxeur se prépare à la douleur. Pourtant, l'évocation de ce nom dans cette bouche lui fit serrer les poings.

« Tu as accepté de parler d'un homme. Dont nous pensons qu'il est comme toi.

— Comme moi ? Plus beau, j'espère. » Deux autres hoquets rapides. « C'est curieux, je n'ai jamais été coquet, Harry. Je croyais que le pire dans cette maladie, ce serait la souffrance physique. Mais tu sais ce que c'est ? C'est la décrépitude. C'est de se voir dans le miroir, de voir grandir le monstre. On me laisse toujours aller aux toilettes seul, mais j'évite les miroirs. J'étais beau, tu sais.

— Tu as lu ce que je t'ai envoyé ?

— Il a fallu que je le fasse en douce. Le docteur Dyregod dit que je ne dois pas me fatiguer. Les infections. La fièvre. Elle s'intéresse beaucoup à ma santé, Harry. C'est assez ahurissant, quand on pense à ce que j'ai fait, hein ? Pour ma part, c'est surtout la mort qui m'intéresse. En fait, j'envie celle que… mais tu l'as empêché, Harry.

— La mort aurait été un châtiment trop clément. »

Une lueur parut s'allumer dans le regard de l'homme assis dans le lit, et une lumière blanche, froide, sembla jaillir de la fente de ses yeux.

« En tout cas, j'ai mon nom et ma place dans les livres d'histoire. Les gens liront l'histoire du Bonhomme de neige. Certains reprendront l'héritage et donneront vie à mes idées. Qu'est-ce que tu as obtenu, Harry ? Rien. Au contraire, tu as perdu le peu que tu avais.

— Exact. Tu as gagné.

— Ton majeur te manque ?

— Eh bien… il me manque surtout en ce moment. » Harry leva la tête et croisa le regard de l'autre. Le retint. La petite bouche de carpe s'ouvrit. Le rire ressemblait à des coups de feu tirés par un pistolet muni d'un silencieux.

« Tu n'as pas perdu ton sens de l'humour, Harry. Tu sais que je vais exiger quelque chose en contrepartie ?

— *No cure, no pay*. Dis voir. »

L'homme se tourna avec difficulté vers la table de chevet, y prit le verre d'eau et le porta à sa bouche. Harry observa la main qui tenait le verre. On aurait dit une serre d'oiseau blanche. Quand il eut fini de boire, il reposa le verre en douceur et parla. Sa voix plaintive était plus faible, comme une radio aux piles usées :

« Je crois que mes conditions d'incarcération répondent à un risque de suicide maximal ; en tout cas, ils me surveillent comme du lait sur le feu. Ils t'ont fouillé avant que tu n'entres, n'est-ce pas ? Ils ont peur que tu m'apportes un couteau ou un truc dans le genre. Mais je ne veux pas voir la fin de cette déchéance, Harry. Ça suffit, tu ne trouves pas ?

— Non. Je ne trouve pas. Choisis autre chose.

— Tu aurais pu mentir et répondre oui.

— Tu aurais préféré ? »

L'homme agita une main.

« Je veux voir Rakel. »

Harry haussa un sourcil, surpris. « Pourquoi ?

— Je veux juste lui dire quelque chose.

— Quoi ?

— Ça restera entre elle et moi. »

La chaise racla le sol sous Harry quand il se leva. « Ça ne se fera pas.

— Attends. Assieds-toi. »

L'homme baissa les yeux et tira sur la housse de couette.

« Ne te méprends pas, je ne regrette rien concernant les autres. C'étaient des catins. Mais Rakel était différente. Elle était... différente. Je voulais juste dire ça. »

Harry le regarda, éberlué.

« Alors, qu'en penses-tu ? demanda le Bonhomme de neige. Dis oui. Mens, s'il le faut.

— Oui, mentit Harry.

— Tu mens très, très mal, Harry. Je veux la voir avant de t'aider.

— Hors de question.

— Pourquoi est-ce que je te ferais confiance ?

— Parce que tu n'as pas le choix. Parce que les voleurs font confiance aux voleurs quand il le faut.

— Sans blague ? »

Harry fit un sourire crispé. « Quand j'achetais de l'opium à Hong Kong, nous avons utilisé pendant un moment les toilettes pour handicapés de chez Landmark, à Des Vœux. J'entrais le premier, je laissais de l'argent dans un biberon sous le couvercle du réservoir des toilettes au fond à droite. J'allais faire un tour, regarder les contrefaçons de montres, je revenais et je retrouvais mon biberon. Qui contenait toujours la bonne quantité d'opium. Confiance aveugle.

— Tu as dit que vous aviez utilisé les toilettes "pendant un moment". »

Harry haussa les épaules. « Un jour, le biberon a disparu. Le dealer m'a peut-être entubé, ou quelqu'un nous a vus et s'est tiré avec l'argent ou la marchandise. Ça n'offre aucune garantie. »

Le Bonhomme de neige regarda longuement Harry.

Harry parcourait les couloirs en compagnie du médecin. Le surveillant les précédait.

« Ça a été rapide, constata-t-elle.

— Il a été concis », répondit Harry.

Harry traversa l'espace d'accueil, sortit sur le parking et s'installa au volant. Vit sa main trembler quand il glissa la clé dans le démarreur. Sentit le dos de sa chemise trempé de sueur quand il s'appuya au dossier.

Concis.

« Supposons qu'il soit comme moi, Harry. Cette supposition est nécessaire pour que je puisse t'aider. Le mobile d'abord. La haine. Une haine étincelante, bouillonnante. C'est le carburant qui le fait survivre, le magma qui lui tient chaud. Et tout comme le magma, la haine est une condition de la vie, pour éviter que tout ne gèle. En même temps, la pression de cette chaleur contenue conduit à des éruptions, à la libération des forces destructrices, c'est inévitable. Plus il s'écoule de temps sans que rien ne se passe, plus les éruptions sont violentes. L'éruption est en cours, et elle est violente. Ce qui m'indique que tu dois chercher les raisons loin dans le passé. Car ce ne sont pas les manifestations de la haine, mais la raison de cette haine qui peut résoudre cette énigme pour toi. Sans la raison, les manifestations n'ont aucun sens. La haine a mis du temps à se construire, mais la raison est simple. Il s'est passé quelque chose. Tout repose sur ce qui s'est passé. Trouve ce que c'est, et tu le tiens. »

Qu'est-ce qui lui avait fait utiliser la métaphore du volcan ? Harry descendit la route en lacet sous l'hôpital de Bærum.

« Huit meurtres. Il est le maître, à présent, au sommet. Il a construit un univers où tout semble lui obéir. C'est le marionnettiste, et il joue avec vous. Surtout avec toi, Harry. Difficile de voir pourquoi il t'a choisi, peut-être un hasard. Mais au fur et à mesure qu'il apprend à maîtriser ses marionnettes, il cherche plus de suspense.

Il veut parler à ses marionnettes, être près d'elles, jouir de ses triomphes le mieux possible, en compagnie de ceux dont il triomphe. Mais il est bien déguisé. Il n'a pas des allures de marionnettiste ; au contraire, il peut paraître soumis, quelqu'un de facile à mener par le bout du nez, quelqu'un qu'on sous-estime, dont on n'imaginerait jamais qu'il puisse mettre en scène un drame aussi complexe. »

Harry roulait sur l'E18 vers le centre d'Oslo. Il y avait des bouchons. Il passa dans la file des transports en commun. Il était flic, nom de Dieu. Et ça pressait, ça pressait. Il avait la bouche sèche, les clebs se déchaînaient.

« Il est près de toi, Harry, j'en suis presque certain, il n'arrive tout simplement pas à s'en empêcher. Mais il est venu d'un angle mort. Il s'est glissé dans ta vie par hasard, à un moment où ton attention était tournée vers autre chose. Ou quand tu étais faible. Il a sa place là où il est. Un voisin, un ami, un collègue. Ou alors il ne fait qu'être là, juste derrière une autre personne plus nette pour toi, une ombre à laquelle tu ne penses même pas, comme un appendice de l'autre. Réfléchis sur ceux qui sont entrés dans ton champ de vision. Car il s'y est trouvé. Tu connais déjà son visage. Vous n'avez peut-être pas échangé beaucoup de mots, mais s'il est comme moi, il n'a pas pu s'en empêcher, Harry. Il t'a *touché*. »

Harry se gara devant le Savoy, entra et alla au bar.

« Monsieur ? »

Harry parcourut du regard les bouteilles sur les étagères en verre derrière le barman.

Beefeater, Johnnie Walker, Bristol Cream, Absolut, Jim Beam.

Il cherchait un homme dont la haine flamboyait. Quelqu'un qui ne laissait pas entrer les autres sentiments. Quelqu'un dont le cœur était blindé.

Son regard s'arrêta. Et revint en arrière. Sa bouche s'ouvrit. C'était comme un clin d'œil divin. Et *tout*, tout était dans ce clin d'œil.

La voix lui parvint de très loin.

« Monsieur ? Ohé ?

— Oui.

— Vous avez fait votre choix ? »

Harry hocha lentement la tête.

« Oui. Oui, j'ai fait mon choix. »

CHAPITRE 71

Joie

Gunnar Hagen serrait un crayon à papier entre ses deux index, et regardait Harry qui, pour une fois, était assis et non avachi dans le fauteuil de l'autre côté du bureau.

« D'un point de vue technique, tu dépends de la Kripos jusqu'à nouvel ordre, et tu fais partie des effectifs de Bellman. Une arrestation que tu effectuerais serait donc une victoire pour Bellman.

— Et si — simple hypothèse — je vous informais et laissais l'arrestation à quelqu'un de la Crim, disons Kaja Solness ou Magnus Skarre ?

— Je devrais refuser cette offre, si généreuse soit-elle, Harry. Comme tu le sais, je suis tenu de respecter certains engagements.

— Mmm. Bellman te tient toujours ? »

Hagen soupira. « Si je devais faire une pirouette, comme chiper à Bellman une arrestation dans l'enquête sur la plus grande affaire criminelle de Norvège, le ministère saurait tout en moins de deux. Par exemple que j'ai fait cavalier seul en allant te chercher pour enquêter sur cette affaire. Ce serait perçu comme un refus d'obéir aux ordres. Et ça toucherait toute la Brigade. Désolé, Harry, mais je ne peux pas. »

Harry fixa le vide devant lui. « OK, chef. » Il bondit de son fauteuil et fila vers la porte.

« Attends ! »

Harry s'arrêta.

« Pourquoi me poses-tu cette question maintenant, Harry ? Se passe-t-il des choses dont je devrais avoir connaissance ? »

Harry secoua la tête. « Juste une vérification d'hypothèse, chef. C'est notre boulot, non ? »

Harry employa le temps qu'il lui restait avant trois heures à passer des coups de téléphone. Le dernier était adressé à Bjørn Holm, qui répondit « oui » sur-le-champ.

« Je ne t'ai pas encore dit où ni pourquoi.

— Pas besoin. » Il poursuivit en détachant chaque syllabe : « Je te fais confiance. »

Il y eut un silence.

« Je le mérite.

— Oui, approuva Bjørn.

— J'ai l'impression de t'avoir demandé pardon, mais me l'as-tu accordé ?

— Non.

— Non ? Exc... exc... exc... Merde, ce n'est pas facile. Exc... exc...

— Tire le starter, ça ira mieux ! » Harry entendit qu'il souriait.

« Désolé. Espérons que j'aurai quelques empreintes digitales à te faire vérifier avant qu'on parte, à cinq heures. Si elles ne correspondent à rien, tu n'auras pas besoin de conduire, en fait.

— Pourquoi tant de cachotteries ?

— Parce que tu me fais confiance. »

Il était trois heures et demie quand Harry frappa à la porte du petit poste de garde de l'hôpital civil.

Sigurd Altman ouvrit.

« Bonjour, vous pouvez jeter un œil à ça ? »

Il tendit à l'infirmier un petit paquet de photos.

« Elles collent, observa Altman.

— Elles sortent tout juste de la chambre noire.

— Mmm. Un doigt amputé. Qu'a-t-il de particulier ?

— Je soupçonne son propriétaire d'avoir reçu une dose massive de kétamine. Je me demandais si, en tant qu'expert en anesthésie, vous pouvez nous dire si on a une chance de retrouver des traces de cette substance dans ce doigt.

— Oui, bien sûr. Elle se propage dans tout le corps à travers le sang. » Altman parcourut les clichés. « Ce doigt a l'air assez vide de sang, mais en théorie, une seule goutte suffit.

— Alors la question suivante, c'est : pouvez-vous nous assister dans le cadre d'une arrestation ce soir ?

— Moi ? Vous n'avez pas des légistes qui…

— Vous en savez plus qu'eux sur ce point. Et j'ai besoin de quelqu'un sur qui je peux compter. »

Altman haussa les épaules, regarda l'heure et rendit les photos à Harry. « Je termine mon service dans deux heures, alors…

— Super. On passe vous chercher. Vous allez participer à l'histoire criminelle de la Norvège, Altman. »

L'infirmier répondit par un sourire pâlot.

Mikael Bellman appela au moment où Harry entrait à la Brigade technique.

« Où étais-tu, Harry ? On t'a cherché, à la réunion de ce matin.

— Un peu partout.

— À savoir ?

— Dans notre ville bien-aimée. » Harry laissa tomber une grosse enveloppe A4 sur la paillasse devant Kim Erik Lokker, et montra le bout de ses doigts pour lui faire comprendre qu'il souhaitait une recherche d'empreintes digitales dans le contenu de l'enveloppe.

« Ça me rend nerveux quand tu n'apparais plus sur nos écrans pendant toute une journée, Harry.

— Tu ne me fais pas confiance, Mi-ka-el ? Peur que je me soûle ? »

Il y eut un instant de silence à l'autre bout du fil.

« C'est à moi que tu rends compte, et j'aime bien être tenu au courant, c'est tout.

— Je rends compte qu'il n'y a aucun compte à rendre, chef. »

Harry mit un terme à la conversation et entra retrouver Bjørn. Beate attendait déjà dans le bureau.

« Que veux-tu nous raconter ?

— Une véritable histoire à dormir debout. » Harry s'assit.

Il en était à la moitié de son récit quand Lokker passa la tête par la porte.

« J'ai trouvé ça. » Il tendit un transparent.

« Merci. » Bjørn prit le transparent, le posa sur son scanner, s'assit à son PC, ouvrit le dossier des empreintes digitales relevées dans Holmenveien et lança le programme de comparaison des empreintes.

Harry savait que ça ne prendrait que quelques secondes, mais il ferma les yeux, sentit son cœur tambouriner bien qu'il sache — il savait. Le Bonhomme de neige savait. Il avait dit à Harry le peu de choses dont il avait besoin, prononcé les mots, créé l'onde sonore nécessaire pour provoquer l'avalanche.

Il fallait qu'il en soit ainsi.

Ça ne prendrait que deux ou trois secondes.

Son cœur battait la chamade.

Bjørn Holm se racla la gorge. Mais ne dit rien.

« Bjørn. » Harry n'avait toujours pas rouvert les yeux.

« Oui, Harry.

— Est-ce l'une de ces pauses théâtrales que tu veux que j'apprécie ?

— Oui.

— Et elle est terminée, espèce de con ?

— Oui. On a une correspondance. »

Harry ouvrit les yeux. La lumière du soleil illuminait la pièce, l'emplissait à tel point qu'ils pouvaient nager dedans. Joie. Putain de joie.

Ils se levèrent tous les trois en même temps. Se regardèrent, la bouche entrouverte, en un cri de joie muet. Puis ils se jetèrent dans les bras les uns des autres et s'étreignirent avec maladresse, la petite Beate à moitié écrasée entre eux. Ils poursuivirent avec des exclamations étouffées, en se tapant discrètement dans les mains, et Bjørn Holm conclut avec ce que Harry jugea très éloigné de ce qu'on est en droit d'attendre d'un fan de Hank Williams : un moonwalk complet.

CHAPITRE 72

Boy

Les deux hommes s'étaient arrêtés sur une petite pente herbeuse pelée entre l'église de Manglerud et la voie rapide.

« On appelait ça une houka ou une chicha, expliqua l'homme en tenue de motard en écartant de longues mèches de cheveux fins de son visage. En été, on allait y fumer tout ce qu'on s'était procuré. À cinquante mètres du commissariat de Manglerud. » Il fit un sourire en coin. « Il y avait moi, Ulla, Te-Ve, sa copine et quelques autres. C'était toute une époque. »

Le regard de l'homme se perdit au loin, tandis que Roger Gjendem notait.

Ça n'avait pas été facile de trouver Julle, mais Roger avait réussi à le pister jusqu'à un club de motards d'Alnabru où il mangeait, dormait et vivait sa vie d'homme libre, et n'allait pas plus loin que chez Prix pour acheter du pain et du tabac à priser. Gjendem avait déjà vu ça, la façon dont la prison rendait les gens dépendants d'un cadre familier, de la routine, de la sécurité. Mais si curieux que ça puisse paraître, Julle avait accepté relativement vite de parler du passé. Le mot clé, ça avait été « Bellman ».

« Ulla, c'était ma nénette, et c'était formidable, parce que tout le monde à Manglerud était amoureux d'Ulla. » Julle hocha la

581

tête, comme pour marquer son accord avec lui-même. « Mais personne de façon aussi maladive que lui.

— Mikael Bellman ? »

Julle secoua la tête. « L'autre. Son ombre. Beavis.

— Que s'est-il passé ? »

Julle écarta les mains. Roger avait remarqué les croûtes de sang. Un prisonnier migrateur qui faisait la navette entre la drogue en liberté et la drogue en prison. « Mikael Bellman a cafté pour filouterie de carburant, j'étais sous le coup d'un sursis pour deux ou trois broutilles à propos de haschisch, alors j'ai pris du ferme. J'ai entendu les rumeurs qui disaient que Bellman et Ulla sortaient ensemble. Et quand je suis sorti et que j'ai voulu la récupérer, ce Beavis m'attendait. Il m'a presque tué. Il a dit qu'Ulla était à lui. Et à Mikael. Pas à moi, en tout cas. Et que si je me montrais... » Julle passa un index sur une gorge maigre piquetée de poils de barbe gris. « Dément. Et sinistre. Personne de ma bande ne m'a cru quand j'ai dit que Beavis avait failli me buter. L'imbécile baveux qui suit Bellman comme un toutou.

— Mais vous avez mentionné une histoire d'héroïne. »

Quand Roger interviewait des gens dans des affaires de stupéfiants, il veillait toujours à employer des mots précis et univoques, car l'argot changeait vite et avait des sens différents en fonction des endroits. Par exemple, « smack » désignait la cocaïne à Hovseter, l'héroïne à Hellerud, et n'importe quelle substance qui vous faisait planer à Abildsø.

« Moi, Ulla, Te-Ve et sa copine, on est partis en voyage à moto dans toute l'Europe l'été où je suis allé en taule. On a pris une livre de boy à Copenhague. Les motards comme Te-Ve et moi étaient fouillés à chaque frontière, mais on envoyait les filles à part. Putain, elles étaient belles, en robe d'été, les yeux bleus, avec chacune une demi-livre de boy dans la chatte. On a presque tout revendu à un dealer de Tveita.

— Vous en parlez ouvertement. » Roger nota, mit « chatte »

582

entre guillemets pour le reformuler par la suite et ajouta « boy » à sa liste déjà longue de synonymes de l'héroïne.

« Il y a prescription, alors tout le monde est à l'abri. Le problème, c'est que le dealer de Tveita s'est fait prendre. Et s'est vu promettre une réduction de peine s'il balançait ses fournisseurs. Et il l'a fait, bien sûr, cet enfoiré.

— Comment le savez-vous ?

— Ha ! Il me l'a dit quelques années plus tard à Ullersmo, où on purgeait ensemble. Il avait donné nos noms, même nos adresses, à tous les quatre, y compris Ulla. Il ne manquait que les numéros de sécu. On a eu un bol monstre que l'affaire soit classée. »

Roger notait comme un possédé.

« Et devinez à qui l'affaire avait été confiée au commissariat de Stovner ? Qui menait les interrogatoires ? Qui a fatalement dû conseiller de laisser tomber, retarder, classer l'affaire ? Qui a sauvé la peau d'Ulla ?

— Je préférerais que vous le disiez, Julle.

— Et comment ! C'était ce voleur de chattes. Mikael Bellman.

— Juste une dernière question. » Roger savait qu'il abordait le point critique. Pour voir si son histoire était vérifiable. Si sa source pouvait être corroborée. « Vous avez le nom de ce dealer ? Je veux dire, il ne risque rien, et il ne sera pas nommé expressément.

— Si je veux le balancer, vous voulez dire ? » Julle éclata de rire. « Un peu, que j'veux ! »

Il épela le nom, Roger sentit sa mâchoire se crisper tandis qu'il notait en lettres capitales. Il souriait. Il se ressaisit et lissa son visage. Mais il savait que la saveur demeurerait longtemps : la douce saveur du scoop.

« Merci pour votre aide.

— C'est moi qui vous remercie, répondit Julle. N'oubliez pas de massacrer Bellman, et on sera quittes.

— Au fait, simple curiosité : pourquoi le dealer vous a dit qu'il avait cafté, à votre avis ?

— Parce qu'il avait peur.

— Peur ? Pourquoi ?

— Parce qu'il en savait trop. Il voulait que d'autres personnes connaissent l'histoire au cas où le flic mettrait ses menaces à exécution.

— Bellman a *menacé* le dealer ?

— Pas Bellman. Son ombre. Il a dit que si le type mentionnait de nouveau Ulla, il le mettrait dans quelque chose qui lui ferait fermer sa gueule. Pour de bon. »

CHAPITRE 73

Arrestation

Il était six heures cinq quand la Volvo Amazon de Bjørn Holm vira vers la station de tramway de l'hôpital civil. Sigurd Altman les attendait, les mains dans les poches d'un duffle-coat. Harry l'invita de la banquette arrière à s'asseoir devant. Sigurd et Bjørn se saluèrent, ils descendirent sur Ringveien et poursuivirent vers l'est et Sinsenkrysset.

Harry se pencha entre les sièges.

« C'était comme les expériences de chimie à l'école. Tu as tous les ingrédients nécessaires pour la réaction, mais il manque le catalyseur, le composant externe, l'étincelle qu'il faut pour que ça démarre. J'avais les informations, il me manquait juste un truc pour me permettre de les organiser comme il fallait. Mon catalyseur, ça a été un homme malade, un assassin qu'on appelle le Bonhomme de neige. Et une bouteille sur l'étagère d'un bar. Pas de problème si je m'en fume une ? »

Silence.

« Compris. Donc... »

Ils traversèrent le tunnel de Bryn et remontèrent vers Ryenkrysset et Manglerud.

Truls Berntsen était sur l'ancien terrain vague et regardait en haut, vers chez Bellman.

C'était curieux d'y avoir si souvent dîné, joué et dormi quand ils étaient adolescents, et plus une seule fois depuis que Mikael et Ulla avaient repris la maison.

La raison en était simple : il n'avait pas été invité.

Il lui arrivait de venir ainsi, dans les ténèbres de l'après-midi, et de regarder la maison pour l'apercevoir. Elle, l'inaccessible, celle que personne n'aurait. Personne hormis lui, le prince, Mikael. Il se demandait parfois si Mikael était au courant. Et que c'était pour ça qu'ils ne l'invitaient pas. Ou était-ce elle qui savait ? Et laissait Mikael comprendre, sans le dire clairement, que ce Beavis avec qui il avait grandi n'était pas quelqu'un qu'ils étaient obligés de côtoyer en privé. En tout cas pas maintenant que la carrière de Mikael décollait enfin, et qu'il était de plus en plus important de fréquenter les sphères appropriées, de rencontrer les bonnes personnes, d'envoyer les signaux adéquats. Ce n'était pas une bonne chose sur le plan tactique de s'entourer de revenants échappés d'un passé qui devait à tout prix rester oublié.

Oh, il comprenait. Ce qu'il ne comprenait pas, c'est pourquoi elle ne comprenait pas qu'il n'avait jamais voulu lui nuire. Au contraire, ne les avait-il pas protégés, elle et Mikael, durant toutes ces années ? Si. Il surveillait, était là, faisait le ménage. Il veillait à leur bonheur. Ainsi était son amour.

Ce soir, il y avait de la lumière aux fenêtres. Recevaient-ils ? Est-ce qu'ils mangeaient, riaient, buvaient du vin que le Vinmonopol de Manglerud n'avait jamais proposé, et parlaient comme on le faisait maintenant ? Souriait-elle, et s'allumaient-ils, ces yeux si beaux qu'ils faisaient mal quand ils vous regardaient ? Le regarderait-elle davantage s'il trouvait de l'argent, s'il devenait riche ? Pouvait-ce être ainsi ? Aussi simple ?

Il resta un moment en bas du terrain à présent déblayé. Puis se mit en route pour rentrer chez lui.

L'Amazon de Bjørn Holm pencha majestueusement dans le rond-point de Ryen.

Un panneau indiquait la bifurcation vers Manglerud.

« Où allons-nous ? demanda Sigurd Altman, appuyé contre la portière.

— Là où le Bonhomme de neige nous a conseillé d'aller, répondit Harry. Loin dans le passé. »

Ils dépassèrent la bifurcation.

« Ici », indiqua Harry, et Bjørn sortit.

« L'E6 ?

— Oui, nous allons vers l'est. Vers le Lyseren. Vous connaissez le coin, Sigurd ?

— C'est joli, mais que…

— C'est là que l'histoire commence, l'interrompit Harry. Il y a bien des années, devant une salle des fêtes. Tony Leike, le propriétaire du doigt dont je vous ai montré les photos, est à l'orée du bois, où il embrasse Mia, la fille du lensmann Skai. Ole, qui est amoureux de Mia, est sorti la chercher et leur tombe dessus. Ole, en colère et ravagé, se jette sur l'intrus, Tony le charmeur. Mais une autre facette du personnage apparaît bientôt. Le dragueur souriant, charmant, que tout le monde apprécie a disparu. Il reste un animal sauvage. Et comme tous les animaux sauvages qui se sentent menacés, il attaque avec une brutalité et une fureur qui paralysent Ole, Mia et les gens qui arrivent petit à petit. Il est dans un brouillard de sang, il sort un couteau et coupe la moitié de la langue d'Ole avant qu'on puisse les séparer. Et même si Ole est la victime dans cette histoire, c'est lui que la honte frappe : son amour à sens unique a été exposé aux yeux de tous, il a été humilié dans un combat rituel pour une femelle, et son défaut d'élocution témoignera à jamais de sa défaite. Alors il s'enfuit, il déménage. Vous me suivez, jusqu'ici ? »

Altman hocha la tête.

« De nombreuses années s'écoulent. Ole s'est établi ailleurs, il a un boulot où il est apprécié et respecté pour ses compétences. Il a des amis, pas beaucoup, mais ça suffit, le plus important, c'est qu'ils ignorent son passé. Ce qui lui manque dans la vie, c'est une femme. Il en a rencontré quelques-unes, sur des sites Internet, à travers les petites annonces, rarement dans un bar. Mais elles disparaissent vite. Pas à cause de sa langue amputée, mais parce qu'il porte sa défaite comme un sac à dos plein de merde. À cause de l'autodénigrement systématique, des refus anticipés et de la méfiance vis-à-vis des femmes qui se conduisent comme si elles voulaient *réellement* de lui. Rien de bien exceptionnel. La puanteur de la défaite, que tout le monde fuit. Et puis, un jour, il se passe quelque chose. Il rencontre une fille qui ne s'enfuit pas, qui n'est pas née de la dernière pluie. Elle le laisse même réaliser ses fantasmes sexuels, ils font zig-zig dans une usine désaffectée. Il lui propose une randonnée à skis dans la montagne, le premier signe qu'il y croit. Elle s'appelle Adele Vetlesen, et l'accompagne sans enthousiasme démesuré. »

Bjørn Holm bifurqua à Grønmo, où la fumée de l'incinérateur de déchets s'élevait vers le ciel.

« Ils font une chouette rando dans la montagne. Peut-être. Ou peut-être qu'Adele s'ennuie, elle ne tient pas en place. Ils arrivent à Håvasshytta, où logent déjà cinq personnes. Marit Olsen, Elias Skog, Borgny Stem-Myhre, Charlotte Lolles et une Iska Peller malade qui dort dans une chambre pour se débarrasser de sa fièvre. Après le dîner, on allume un feu dans la cheminée, et certains ouvrent une bouteille de vin rouge alors que les autres vont se coucher. Comme Charlotte Lolles. Et Ole, dans son sac de couchage, qui attend son Adele. Mais Adele préfère ne pas se coucher. Elle a peut-être enfin fini par sentir la puanteur. Et il se passe quelque chose. En fin de soirée, une dernière personne arrive. Le refuge est sonore, et Ole entend une nouvelle voix masculine dans le salon. Il se fige. C'est la voix de son pire cauchemar, de son fantasme de vengeance le plus exquis. Mais ça ne peut pas être lui, ça ne *peut* pas. Ole écoute. La voix discute avec Marit Olsen. Un moment. Puis avec Adele. Il l'entend rire. Mais petit à petit, les voix parlent moins fort. Il entend les autres se coucher dans les chambres voisines. Mais pas Adele. Ni cet homme dont la voix lui est si familière. Puis il n'entend plus rien. Jusqu'à ce que des bruits à l'extérieur lui parviennent. Il se glisse à la fenêtre, regarde dehors et les voit. Il voit le visage épanoui d'Adele, reconnaît sa façon de manifester son plaisir sexuel. Et il sait que l'impossible est en train de se produire : l'histoire se répète. Car il reconnaît l'homme debout derrière Adele, qui s'apprête à la prendre. C'est lui. Tony Leike. »

Bjørn Holm monta la température. Harry se renversa sur la banquette.

« Quand les autres se lèvent le lendemain matin, Tony est parti. Ole fait mine de rien. Car il est plus fort, à présent, les nombreuses années de haine l'ont endurci. Il sait que les autres ont vu Adele et Tony, qu'ils ont vu son humiliation, exactement comme la première fois. Mais il est tranquille. Il sait ce qu'il doit faire. Il l'a peut-être attendue, la dernière poussée, la chute libre. Quelques jours plus tard, son plan est prêt. Il retourne à Håvasshytta, s'y fait peut-être monter en scooter, et arrache la page où leurs noms sont inscrits. Car cette fois, ce n'est pas lui qui fuira les témoins, honteux, ce sont eux qui vont souffrir. Et Adele. Mais celui qui va le plus déguster, c'est Tony. Il portera toute la honte qu'Ole a endurée, son nom sera traîné dans la boue, sa vie détruite, il sera châtié par ce Dieu injuste qui permet qu'on coupe la langue à d'innocents amoureux. »

Sigurd Altman baissa un peu sa vitre, et un doux sifflement emplit le véhicule.

« La première chose que doit faire Ole, c'est se procurer un lieu, un quartier général où il pourra travailler au calme et sans risquer d'être découvert. Alors quoi de plus naturel que l'usine désaffectée où il a eu son dernier moment de bonheur nocturne ? Il localise les victimes, et prépare un plan minutieux. Il doit naturellement éliminer Adele Vetlesen en premier, puisqu'elle est la seule occupante de Håvasshytta qui connaît son identité complète. Les noms qui ont pu être échangés là-haut ont vite été oubliés, et il n'existe aucune copie de la page du registre. Certains, pour cette clope, les gars ? »

Pas de réponse. Harry soupira.

« Alors il lui donne rendez-vous. Il passe la chercher en voiture. Dont il a tapissé l'intérieur de plastique. Ils se rendent dans un lieu tranquille, peut-être l'usine Kadok. Là, il sort un gros couteau à manche jaune. Il l'oblige à écrire une carte, adressée à son colocataire de Drammen. Puis il la tue. Bjørn ? »

Bjørn toussota et rétrograda.

« L'autopsie montre qu'il lui a perforé la carotide.

— Il sort de la voiture. La prend en photo, avec le couteau planté dans la gorge. La photo. La confirmation de la vengeance, du triomphe. C'est le premier cliché qu'il accroche sur le mur de son bureau, à l'usine Kadok. »

Une voiture qui arrivait en sens inverse fit un écart sur le bas-côté, mais revint sur la route et klaxonna en les croisant.

« Ça a peut-être été facile de la tuer. Peut-être pas. En tout cas, c'est la victime critique. Ils ne se sont pas beaucoup vus, mais il ne peut pas savoir ce qu'elle a raconté sur lui à ses amis. Il sait juste que si on la retrouve et qu'on fait le lien avec lui, l'amant plaqué, il sera le suspect numéro un pour la police. *Si* on la retrouve. En revanche, si elle a l'air de disparaître, pendant un voyage en Afrique, par exemple, il n'a pas de souci à se faire.

« Alors Ole fait couler le cadavre à un endroit qu'il connaît bien, il sait que c'est profond et que les gens évitent le coin. L'endroit où il y a la mariée refusée à la fenêtre. La corderie au bord du Lyseren. Puis il va à Leipzig et paie la prostituée Juliana Verni pour emporter la carte au Rwanda, prendre une chambre dans un hôtel sous le nom d'Adele Vetlesen et envoyer la carte de là-bas. En plus, elle doit rapporter quelque chose à Ole du Congo. Une arme. La pomme de Léopold. Cette arme spéciale n'est évidemment pas choisie au hasard, elle est censée orienter la police vers le Congo et l'inciter à soupçonner le baroudeur du Congo Tony Leike. Quand Juliana rentre à Leipzig, Ole la paie. Et c'est peut-être là, sur le corps tremblant de Juliana qui essaie de respirer malgré la pomme dans sa bouche tandis que les larmes coulent, qu'il commence à sentir la joie, l'ivresse du sadisme, un plaisir presque sexuel développé et nourri à travers des années de rêveries solitaires où il était question de vengeance. Puis il la flanque dans le fleuve, mais le cadavre remonte et on le découvre. »

Harry inspira à fond. La route était plus étroite, et les bois s'étaient rapprochés, denses des deux côtés.

« Au cours des semaines qui suivent, il tue Borgny Stem-Myhre et Charlotte Lolles. Cette fois, il n'essaie pas de dissimuler les cadavres, au contraire. Pourtant, l'enquête de la police ne s'oriente pas vers Tony Leike comme il l'espérait. Alors il faut qu'il continue à tuer, à leur donner des pistes, faire pression sur eux. Il tue Marit Olsen, la parlementaire, l'expose à la piscine de Frogner. La police va-t-elle voir le lien entre les femmes, trouver l'homme à la pomme de Léopold ? Pas du tout. Et il comprend qu'il doit intervenir, donner un coup de main, prendre un risque. Il surveille la maison de Tony dans Holmenveien jusqu'à ce qu'il voie Tony s'en aller. Il s'introduit par la cave, monte dans le salon et téléphone à la victime suivante, Elias Skog, avec l'appareil fixe de Tony. En ressortant, il fauche un vélo pour maquiller son passage en simple effraction. Il ne s'inquiète pas d'avoir laissé des empreintes dans le salon, tout le monde sait que la police n'enquête pas sur les vols simples dans les caves. Puis il part pour Stavanger. À ce moment-là, son sadisme est à son paroxysme. Il tue Elias en le collant au fond de sa baignoire et en ouvrant à peine le robinet. Hé, une station-service ! Personne n'a faim ? »

Bjørn Holm ne ralentit même pas.

« OK. Puis il se passe quelque chose. Ole reçoit une lettre. D'un maître chanteur. Il dit qu'il sait qu'Ole a tué, qu'il veut de l'argent, sinon les poulets viendront. La première idée d'Ole, c'est que ce doit être quelqu'un qui sait qu'il était à Håvasshytta, donc l'un des deux survivants. Iska Peller. Ou Tony Leike. Il exclut tout de suite Iska Peller. Elle est australienne, elle est rentrée chez elle et il y a peu de chances qu'elle sache écrire le norvégien. Tony Leike, quelle ironie ! Ils ne se sont pas vus à Håvasshytta, mais Adele a bien sûr pu mentionner le nom d'Ole quand ils flirtaient. Ou Tony a pu voir le nom d'Ole dans le registre. De toute façon, Tony a dû comprendre l'enchaînement au fur et à mesure que les meurtres étaient relatés par les journaux. La tentative de chantage correspond d'ailleurs bien ; la presse financière écrit que Tony a un besoin urgent d'argent pour son projet congolais. Ole se décide. Bien qu'il ait surtout souhaité que Tony vive dans la honte, il est contraint de changer ses plans avant que les choses ne lui échappent. Tony doit mourir. Il le file. Le suit dans le train qui va là où Tony va toujours, à Ustaoset. Suit les traces de son scooter, qui le mènent jusqu'à un chalet isolé entre les crevasses et les ravins. Et là, Ole le chope. Tony reconnaît le revenant, le jeune de la salle des fêtes, celui à qui il a amputé la langue. Et il sait sans doute ce qui l'attend. Ole se venge. Il torture Tony. Le brûle. Peut-être pour lui faire dénoncer d'éventuels complices dans sa tentative de chantage. Peut-être pour le plaisir. »

Altman remonta vigoureusement sa vitre.

« Froid, lâcha-t-il.

— À ce moment, la nouvelle survient qu'Iska Peller est à Håvasshytta. Ole comprend que le dénouement approche, et en même temps il flaire le piège. Il se rappelle la congère au-dessus du chalet, que les spécialistes jugent dangereuse. Il se décide. Il emmène peut-être Tony avec lui, comme guide, se dirige vers Håvasshytta, dynamite la congère. Puis il ramène le scooter, balance Tony — mort ou vivant — par-dessus bord et envoie ensuite le scooter. Si, contre toute attente, on retrouve un jour le cadavre, ça aura l'air d'un accident. Un homme qui se serait brûlé et aurait versé dans le ravin en allant chercher de l'aide. »

Le paysage s'ouvrit. Ils passèrent devant un lac dans lequel se reflétait la lune.

« Ole triomphe, il a gagné. Il les a tous roulés dans la farine, en beauté. Et il a pris goût au jeu, la sensation d'avoir le contrôle, que tout le monde lui obéit. Alors le maître qui a lié huit destins en un grand drame décide de nous envoyer un message d'adieu. De me l'envoyer à moi. »

Un groupe de maisons, une station-service et un centre commercial. Ils prirent à gauche au rond-point.

« Ole a sectionné le majeur gauche de Tony. Et il a le téléphone de Leike. C'est celui qu'il a utilisé pour m'appeler du centre d'Ustaoset. Mon numéro n'est répertorié nulle part, mais Tony Leike l'avait enregistré dans le carnet d'adresses de son mobile. Ole n'a laissé aucun message, c'était peut-être juste un coup de tête.

— Ou pour semer le trouble, suggéra Bjørn.

— Ou pour nous montrer sa supériorité, renchérit Harry. Comme quand il nous tend littéralement le majeur en laissant celui de Tony devant ma porte, à l'hôtel de police, sous notre nez. Car maintenant il peut le faire. Il est le Soupirant, il s'est relevé de sa honte, il a contre-attaqué, s'est vengé de tous ceux qui se sont moqués de lui ou de leurs remplaçants. Les témoins. La catin. Et le voleur de chattes. Puis il se passe de nouveau quelque chose d'imprévu. Son quartier général à l'usine Kadok est découvert. D'accord, la police n'a encore aucune piste qui mène droit à Ole, mais ils se rapprochent dangereusement. Alors Ole va voir son chef, dit qu'il va enfin prendre les congés et les jours de récupération qui se sont accumulés. Qu'il sera parti un bon moment. Son avion part d'ailleurs après-demain.

— Vingt et une heures quinze à destination de Bangkok *via* Stockholm, précisa Bjørn Holm.

— Beaucoup de détails de cette histoire sont des suppositions, mais pas ce dernier point. Nous arrivons. Ici. »

Bjørn vira sur le gravier devant le gros bâtiment de bois peint en rouge. S'arrêta et coupa le contact.

Il n'y avait pas de lumière aux fenêtres, mais des pancartes au mur du rez-de-chaussée indiquaient que cette partie du bâtiment avait naguère été une épicerie. À l'autre extrémité de la place, cinquante mètres devant eux, sous un réverbère, était garée une Jeep Cherokee verte.

On n'entendait rien. Le temps s'était arrêté, le vent ne soufflait pas. De la fumée s'échappait du haut de la vitre côté conducteur de la Cherokee.

« L'endroit où tout a commencé, annonça Harry. La salle des fêtes.

— Qui est-ce ? demanda Altman avec un signe de tête vers la Cherokee.

— Vous ne le reconnaissez pas ? » Harry sortit son paquet de cigarettes, s'en ficha une entre les lèvres, sans l'allumer, et dévora des yeux la fumée de tabac. « On peut être abusé par la lumière des réverbères, bien sûr. La plupart des anciens modèles éclairent en jaune, et une voiture bleue aura l'air verte.

— J'ai vu le film, dit Altman. *In the Valley of Elah*.

— Mmm. Bon film. Presque un Altman.

— Presque.

— Un Sigurd Altman. »

Sigurd ne répondit pas.

« Alors ? demanda Harry. Vous êtes content ? Est-ce le chef-d'œuvre auquel vous aviez pensé, Sigurd ? Ou puis-je vous appeler Ole Sigurd ? »

CHAPITRE 74

Bristol Cream

« Je préfère Sigurd.

— Dommage qu'il ne soit pas aussi simple de faire changer son prénom que son nom de famille. » Harry se pencha entre les sièges. « Quand vous m'avez dit que vous aviez troqué votre nom d'usage en "-sen", je n'ai pas pensé que le *S* de Ole S. Hansen pouvait renvoyer à Sigurd. Mais ça a aidé, Sigurd ? Est-ce que ce nouveau nom a fait de vous une personne différente de celle qui avait tout perdu dans la poussière à cet endroit précis ? »

Sigurd haussa les épaules.

« On fuit aussi loin qu'on le peut. Le nouveau nom m'a permis d'avancer un peu.

— Mmm. J'ai vérifié certaines choses, aujourd'hui. Quand vous êtes parti d'ici pour Oslo, vous avez commencé des études d'infirmier. Pourquoi pas des études de médecine, vous aviez des notes excellentes au lycée ?

— La seule chose qui m'importait, c'était de ne pas avoir à parler en public. » Sigurd fit un sourire narquois. « Je me disais que j'y échapperais en étant infirmier.

— J'ai appelé un orthophoniste, aujourd'hui, et il m'a expliqué que ça dépend du muscle atteint ; en théorie, même avec la moitié de la langue en moins, on peut s'entraîner jusqu'à reparler à la quasi-perfection.

— Les s ne sont pas faciles quand il vous manque le bout de la langue. C'est ça qui m'a trahi ? »

Harry baissa sa vitre et alluma sa cigarette. Il tira si fort que le papier crépita.

« Entre autres. Mais ça nous a d'abord menés dans la mauvaise direction. L'orthophoniste m'a expliqué que les gens ont tendance à associer le sigmatisme avec l'homosexualité masculine. En anglais, ça s'appelle le "*gay lisp*", et ce n'est pas un sigmatisme au sens orthophoniste, juste une autre façon de prononcer le s. Les homos passent souvent du zézaiement à une prononciation normale, c'est une espèce de code. Et le code fonctionne. L'orthophoniste m'a raconté qu'ils avaient mené une étude linguistique dans une université américaine pour voir si les gens parvenaient à deviner les tendances sexuelles rien qu'à la voix. Avec des résultats valables. Mais il est apparu que quand ils entendaient ce qui ressemblait au *gay lisp*, c'était un signal si fort qu'ils négligeaient d'autres signes typiques des hétérosexuels. Quand le réceptionniste de l'hôtel Bristol a dit qu'un homme avait demandé Iska Peller, et que cet homme parlait comme une femme, il a été victime de ce même préjugé. C'est seulement quand il m'a fait une démonstration de sa façon de parler que j'ai compris qu'il s'était laissé abuser par le zézaiement.

— Il a dû y avoir autre chose.

— Oh oui. Bristol. C'est un quartier de Sydney, en Australie. Je vois que vous comprenez maintenant.

— Attends, intervint Bjørn. *Moi*, je ne comprends pas. »

Harry souffla la fumée par la fenêtre.

« Le Bonhomme de neige m'a dit quelque chose. Que l'assassin aimait être à proximité, qu'il s'était glissé dans mon champ de vision. Qu'il m'avait touché. Alors quand une bouteille de Bristol Cream a glissé dans mon champ de vision, j'ai fini par faire le rapprochement. J'avais vu le même nom écrit un peu plus tôt. Et je l'avais mentionné à quelqu'un. Une personne qui m'avait touché. Et j'ai compris tout à coup qu'il y avait eu méprise. J'ai dit qu'Iska Peller résidait à Bristol. La personne en question a pensé que je parlais de l'hôtel Bristol d'Oslo. Je vous l'ai dit à vous, Sigurd. À l'hôpital, juste après l'avalanche.

— Vous avez une bonne mémoire.

— Pour certaines choses. Une fois que les soupçons se sont portés sur vous, d'autres choses sont devenues évidentes. Comme ce que vous avez dit sur la kétamine, qu'il fallait travailler en anesthésie pour s'en procurer en Norvège. Comme ce que m'a dit un ami, qu'on désire ce qu'on voit tous les jours ; celui qui fantasme sur une femme en tenue hospitalière travaille peut-être dans un hôpital. Comme le nom d'utilisateur sur le PC de chez Kadok, Nashville. Le nom venait du titre d'un film de…

— Robert Altman, 1975, termina Sigurd. Un chef-d'œuvre méconnu.

— Et comme la chaise pliante au quartier général, qui était naturellement un fauteuil de metteur en scène. Pour le grand maître Sigurd Altman. »

Sigurd ne répondit pas.

« Mais je ne connaissais pas encore votre mobile, poursuivit Harry. Le Bonhomme de neige m'avait dit que le meurtrier était animé par la haine. Que cette haine était due à un seul et unique événement, très ancien. J'avais peut-être une vague idée. La langue. Le sigmatisme. J'ai demandé à une dingue de Bergen de faire quelques recherches autour de Sigurd Altman. Il lui a fallu environ trente secondes pour trouver votre changement de nom à l'état civil et relier l'ancien nom à la condamnation pour voies de fait dont Tony Leike avait écopé. »

Une cigarette fut éjectée de la Cherokee, et laissa derrière elle une nuée d'étincelles.

« Il restait juste la question de la chronologie, conclut Harry. Nous avons contrôlé le registre des gardes de l'hôpital civil. Il vous donne en apparence un alibi pour deux des meurtres. Vous étiez de garde quand Marit Olsen et Borgny Stem-Myhre ont été tuées. Mais les deux meurtres ont eu lieu à Oslo, et personne à l'hôpital ne se souvient de vous avoir vu au moment qui nous intéresse. Puisque vous allez et venez entre les différents services, vous ne manquez à personne si vous disparaissez pendant deux ou trois heures. Si je ne m'abuse, vous allez me dire que pendant votre temps libre vous êtes presque toujours seul. Et pas dehors. »

Sigurd Altman haussa les épaules. « C'est vraisemblable.

— Nous y voici ! » Harry frappa dans ses mains.

« Attendez une minute. Ce que vous avez raconté n'est qu'une histoire. Il n'y a pas la moindre preuve tangible.

— Ah, j'ai oublié. Vous vous rappelez les photos que je vous ai montrées aujourd'hui ? Que vous avez trouvées un peu collantes ?

— Oui ?

— Ça donne des empreintes digitales impeccables quand on manipule ce genre de clichés. Les vôtres correspondent à celles qu'on a trouvées sur le bureau chez Tony Leike. »

L'expression de Sigurd Altman opéra une lente métamorphose, à mesure qu'il semblait comprendre. « Vous me les avez montrées... juste pour que je les touche ? » Altman dévisagea Harry pendant plusieurs secondes, comme pétrifié. Puis il se cacha le visage dans les mains. Et un son s'éleva derrière elles. Il riait.

« Vous avez pensé presque à tout, dit Harry. Pourquoi n'avez-vous pas trouvé opportun de vous procurer un semblant d'alibi ?

— Il ne m'est pas venu à l'idée que j'en aurais besoin, ricana Altman. Vous m'auriez percé à jour de toute façon, non ? »

Le regard derrière les verres de lunettes était humide, mais pas anéanti. Résignation. Harry avait déjà vu ça. Le soulagement d'avoir été démasqué. De pouvoir enfin raconter.

« Sans doute. C'est-à-dire, officiellement, ce n'est pas moi qui ai découvert tout ça. C'est l'homme qui est assis là-bas. C'est pour ça que c'est lui qui va vous arrêter. »

Sigurd ôta ses lunettes et essuya ses larmes de rire.

« Alors vous mentiez quand vous m'avez dit que vous aviez besoin de moi pour une histoire de kétamine ?

— Oui, mais pas quand j'ai dit que vous alliez participer à l'histoire criminelle de la Norvège. »

Harry adressa un signe de tête à Bjørn, qui fit des appels de phare.

Un homme descendit de la Cherokee.

« Une vieille connaissance, dit Harry. Sa fille, en tout cas. »

L'homme se mit en marche, les jambes légèrement arquées, en remontant son pantalon. Comme un vieux policier.

« Juste une dernière chose qui me turlupine, reprit Harry. Le Bonhomme de neige a dit que l'assassin m'approcherait en douce, sans que je le remarque, peut-être à un moment de faiblesse. Comment avez-vous fait ? »

Sigurd remit ses lunettes.

« Tous les patients hospitalisés doivent donner le nom de leur plus proche parent. Votre père a dû donner le vôtre, car à la cantine une infirmière a dit que le père de celui qui avait capturé le Bonhomme de neige, Harry Hole lui-même, était dans son service. Je suis parti du principe que, avec votre réputation, on vous avait confié l'affaire. À ce moment-là, je travaillais dans d'autres services, mais j'ai demandé au responsable la permission d'intégrer votre père à l'étude que je mène, en disant qu'il correspondait parfaitement à mon groupe d'essais. Je me suis dit que si je pouvais faire votre connaissance à travers lui, j'aurais une idée du déroulement de l'enquête.

— Vous seriez *proche*, vous voulez dire, aux premières loges, et vous auriez la confirmation de votre supériorité.

— Quand vous êtes enfin arrivé, il a fallu que je fasse attention à ne pas vous poser de questions directes sur l'enquête. » Sigurd Altman inspira à fond. « Je ne devais pas éveiller les soupçons. Il fallait que je sois patient, attendre d'avoir instauré une certaine confiance.

— Et vous y êtes parvenu. »

Sigurd Altman hocha lentement la tête.

« Merci, j'aime bien penser que j'inspire la confiance… Voyez-vous, la salle de l'usine Kadok que j'appelais la salle des coupures, quand vous vous y êtes introduit, j'ai perdu les pédales. C'était chez moi. J'étais si furieux que j'ai failli débrancher votre père du respirateur, Harry. Mais je ne l'ai pas fait. Je veux juste que vous le sachiez. »

Harry ne répondit pas.

« Un point m'échappe, poursuivit Sigurd. Comment avez-vous découvert ce chalet fermé ? »

Harry haussa les épaules.

« Par hasard. Un collègue et moi avions besoin de nous abriter. On aurait dit que quelqu'un y était passé peu de temps auparavant. Et ce qui ressemblait à des lambeaux de chair était resté collé au poêle. Il m'a fallu un moment pour faire le lien avec le bras qui dépassait de sous le scooter. Il avait l'apparence d'une saucisse carbonisée. L'adjoint du lensmann est venu au chalet, il a détaché tous les fragments et les a envoyés pour une analyse ADN. On aura la réponse dans quelques jours. Tony conservait des effets personnels là-bas. Par exemple, dans un tiroir, j'ai trouvé une photo de famille. Tony gamin. Vous n'avez pas assez bien fait le ménage derrière vous, Sigurd. »

Le policier s'était arrêté près de la vitre avant gauche, que Bjørn avait baissée. Il se pencha et regarda Sigurd Altman.

« Salut, Ole. Je t'arrête pour les meurtres d'un tas de gens dont je devrais lire les noms, mais on verra ça au fur et à mesure. Avant de faire le tour et d'ouvrir la portière, je veux que tu poses les mains très loin devant, sur le tableau de bord, pour que je puisse les voir. Je vais te passer les menottes, et tu vas m'accompagner dans une belle cellule toute propre. Ma femme a fait un pain de viande et du chou-rave braisé, je crois me souvenir que tu aimais ça. Ça te dit, Ole ? »

PARTIE VIII

CHAPITRE 75

Transpiration

« Qu'est-ce que c'est que ce bordel ? »

Il était sept heures, l'immeuble de la Kripos s'éveillait à la vie, et un Mikael Bellman furibard s'était arrêté à la porte du bureau de Harry, un attaché-case dans une main et l'*Aftenposten* dans l'autre.

« Si tu fais référence à l'*Aftenposten*…

— À ça, oui ! » Bellman lança le journal sur la table devant lui.

La manchette couvrait la moitié de la première page. « LE SOU-PIRANT » ARRÊTÉ CETTE NUIT. La presse avait eu vent du sobriquet dès le jour où la police l'avait trouvé, dans la salle de réunion Odin. ARRÊTÉ CETTE NUIT, ce n'était pas tout à fait exact, c'était plutôt en soirée, mais le lensmann Skai n'avait eu le temps d'envoyer le communiqué de presse qu'à minuit passé, après l'arrêt des programmes télévisés et juste avant le bouclage des journaux. Il avait été concis et ne précisait ni l'heure ni les circonstances ; le Soupirant avait été interpellé devant l'ancienne salle des fêtes d'Ytre Enebakk après une enquête acharnée du bureau du lens-mann.

« Qu'est-ce que c'est que ce bordel ? répéta Bellman.

— J'ai l'impression que la police a mis au trou l'un des plus redoutables assassins de toute l'histoire de la Norvège, répondit Harry, qui essayait de faire basculer le dossier de son fauteuil.

— La police ? feula Bellman. Le bureau du lensmann de... » Il dut consulter l'*Aftenposten*. « ... Ytre Enebakk ?

— Ça n'a pas tant d'importance, de savoir qui résout cette affaire, dans la mesure où elle est résolue. » Harry tâtonnait sur le côté du siège, à la recherche d'un levier. « Il fonctionne comment, ce bazar ? »

Bellman recula de quelques pas et ferma la porte.

« Écoute, Hole.

— Tiens, ce n'est plus Harry ?

— Ta gueule, et écoute-moi bien. Je sais ce qui s'est passé. Tu as discuté avec Hagen et appris qu'il ne pouvait pas s'occuper de l'arrestation pour la Brigade criminelle, qu'il risquait trop gros. Alors voyant que tu ne pouvais pas gagner, tu as visé le match nul. Tu as abandonné le mérite et les points à un plouc de lensmann qui ne pige rien à une enquête criminelle.

— Moi, chef ? » Harry lança à Bellman un coup d'œil bleu blessé. « L'un des cadavres a été retrouvé dans son district, alors ce n'est pas aberrant qu'il ait suivi cette piste sur le plan local. Il a dû faire le rapprochement avec l'histoire ancienne de Tony Leike. Un super travail de policier, si tu veux mon avis. »

Les taches cutanées de Bellman semblèrent passer par toutes les couleurs de l'arc-en-ciel.

« Tu sais à quoi ça ressemble, vu depuis le ministère de la Justice ? Ils m'ont confié l'enquête, je bosse pendant des semaines et des semaines, pour un résultat nul. Et ce bouseux sort de nulle part pour nous damer le pion en quelques jours.

— Mmm. » Harry tira sur le levier, et le dossier partit d'un coup vers l'arrière. « Ça n'a pas bonne mine, quand tu l'exposes comme ça, chef. »

Bellman posa les deux mains à plat sur le bureau, se pencha en avant et siffla, au milieu des postillons qui virevoltaient vers Harry : « Sûr que ça n'a pas bonne mine, Hole. Cet après-midi, une substance retrouvée chez toi part pour le labo, qui montrera que c'est de l'opium. Tu es foutu, Hole ! »

— Et la suite, chef ? » Harry se balançait sur son siège en triturant le levier dans tous les sens.

Bellman fronça les sourcils. « Qu'est-ce que tu veux dire ?

— Que vas-tu raconter à la presse et au ministère ? Quand ils verront la date du mandat de perquisition, rédigé à ta demande. Ils voudront savoir comment il se fait qu'au lendemain de la découverte d'opium chez un policier tu engages ce même policier dans ton groupe d'investigation. D'aucuns penseront peut-être que si la Kripos fonctionne comme ça, pas étonnant qu'un lensmann qui n'a qu'une seule cellule et dont l'épouse fait office de cuisinière s'en sorte mieux pour retrouver des assassins. »

Bellman cilla à plusieurs reprises, la bouche ouverte.

« Làà ! » Harry s'appuya contre le dossier bloqué, un sourire satisfait sur les lèvres. Et ferma très vite les yeux pour les protéger du souffle de la porte qui claquait.

Le soleil avait passé la crête quand Krongli arrêta son scooter des neiges, en descendit et rejoignit Roy Stille, qui l'attendait à côté d'un bâton de ski enfoncé dans la neige.

« Alors ?

— Je crois qu'on a trouvé, répondit Stille. Ce doit être le bâton que Hole a planté pour indiquer l'endroit. »

Le policier bientôt retraité n'avait jamais eu l'ambition d'être autre chose qu'inspecteur, mais sa crinière blanche, son regard assuré et sa voix calme faisaient que les gens pensaient souvent que c'était lui le lensmann, et non Krongli.

« Ah ? »

Il accompagna Stille au bord de la crevasse. Stille tendit le doigt. Et là, dans l'éboulis, il vit le scooter des neiges. Il regarda avec ses jumelles. Vit le bras nu, carbonisé, qui dépassait. Grommela à mi-voix : « Oh bordel. Enfin. » Ou les deux.

Les clients du petit déjeuner commençaient à quitter le Stopp Pressen quand Bent Nordbø entendit un toussotement ; il abandonna la lecture du *New York Times*, retira ses lunettes, plissa les yeux et afficha ce qu'il avait de plus proche d'un sourire.

« Gunnar.

— Bent. »

Leur façon de se saluer en utilisant le prénom de l'autre venait de la loge, et Gunnar Hagen ne pouvait s'empêcher de penser à des fourmis qui se rencontrent et échangent des phéromones. Le commandant de brigade s'assit, sans enlever son manteau. « Tu m'as dit au téléphone que tu avais trouvé quelque chose.

— L'un de mes journalistes s'est procuré ça. » Nordbø poussa une enveloppe sur la table. « Il semble que Mikael Bellman ait protégé sa femme dans une affaire de stupéfiants. C'est une vieille histoire, alors du point de vue juridique il y a prescription, mais dans la presse…

— … il n'y a jamais prescription. » Hagen ramassa l'enveloppe.

« Je crois que tu peux considérer Mikael Bellman comme hors d'état de nuire.

— En tout cas, un équilibre de la terreur est possible. Il sait des choses sur moi, lui aussi. En plus, je ne suis même pas certain d'avoir besoin de ça, il vient d'être ridiculisé par un lensmann d'Ytre Enebakk.

— Je l'ai lu. La Justice aussi, hein ?

— Là-haut, ils ont les yeux sur les journaux et l'oreille collée au sol. Mais merci quand même.

— Je t'en prie, on s'entraide.

— Qui sait, j'en aurai peut-être besoin un jour. »

Gunnar Hagen fourra l'enveloppe dans la poche intérieure de son manteau.

Il n'obtint pas de réponse ; Bent Nordbø avait repris la lecture de l'article sur un jeune sénateur noir américain répondant au nom de Barack Obama. L'auteur du papier prétendait avec le plus grand sérieux que cet homme pouvait devenir un jour le président des États-Unis.

Quand Krongli atteignit l'éboulis, il cria aux autres qu'il était arrivé en bas et se libéra de la corde.

La motoneige était de marque Arctic Cat, et reposait les patins en l'air. Tandis qu'il parcourait avec difficulté les trois mètres jusqu'à l'épave, il repérait machinalement où il devait poser les mains et les pieds. Comme sur une scène de crime. Il s'accroupit. Un bras dépassait de sous le scooter. Il tâta l'engin, en équilibre sur deux pierres. Il inspira à fond. Et fit basculer la motoneige sur le côté.

Le mort gisait sur le dos. La première chose que pensa Krongli, ce fut qu'il s'agissait *certainement* d'un homme. Sa tête et son visage avaient été broyés entre la roche et le scooter, et les vestiges donnaient l'impression que des crabes s'étaient régalés. Il n'eut pas besoin de toucher le corps massacré pour savoir qu'il était gélatineux, comme un morceau de viande tendre désossé. Le buste était aplati, les hanches et les genoux pulvérisés. Krongli aurait eu un mal fou à identifier le cadavre s'il n'y avait pas eu la chemise en flanelle rouge. Et une dent isolée, brune et pourrie, encore plantée dans la mâchoire inférieure.

CHAPITRE 76

Redéfinition

« Qu'est-ce que tu dis ? » Harry pressa le téléphone plus fort contre son oreille, comme si le problème venait de là.

« Je dis que le cadavre sous le scooter des neiges n'est pas celui de Tony Leike.

— Mais ?

— Celui d'Odd Utmo. Un excentrique du coin, un ermite. Il se trimballe toujours avec la même chemise en flanelle. Et c'est son scooter. Mais c'est la denture du corps qui m'a renseigné à coup sûr. Un seul chicot pourri. Dieu sait ce que sont devenus le reste de ses dents et son appareil. »

Utmo. Appareil. Harry se souvenait que Kaja lui avait parlé de l'excentrique qui l'avait montée en motoneige à Håvasshytta.

« Mais ses doigts ? demanda Harry. Ils ne sont pas déformés ?

— Oh si. Utmo souffrait d'une arthrite carabinée, le malheureux. C'est Bellman qui m'a demandé de t'appeler pour te le dire. Ce n'est pas ce que tu espérais, Hole ? »

Harry écarta son fauteuil du bureau. « Pas ce à quoi je m'attendais, en tout cas. Est-ce que ça peut être un accident, Krongli ? »

Mais il connaissait la réponse. La lune avait brillé toute la soirée et toute la nuit. Même sans phares, il devait être impossible de ne pas voir ce ravin. Surtout pour un type du coin. Surtout quand il avance si lentement qu'il atterrit à trois mètres de la verticale de son point de départ après une chute de soixante-dix mètres.

« Oublie, Krongli. Parle-moi plutôt des brûlures. »

Il y eut un instant de silence à l'autre bout du fil, puis la réponse :

« Les bras et le dos. La peau des bras a éclaté, et on voit la chair rouge. Des parties du dos sont cramées. Et un motif s'est imprimé entre les omoplates… »

Harry ferma les yeux. Pensa au dessin sur le poêle du chalet. La puanteur de viande grillée.

« … On dirait un cerf. Autre chose, Hole ? Il va falloir qu'on porte…

— C'est tout, Krongli. Merci. »

Harry raccrocha. Réfléchit un moment. Pas Tony Leike. Ça changeait certains détails, mais pas le tableau dans son ensemble. Utmo était une autre victime de la fièvre vengeresse d'Altman, quelqu'un qui s'était mis en travers de sa route d'une façon ou d'une autre. Ils avaient le doigt de Tony Leike, mais où était le reste de son corps ? Une idée frappa Harry. S'il était mort. En théorie, Tony Leike pouvait être prisonnier quelque part. En un endroit connu de Sigurd Altman et de lui seul.

Harry composa le numéro du lensmann Skai.

« Il refuse de dire le moindre mot à qui que ce soit, répondit Skai en mâchonnant. Hormis à son avocat.

— Et c'est ?

— Johan Krohn. Tu connais ? Il a l'air d'un gamin, et…

— Je connais bien Johan Krohn. »

Harry appela le bureau de Krohn, fut transféré, et Krohn avait exactement l'attitude mi-accueillante, mi-agressive qu'on attend d'un avocat professionnel quand les pouvoirs publics appellent. Il écouta Harry. Puis répondit.

« Je regrette. À moins que vous n'ayez quelque chose de concret pour affirmer que mon client retient une personne captive et la met en danger en taisant le lieu de détention, je ne peux pas vous autoriser à parler à Sigurd Altman pour le moment, Hole. Vous l'accusez de choses graves, et je n'ai pas besoin de vous expliquer que c'est mon boulot de défendre ses intérêts du mieux que je le pourrai.

— D'accord. Vous n'en avez pas besoin. »

Ils raccrochèrent.

Harry jeta un coup d'œil par la fenêtre, vers le centre-ville. Le fauteuil était confortable, aucun doute là-dessus. Mais son regard cherchait l'édifice en verre bien connu de Grønland.

Il composa un nouveau numéro.

Katrine Bratt était gaie comme un pinson et gazouillait à l'avenant.

« Je sors dans deux ou trois jours, annonça-t-elle.

— Je croyais que tu étais là de ton plein gré, moi.

— Oh oui, mais j'ai quand même besoin d'un bulletin de sortie en bonne et due forme. J'attends la suite avec impatience. On m'a proposé un boulot de bureau au commissariat quand je ne serai plus en arrêt maladie.

— Bien.

— Tu voulais quelque chose en particulier ? »

Harry expliqua.

« Alors il faut que tu essaies de trouver Tony Leike sans l'aide d'Altman ? résuma Katrine.

— Ouais.

— Une idée de l'endroit où je pourrais commencer ?

— Une seule. Juste après la disparition de Tony, nous avons vérifié qu'il n'avait pas passé la nuit à Ustaoset ou dans les environs. J'ai cherché pour ces dernières années, et il n'a jamais été enregistré à Ustaoset, sauf dans un ou deux chalets. Et c'est bizarre puisqu'il a dû y passer pas mal de temps.

— Il a peut-être resquillé dans les refuges, sans s'inscrire ni payer.

— Pas le genre, répondit Harry. Je me demande si Tony n'a pas un chalet ou un truc de ce genre, que personne ne connaît.

— OK. C'est tout ?

— Oui. Ou plutôt non, regarde ce que tu trouves sur l'activité d'Odd Utmo ces derniers jours.

— Tu es toujours célibataire, Harry ?

— Qu'est-ce que c'est que cette question à la con ?

— Tu as l'air un tout petit peu moins célibataire.

— Sans blague ?

— Ouais. Mais ça te va bien.

— Ah oui ?

— Finalement : non. »

Aslak Krongli redressa son dos endolori et leva les yeux.

C'était un des gars du déblayage qui avait crié, et il recommençait, tout excité : « Par ici ! »

Aslak jura tout bas. Les TIC avaient terminé, et avaient fait remonter et évacuer la motoneige d'Odd Utmo. Le travail était long et compliqué, puisqu'on n'accédait à l'éboulis que par le haut et avec des cordes, et ce n'était pas du gâteau.

Pendant la pause déjeuner, un gars avait répété ce qu'une femme de chambre de l'hôtel lui avait chuchoté à l'oreille, en toute confidence : les draps de la chambre occupée par Rasmus Olsen, le veuf de la parlementaire décédée, étaient rouges de sang quand il avait rendu la chambre. Elle avait d'abord pensé que c'était du sang de menstruations, avant d'apprendre que Rasmus Olsen y avait résidé seul et que sa femme était à Håvasshytta.

Krongli avait répondu qu'il avait sûrement invité une fille du coin dans sa chambre, ou retrouvé sa femme le matin où elle était arrivée à Ustaoset, et qu'ils avaient eu le temps de tirer un coup en guise de réconciliation avant de déguerpir. Le type avait grommelé qu'on n'était pas certain qu'il s'agisse de sang de menstruations.

« Par ici ! »

Quel raseur. Aslak Krongli voulait rentrer chez lui. Dîner, café, dormir. Tirer un trait sur toute cette affaire merdique. L'argent qu'il devait à Oslo était remboursé, et il ne rechuterait jamais. Plus jamais dans ce marécage. C'était une promesse qu'il tiendrait, cette fois.

Ils avaient amené des chiens pour être sûrs de retrouver tous les morceaux d'Utmo dans la neige, et c'était un chien qui avait soudain remonté tout l'éboulis et aboyait cent mètres plus loin. Cent mètres escarpés plus loin. Aslak pesa le pour et le contre.

« C'est important ? » cria-t-il. Une symphonie d'échos lui fut renvoyée.

Il obtint une réponse, et dix minutes plus tard il regardait ce que le chien avait dégagé de la neige. C'était si coincé entre les rochers que ce devait être invisible depuis le bord de la crevasse.

« Et merde ! gronda Aslak. Qui est-ce que ça peut bien être ?

— Pas ce Tony Leike, en tout cas, répondit le maître-chien. Il faut passer un sacré moment dans le froid et les cailloux avant de devenir un squelette aussi propre. Des années.

— Dix-huit. » C'était Roy Stille. L'adjoint du lensmann les avait rejoints, et il soufflait comme un phoque. « Ça fait dix-huit ans qu'elle est là. » Il s'accroupit et baissa la tête.

« Elle ? » demanda Aslak.

L'adjoint désigna les hanches du squelette. « Les femmes ont un bassin plus large. Nous n'avons jamais pu la retrouver quand elle a disparu. C'est Karen Utmo. »

Krongli entendit quelque chose qu'il n'avait jamais entendu dans la voix de Roy Stille. Un frémissement. Le frémissement d'un homme révolté. Peiné. Mais son visage de granit était toujours aussi lisse et fermé.

« Merde, c'est vrai, alors, souffla le maître-chien. Elle s'est jetée dans un ravin, tant elle avait de chagrin à cause de son fils.

— Sûrement pas », répliqua Krongli. Les deux autres le regardèrent. Il montrait un petit trou parfaitement rond dans le crâne.

« C'est… une balle qui a fait ça ? voulut savoir le maître-chien.

— Ouais. » Stille palpa l'arrière du crâne. « Et elle n'est pas ressortie. Je parie qu'on retrouvera le projectile dans la boîte crânienne.

— On parie que ledit projectile correspond à la carabine d'Utmo ? demanda Krongli.

— Et merde, répéta le maître-chien. Vous voulez dire qu'il a buté sa femme ? C'est possible ? Tuer quelqu'un qu'on a aimé ? Parce qu'on pense qu'elle et son gamin… Bordel de merde.

— Dix-huit ans. » Stille se redressa en gémissant. « Encore sept ans, et il y aurait eu prescription. Ça doit être ce qu'on appelle l'ironie du sort. Tu attends, encore et encore, dans la crainte d'être découvert. Pendant que les années passent. Et quand tu approches de la libération, boum ! Tu es tué à ton tour, et tu atterris dans le même éboulis. »

Krongli ferma les yeux et songea que oui, c'est possible de tuer quelqu'un qu'on a aimé. Très possible. Mais non, on n'est jamais libéré. Jamais. Il ne redescendrait jamais ici.

Johan Krohn était très à son aise sous les feux de la rampe. Il le faut pour devenir l'avocat le plus réclamé du pays. Et lorsqu'il avait accepté sans une seconde d'hésitation de défendre Sigurd Altman, « le Soupirant », il savait que les feux de la rampe seraient plus éblouissants que jamais au cours d'une carrière déjà brillante. Il avait atteint son objectif de battre son père en tant que plus jeune avocat appelé à siéger à la Cour suprême. Il n'avait pas encore trente ans qu'on le désignait déjà comme la nouvelle étoile montante, l'enfant prodige. Mais ça lui avait peut-être donné la grosse tête, il n'avait pas l'habitude d'être l'objet d'autant d'attention quand il était plus jeune. À l'époque, il était plutôt le chouchou horripilant qui levait toujours un peu trop la main en classe, qui se démenait sur le plan social, ce qui ne l'empêchait pas d'être le dernier à savoir où aurait lieu la fête du samedi — quand il l'apprenait. Mais à présent, de jeunes assistantes et stagiaires pouf-faient et rougissaient quand il leur faisait des compliments ou les invitait à de longs déjeuners. Et les invitations pleuvaient, que ce soit pour des conférences, des débats à la radio ou à la télévision, même à des premières, que sa femme appréciait tant. Peut-être que certaines choses l'avaient trop absorbé ces dernières années. En tout cas, il avait observé une courbe plongeante aussi bien pour le nombre d'affaires remportées que pour celui des grandes affaires médiatiques et celui des nouveaux clients. Pas au point de ternir sa renommée aux yeux du commun des mortels, mais assez pour lui faire savoir qu'il avait besoin de l'affaire Sigurd Altman. Il avait besoin de quelqu'un d'exceptionnel pour regagner sa place : au sommet.

Johan Krohn se tenait donc tout à fait immobile et écoutait attentivement l'homme maigre affublé de lunettes rondes. Il écou-tait Sigurd Altman raconter une histoire qui était non seulement la moins vraisemblable que Krohn ait jamais entendue, mais en outre une histoire à laquelle il *croyait*. Il s'imaginait déjà dans la salle d'audience, le brillant orateur, l'agitateur, le manipulateur qui pourtant ne perdait jamais la loi de vue, un plaisir pour le membre du jury comme pour le magistrat. Ce fut donc de la déception qu'il ressentit lorsqu'il comprit quel plan Sigurd Altman avait élaboré. Mais après s'être rappelé l'adage maintes fois répété de son père selon lequel l'avocat est là pour son client et non l'inverse, il accepta la mission. Car Johan Krohn n'était pas quelqu'un de fon-cièrement mauvais.

Et lorsqu'il quitta la prison départementale d'Oslo, où Sigurd Altman avait été transféré dans la journée, il vit de nouvelles pers-pectives dans cette tâche exceptionnelle. La première chose qu'il fit en arrivant au bureau fut d'appeler Mikael Bellman. Ils ne s'étaient rencontrés qu'une fois, pour une affaire de meurtre, évidemment, mais Johan Krohn avait tout de suite cerné le personnage ; un fau-con en reconnaît un autre. Il savait donc plus ou moins dans quel état d'esprit était Bellman après avoir vu les manchettes de ce jour-là sur l'arrestation par le lensmann.

« Bellman.

— Ici Johan Krohn.

— Bonjour, Krohn. » La voix était formelle, mais pas inamicale.

« Vraiment ? Vous avez dû vous sentir doublé dans la dernière ligne droite. »

Courte pause. « C'est à quel sujet, Krohn ? » Voix crispée. Furieuse.

Johan Krohn sut que ça marcherait.

Harry et la Frangine étaient assis, silencieux, près du lit de leur père à l'hôpital civil. La table de chevet et deux autres tables étaient chargées de vases de fleurs qui avaient surgi ces derniers jours. Harry en avait fait le tour et lu les cartes. L'une d'elles commençait par « Mon cher, cher Olav » et était signée « ta Lise ». Harry n'avait jamais entendu parler d'une quelconque Lise, et encore moins imaginé qu'il pût y avoir d'autres femmes que leur mère dans la vie de leur père. Les autres cartes venaient de collègues et de voisins. Ils avaient dû apprendre que la fin approchait. Et bien qu'ils sachent qu'il ne les verrait pas, ils avaient envoyé ces fleurs au parfum envahissant pour se faire pardonner de ne pas avoir pris le temps de lui rendre visite. Harry regarda les fleurs comme autant de vautours autour du mourant. Les lourdes têtes penchées au bout des longues tiges. Les becs jaunes et rouges.

« C'est interdit d'utiliser ton mobile ici, Harry ! » chuchota sa sœur avec sévérité.

Harry sortit son téléphone et regarda l'écran. « Désolé, Frangine. Important. »

Katrine Bratt alla droit au but : « Leike a sans aucun doute pas mal traîné à Ustaoset et à proximité. Ces dernières années, il a acheté des billets de train, réglé des factures de carburant par carte bancaire à la station-service de Geilo. Même chose pour l'alimentation, surtout à Ustaoset. Ce qui se démarque, c'est une facture pour des matériaux de construction, à Geilo aussi.

— Des matériaux de construction ?

— Oui. Je suis allée voir dans leurs archives. Planches, clous, outils, fil de fer, parpaings, ciment. Pour plus de trente mille couronnes. Mais c'est vieux de quatre ans.

— Tu penses à la même chose que moi ?

— Il s'est construit une petite annexe ou quelque chose de ce genre ?

— Il n'a pas de chalet déclaré auquel ajouter une annexe, on a vérifié. Mais tu n'achètes pas à manger si tu loges à l'hôtel ou en refuge. Je crois que Tony s'est construit un petit pied-à-terre illégal dans le parc national, où il m'a dit qu'il rêvait de le faire. Bien caché dans le paysage, tu t'en doutes. Un endroit où il pourrait être tout à fait tranquille. Mais où ? » Harry se rendit compte qu'il s'était levé et faisait les cent pas dans la chambre.

« Va savoir, répondit Katrine Bratt.

— Attends ! À quelle période de l'année a-t-il fait ces emplettes ?

— Voyons voir… 6 juillet, d'après la facture.

— Si le chalet devait rester invisible, il fallait le construire à l'écart des chemins classiques. Un coin isolé, sans voie d'accès. Tu as dit fil de fer ?

— Oui. Et je devine pourquoi. Quand les Berguénois construisaient des chalets dans des endroits extrêmement ventés, dans les années 1960, ils se servaient souvent de fil de fer pour les amarrer.

— Le chalet de Leike est donc dans un endroit exposé, isolé, où il a monté pour trente mille couronnes de matériaux de construction. Ça doit représenter plusieurs tonnes. Comment fais-tu quand c'est l'été, et qu'il n'y a pas de neige pour pouvoir utiliser une motoneige ?

— Un cheval ? Une jeep ?

— Pour franchir des rivières, des marécages, des montagnes ? Essaie encore.

— Aucune idée.

— Moi si. Je l'ai vu en photo. Salut.

— Attends.

— Oui ?

— Tu m'as demandé de vérifier les faits et gestes d'Utmo pendant les derniers jours de sa vie. Il a laissé peu de traces électroniques, mais il a passé deux ou trois coups de fil. Entre autres, il a appelé Aslak Krongli. Il est tombé sur le répondeur, on dirait. La toute dernière communication était pour SAS. Je suis allée voir dans leur système de réservations. Il a commandé un billet pour Copenhague.

— Mmm. Il ne m'a pas donné l'impression d'être un type qui voyageait beaucoup.

— En effet. On a émis un passeport à son nom, mais il n'est enregistré sur aucun système de réservation de billets. Et on parle des vingt-cinq dernières années.

— Donc un homme qui n'a jamais quitté sa région. Et qui doit tout à coup aller à Copenhague. Quand aurait-il dû partir, d'ailleurs ?

— Hier.

— OK. Merci. »

Harry raccrocha, prit son manteau, se retourna une fois à la porte. La regarda. Cette chouette nana, sa sœur. Il faillit lui demander si elle s'en sortait seule, sans lui. Mais eut le temps d'arrêter cette question idiote. Quand ne l'avait-elle pas fait ?

« Salut », lança-t-il.

Jens Rath descendait à l'accueil de la société de bureaux. Sous sa veste et sa chemise, son dos était trempé de sueur. Parce qu'il venait de recevoir un appel qui l'informait d'une visite de la police. Il avait été en bisbille avec l'Økokrim[1] quelques années plus tôt, mais

1. Organe de la police nationale qui s'occupe de criminalité financière, écologique et informatique.

l'affaire avait été classée. Pourtant, la simple vue d'un véhicule de police le faisait transpirer comme une fontaine. Pour l'heure, Jens Rath sentait ses pores s'ouvrir en grand. Il était petit, et il regardait le policier se lever. Et s'élever. Jusqu'à dépasser Jens d'une bonne vingtaine de centimètres, avant de lui donner une poignée de main forte et rapide.

« Harry Hole, Brig… Kripos. C'est au sujet de Tony Leike.

— Du nouveau ?

— On s'assied, Rath ? »

Ils s'assirent chacun dans un fauteuil Le Corbusier, et Rath fit un signe discret à Wenche, la réceptionniste, pour qu'elle *ne leur serve pas* le café par ailleurs inévitable quand des investisseurs venaient les voir.

« Je veux que vous m'accompagniez pour me montrer où est son chalet, déclara le policier.

— Son chalet ?

— Je vous ai vu refuser le service du café, Rath, et ça ne me pose pas de problème, j'ai aussi peu de temps que vous. Je sais aussi que votre affaire à l'Økokrim a été classée, mais il ne me faudra qu'un coup de fil pour qu'elle soit réexaminée. Pas sûr qu'ils trouvent quelque chose cette fois non plus, mais je vous promets que les documents qu'ils exigeront de vous… »

Rath ferma les yeux. « Oh Seigneur…

— … prendront plus de temps à réunir qu'il en a fallu pour construire le chalet de votre collègue, copain et frère juré Tony Leike. Alors ? »

Le seul et unique talent de Jens Rath, c'était sa faculté à évaluer les profits potentiels avec plus de rapidité et d'assurance que la plupart des gens. Le calcul qu'on venait de lui soumettre fut donc effectué en une seconde environ.

« D'accord.

— Nous partons demain matin à neuf heures.

— Comment…

— De la même façon que vous avez monté les matériaux là-haut. Hélicoptère. » Le policier se leva.

« Juste une question. Tony a toujours scrupuleusement veillé à ce que personne n'apprenne l'existence de ce chalet, même pas Lene, sa fiancée, je crois. Alors comment…

— Une facture pour des matériaux de construction à Geilo, plus une photo de vous en bleu de travail assis sur un tas de planches devant un hélicoptère. »

Jens Rath hocha la tête. « Évidemment. La photo.

— Qui l'a prise, d'ailleurs ?

— Le pilote. Avant le décollage, à Geilo. Et c'était l'idée d'Andreas de l'envoyer avec le dossier de presse quand nous avons ouvert les bureaux. Il trouvait que c'était plus cool, une photo de nous en bleu de travail, plutôt qu'en costume cravate. Tony a accepté parce que ça donnait l'impression que l'hélicoptère était à nous. Quoi qu'il en soit, la presse financière se sert tout le temps de cette photo.

— Pourquoi Andreas ou vous n'avez pas parlé du chalet quand Tony a été porté disparu ? »

Jens Rath haussa les épaules. « Ne vous méprenez pas, nous tenons autant que vous à ce que Tony soit retrouvé dans les plus brefs délais. Nous avons un projet au Congo, qui capotera s'il ne refait pas très vite surface avec dix millions tout frais. Mais quand Tony disparaît, c'est toujours parce qu'il le veut. Il se débrouille, n'oubliez pas qu'il a été mercenaire. Je parie qu'il est installé quelque part avec un verre à la main, une beauté sauvage et exotique au creux du bras, et qu'il se marre parce qu'il a prévu la solution.

— Mmm. J'imagine que c'est cette beauté qui lui a arraché le majeur. À Fornebu, neuf heures demain matin. »

Jens Rath regarda partir le policier. Et se demanda pourquoi il ne faisait pas que transpirer ; il dégoulinait, il était en train de se dissoudre.

Quand Harry revint à l'hôpital civil, la Frangine était encore là. Elle feuilletait un magazine en mangeant une pomme. Il regarda la meute de vautours. D'autres fleurs étaient arrivées.

« Tu as l'air fatigué, Harry. Tu devrais rentrer.

— Tu peux y aller, toi. Ça fait assez longtemps que tu es ici, toute seule.

— Je n'étais pas seule, répondit-elle avec un sourire finaud. Devine qui est venu ? »

Harry soupira. « Désolé, Frangine, j'ai assez de choses à deviner comme ça au quotidien.

— Øystein !

— Øystein Eikeland ?

— Oui ! Il a apporté du chocolat au lait. Pas pour papa, pour moi. Désolée, il n'en reste plus. » Ses yeux disparurent dans ses joues tant elle riait.

Quand elle se leva pour aller faire un tour, Harry regarda son téléphone. Deux appels en absence de Kaja. Il repoussa son fauteuil contre le mur et renversa la tête en arrière.

CHAPITRE 77

Empreintes

À dix heures dix du matin, l'hélicoptère se posa sur une hauteur à l'ouest de Hallingskarvet. À onze heures, le chalet était localisé.

Il était si bien dissimulé dans le terrain que même s'ils avaient su à peu près où il était, ils ne l'auraient sans doute pas trouvé sans l'aide de Jens Rath. Le chalet était en pierre, tout en haut sur le flanc est, le côté abrité de la montagne, trop haut pour être emporté par une avalanche. Les pierres, qui provenaient des environs, avaient été cimentées contre deux énormes rochers qui constituaient le mur du fond et un mur latéral. Il n'y avait aucun angle droit apparent. Les fenêtres ressemblaient à des meurtrières, suffisamment enfoncées dans la paroi pour que le soleil ne se reflète pas dedans.

« Voilà ce que j'appelle un vrai chalet ! » Bjørn Holm déchaussa ses skis, et s'enfonça illico dans la neige jusqu'aux genoux.

Harry expliqua à Jens qu'ils n'avaient plus besoin de ses services, et qu'il devait retourner à l'hélicoptère les attendre avec le pilote.

La neige n'était pas très profonde devant la porte.

« Quelqu'un a déblayé ici, il n'y a pas longtemps », constata Harry.

La porte était fermée par un cadenas simple qui céda sans trop résister sous le pied-de-biche de Bjørn.

623

Avant d'ouvrir, ils quittèrent leurs moufles, enfilèrent des gants en latex et des sacs plastique bleus par-dessus leurs chaussures de ski. Puis ils entrèrent.

« Ouille », souffla Bjørn.

Le chalet se composait d'une pièce unique d'environ trois mètres sur cinq, et faisait penser à une cabine de bateau à l'ancienne, avec des fenêtres comme des hublots et un aménagement compact. Le sol, les murs et le plafond étaient revêtus de planches brutes grossières, peintes en blanc pour exploiter au mieux le peu de lumière qui entrait. Le mur de droite soutenait un plan de travail simple, avec un évier et un placard bas. En vis-à-vis, un divan faisait manifestement aussi office de lit. Une table occupait le centre de la pièce, en plus d'une — une seule — chaise en bois couverte de taches de peinture. Devant l'une des fenêtres, il y avait un pupitre fatigué dont le bois était gravé d'initiales et de vers bancals. À gauche du mur du fond, où la roche apparaissait, il y avait un poêle noir. Pour produire le maximum de chaleur, le conduit d'évacuation suivait la paroi vers la droite avant de monter tout droit. Le panier à bûches était rempli de bois de bouleau et de journaux pour l'allumage. Une carte de la région était fixée au mur, à côté d'une carte de l'Afrique.

Bjørn jeta un coup d'œil par la fenêtre au-dessus du bureau.

« Et voilà ce que j'appelle un vrai point de vue. Bon Dieu, on voit la moitié de la Norvège, d'ici !

— Au boulot. Le pilote nous a laissé deux heures, une dépression arrive du littoral. »

Comme d'habitude, Mikael Bellman avait réglé son réveil sur six heures, et il se réveillait en faisant un footing sur le tapis roulant au sous-sol. Il avait de nouveau rêvé de Kaja. Elle était assise à l'arrière d'une moto, les bras autour d'un homme tout en casque et visière. Elle lui avait fait un sourire heureux qui dévoilait ses dents pointues, et un petit geste au moment où ils s'éloignaient. Mais n'avaient-ils pas volé cette moto, n'était-elle pas à lui ? Il n'en était pas certain, les cheveux de Kaja étaient si longs qu'ils masquaient la plaque d'immatriculation.

Après l'exercice, Mikael s'était douché et était monté déjeuner.

Il s'était préparé avant d'ouvrir le journal qu'Ulla — comme d'habitude — avait déposé à côté de son assiette.

À défaut de photo de Sigurd Altman, alias le Soupirant, ils avaient imprimé une photo du lensmann. Skai. Il se tenait près de son bureau, les bras croisés, sous une casquette verte à visière large, comme un abruti de chasseur d'ours. Gros titre : « Le Soupirant arrêté ? » Et à côté, au-dessus de la photo d'une motoneige jaune broyée : « Un nouveau cadavre découvert à Ustaoset. »

Bellman avait parcouru à toute vitesse le texte, à la recherche de « Kripos » ou — au pire — de son propre nom. Rien sur la première page. Bien.

Il avait ouvert à la page indiquée, et c'était là, avec sa photo :

> *Le responsable de l'enquête de la Kripos, Mikael Bellman, nous indique qu'il ne veut pas s'exprimer avant que le Soupirant ne soit interrogé. Et qu'il n'a aucun commentaire particulier sur le fait que c'est le bureau du lensmann d'Ytre Enebakk qui a interpellé le suspect.*
>
> *« D'une façon générale, je peux dire que le travail de policier est un travail d'équipe. À la Kripos, peu importe qui remporte la dernière étape. »*

Il n'aurait pas dû dire cette dernière phrase. C'était un mensonge, ce serait perçu comme tel, et ça puait le mauvais perdant à des kilomètres.

Mais ce n'était pas très grave. Car si ce que Johan Krohn, l'avocat de la défense, lui avait dit la veille était vrai, Bellman avait une possibilité en or de tout rétablir. Oui, mieux que ça. De courir la dernière étape. Il savait que le prix exigé par Krohn serait élevé, mais aussi que ce ne serait pas lui qui paierait. Mais ce con de chasseur d'ours. Et Harry Hole, et la Brigade criminelle.

Un surveillant pénitentiaire ouvrit la porte de la salle de visites, et Mikael Bellman s'effaça devant Johan Krohn. Ce dernier avait insisté : puisque c'était une conversation, et non un interrogatoire formel, elle devait se dérouler dans le cadre le plus neutre possible. Comme il était hors de question de laisser sortir le Soupirant de la prison départementale d'Oslo, où il avait obtenu une cellule de luxe, Krohn et Bellman s'étaient mis d'accord sur l'une des salles de visites, celles qui servaient pour les rencontres privées entre les détenus et leur famille. Pas de caméra, pas de micro, juste une pièce banale dépourvue de fenêtre qu'on avait essayé sans grand enthousiasme de rendre plus agréable à l'aide d'un napperon sur la table et d'une tapisserie au mur. En général, c'était à des amants que l'on permettait de se retrouver ici, et les ressorts du canapé taché de sperme étaient si défoncés que Bellman vit Krohn sombrer quand il s'y installa.

Sigurd Altman était assis sur une chaise, au bout de la table. Bellman s'assit sur l'autre chaise, de sorte qu'Altman et lui se retrouvent au même niveau. Le visage d'Altman était maigre, ses yeux profondément enchâssés et sa mâchoire saillante, avec une denture proéminente, ce qui rappela à Bellman les photos des Juifs émaciés d'Auschwitz. Et le monstre d'*Alien*.

« Une conversation comme celle-ci ne suit pas la procédure, l'informa Bellman. Je dois donc bien préciser qu'il n'y aura pas de prise de notes, et que rien de ce que nous dirons ne sortira de ces murs.

— Cependant, il nous faut la garantie que les pouvoirs publics respecteront leurs engagements, intervint Krohn.

— Vous avez ma parole.

— Et je vous en remercie humblement. Quoi d'autre ?

— D'autre ? » Bellman fit un sourire aigre-doux. « Que voulez-vous que je fasse ? Signer un accord écrit ? » Foutu connard d'avocat arrogant.

« Avec plaisir. » Krohn poussa une feuille sur la table.

Bellman la parcourut. Son regard sauta de phrase en phrase.

« Bien sûr, personne ne verra ce document si ce n'est pas nécessaire, reprit Krohn. Et il vous sera rendu quand les conditions auront été respectées. Et ceci... » Il tendit un stylo à Bellman. « ... c'est un S.T. Dupont, le meilleur instrument d'écriture qu'il soit possible de se procurer. »

Bellman prit le stylo et le posa sur la table à côté de lui.

« Si l'histoire est assez bonne, je signerai. »

« Si c'est une scène de crime, le coupable a fait un sacré ménage derrière lui. »

Bjørn Holm, les mains sur les hanches, regardait autour de lui. Ils avaient tout fouillé, les tiroirs et les placards, à la recherche de sang et d'empreintes digitales. Il avait posé son portable sur le bureau. Un scanner à empreintes digitales de la taille d'une boîte d'allumettes y était relié, comme ceux que certains aéroports commençaient à utiliser pour l'identification des passagers. Jusque-là, les empreintes n'appartenaient qu'à une personne dans cette affaire : Tony Leike.

« Continue. » Harry, à genoux sous l'évier, dévissait les tuyaux. « C'est quelque part ici.

— Quoi ?

— Je ne sais pas. Quelque chose.

— Si on doit continuer, on devrait chauffer un peu.

— Alors fais du feu. »

Bjørn Holm s'accroupit devant le poêle, ouvrit la trappe et se mit à déchirer et froisser des feuilles de journal.

« Qu'est-ce que tu as proposé à Skai pour qu'il marche avec toi ? Il risque quand même pas mal si la vérité éclate.

— Il ne risque rien. Il n'a pas dit le moindre mot qui ne soit pas vrai, tu n'as qu'à l'écouter. Ce sont les médias qui ont tiré les mauvaises conclusions. Et rien dans les instructions ne précise qui doit ou ne doit pas arrêter un suspect. Je n'ai pas eu besoin de lui proposer quoi que ce soit. Il m'a dit qu'il aimait encore moins Bellman que moi, et que ça lui suffisait.

— C'est tout ?

— Euh… Il m'a parlé de sa fille, Mia. Elle ne s'en est pas très bien sortie. Dans ce genre de situation, tous les parents cherchent une raison, quelque chose de concret à montrer du doigt. Skai pense que c'est à cause de cette nuit devant la salle des fêtes, qu'elle a marqué Mia pour le restant de ses jours. Aux yeux des gens, l'histoire, c'est que Mia et Ole sortaient ensemble et qu'il s'agissait de tout autre chose que de bisous innocents près de la forêt quand Ole les a surpris, elle et Tony. Pour Skai, Ole et Tony sont responsables des problèmes de sa fille. »

Bjørn secoua la tête. « Des victimes, des victimes, où qu'on se tourne. »

Harry avait rejoint Bjørn et tendait la main. Au creux de sa paume, il y avait des fragments de métal, comme des morceaux de fil de fer.

Bjørn les prit et les examina.

« Hé ! s'écria Harry. Qu'est-ce que c'est que ça ?

— Quoi donc ?

— Le journal. Regarde, c'est la conférence de presse où nous avons parlé d'Iska Peller. »

Bjørn Holm regarda la photo de Bellman qui était apparue quand la page précédente avait été arrachée. « Merde alors !

— Ce journal n'a que quelques jours. Quelqu'un est venu récemment.

— Merde alors.

— Il y a peut-être des empreintes sur la prem… » Harry regarda dans le poêle, où les premières pages s'enflammaient.

« Désolé. Mais je vais vérifier sur les autres pages, proposa Bjørn.

— OK. D'ailleurs, il m'intrigue, ce bois.

— Oui ?

— Il n'y a pas un seul arbre à trois kilomètres à la ronde. Il doit avoir une grosse réserve quelque part. Vérifie le journal, je vais faire un tour. »

Mikael Bellman regardait Sigurd Altman. Il n'aimait pas son regard froid. Ni son corps osseux, les dents qui appuyaient contre l'intérieur des lèvres, les mouvements saccadés ou ce malheureux zézaiement. Mais il n'avait pas besoin d'apprécier Sigurd Altman pour voir en lui son sauveur et son bienfaiteur. À chaque mot qu'Altman prononçait, Bellman se rapprochait de la victoire.

« Je suppose que vous avez lu le rapport de Harry Hole, avec l'exposé des événements supposés.

— Vous voulez parler du rapport du lensmann Skai ? rectifia Bellman. Avec l'exposé de Skai ? »

Altman fit un sourire narquois.

« Si vous voulez. L'histoire que Harry a racontée est en tout cas étonnamment exacte. Le problème, c'est qu'elle ne contient qu'une seule preuve tangible. Mes empreintes digitales chez Tony Leike. Bon, admettons que je dise que je suis allé le voir. Que nous avons discuté du bon vieux temps. »

Bellman haussa les épaules. « Vous pensez qu'un jury le gobera ?

— J'aime croire que j'inspire confiance. Mais... » Les lèvres d'Altman s'écartèrent et dévoilèrent ses gencives. « Je ne serai jamais présenté devant aucun jury, n'est-ce pas ? »

Harry trouva le tas de bois sous une bâche verte, sous un surplomb rocheux. Une hache était plantée dans un billot, à côté d'un couteau. Harry regarda autour de lui en donnant des coups de pied dans la neige. Il n'y avait rien d'intéressant. Sa botte heurta quelque chose. Un emballage en plastique blanc, vide. Il se pencha. Le descriptif du produit était inscrit sur le côté. Bande de gaze, dix mètres. Qu'est-ce que ça faisait ici ?

Harry pencha la tête et regarda le billot un instant. Puis la tache noire qui imprégnait le bois. Le couteau. Le manche, jaune, lisse. Que faisait un couteau sur un billot ? Il pouvait bien sûr y avoir de multiples raisons, et pourtant…

Il appuya le moignon de son majeur sur le billot, les autres doigts repliés contre le bord.

Harry dégagea le couteau, en le tenant tout en haut du manche. La lame était affûtée comme un rasoir. Marquée de cette substance qu'il cherchait toujours dans son métier. Il repartit au pas de course comme un élan, à grandes enjambées dans la neige profonde.

Bjørn leva les yeux de son PC quand Harry débaula.

« Encore et toujours Tony Leike, soupira-t-il.

— Il y a du sang sur la lame, haleta Harry. Regarde ce que tu trouves comme empreintes sur le manche. »

Bjørn saisit le couteau avec précaution. Répandit une poudre noire sur le manche jaune verni et souffla doucement dessus.

« Il n'y a qu'un jeu d'empreintes, mais il est fabuleux. On trouvera peut-être aussi des cellules épithéliales.

— Ouais ! s'écria Harry.

— Qu'est-ce qui se passe ?

— Celui qui a laissé ces empreintes a amputé un doigt à Tony Leike.

— Ah ? Qu'est-ce qui te…

— Il y a du sang sur le billot. Et il avait de la gaze à portée de main pour panser la plaie. Et j'ai l'impression d'avoir déjà vu ce couteau. Sur une mauvaise photo d'Adele Vetlesen. »

Bjørn Holm émit un sifflement bas, appuya une feuille révélatrice sur le manche pour que la poudre se fixe. Puis il plaça la feuille dans le scanner.

« Sigurd Altman, tu as peut-être trouvé un bon avocat qui fasse oublier tes empreintes sur le bureau de Leike », murmura Harry tandis que Bjørn pressait le bouton « Recherche », et qu'ils suivaient tous les deux la bande bleue qui progressait par à-coups vers le bord droit du rectangle horizontal. « Mais pas celles sur ce couteau. »

Prêt...

Résultat : 1 correspondance.

Bjørn Holm cliqua sur « Voir ».

Harry écarquilla les yeux sur le nom qui était apparu.

« Tu crois toujours que ce sont les empreintes de celui qui a sectionné un doigt à Tony ? » demanda Bjørn Holm.

CHAPITRE 78

L'accord

« Quand j'ai vu Adele et Tony baiser comme des chiens près des toilettes, tout est revenu. Tout ce que j'avais essayé d'enfouir. Tout ce que j'avais laissé derrière moi, à en croire les psychologues. Mais c'était le contraire. C'était comme un animal enchaîné, mais qui avait été nourri et qui avait grandi pour être plus fort que jamais. Et il était libéré. Harry avait tout à fait raison. J'ai planifié une vengeance qui humilierait Tony Leike, tout comme il m'avait humilié. »

Sigurd Altman baissa les yeux sur ses mains et sourit.

« Mais à partir de là, Harry se trompe. Je ne prévoyais pas la mort d'Adele. Je voulais juste humilier Tony aux yeux de tous. En particulier ceux qu'il voulait comme belle-famille, cette vache à lait de Galtung censée financer toute son aventure congolaise. Sinon, pourquoi un type comme Tony aurait l'idée d'épouser un éteignoir comme Lene Galtung ?

— Pas faux, sourit Mikael Bellman pour montrer qu'ils étaient sur la même longueur d'onde.

— Alors j'ai écrit une lettre à Tony, où je me faisais passer pour Adele. J'ai écrit qu'il m'avait mise enceinte, et que je voulais garder l'enfant. Mais en tant que mère célibataire, il faudrait que je subvienne à nos besoins, et je voulais de l'argent pour ne pas révéler que l'enfant était de lui. Quatre cent mille couronnes pour commencer. Il devait me retrouver avec l'argent au parking derrière Lefdal, à Sandvika, à minuit deux jours plus tard. Puis j'ai envoyé une lettre à Adele, où je me faisais passer pour Tony, où je lui demandais si on pouvait se rencontrer au même endroit et au même moment. Je savais que ça plairait à Adele, et je partais du principe qu'ils n'avaient pas échangé leurs numéros de téléphone. Que la supercherie ne serait pas découverte avant qu'il ne soit trop tard, avant que j'obtienne ce que je voulais. À onze heures, j'étais en place, installé dans une voiture, l'appareil photo prêt. Je voulais photographier leur rendez-vous, quelle qu'en soit l'issue, engueulade ou partie de jambes en l'air, et envoyer tout ça avec une jolie petite histoire à Anders Galtung. C'était tout. »

Sigurd regarda Bellman et répéta : « C'était tout. »

Bellman hocha la tête, et Sigurd Altman poursuivit : « Tony est arrivé plus tôt que prévu. Il s'est garé, est descendu de voiture et a regardé un peu partout. Puis il a disparu dans l'ombre sous les arbres vers la rivière. Je me suis ratatiné derrière mon volant. Et Adele est arrivée. J'ai baissé ma vitre pour entendre. Elle attendait, plantée là, elle regardait autour d'elle, sa montre. J'ai vu Tony juste derrière elle, si près qu'elle n'a pas pu ne pas le remarquer. Je l'ai vu tirer un énorme couteau same et lui passer un bras autour du cou. Elle s'est débattue pendant qu'il l'entraînait vers sa voiture. C'est quand la portière s'est ouverte que j'ai vu les sièges recouverts de plastique. Je n'entendais pas ce que Tony lui disait, mais j'ai zoomé sur eux. J'ai vu qu'il lui avait fourré un stylo dans la main, qu'il lui dictait quelque chose qu'elle écrivait sur une carte.

— La carte postale de Kigali, précisa Bellman. Il avait tout prévu. Elle devait disparaître.

— J'ai pris des photos, je ne pensais à rien d'autre. Et puis, tout à coup, il a levé la main et lui a planté son couteau dans la gorge. Je n'en croyais pas mes yeux. Le sang a giclé contre le pare-brise. »

Les deux hommes ignorèrent Krohn, qui haletait bruyamment.

« Il a attendu un moment, sans enlever le couteau, comme s'il voulait la laisser se vider de son sang. Puis il l'a sortie, traînée derrière la voiture avant de la flanquer dans le coffre. Au moment où il allait remonter au volant, il s'est arrêté et a semblé renifler l'air, comme un chien. Il était dans la lumière d'un réverbère, et c'est là que je l'ai vu : les mêmes yeux grands ouverts, ce même rictus sur les lèvres que quand il était sur moi, devant la salle des fêtes, et enfonçait le couteau dans ma bouche. Longtemps après le départ de Tony, je suis resté immobile, paralysé par la peur, je n'arrivais plus à bouger. J'ai compris que je ne pouvais pas envoyer de lettre de dénonciation à Anders Galtung. Ni à personne d'autre. Parce que je venais de me rendre complice d'un meurtre. »

Sigurd but une gorgée mesurée du verre d'eau posé sur la table devant lui et jeta un coup d'œil à Johan Krohn, qui lui répondit par un hochement de tête.

Bellman se racla la gorge.

« Sur le plan technique, vous n'étiez pas complice d'homicide volontaire. Au pire, de chantage ou d'escroquerie. Vous auriez pu vous arrêter là. Ça aurait été très désagréable pour vous, bien sûr, mais vous auriez pu aller voir la police. Vous aviez même les photos pour le prouver.

— De toute façon, j'aurais été jugé et condamné. Ils auraient prétendu que j'étais bien placé pour savoir que Tony Leike réagit par la violence quand on le met sous pression, que j'avais tout prémédité.

— Vous n'avez pas pensé que ça pouvait se produire ? » demanda Bellman en ignorant le coup d'œil de mise en garde de Krohn.

Sigurd Altman sourit. « C'est étrange, vous ne trouvez pas, inspecteur, que nos propres tergiversations soient les plus compliquées à analyser ? Ou à se rappeler ? En toute honnêteté, je ne me rappelle pas ce que je croyais qui allait se passer. »

Parce que tu ne veux pas t'en souvenir, songea Bellman avant de répondre par un « Mmm », comme pour remercier Altman de lui avoir fourni ce nouveau point de vue psychologique.

« J'ai réfléchi pendant plusieurs jours, reprit Altman. Puis je suis retourné à Håvasshytta et j'ai arraché la page du registre où figuraient les noms de tous les occupants cette nuit-là. Et j'ai écrit une autre lettre à Tony. J'y disais que je l'avais vu sauter Adele Vetlesen à Håvasshytta, et que je savais ce qu'il avait fait. Que je voulais de l'argent. Signé Borgny Stem-Myhre. Cinq jours plus tard, j'ai lu qu'elle avait été découverte morte dans une cave. Ça aurait dû s'arrêter là. La police aurait dû enquêter sur cette affaire et trouver Tony. Voilà ce que vous auriez dû faire. L'arrêter. »

Sigurd Altman avait haussé le ton, et Bellman aurait pu jurer voir des larmes inonder ses yeux derrière les lunettes rondes.

« Mais vous n'aviez pas la moindre piste, vous étiez dans le brouillard le plus complet. Alors je devais continuer à lui fournir d'autres victimes, le menacer avec d'autres noms de la liste de Håvasshytta. J'ai découpé les photos des victimes dans les journaux pour les afficher au mur de la salle des coupures, à l'usine Kadok, avec les copies des lettres que j'avais rédigées en me faisant passer pour les victimes. Tony tuait quelqu'un, et une autre lettre lui parvenait, d'une personne qui disait que c'était elle qui avait envoyé les précédentes, qu'elle savait qu'il avait alors deux, trois ou quatre meurtres sur la conscience. Et le prix du silence grimpait en proportion. » Altman se pencha en avant, sa voix était tourmentée. « Je le faisais pour vous donner la possibilité de l'attraper. Un assassin commet des erreurs, non ? Plus il y a de meurtres, plus grandes sont les chances qu'il se fasse prendre.

— Et plus il se perfectionne, embraya Bellman. N'oubliez pas que Tony Leike n'était pas un novice en matière de violence. On n'est pas mercenaire en Afrique aussi longtemps qu'il l'a été sans avoir du sang sur les mains. Comme vous en avez, vous.

— Du sang sur les mains ? s'écria Altman, soudain furieux. Je me suis introduit chez Tony et j'ai appelé Elias Skog pour vous mettre sur sa trace. C'est vous qui n'avez pas fait votre boulot, qui avez du sang sur les mains ! Des catins comme Adele et Mia, des meurtriers comme Tony. Si…

— Arrêtez, Sigurd. » Johan Krohn s'était levé. « On fait une petite pause, d'accord ? »

Altman ferma les yeux, leva les mains et secoua la tête. « Ça va, ça va. Il faut en finir. »

Johan Krohn regarda son client, puis Bellman, et se rassit.

Altman prit une inspiration profonde et frémissante. Puis il poursuivit :

« Après le troisième meurtre, je crois, Tony a fini par comprendre que la lettre suivante serait peut-être aussi un faux. Pourtant, il a continué à les éliminer, de façon de plus en plus affreuse. C'était comme s'il voulait me faire peur, me forcer à abandonner, montrer qu'il pouvait tuer tout et tout le monde jusqu'à ce que mon tour arrive.

— Ou bien il voulait se débarrasser de témoins potentiels qui les avaient vus, Adele et lui, objecta Bellman. Il savait qu'il n'y avait eu que sept personnes à Håvasshytta, et il n'avait aucun moyen de savoir qui. »

Altman rit.

« Imaginez ! Je suis prêt à parier qu'il est allé à Håvasshytta pour regarder dans le registre. Et il ne trouve que la trace d'une page arrachée ! Tony couillon !

— Et votre propre mobile pour continuer ?

— Que voulez-vous dire ? rétorqua Altman, soudain aux aguets.

— Vous auriez pu fournir des renseignements anonymes à la police bien plus tôt dans cette affaire. Vous vouliez peut-être vous aussi que les témoins disparaissent ? »

Altman pencha la tête sur le côté, son oreille frôla l'épaule.

« Comme je vous l'ai dit, inspecteur. Il est parfois difficile de connaître toutes les raisons qui motivent nos faits et gestes. L'inconscient est régi par l'instinct de conservation, et il est donc souvent plus rationnel que la pensée consciente. Mon inconscient a peut-être compris que c'était plus sécurisant pour moi aussi que Tony fasse disparaître les témoins de la circulation. Personne ne pourrait dire que j'étais là, ou me reconnaître un jour dans la rue. Mais nous n'aurons jamais la réponse à cette question, hein ? »

Le poêle crépitait et caquetait.

« Mais pourquoi Tony s'est-il amputé de son majeur ? » demanda Bjørn Holm.

Il s'était assis sur le divan pendant que Harry inspectait la trousse à pharmacie découverte au fond d'un tiroir de la cuisine. Elle contenait plusieurs rouleaux de gaze. Et une pommade hémostatique. La date de fabrication sur le tube ne remontait qu'à deux mois.

« Altman l'a obligé à le faire. » Harry retourna un petit flacon brun sans étiquette. « Il fallait humilier Leike.

— Tu n'as pas trop l'air d'y croire toi-même.

— Un peu, que j'y crois ! » Harry dévissa le bouchon et renifla le contenu.

« Ah ? Il n'y a pas la moindre empreinte digitale ici qui n'appartienne pas à Leike, pas un cheveu hormis ceux noir corbeau de Leike, pas une empreinte de chaussure autre que le quarante-cinq de Leike. Sigurd Altman est blond cendré et chausse du quarante-deux, Harry.

— Il a bien nettoyé derrière lui. Fais-moi penser qu'il faut analyser ça. » Harry glissa le flacon dans la poche de son blouson.

« Bien nettoyé ? Dans un endroit qui n'est même pas une scène de crime, si ça se trouve ? Le type qui se moquait de laisser des empreintes bien visibles sur le bureau de Leike, dans Holmenveien ? Tu as dit toi-même qu'il avait nettoyé n'importe comment au chalet où il a tué Utmo. Je n'y crois pas, Harry. Toi non plus, d'ailleurs.

— Merde ! cria Harry. Merde, merde. » Il se prit le front dans les mains et fixa le plateau de la table.

Bjørn Holm saisit l'un des petits fragments de métal trouvés dans le puisard, et gratta une couche jaune avec l'ongle de l'index.

« Je crois savoir ce que c'est.

— Ah ? répondit Harry sans lever la tête.

— Fer, chrome, nickel et titane.

— Quoi ?

— J'avais un appareil dentaire quand j'étais petit. Quand il fallait l'adapter, on le pliait et on coupait pour l'ajuster. »

Harry leva soudain la tête et planta son regard sur la carte de l'Afrique. Les pays qui s'emboîtaient les uns dans les autres comme les pièces d'un puzzle. Madagascar, un peu à part, comme une pièce qui ne convenait pas.

« Chez le dentiste…

— Chut ! » Harry leva une main. Il le sentait. Quelque chose venait de trouver sa place. On n'entendait que le poêle et les rafales qui se succédaient à un rythme de plus en plus effréné au-dehors. Deux pièces de puzzle longtemps éloignées l'une de l'autre, à chaque extrémité de la table. Un grand-père maternel près du Lyseren. Le père de la mère. Et la photo dans le tiroir du chalet. La photo de famille. Pas celle de Tony Leike, mais celle d'Odd Utmo. Arthrite. Que lui avait dit Tony ? Pas contagieux, mais héréditaire. Le garçon aux grandes dents apparentes. Et l'adulte à la bouche pincée très fort, comme s'il dissimulait un secret terrible. Ses propres dents pourries et appareillées.

Le caillou. Le caillou noir et brun retrouvé dans la salle de bains du chalet. Il plongea la main dans sa poche. Il y était toujours. Il l'envoya à Bjørn.

« Dis-moi… » Il déglutit. « Ça m'intrigue, ce truc. Tu crois que ça pourrait être une dent ? »

Bjørn leva l'objet vers la lumière. Le racla de son ongle. « Pas impossible du tout.

— Il faut rentrer. » Harry sentit le duvet de sa nuque se hérisser. « Maintenant. Ce n'est pas Altman qui les a tués. »

639

— Ah ?

— C'est Tony Leike. »

« J'imagine que vous avez lu dans les journaux que Tony Leike a été relâché après avoir été arrêté, commença Bellman. Il avait en effet une jolie petite chose qu'on appelle un alibi. Il peut prouver qu'il était ailleurs quand Borgny et Charlotte ont été tuées.

— Je n'en sais rien, répliqua Sigurd Altman, les bras croisés. Tout ce que je sais, c'est que je l'ai vu poignarder Adele. Et que les lettres que j'ai envoyées ont provoqué la mort quasi immédiate des expéditeurs apparents.

— Vous comprenez bien que ça fait en tout cas de vous un complice de meurtre ? »

Johan Krohn se racla la gorge. « Et vous comprenez bien que vous avez passé un accord qui vous sert, à vous et à la Kripos, le véritable meurtrier sur un plateau ? Vous allez pouvoir résoudre tous vos problèmes internes, Bellman. Vous aurez tous les atouts dans votre jeu, et un témoin prêt à dire en salle d'audience qu'il a vu Tony Leike assassiner Adele Vetlesen. Ce qui se passe en dehors de ça restera entre nous.

— Et votre client repart libre ?

— C'est le marché.

— Et si Leike a conservé les lettres ? Si elles refont surface pendant le procès ? Là, on aura un problème.

— C'est justement pour ça que j'ai l'impression qu'elles ne referont pas surface, sourit Krohn. Qu'en pensez-vous, inspecteur ?

— Et les photos que vous avez prises d'Adele et de Tony ?

— Elles ont disparu dans l'incendie de Kadok, répondit Altman. Cet enfoiré de Hole. »

Mikael Bellman hocha la tête. Puis il prit le stylo. S.T. Dupont. Plomb et acier. Il était lourd. Mais quand il l'eut posé sur le papier, la signature se dessina presque toute seule.

« Merci. Terminé. »

Harry obtint un crachotement en réponse, puis ce fut le silence, à l'exception du vacarme monotone du moteur à travers le casque. Harry repoussa le micro et regarda à l'extérieur.

Trop tard.

Il venait d'avoir une conversation radio avec la tour de contrôle de Gardermoen. Pour des raisons de sécurité, ils avaient accès à presque tout, listes de passagers comprises. Et ils avaient confirmé qu'Odd Utmo était parti la veille pour Copenhague, avec un billet réservé à l'avance.

Le paysage défilait lentement sous eux.

Harry l'imagina avec le passeport de l'homme qu'il avait torturé et tué. L'homme ou la femme derrière le guichet qui vérifiait par routine que le nom inscrit dans le passeport correspondait à celui du passager enregistré et qui — en supposant qu'ils regardent la photo — trouvait que c'était un sacré appareil dentaire pour un adulte. Levait la tête, voyait le même appareil sur des dents peut-être brunies à dessein, un appareil que Tony avait dû déformer et recouper pour qu'il s'adapte plus ou moins à ses grandes ratiches en porcelaine.

Ils pénétrèrent dans une averse qui explosa sur la bulle de plexiglas, coula sur les flancs en raies tremblantes et disparut. Quelques secondes plus tard, c'était comme s'il ne s'était jamais rien passé.

Le doigt.

Tony Leike s'était coupé un doigt et l'avait envoyé à Harry, comme une dernière manœuvre de diversion, pour montrer que Tony Leike devait être considéré comme mort. Qu'on pouvait l'oublier, le rayer, le classer. Était-ce par hasard qu'il avait choisi le même doigt que Harry, ou pour lui ressembler ?

Mais l'alibi, son alibi à toute épreuve ?

Harry y avait déjà pensé, avant de rejeter l'idée parce que les assassins pleins de sang-froid sont rares, des désaxés, des âmes perverties au sens propre du mot. Mais pouvait-il malgré tout y avoir quelqu'un d'autre ? Tony Leike avait-il eu un complice, tout simplement ?

« Merde ! » cria Harry, assez fort pour que le micro à commande vocale diffuse la fin du mot aux trois autres casques dans l'hélicoptère. Il vit Jens Rath le regarder du coin de l'œil. Rath avait sûrement raison, en fin de compte. Tony Leike était peut-être installé quelque part avec un verre à la main, une beauté sauvage et exotique au creux du bras, et il se marrait parce qu'il avait prévu la solution.

CHAPITRE 79

Appels en absence

À deux heures et quart, l'hélicoptère atterrit à Fornebu, l'ancien aéroport d'Oslo, à douze minutes en voiture du centre-ville. Harry et Bjørn Holm franchirent la porte de la Kripos, Harry demanda au réceptionniste pourquoi ni Bellman ni personne d'autre du groupe d'investigation ne répondait au téléphone, et s'entendit répliquer qu'ils étaient tous en réunion.

« Pourquoi on n'a pas été convoqués, bon Dieu ? » grommela Harry en remontant le couloir à toute allure, talonné par Bjørn qui le suivait à petites foulées.

Il entra sans frapper. Sept têtes se tournèrent vers eux. La huitième, celle de Mikael Bellman, n'eut pas besoin de se tourner puisqu'il était assis en bout de table, face à la porte, et c'était lui que tous les autres étaient en train d'écouter.

« Laurel et Hardy », sourit Bellman, et Harry comprit aux petits rires qu'on avait parlé d'eux en leur absence. « Où étiez-vous passés ?

— Eh bien, pendant que vous jouiez à Blanche-Neige et les sept nains ici, nous étions au chalet de Tony Leike. » Harry se laissa tomber sur un siège libre à l'autre bout de la table. « Et on a du nouveau. Ce n'est pas Altman. Nous avons arrêté le mauvais bonhomme. C'était Tony Leike. »

Il ne savait pas à quelle réaction il s'attendait. Mais en tout cas pas à celle-là : aucune réaction du tout.

L'agent supérieur se renversa dans son fauteuil, un sourire aimable et interrogateur sur les lèvres.

« *Nous* avons arrêté le mauvais bonhomme ? Si ma mémoire est bonne, c'est le lensmann Skai qui a trouvé judicieux d'arrêter Sigurd Altman. En ce qui concerne la valeur de cette nouvelle, elle est plutôt limitée. Nous vous dirions presque "bienvenue au club" quand vous accusez Tony Leike. »

Le regard de Harry sauta d'Ærdal au Pélican, puis revint sur Bellman, tandis que sa cervelle pédalait dans la semoule. Avant de conclure avec la seule possibilité.

« Altman, murmura Harry. Altman a dit que c'était Leike. Il l'a toujours su.

— Non seulement il le savait, répondit Bellman, mais il a déclenché sans le vouloir toute cette affaire, comme Leike a provoqué l'avalanche à Håvasshytta. Skai a arrêté un innocent, Harry.

— Innocent ? » Harry secoua la tête. « J'ai *vu* les photos à l'usine Kadok, Bellman. Altman est impliqué, j'ignore encore comment.

— Pas nous. Si tu peux nous laisser faire, nous... »

Harry entendit « les adultes » se former dans la bouche de Bellman, mais ce fut : « ... qui avons les éléments concrets, tu pourras nous rattraper quand tu seras plus au courant, Harry. D'accord ? Bjørn aussi ? Alors on continue. J'étais donc en train de dire que nous ne pouvons pas exclure que Leike ait eu un complice, quelqu'un qui a perpétré au moins deux des meurtres, les deux pour lesquels Leike a un alibi. Nous savons que quand Borgny et Charlotte sont mortes, Leike était en réunion d'affaires, des témoins peuvent en attester.

— Un petit rusé, ajouta Ærdal. Leike savait que la police relierait tous les meurtres. Alors s'il se procurait un alibi en béton pour un ou deux d'entre eux, il serait automatiquement lavé de tout soupçon concernant les autres.

— Oui, admit Bellman. Mais qui est ce complice ? »

Harry entendit fuser les propositions, les commentaires et les questions des uns et des autres.

« Le mobile de Tony Leike pour tuer Adele Vetlesen, ce n'était pas une demande de rançon de quatre cent mille couronnes, affirma le Pélican. Mais la crainte que si on apprenait qu'il avait mis une femme enceinte, Lene Galtung le quitterait, et il pourrait dire adieu aux millions de Galtung pour son projet congolais. Alors la question que nous devrions nous poser, c'est qui avait le même mobile.

— Les autres investisseurs au Congo ! cria le chauve. Et ses copains de bureau ?

— Tony Leike dépend entièrement de ce projet congolais, répondit Bellman. Mais aucun des autres requins de la finance n'est prêt à tuer deux personnes pour se garantir dix pour cent dans un projet, ces mecs ont l'habitude de gagner et de perdre de l'argent. En plus, Leike a dû s'associer avec quelqu'un sur qui il pouvait compter, sur le plan personnel comme professionnel. N'oubliez pas que l'arme du crime était la même pour Borgny et Charlotte. Comment l'appelles-tu, Harry ?

— La pomme de Léopold, répondit Hole d'une voix atone, encore sous le choc.

— Plus fort, s'il te plaît.

— La pomme de Léopold.

— Merci. Importée d'Afrique. Le coin où Leike a été mercenaire. Il n'est donc pas aberrant de penser qu'il a embauché un de ses anciens collègues, je crois qu'on devrait commencer par là.

— S'il a fait appel à un tueur à gages pour les meurtres numéros deux et trois, pourquoi pas pour tous ? s'enquit le Pélican. Il aurait eu un alibi du début à la fin.

— Il aurait aussi eu un prix de gros, intervint la moustache à la Nansen. De toute façon, le tueur à gages ne prendrait pas plus que la perpétuité.

— On néglige peut-être certaines petites choses, poursuivit Bellman. Des raisons banales, par exemple que la personne en question n'avait pas le temps, ou Leike pas les moyens. Ou la raison la plus courante dans les affaires criminelles : les circonstances. »

Hochements de tête autour de la table, même le Pélican semblait satisfait de la réponse.

« D'autres questions ? Non ? Alors je veux profiter de l'occasion pour remercier Harry Hole, qui a été avec nous jusqu'à présent. Puisque nous n'avons plus besoin de son expertise, il retourne à la Brigade criminelle immédiatement. C'était intéressant d'avoir un autre regard sur la façon d'enquêter, Harry. Tu n'as pas pu résoudre l'affaire cette fois, mais qui sait ? Même si ce ne sont pas des meurtres, peut-être que quelques affaires criminelles intéressantes t'attendent à Grønland. Alors merci encore. J'ai une conférence de presse qui m'attend, les enfants. »

Harry regarda Bellman. Il ne pouvait que l'admirer. Comme on admire un cafard qu'on fait disparaître dans les toilettes, mais qui remonte toujours. Et encore. Jusqu'à ce qu'il ait conquis le monde.

Près du lit à l'hôpital civil, les minutes, les quarts d'heure et les heures passaient dans une lente et cyclique monotonie. Une infirmière vint et s'en alla, la Frangine aussi. Les fleurs s'affaissaient imperceptiblement.

Harry avait vu beaucoup de proches qui ne supportaient pas l'attente du dernier souffle de leur bien-aimé, qui finissaient par prier, supplier que la mort vienne les libérer. Eux. Mais pour Harry, c'était le contraire. Il ne s'était jamais senti aussi proche de son père que maintenant, dans cette pièce vide de mots où tout n'était que souffle et battements de cœur. Car voir Olav Hole là, c'était comme se voir soi-même, dans l'espace paisible qui séparait la vie du néant.

Les enquêteurs de la Kripos avaient vu et compris beaucoup de choses. Mais pas l'évidence. Ce qui éclairait tout. Le lien entre la ferme Leike et Ustaoset. Entre les rumeurs sur le fantôme d'un fils disparu de la ferme Utmo et un homme qui appelait les plateaux environnants « son domaine ». Entre Tony Leike et le gamin sur la photo, entre son père hideux et sa mère très belle.

De temps à autre, Harry regardait son téléphone et constatait un appel en absence. Hagen. Øystein. Kaja. Kaja encore. Il allait bientôt être obligé de lui répondre. Il l'appela.

« Je peux venir chez toi cette nuit ? » demanda-t-elle.

CHAPITRE 80

Le rythme

La pluie martelait les planches du ponton flottant. Harry rejoignit la silhouette de dos, tout au bout.

« Bonjour, Skai.

— Bonjour, Hole », répondit le lensmann sans se retourner. L'extrémité de la canne à pêche était courbée vers la surface et la ligne disparaissait entre les roseaux de l'autre rive.

« Ça mord ?

— Non. La ligne est coincée dans ces saloperies de roseaux.

— Désolé. Vous avez lu les journaux, aujourd'hui ?

— Ils n'arriveront qu'en fin de matinée, ici, loin de tout. »

Harry savait que ce n'était pas vrai, mais il hocha la tête.

« Mais ils écrivent sans aucun doute que je suis un péquenaud débile, poursuivit Skai. Qu'il a fallu faire appel aux citadins de la Kripos pour y voir plus clair dans ce merdier.

— Encore une fois : désolé. »

Skai haussa les épaules.

« Pas de quoi. Vous avez dit les choses comme elles étaient, et je savais où j'allais. Et c'était assez rigolo, d'ailleurs. Il ne se passe pas grand-chose par ici, vous savez.

— Mmm. Ils ne s'appesantissent pas sur vous, ce qui les obsède, c'est que finalement c'était Tony Leike le meurtrier. Bellman est cité à tout bout de champ.

— J'imagine.

— Ils vont bientôt découvrir aussi qui est le père de Tony. »

Skai se retourna et regarda Harry.

« J'aurais dû y penser plus tôt, surtout quand on a su qu'il y avait eu un changement de nom.

— Là, je ne vous suis plus, Hole.

— C'est vous même qui me l'avez dit, Skai. Que Tony habitait chez son grand-père, à la ferme Leike. Le père de sa mère. Tony avait pris le nom de jeune fille de sa mère.

— Rien d'exceptionnel à ça.

— Peut-être pas. Mais dans le cas présent, il y avait une bonne raison. Tony se cachait chez son grand-père. C'est sa mère qui l'y avait envoyé.

— Qu'est-ce qui vous fait croire ça ?

— Une collègue. » Pendant un instant, Harry crut sentir de nouveau le parfum de la femme, de cette nuit. « Elle m'a raconté quelque chose que le lensmann d'Ustaoset lui avait dit. Sur la famille Utmo. Sur un père et un fils qui se détestaient tellement que ça s'est terminé par un meurtre.

— Un meurtre ?

— J'ai vérifié le casier judiciaire d'Odd Utmo. Comme son fils, il était connu pour son caractère. Jeune, il a fait huit ans pour un crime passionnel. Après ça, il est parti dans la nature. Il a épousé Karen Leike, et ils ont eu un fils. À la puberté, ce fils était déjà beau, grand, charmant. Deux hommes et une femme dans un isolement presque complet. Un homme qui a déjà tué par jalousie. On peut imaginer que pour essayer d'empêcher une tragédie Karen Leike a envoyé son fils ailleurs, dans le plus grand secret, et a abandonné en même temps l'une de ses chaussures dans un endroit où il y avait eu une grosse avalanche.

— Je n'étais pas au courant, Hole. »

Harry hocha la tête.

« Malheureusement, elle n'a réussi qu'à retarder la tragédie. On vient de retrouver son cadavre dans un éboulis, avec une balle dans le front. À quelques mètres, son mari et meurtrier a été broyé sous une motoneige. Il avait été torturé, la quasi-totalité de la peau de son dos et de ses bras avait été brûlée et avait disparu, et ses dents avaient été arrachées. Devinez par qui ?

— Oh, Seigneur… »

Harry se ficha une cigarette entre les lèvres.

« Comment avez-vous fait le rapport ? demanda Skai.

— La ressemblance, l'hérédité. » Il alluma sa cigarette. « Père et fils. On peut essayer d'y échapper, mais ça vous poursuit. Je crois qu'Odd Utmo a compris que les meurtres liés à Håvasshytta signifiaient que c'était après lui qu'on en avait, que c'était le fantôme de son fils mort qui le traquait. Alors il a fui la ferme jusqu'à ce chalet, mieux caché parmi les ravins. Il y a emporté une photo de sa famille, famille qu'il avait lui-même détruite. Imaginez, un assassin terrorisé, peut-être repentant, seul face à ses pensées.

— Il avait déjà reçu le châtiment, oui.

— J'ai trouvé cette photo. Tony a eu de la chance, il ressemblait surtout à sa mère. Pas facile de voir le futur Tony dans ce gamin. Mais il avait déjà ses grandes dents blanches. Alors que le père cachait les siennes. Sur ce point-là, ils étaient différents.

— Je croyais vous avoir entendu dire que c'était la ressemblance qui les avait trahis ?

— Ils avaient la même maladie, acquiesça Harry.

— C'étaient des assassins. »

Harry secoua la tête.

« Maladie, ça peut désigner plein de choses, Skai. Je voulais dire qu'ils avaient tous les deux de l'arthrite. La parenté a été confirmée ce matin. Les analyses ADN des lambeaux de chair sur le poêle et des cheveux de Tony Leike montrent qu'il s'agit du père et du fils. »

Skai hocha la tête.

« Bon. En tout cas, je venais vous remercier pour votre aide, et dire que j'étais désolé de l'issue de cette affaire. Bjørn Holm vous prie de passer le bonjour à votre épouse, et de lui dire que c'était le meilleur pain de viande au ragoût de chou-rave qu'il ait jamais mangé. »

Skai fit un bref sourire. « C'est ce que disent la plupart des gens. Même Tony les appréciait.

— Ah ? »

Skai haussa les épaules, et tira un couteau de l'étui qu'il avait à la ceinture.

« Je vous ai dit que Mia s'était amourachée de ce type. Juste après qu'il a eu joué du couteau sur Ole, elle l'a invité à dîner à la maison, un jour où elle savait que je n'étais pas là. Ma femme n'a rien dit sur le moment, mais il y a eu une engueulade quand je l'ai appris, évidemment. Ça a chauffé, vous savez comment sont les filles de cet âge quand elles sont amoureuses. J'ai essayé de lui expliquer que Tony était un gars violent, idiot que j'étais. J'aurais dû savoir que plus on s'oppose à une amourette, plus elles s'entêtent. Ils se retrouvent tous les deux seuls face au reste du monde, en quelque sorte. Oui, vous avez dû le voir avec les femmes qui se mettent à correspondre avec des types condamnés pour homicide volontaire. »

Harry acquiesça.

« Mia aurait fichu le camp, elle l'aurait suivi jusqu'au bout du monde, il n'y avait rien à faire. » Skai coupa la ligne et commença à rembobiner.

Harry observa le retour mou du fil de pêche.

« Mmm. Jusqu'au bout du monde ?

— Oui.

— Je vois. »

Skai cessa tout à coup de mouliner et regarda Harry.

« Non, insista-t-il.

— Non quoi ?

— Non à ce que vous pensez.

— À savoir ?

— Que Mia et Tony se sont revus plus tard. Il a rompu, et ils ne se sont plus jamais revus. La vie de Mia a continué sans lui. Elle n'a rien à voir dans cette histoire, compris ? Vous avez ma parole. Elle est en train de prendre un nouveau départ, alors s'il vous plaît, ne... »

Harry fit un signe de tête et retira de sa bouche la cigarette que la pluie avait éteinte.

« Je ne bosse plus sur cette affaire. Mais votre parole aurait suffi, de toute façon. »

Quand il quitta le parking, Harry vit dans son rétroviseur que Skai ramassait son matériel de pêche.

L'hôpital civil. Il avait pris le rythme. Le temps n'était pas découpé par les événements, il coulait en un courant régulier. Il avait pensé demander un matelas. Ça serait un peu comme à Chungking Mansion.

CHAPITRE 81

Les rais de lumière

Trois jours passèrent. Il était vivant. Tout le monde l'était.

Personne ne savait où était Tony Leike, la piste du faux Odd Utmo s'interrompait à Copenhague. Une photo de Lene Galtung, un châle sur la tête et les yeux dissimulés derrière de grosses lunettes de soleil dans le plus pur style Greta Garbo, figurait dans un seul journal. Sous le titre « Aucun commentaire ». Personne ne l'avait vue depuis deux jours, elle se cachait, probablement dans la maison de son père à Londres. La photo de Tony en bleu de travail devant l'hélicoptère avait paru dans plusieurs journaux. « Disparition du Soupirant », pouvait-on lire aujourd'hui. Le sobriquet lui était revenu, sans doute parce qu'il s'était imprimé dans les esprits, et qu'il allait mieux à Leike qu'à Altman. Chose curieuse, aucun journaliste n'avait réussi à faire le lien entre Tony Leike et la ferme Utmo. Sa mère puis Tony avaient bien camouflé les pistes, semblait-il.

Mikael Bellman donnait une conférence de presse par jour. Dans un talk-show télévisé, il avait montré ses compétences pédagogiques et arboré un sourire de vainqueur au moment d'expliquer comment l'affaire avait été résolue. Sa version de l'histoire, bien sûr. Qui faisait passer pour une maladresse le fait que l'assassin n'ait pas été capturé ; le plus important, c'était que Tony « le Soupirant » Leike soit démasqué, neutralisé, éliminé.

655

La nuit tombait quelques minutes plus tard chaque soir. Tout le monde attendait le printemps ou les gelées, l'un ou l'autre, mais les deux se faisaient désirer.

Les rais de lumière balayaient le plafond.

Étendu sur le flanc, Harry observait la fumée de sa cigarette s'entortiller dans l'obscurité en schémas compliqués et toujours imprévisibles.

« Tu ne dis rien, constata Kaja en se collant à son dos.

— Je reste jusqu'à l'enterrement. Après, je m'en vais. »

Il tira sur sa cigarette. Elle ne répondit pas. Puis il constata avec surprise que son omoplate était humide et chaude. Il posa la cigarette sur le bord du cendrier et se retourna.

« Tu pleures ?

— Presque pas. » Elle rit et renifla. « Je ne sais pas ce qui me prend.

— Tu veux une clope ? »

Elle secoua la tête et essuya ses larmes. « Mikael a appelé aujourd'hui, il voulait qu'on se voie.

— Mmm. »

Elle posa la tête sur la poitrine de Harry. « Tu ne veux pas savoir ce que j'ai répondu ?

— Seulement si tu veux me le dire.

— J'ai refusé. Alors il m'a dit que je le regretterais. Il a dit que tu allais m'entraîner dans ta chute. Que ce ne serait pas la première fois.

— Eh bien… il a raison. »

Elle leva la tête et le regarda.

« Mais ça ne veut rien dire, tu ne comprends pas ? Je veux être avec toi, où que tu sois. » Les larmes se remirent à couler. « Et si c'est au fond du trou, je veux y être aussi.

— Mais il n'y a rien, là. Et je n'y serai pas, j'aurai disparu. Tu m'as vu à Chungking. Ça serait comme après l'avalanche. Dans le même chalet, mais seule et abandonnée.

— Mais tu m'as trouvée et sortie de là. Je peux faire la même chose avec toi.

— Et si je ne veux pas sortir ? Il n'y a plus de père mourant pour m'appâter.

— Mais tu m'aimes, Harry. Je sais que tu m'aimes. C'est une raison valable, non ? *Je* suis une raison valable. »

Harry lui passa une main sur les cheveux, les joues, attrapa les larmes sur ses doigts, les porta à sa bouche et les embrassa.

« Oui, répondit-il avec un sourire indolent. Tu es une raison valable. »

Elle prit sa main, l'embrassa au même endroit que lui.

« Non, chuchota-t-elle. Ne le dis pas. Ne dis pas que c'est justement pour ça que tu t'en vas. Parce que tu ne veux pas m'entraîner dans ta chute. Je veux te suivre jusqu'au bout du monde, tu comprends ? »

Il la serra contre lui. Et sentit au même instant que quelque chose cédait, comme un muscle longtemps bandé, frémissant, sans qu'il le remarque. Il lâcha prise, renonça, se laissa tomber. Et la douleur s'évapora, se changea en chaleur qui suivit le sang partout dans son corps, l'attendrit, lui apporta la paix. La sensation de chute libre était si libératrice qu'il sentit sa gorge se nouer. Et il sut qu'une partie de lui l'avait désiré, ça, dans le brouillard neigeux au-dessus de l'éboulis aussi.

« Jusqu'au bout du monde », chuchota-t-elle tandis que sa respiration accélérait déjà.

Les rais de lumière balayaient sans relâche le plafond.

CHAPITRE 82

Rouge

Il faisait toujours nuit quand Harry s'assit près du lit de son père. Une infirmière entra avec une tasse de café, demanda s'il avait déjeuné et laissa tomber un magazine people sur ses genoux.

« Il faut penser à autre chose, de temps en temps, vous savez. » Elle pencha la tête sur le côté, et parut avoir envie de lui caresser la joue.

Harry feuilleta poliment le magazine pendant qu'elle s'occupait d'Olav Hole. Mais il n'échappait pas à ce genre de presse non plus. Des photos de Lene Galtung à des premières, des dîners de gala, dans sa nouvelle Porsche. « Tony me manque », disait la une, et le propos était étayé par des déclarations non pas de Lene, mais d'amis célèbres. Il y avait des photos d'une maison à Londres, mais personne n'y avait vu Lene. En tout cas ne l'avait reconnue. Une photo de mauvaise qualité, prise de loin, montrait une femme rousse devant le Crédit Suisse de Zurich, et le magazine prétendait que c'était Lene Galtung, en citant le styliste de Lene : « Elle m'a demandé de lui faire une permanente et de lui teindre les cheveux en rouge brique. » Harry pensa qu'il avait été bien rémunéré pour cette déclaration. Tony était mentionné comme « suspect » dans ce qui passait pour un scandale financier de modeste envergure et non pour l'une des pires affaires criminelles de tous les temps.

Harry se leva, alla dans le couloir et appela Katrine Bratt. Il n'était pas encore sept heures, mais elle était debout. Elle devait sortir dans la journée. Commencer au commissariat de Bergen la semaine suivante. Il espérait qu'elle se ménagerait, au départ. Encore qu'il soit malaisé d'imaginer Katrine Bratt se ménager en quoi que ce soit.

« Un dernier boulot, annonça-t-il.

— Et après ?

— Je disparais.

— Personne ne te regrettera.

— … plus que toi ?

— Pas complètement faux, chéri.

— Il s'agit du Crédit Suisse de Zurich. Si Lene Galtung peut y avoir un compte. Elle aurait reçu une partie de l'héritage en avance. Les banques suisses ne sont pas commodes, alors il te faudra sans doute un peu de temps.

— Super, je commence à avoir la main.

— Bien. Et je veux que tu te renseignes sur les déplacements d'une femme.

— Lene Galtung ?

— Non.

— Bon. Comment s'appelle la bête, alors ? »

Harry lui épela le nom.

À huit heures et quart, Harry se gara devant la maison de conte de fées dans Voksenkollen. Il y avait deux ou trois voitures, et derrière les gouttes de pluie sur les vitres, Harry distingua des visages las et les longs objectifs des paparazzis. Ils donnaient l'impression d'avoir passé la nuit sur place. Harry sonna au portail et entra.

La femme aux yeux turquoise l'attendait à la porte.

« Lene n'est pas là, déclara-t-elle.

— Où est-elle ?

— Là où ils ne la trouveront pas. » Elle fit un signe de tête vers les voitures de l'autre côté du portail. « Et vous aviez promis de la laisser tranquille après cette dernière audition. Ça a duré trois heures.

— Je sais, mentit Harry. Mais c'était avec vous que je voulais discuter.

— Moi ?

— Je peux entrer ? »

Il la suivit dans la cuisine. Elle lui indiqua une chaise, lui tourna le dos et se servit une tasse de café.

« Qu'est-ce que c'est que cette histoire ? demanda Harry.

— Quelle histoire ?

— Que vous êtes la mère de Lene. »

La tasse tomba par terre et se désintégra. Elle s'appuya au plan de travail, et il vit son dos se soulever et s'abaisser. Harry hésita un instant, mais il inspira et déclara, comme il l'avait décidé :

« Nous l'avons prouvé par des tests ADN. »

Elle fit volte-face, furieuse : « Comment ? Vous n'avez pas... »
Elle s'interrompit.

Harry dévisagea la femme aux yeux turquoise. Elle avait marché. Il ressentait un léger malaise. Peut-être dû à la honte. Ça passerait, de toute façon.

« Dehors ! feula-t-elle.

— Pour aller les voir ? demanda Harry avec un signe de tête vers les paparazzis. Ma carrière de policier est finie, je m'en vais. J'ai besoin d'un peu d'argent. Quand on paie un styliste vingt mille couronnes pour dire quelle couleur Lene a choisie, combien pensez-vous qu'ils offriraient pour qu'on leur dise qui est sa véritable mère ? »

La femme fit un pas en avant, leva la main droite comme pour frapper. Mais les larmes arrivèrent, éteignirent la lueur furieuse dans ses yeux, et elle se laissa tomber sur une chaise. Harry jura tout bas, il savait qu'il avait été inutilement brutal. Mais le temps ne lui permettait pas de finasser.

« Pardonnez-moi. Mais j'essaie de sauver votre fille. Et pour ça, j'ai besoin de votre aide. Vous comprenez ? »

Il posa une main sur celle de la femme, qui la retira aussitôt.

« C'est un assassin, reprit Harry. Mais elle s'en fiche, n'est-ce pas ? Elle veut le faire malgré tout.

— Faire quoi ? renifla-t-elle.

— Le suivre jusqu'au bout du monde. »

Elle ne répondit pas, continua à pleurer sans bruit, en secouant la tête.

Harry attendit. Il se leva, se remplit une tasse de café, arracha une feuille au rouleau de papier absorbant, la posa sur la table devant elle, se rassit et attendit. But une gorgée. Attendit.

« Je lui ai dit de ne pas m'imiter, commença-t-elle. Qu'elle ne devait pas être amoureuse d'un homme juste… parce qu'il la faisait se sentir *belle*. Plus belle qu'elle n'est. On croit que c'est une bénédiction quand ça arrive, mais c'est une malédiction. »

Harry attendit.

« Quand on s'est vue devenir belle dans ses yeux *une* fois, c'est comme… de la sorcellerie. Alors on reste. On reste parce qu'on croit qu'on le verra encore. »

Harry attendit.

« J'ai grandi dans une caravane. Nous bougions sans arrêt, je ne pouvais pas aller à l'école. Quand j'ai eu huit ans, la Protection de l'enfance est venue me chercher. À seize ans, j'ai commencé à faire le ménage à la compagnie de navigation Galtung. Anders était fiancé quand il m'a mise enceinte. Ce n'était pas lui qui avait l'argent, c'était elle. Il avait misé sur ce marché, mais les cargos ne rapportaient plus autant, et il n'avait pas le choix. Il m'a écartée. Mais elle l'a découvert. Et c'est elle qui a décidé que je garderais l'enfant, que je continuerais comme domestique, que ma fille serait élevée comme la leur. Elle ne pouvait pas avoir d'enfants, alors Lene a été une espèce de fille adoptive. Ils me l'ont prise. Ils m'ont demandé quelle enfance je pouvais offrir à Lene. Moi, une mère célibataire, sans éducation, seule au monde, allais-je refuser à mon enfant la possibilité d'une bonne vie ? J'étais jeune, j'avais peur, je croyais qu'ils avaient raison, que c'était mieux ainsi.

— Personne ne l'a appris ? »

Elle ramassa la feuille de papier absorbant sur la table et s'essuya le nez.

« C'est étonnant, à quel point il est facile de tromper les gens quand ils veulent se laisser tromper. Et quand ils ne veulent pas, ils ne remarquent rien non plus. Ça n'avait pas tant d'importance. J'avais servi de mère porteuse pour l'héritier des Galtung, et alors ?

— C'est tout ? »

Elle haussa les épaules. « Non. J'avais Lene. Je lui ai donné le sein, je l'ai nourrie, j'ai changé ses couches, dormi avec elle. Je lui ai appris à parler, je l'ai élevée. Mais nous savions tous que c'était temporaire, qu'un jour il faudrait que j'y renonce.

— Vous l'avez fait ? »

Elle éclata d'un rire amer.

« Est-ce qu'une mère *peut* renoncer ? Une fille, oui. Lene me méprise pour ce que j'ai fait. Pour ce que je *suis*. Mais regardez, elle fait la même chose aujourd'hui.

— Elle suit le mauvais homme jusqu'au bout du monde ? »

Elle haussa les épaules.

« Savez-vous où elle est ?

— Non. Je sais juste qu'elle est partie pour être avec lui. »

Harry but une gorgée de café. « Je sais où se trouve le bout du monde. »

Elle ne répondit pas.

« Je peux y aller et tenter de vous la ramener.

— Elle ne voudra pas.

— J'essaierai. Avec votre aide. » Harry posa une feuille devant elle. « Qu'en dites-vous ? »

Elle lut. Puis releva la tête. Le maquillage avait coulé sous ses yeux turquoise, sur ses joues creuses.

« Jurez-moi que vous ramènerez ma fille à la maison, Hole. Jurez-le. Si vous le faites, c'est d'accord. »

Harry la regarda longuement.

« Je le jure », répondit-il.

Quand il ressortit, il alluma une cigarette et songea à ce qu'elle avait dit. *Est-ce qu'une mère peut renoncer ?* À Odd Utmo qui avait emporté une photo de son fils. *Mais une fille, oui.* Vraiment ? Il souffla la fumée. Et lui ?

Gunnar Hagen était au rayon légumes de son épicerie pakistanaise préférée. Et dévisageait son inspecteur principal d'un œil incrédule.

« Tu retournes au Congo ? Chercher Lene Galtung ? Et ça n'a rien à voir avec notre affaire de meurtre ?

— Comme la dernière fois. » Harry ramassa un légume qu'il ne reconnut même pas. « Nous cherchons une personne portée disparue.

— Lene Galtung ne l'est pas, sauf pour la presse people, à ce que j'en sais.

— Elle l'est, maintenant. » Harry tira une feuille de la poche de son manteau et lui montra la signature. « Par sa mère biologique.

— Ah oui ? Et comment allons-nous expliquer au ministère que nous commençons cette recherche au Congo ?

— Nous avons une piste.

— À savoir ?

— J'ai lu dans *Se og Hør* que Lene Galtung s'est fait teindre les cheveux en rouge brique. Je ne sais pas si c'est une expression courante dans le pays, en tout cas je l'ai retenue.

— Retenu quoi ?

— C'était la couleur de cheveux mentionnée dans le passeport de Juliana Verni, de Leipzig. À l'époque, j'ai demandé à Günther de vérifier s'il y avait un tampon de Kigali dans son passeport. Mais la police ne l'a pas trouvé, le passeport avait disparu, et je suis sûr que Tony Leike l'a pris.

— Le passeport ? Et ?

— Et maintenant, c'est Lene Galtung qui l'a. »

Hagen déposa un bouquet de bok choy dans son caddie, et secoua la tête.

« Tu justifies un voyage au Congo avec ce que tu as lu dans un magazine de ragots ?

— Avec les vérifications que j'ai... ou plus exactement que Katrine Bratt a réalisées sur les faits et gestes de Juliana Verni ces derniers jours. »

Hagen se dirigea vers le type de la caisse, assis sur une estrade contre le mur de droite.

« Verni est morte, Harry.

— Les morts prennent l'avion, de nos jours. Il se trouve que Juliana Verni — ou, supposons, une femme aux cheveux bouclés rouge brique — a acheté un billet pour le bout du monde, au départ de Zurich.

— Le bout du monde ?

— Goma, au Congo. Demain matin.

— Alors ils l'arrêteront quand ils s'apercevront qu'elle détient le passeport d'une femme morte depuis plus de deux mois.

— J'ai contrôlé auprès de l'ICAO. Ils disent qu'il peut s'écouler plus d'un an avant que le numéro de passeport d'une personne décédée ne soit rayé des listes. Ça veut dire que quelqu'un a pu entrer au Congo avec le passeport d'Odd Utmo aussi. De toute façon, nous n'avons aucun accord de coopération avec le Congo. Et ce n'est sans doute pas un problème de racheter sa liberté après une arrestation. »

Hagen laissa le caissier enregistrer les marchandises et se massa les tempes, comme pour devancer une inévitable migraine.

« Alors trouve-la à Zurich. Envoie la police suisse à l'aéroport.

— On la file. Lene Galtung va nous mener jusqu'à Tony Leike, chef.

— Elle va nous mener à notre perte, Harry. » Hagen paya, reprit ses courses et passa la porte au pas de charge, vers un Grønlands-

665

leiret humide et venteux où les gens ne s'attardaient pas, le col remonté et les yeux baissés.

« Tu ne comprends pas. Bratt a découvert qu'il y a quelques jours Lene Galtung a vidé son compte en banque à Zurich. Deux millions d'euros. Pas une somme faramineuse, et très insuffisante pour financer un projet minier complet. Mais assez pour le faire tourner pendant la phase critique.

— Spéculations.

— Qu'est-ce qu'elle foutrait de deux millions en liquide, sinon ? Allez, chef, c'est notre seule chance. » Harry allongea le pas pour ne pas se laisser distancer. « Au Congo, on ne retrouve pas les gens qui veulent disparaître. Ce putain de pays est aussi grand que toute l'Europe de l'Ouest, et il est couvert de forêts qu'aucun Blanc n'a jamais explorées. Allons-y. Leike va te poursuivre dans tes cauchemars, chef.

— Je n'ai pas de cauchemars comme les tiens, Harry.

— Tu racontes à tes proches que tu dors comme un ange la nuit ? »

Gunnar Hagen pila.

« Désolé, chef. Je suis allé trop loin.

— Effectivement. Et en fait, je ne comprends pas pourquoi tu me bassines pour avoir mon autorisation, c'est bien la première fois qu'elle est importante.

— Je me suis dit que ce serait agréable pour toi d'avoir l'impression de décider. »

Hagen lui lança un coup d'œil de mise en garde. Harry haussa les épaules.

« Laisse-moi le faire, chef. Après, tu pourras me virer pour insubordination. J'encaisse toute la faute, pas de problème.

— Pas de problème ?

— Je démissionne après de toute manière. »

Hagen regarda Harry pendant un bon moment. « D'accord. Pars. » Puis il se remit en marche.

666

Harry lui emboîta le pas. « D'accord ?

— Oui. En réalité, ça l'était depuis le début.

— Ah ? Pourquoi ne l'as-tu pas dit tout de suite, alors ?

— J'ai trouvé agréable d'avoir l'impression de décider. »

PARTIE IX

CHAPITRE 83

Le bout du monde

Elle rêvait qu'elle était devant une porte close. Elle entendait un cri d'oiseau dans la forêt, froid et isolé, et c'était étrange parce que le soleil brillait de tous ses feux. Elle ouvrait la porte…

Elle se réveilla, la tête sur l'épaule de Harry et un filet de salive séchée au coin des lèvres. La voix du commandant de bord les informait qu'ils se préparaient à atterrir à Goma.

Elle regarda par le hublot. Une bande grise à l'est annonçait l'arrivée d'un jour nouveau. Douze heures les séparaient de leur départ d'Oslo. Dans six heures, l'avion au départ de Zurich qui comptait Juliana Verni sur sa liste de passagers atterrirait.

« Je me demande pourquoi Hagen a accepté que nous filions Lene, murmura Harry.

— Il a dû penser que tes arguments étaient bons, bâilla Kaja.

— Mmm. Il était un peu trop détendu. Je crois qu'il a un atout dans la manche. Qui lui donne l'assurance qu'on ne le plombera pas pour ça.

— Il sait peut-être des choses sur les décisionnaires du ministère.

— Mmm. Ou sur Bellman. Il sait peut-être que Bellman et toi avez eu une liaison ?

— Ça m'étonnerait. » Kaja plissa les yeux. « Il n'y a presque pas de lumière, ici.

— On dirait que l'électricité a été coupée, acquiesça Harry. L'aéroport a sans doute sa propre alimentation.

— Là-bas, il y a de la lumière. » Elle désigna un nuage rouge au nord de la ville. « Qu'est-ce que c'est ?

— Le Nyiragongo. C'est la lave qui éclaire le ciel.

— C'est vrai ? » demanda-t-elle, le nez collé au hublot.

Harry vida son verre d'eau. « On revoit le plan encore une fois ? »

Elle hocha la tête et releva le dossier de son siège.

« Tu restes dans le hall pour suivre les horaires des arrivées, t'assurer que tout se déroule comme prévu. Pendant ce temps, je vais faire du shopping. Le centre-ville n'est qu'à un quart d'heure, alors je serai revenu bien avant l'avion de Lene. Tu observes, tu vois si quelqu'un vient la chercher ou la suit de près. Puisque Lene connaît mon visage, je vous attendrai dans un taxi dehors. Et s'il y a un imprévu, tu m'appelles tout de suite, OK ?

— OK. Tu es certain qu'elle passera la nuit à Goma ?

— Je ne suis certain de rien. Il ne reste que deux hôtels ouverts en ville et, à en croire Katrine, personne n'y a réservé, ni au nom de Galtung ni à celui de Verni. D'autre part, la guérilla contrôle la route vers l'ouest comme vers le nord, et la ville la plus proche au sud est à huit heures de voiture.

— Tu crois que Tony a fait venir Lene ici rien que pour lui tondre la laine sur le dos ?

— D'après Jens Rath, le projet est dans une situation critique. Tu vois une autre raison ? »

Kaja haussa les épaules. « Et si même un meurtrier était capable d'aimer une femme au point de vouloir être avec elle ? C'est impensable ? »

Harry hocha la tête. Comme pour dire : « Oui, tu as raison. » Ou : « Oui, c'est impensable. »

Le train d'atterrissage sortit en produisant les cliquetis et bourdonnements d'une caméra qui filme au ralenti.

Kaja regarda par le hublot.

« Et je n'aime pas ces emplettes, Harry. Je n'aime pas cette arme.

— Leike est violent.

— Et je n'aime pas être flic incognito. Je comprends que nous ne puissions pas faire entrer nos armes en douce au Congo, mais nous aurions pu demander l'assistance de la police congolaise pour cette arrestation.

— Encore une fois, il n'y a pas de convention d'extradition entre les deux pays. Et il n'est pas impossible qu'un financier comme Leike soudoie des informateurs au sein de la police locale.

— Théorie de la conspiration.

— Oui. Et mathématiques de base. Un salaire de policier au Congo ne suffit pas pour nourrir une famille. Détends-toi, van Boorst a une jolie petite quincaillerie, et il est assez pro pour la boucler. »

Les roues lancèrent un petit cri lorsqu'elles touchèrent la piste d'atterrissage.

Kaja regardait par le hublot. « Pourquoi y a-t-il autant de soldats, ici ?

— Les Nations unies envoient des renforts. La guérilla a progressé, ces derniers jours.

— Quelle guérilla ?

— Les Hutus, les Tutsis, les Maï-Maï, qui sait ?

— Harry ?

— Oui.

— Débarrassons-nous de ce boulot, et rentrons à la maison. »

Il hocha la tête.

Il faisait déjà plus clair quand Harry parcourut la file des taxis à l'extérieur. Il échangea quelques mots avec certains chauffeurs jusqu'à en trouver un qui parlait anglais. Un anglais irréprochable, d'ailleurs. C'était un petit homme au regard vif et aux cheveux gris. Les veines saillaient sur ses tempes, de part et d'autre d'un haut front luisant.

Son anglais était des plus originaux : une espèce de version ampoulée d'Oxford mâtinée d'un fort accent congolais. Harry lui expliqua qu'il avait besoin de lui pour toute la journée, ils se mirent rapidement d'accord sur le prix et échangèrent une poignée de main, un tiers de la somme convenue et leurs noms, Harry et docteur Duigame.

« En littérature anglaise, précisa le type en recomptant ouvertement l'argent. Mais puisque nous allons être ensemble toute la journée, vous pouvez m'appeler Saul. »

Il ouvrit la portière arrière d'une Hyundai cabossée. Harry lui indiqua où aller, jusqu'à la route sous l'église calcinée.

« On dirait que vous êtes déjà venu. » Saul guidait la voiture sur une bande d'asphalte régulière, qui se changea en paysage lunaire semé de cratères et de failles dès qu'ils atteignirent la route principale.

« Une seule fois.

— Alors faites attention, sourit-il. Hemingway a écrit qu'une fois que vous avez ouvert votre âme à l'Afrique, vous ne voulez plus aller ailleurs.

— Hemingway a écrit ça ? demanda Harry d'un ton sceptique.

— Eh oui, mais il écrivait un tas de conneries romantiques par ailleurs. Il butait des lions quand il était bourré, et pissait son urine saturée de whisky sur les cadavres. La vérité, c'est que personne ne revient au Congo à moins d'y être obligé.

— Je suis obligé, sourit Harry. Écoutez, j'ai essayé de retrouver le chauffeur que j'avais la dernière fois, Joe. Mais ça ne répondait pas à son numéro.

— Joe est parti.

— Parti ?

— Avec sa famille, il a volé la voiture et ils sont partis vers l'Ouganda. Goma est assiégée. Ils vont tuer tout le monde. Je vais bientôt m'en aller, moi aussi. Joe avait une bonne voiture, il réussira peut-être. »

Harry reconnut la flèche qui s'élevait au-dessus des ruines de ce que le Nyiragongo avait dévoré. Il se cramponna tandis que la voiture cahotait sur la route défoncée. Il y eut quelques vilains claquements et raclements contre le bas de caisse.

« Attendez-moi ici, demanda Harry. Je ferai le reste à pied. Je reviens tout de suite. »

Harry descendit et prit une profonde inspiration de poussière grise, de parfum d'épices et de poisson pourri.

Puis il se mit en marche. Un homme en état d'ébriété manifeste essaya de le pousser de l'épaule, mais manqua son coup et partit en titubant sur la route. Il lança quelques jurons à Harry, qui continua. Ni trop vite ni trop lentement. Quand il fut arrivé à l'unique maison en dur encastrée entre les magasins, il frappa à la porte avec force et attendit. Entendit des pas rapides à l'intérieur. Trop rapides pour être ceux de van Boorst. La porte s'entrouvrit, et la moitié d'un visage noir et un œil apparurent.

« Est-ce que van Boorst est là ? demanda Harry.

— Non. » Une grande dent en or brilla sur la mâchoire supérieure.

« J'aimerais acheter des armes de poing, miss van Boorst. Vous pouvez m'aider ? »

Elle secoua la tête. « Désolée. Au revoir. »

Harry se dépêcha de glisser un pied dans l'ouverture. « Je paie bien.

— Pas d'armes. Van Boorst pas là.

— Quand revient-il, miss van Boorst ?

— Je ne sais pas. Je n'ai pas le temps.

— Je cherche un Norvégien. Tony. Grand, beau. Vous l'avez vu dans le coin ? »

La femme secoua la tête.

« Est-ce que van Boorst rentre ce soir ? C'est important, miss. »

Elle le regarda. Le toisa. Sans hâte, de la tête aux pieds. Et dans l'autre sens. Ses lèvres pulpeuses dévoilèrent ses dents. « Vous êtes riche ? »

Harry ne répondit pas. Elle cilla, l'air ensommeillée, et ses yeux renvoyèrent une lueur mate. Puis elle fit un sourire en coin. « Trente minutes. Revenez à ce moment-là. »

Harry retourna à la voiture, s'assit à l'avant, demanda à Saul de le conduire à la banque et appela Kaja.

« Je suis dans le hall des arrivées, répondit-elle. Rien à signaler, hormis que l'avion de Zurich est en route.

— Je nous inscris à l'hôtel avant de rejoindre van Boorst pour lui acheter ce dont nous avons besoin. »

L'hôtel se trouvait à l'est du centre-ville, sur la route vers la frontière avec le Rwanda. Devant l'accueil, il y avait un parking de lave vitrifiée, entouré d'arbres.

« Ils ont été plantés après la dernière éruption », expliqua Saul, comme s'il avait entendu Harry penser qu'il n'y avait presque pas d'arbres à Goma. La chambre double était au premier étage d'un bâtiment bas tout au bord du lac, et disposait d'un balcon au-dessus de l'eau. Harry fuma une cigarette en regardant le soleil se refléter à la surface et scintiller sur la plate-forme au loin. Il consulta sa montre et retourna sur le parking.

C'était comme si Saul avait adapté son comportement à la circulation dense à travers laquelle ils avançaient : il conduisait, parlait et bougeait les mains lentement. Il se gara devant l'église, à bonne distance de chez van Boorst. Coupa le moteur, se tourna vers Harry et demanda avec autant de courtoisie que de fermeté un autre tiers de son salaire.

« Vous ne me faites pas confiance ? s'enquit Harry, le sourcil levé.

— Je fais confiance à votre volonté sincère de me payer. Mais à Goma, l'argent est plus en sécurité sur moi que sur vous, mister Harry. Triste, mais vrai. »

Harry approuva le raisonnement d'un hochement de tête, compta l'argent et demanda à Saul s'il avait dans sa voiture un objet lourd et compact de la taille d'un pistolet, comme une lampe de poche. Saul acquiesça et ouvrit la boîte à gants. Harry en sortit la lampe, la glissa dans la poche intérieure de son blouson et regarda l'heure. Il s'était écoulé vingt-cinq minutes.

Il parcourut la rue à pas rapides, en regardant droit devant lui. Mais du coin de l'œil, il remarqua que des hommes se retournaient sur son passage, le jaugeaient. Sa taille et son poids. L'élasticité de ses pas. Son blouson qui pendait un peu en biais, et la bosse à l'endroit de la poche intérieure. Et écarta la pensée.

Il arriva à la porte et frappa.

Les mêmes pas légers.

La porte s'ouvrit. Elle le dévisagea un court instant, avant que son regard ne le dépasse, vers la rue.

« Vite, venez. » Elle le prit par le bras et le fit entrer.

Harry passa le seuil et s'arrêta dans la pénombre. Tous les rideaux étaient tirés, sauf au-dessus du lit où il l'avait vue à moitié nue lors de sa première visite.

« Il n'est pas encore arrivé, déclara-t-elle dans son anglais simple et efficace. Mais bientôt. »

Harry hocha la tête et regarda le lit. Essaya de l'imaginer là, la couverture autour des hanches. La lumière qui tombait sur sa peau. Mais il n'y parvint pas. Car autre chose attirait son attention, quelque chose qui ne collait pas, qui manquait, ou qui n'aurait pas dû être là.

« Vous êtes venu seul ? » Elle s'assit sur le lit devant lui. Posa la main droite sur le matelas, de sorte que la bretelle de sa robe tombe de ce côté.

Harry chercha l'erreur. Et la trouva. Le colon et exploiteur, le roi Léopold.

« Oui, répondit-il machinalement, sans savoir pourquoi. Seul. »

Le portrait du roi Léopold suspendu au-dessus du lit avait disparu. La pensée suivante le frappa. Van Boorst ne viendrait pas. Il était parti, lui aussi.

Harry avança d'un demi-pas. Elle tourna la tête vers lui, humecta

677

ses lèvres pulpeuses, rouge foncé. Et il était suffisamment près pour voir ce qui avait remplacé la photo du roi belge. Le clou auquel le portrait avait été accroché transperçait maintenant un billet de banque. Le visage imprimé dessus était doux et orné d'une moustache soignée. Edvard Munch.

Harry comprit ce qui se passait, s'apprêta à se retourner, mais quelque chose lui dit qu'il était trop tard, qu'il se tenait exactement là où la mise en scène l'avait prévu.

Il perçut plus qu'il ne vit le mouvement derrière lui, et ne sentit pas la piqûre précise dans sa gorge, rien que le souffle sur sa tempe. Sa nuque gela, l'engourdissement descendit dans son dos et monta jusqu'à son crâne. Ses jambes le trahirent au moment où le produit atteignait son cerveau et où sa conscience l'abandonnait. Avant que les ténèbres ne se referment sur lui, il eut le temps de s'étonner de la rapidité avec laquelle la kétamine faisait effet.

CHAPITRE 84

La réunion

Kaja se mordit la lèvre. Il y avait un problème.

Elle composa le numéro de Harry encore une fois.

Et tomba une fois de plus sur sa boîte vocale.

Ça faisait presque trois heures qu'elle attendait dans le hall des arrivées — qui était aussi celui des départs — et la chaise en plastique rongeait la moindre parcelle du corps qu'elle effleurait.

Elle entendit le souffle d'un avion. Juste après, l'unique moniteur du hall, une caisse en mauvais état suspendue à deux câbles rouillés au plafond, indiqua que le vol KJ337 en provenance de Zurich avait atterri.

Toutes les deux minutes, elle avait passé en revue les gens qui attendaient dans le hall, et était arrivée à la conclusion qu'aucune n'était Tony Leike.

Elle appela encore une fois, mais interrompit la communication quand elle se rendit compte que c'était juste pour faire quelque chose ; ce n'était pas de l'action, mais de l'apathie.

Les portes qui donnaient sur le tapis des bagages s'ouvrirent, et les premiers passagers sortirent. Kaja se leva et se posta près du mur à côté des portes, de façon à voir les noms sur les panneaux en plastique ou les morceaux de papier que les chauffeurs de taxi brandissaient en direction des voyageurs. Aucune Juliana Verni, aucune Lene Galtung.

Elle retourna à son poste d'observation sur sa chaise. S'assit sur les mains, sentit qu'elles étaient trempées de sueur. Que devait-elle faire ? Elle baissa ses grandes lunettes de soleil et fixa les portes.

Les secondes s'écoulèrent. Il ne se passa rien.

Lene Galtung était dissimulée derrière une paire de lunettes de soleil violettes et un grand Noir qui marchait juste devant elle. Elle avait les cheveux roux, bouclés, et portait un blouson en jean, un pantalon de treillis et de grosses chaussures de marche. Elle tirait une valise à roulettes adaptée au transport en cabine. Elle n'avait pas de sac à main, mais une mallette en métal brillant.

Il ne se passa rien. Tout arriva. En parallèle et en même temps, passé et présent, et, curieusement, Kaja comprit que l'occasion était enfin là. L'occasion qu'elle avait attendue. La possibilité de faire ce qu'il fallait.

Kaja ne regarda pas Lene Galtung, elle veilla juste à la garder dans le bord gauche de son champ de vision. Se leva sans hâte quand elle fut passée, prit son sac et la suivit. Dans la lumière aveuglante du soleil. Personne ne s'était encore adressé à Lene, et quand elle vit sa démarche rapide et décidée, Kaja se dit qu'on lui avait expliqué en détail ce qu'elle devait faire. Elle remonta la file de taxis, traversa la route et monta à l'arrière d'une Range Rover bleu foncé. Un Noir en costume lui tenait la portière ouverte. Après l'avoir refermée, il fit le tour du véhicule et s'installa au volant. Kaja sauta dans le premier taxi de la file, se pencha entre les sièges, réfléchit en vitesse mais conclut qu'il n'y avait pas d'autre façon de le formuler : « Suivez cette voiture. »

Dans le rétroviseur, elle vit les yeux du chauffeur et ses sourcils haussés. Elle tendit le doigt devant eux, et le chauffeur signifia d'un hochement de tête qu'il comprenait, mais il n'embraya pas.

« Je paie le double », ajouta Kaja.

Le chauffeur relâcha la pédale d'embrayage.

Kaja appela Harry. Toujours pas de réponse.

Ils avançaient avec lenteur vers l'ouest, dans la rue principale. Les rues étaient pleines de camions, de carrioles et de voitures au toit chargé de valises. De chaque côté de la route, des gens marchaient, de gros ballots de vêtements et d'affaires personnelles sur la tête. Par endroits, la circulation s'interrompait totalement. Le chauffeur paraissait avoir compris, et veillait à ce qu'il y ait au moins une voiture entre eux et le taxi de Lene Galtung.

« Où vont-ils tous ? » voulut savoir Kaja.

Le conducteur secoua la tête en souriant, pour indiquer qu'il ne comprenait pas. Kaja répéta sa question en français, sans succès. Elle finit par tendre un index vers les gens qui passaient près de leur voiture.

« Ré-fu-giés, répondit le conducteur en anglais. S'en vont. Des méchants arrivent. »

Kaja hocha la tête.

Elle envoya un autre SMS à Harry. Essaya de maîtriser la panique.

Au beau milieu de Goma, la route principale se scindait en deux. La Range Rover prit à gauche. Un peu plus bas, elle tourna de nouveau à gauche et poursuivit vers le lac. Ils étaient dans un tout autre quartier, fait de grandes villas derrière de hautes haies et entourées de jardins bien entretenus, où des arbres apportaient de l'ombre et protégeaient des regards.

« Vieux, reprit le chauffeur. La Bel-gique. Co-lons. »

Il n'y avait pas de circulation dans le quartier des villas, et Kaja fit signe de creuser l'écart, bien qu'elle doute que Lene Galtung ait la moindre expérience en matière de filature. La Range Rover s'arrêta cent mètres devant eux, et Kaja ordonna au chauffeur de s'arrêter aussi.

Un portail en fer fut ouvert par un homme en uniforme gris, la voiture entra, et le portail se referma.

Lene Galtung sentait son cœur battre à tout rompre. Il n'avait pas décéléré depuis que le téléphone avait sonné et qu'elle avait entendu sa voix. Il avait dit être en Afrique. Qu'elle devait le rejoindre. Qu'il avait besoin d'elle, il n'y avait qu'elle qui pût l'aider. Sauver ce beau projet qui n'était pas seulement le sien, qui allait devenir celui de Lene. Il pourrait avoir un travail. Les hommes avaient besoin d'un travail. Un avenir. Une vie en sécurité, à un endroit où les enfants pourraient grandir.

Le conducteur lui ouvrit la portière, et Lene Galtung descendit. Le soleil n'était pas du tout aussi fort qu'elle l'avait craint. La villa devant elle était somptueuse. Vieille, bâtie sans hâte. Pierre après pierre. Avec de l'argent ancien. Comme ils allaient le faire. Quand Tony et elle s'étaient rencontrés, il avait été obsédé par son arbre généalogique. Les Galtung étaient une famille norvégienne noble, l'une des rares à ne pas avoir été importées, comme le répétait sans relâche Tony. C'était peut-être pour cette raison qu'elle avait hésité à lui dire qu'elle était comme lui : d'origine banale, modeste, un caillou gris dans le pierrier, une parvenue.

Mais ils allaient créer leur propre noblesse, ils allaient briller dans le pierrier. Ils allaient construire.

Le conducteur la précéda sur les marches de pierre jusqu'à la porte qu'un homme armé, en tenue de camouflage, ouvrit pour eux. Un énorme lustre en cristal pendait au plafond du vestibule. La main de Lene, moite de sueur, étreignait la poignée de la mallette métallique qui contenait l'argent. Elle avait l'impression que son cœur allait jaillir de sa poitrine. Était-elle bien coiffée ? Le manque de sommeil et le long voyage étaient-ils visibles sur elle ? Quelqu'un descendait le large escalier qui menait à l'étage. Non, c'était une femme noire, une domestique, sans doute. Lena lui adressa un sourire aimable mais pas trop ouvert. Une dent en or scintilla quand la femme répondit d'un sourire franc, presque impudent, avant de franchir la porte derrière elle.

Il était là.

Il les regardait, appuyé à la rampe au premier. Il était grand, brun, et portait un peignoir en soie. Elle vit la belle cicatrice épaisse se détacher en blanc sur sa poitrine. Il sourit. Elle entendit sa respiration accélérer. Ce sourire. Il éclairait son visage, le cœur de Lene, la pièce entière plus que n'importe quel lustre en cristal.

Il descendit.

Elle posa la mallette et se précipita vers lui. Il ouvrit les bras et les referma sur elle. Et elle fut auprès de lui. Elle sentit son odeur, plus forte que jamais. Mêlée à une autre, épicée, puissante. Ça devait venir du peignoir, car elle voyait à présent que l'élégant vêtement de soie était trop court au niveau des bras, et pas neuf du tout. Elle ne se rendit pas compte qu'elle se cramponnait à lui avant de le sentir se libérer, et elle le lâcha d'un coup.

« Mais, ma chérie, tu pleures. » Il rit et passa un doigt sur la joue de Lene.

« Ah oui ? » Elle sourit, s'essuya sous les yeux et espéra que son maquillage ne coulait pas.

« J'ai une surprise pour toi. » Il lui prit la main. « Viens !

— Mais… » Elle se retourna, s'aperçut que la mallette avait été emportée.

Ils montèrent et entrèrent dans une grande chambre claire. De longs rideaux fins ondulaient doucement dans la brise devant la porte de la terrasse.

« Tu dormais ? demanda-t-elle avec un signe de tête vers le lit à baldaquin défait.

— Non, sourit-il. Assieds-toi ici. Et ferme les yeux.

— Mais…

— Fais ce que je te dis, Lene. »

Elle crut entendre un soupçon d'agacement dans sa voix, et s'exécuta sans plus attendre.

« On va bientôt nous monter du champagne, après quoi, je te demanderai quelque chose. Mais d'abord, je veux te raconter une histoire. Tu es prête ?

— Oui. » Elle savait que c'était le moment. Celui qu'elle attendait depuis longtemps. Celui dont elle se souviendrait jusqu'à la fin de ses jours.

« L'histoire que je vais te raconter parle de moi. Je voudrais que tu saches certaines choses sur moi avant de répondre à ma question.

— Bon. » C'était comme si les bulles de champagne avaient déjà envahi son sang, et elle dut faire un effort pour ne pas rire.

« Je t'ai dit que j'avais grandi chez mon grand-père, que mes parents étaient morts. Ce que je ne t'ai pas raconté, c'est que j'avais vécu avec eux jusqu'à mes quinze ans.

— Je le savais ! » s'exclama-t-elle.

Tony haussa un sourcil. Un sourcil à la courbe délicate, très beau, se dit-elle.

« J'ai toujours su que tu avais un secret, Tony, reprit-elle en riant. Mais moi aussi j'en ai un. Je veux que nous sachions tout — tout ! — l'un de l'autre. »

Tony fit un sourire narquois.

« Alors laisse-moi continuer sans m'interrompre, Lene chérie. Ma mère était très croyante, et elle a connu mon père dans une maison de prières. Il venait d'être relâché après avoir purgé une peine d'emprisonnement pour crime passionnel, et il avait rencontré Jésus en prison. Pour ma mère, ce genre de choses sortait tout droit de la Bible : un pécheur repentant, un homme qu'elle pouvait aider pour accéder au salut et à la vie éternelle, tout en faisant pénitence pour ses propres péchés. C'est comme ça qu'elle m'a expliqué pourquoi elle avait épousé ce porc.

— Qu'est-ce…

— Chut ! Pour compenser son crime, mon père a estampillé "péché" tout ce qui ne louait pas le Seigneur. Je n'avais pas le droit de faire ce que faisaient les autres enfants. Si je le contredisais, il me fouettait avec sa ceinture. Il me provoquait, disait que le Soleil tournait autour de la Terre, c'était écrit dans la Bible. Si je protestais, il me tapait dessus. Un jour — j'avais douze ans —, je suis allé aux toilettes avec maman. On le faisait souvent. Quand nous sommes ressortis, il m'a donné un coup de bêche, parce qu'il trouvait que c'était un péché, que j'étais trop grand pour aller aux toilettes avec ma mère. Il m'a marqué à vie. »

Lene déglutit, tandis que Tony passait un doigt déformé par l'arthrite sur la cicatrice de sa poitrine. Alors seulement elle remarqua qu'il lui manquait le majeur.

— Tony ! Qu'est-ce qui...

— Chut ! La dernière fois que mon père m'a rossé, j'avais quinze ans, et il a tapé à coups de ceinturon pendant vingt-trois minutes sans discontinuer. Mille trois cent quatre-vingt-douze secondes exactement. Je les ai comptées. Il tapait toutes les quatre secondes, comme une machine. Encore et encore, avec plus de fureur à chaque nouveau coup parce que je ne pleurais pas. Jusqu'à ce qu'il ait tellement mal au bras qu'il a dû arrêter. Trois cent quarante-huit coups. Cette nuit-là, j'ai attendu de l'entendre ronfler, je me suis glissé dans leur chambre et j'ai versé une goutte d'acide dans l'un de ses yeux. Il criait, il hurlait, pendant que je le maintenais pour lui chuchoter à l'oreille que s'il me touchait encore une fois, je le tuerais. Je l'ai senti se raidir entre mes bras, j'ai su qu'il s'en rendait compte, que j'étais devenu plus fort que lui. Et qu'il comprenait que je l'avais en moi.

— Que tu avais quoi, Tony ?

— Lui. L'assassin. »

Le cœur de Lene s'arrêta. Ce n'était pas vrai. Ça ne pouvait pas être vrai. Il lui avait pourtant dit que ce n'était pas lui, qu'ils se trompaient.

« Après ça, nous nous tournions autour en nous épiant comme des animaux. Maman le savait, c'était lui ou moi. Un jour, elle est venue me dire qu'il était allé à Geilo acheter des munitions pour son fusil. Que je devais partir, qu'elle avait décidé avec son père ce qu'il fallait faire. Il était veuf et habitait près du Lyseren. Il savait qu'il devrait me cacher, sinon l'autre viendrait me chercher. Alors je suis parti. Maman a fait croire que j'avais été emporté par une avalanche. Mon père fuyait les gens, alors c'était toujours maman qui s'occupait des démarches. Il a cru qu'elle avait déclaré ma dis-parition, mais en réalité elle n'avait informé qu'une personne de ce qu'elle avait fait, et pourquoi. Elle et l'adjoint du lensmann, Roy Stille, ils... oui, ils se connaissaient très bien. Stille savait que la police ne pouvait pas grand-chose pour me protéger contre mon père, et inversement, alors il a aidé à dissimuler mes traces. J'étais bien chez mon grand-père. Jusqu'à ce que la nouvelle nous par-vienne : maman avait disparu dans la montagne. »

Lene tendit une main. « Pauvre, pauvre Tony !

— Ferme les yeux, j'ai dit ! »

Elle sursauta à cet éclat de voix, ramena sa main et referma les yeux.

« Je ne pouvais pas aller aux obsèques, a dit mon grand-père. Personne ne devait savoir que j'étais vivant. Quand il est rentré, il m'a répété mot pour mot ce que le prêtre avait dit sur elle dans son éloge funèbre. Trois lignes. Trois lignes sur la femme la plus belle, la plus forte du monde. La dernière chose, c'était : "Karen a foulé la terre d'un pied léger." Le reste parlait de Jésus et du pardon pour nos péchés. Trois lignes et le pardon pour des péchés qu'elle n'avait jamais commis. »

Lene entendit que la respiration de Tony s'était alourdie.

« "D'un pied léger." Ce connard de prêtre dans sa chaire disait qu'elle n'avait laissé aucune trace. Qu'elle avait disparu avec autant de discrétion qu'elle avait vécu. Page suivante. Mon grand-père me l'a raconté sans détour, et tu sais quoi, Lene ? Ça a été le jour le plus important de ma vie. Tu comprends ?

— Euh... non, Tony.

— Je savais qu'il était là, le porc qui l'avait tuée. Et j'ai juré que je me vengerais. Que j'allais lui montrer. Que j'allais leur montrer à tous. Ce jour-là, j'ai décidé que, quoi qu'il arrive, je ne finirais pas comme lui. Ou elle. Trois lignes. Le pardon pour nos péchés, ni moi ni ce porc n'en avions besoin, nous brûlerions de toute façon. Mieux vaut ça que de partager le paradis avec un Dieu pareil. » Il baissa le ton. « Personne, personne ne se mettrait en travers de mon chemin. Tu comprends, maintenant ?

— Oui, sourit Lene. Et tu l'as mérité, Tony. Tout. Tu as travaillé si dur !

— Je suis heureux que tu sois si compréhensive, chérie. Car voici le reste. Tu es prête ?

— Oui. » Lene frappa dans ses mains. Elle allait voir, elle aussi, celle qui restait à la maison, envieuse, solitaire, amère, et qui n'acceptait pas que sa fille connaisse l'amour.

« J'avais tout au creux de la main. » Lene sentit la main de Tony sur son genou. « Toi, l'argent de ton père, le projet ici. Je croyais que rien ne pouvait foirer. Jusqu'à ce que je saute cette excitée à Håvasshytta. Je l'ai oubliée, et puis j'ai reçu une lettre, où elle disait qu'elle était enceinte et voulait de l'argent. Elle se mettait en travers de mon chemin, Lene. J'ai préparé mon coup avec le plus grand soin. J'ai tapissé la voiture de plastique. J'ai pris une carte postale du Congo que j'avais en réserve, je l'ai contrainte à écrire un texte qui expliquerait sa disparition. Puis je lui ai planté un couteau dans la gorge. Le bruit du sang sur le plastique, Lene... c'est quelque chose de vraiment spécial. »

CHAPITRE 85

Munch

Lene eut l'impression qu'on lui enfonçait une stalactite de glace dans le crâne. Pourtant, elle referma les yeux. « Tu... tu... l'as tuée ? Une femme avec qui... tu as couché en montagne ?

— Ma libido est plus forte que la tienne, Lene. Quand tu ne veux pas faire ce que je te demande, je veille à ce que d'autres le fassent.

— Mais tu... tu voulais que je... » Les sanglots tiraillèrent de nouveau ses cordes vocales. « ... ce n'est pas naturel ! »

Tony émit un petit rire. « Elle n'y a vu aucune objection, Lene. Juliana non plus, d'ailleurs. Remarque, elle était bien payée.

— Juliana ? De quoi parles-tu, Tony ? Tony ? » Lene tâtonna devant elle, comme une aveugle.

« Une pute allemande de Leipzig, que je voyais régulièrement. Elle fait n'importe quoi pour de l'argent. Faisait. »

Lene sentait les larmes couler le long de ses joues. La voix de Tony était si calme, tout cela paraissait complètement irréel.

« Dis... dis-moi que ce n'est pas vrai, Tony. S'il te plaît, arrête, maintenant.

— Chut. J'ai reçu une autre lettre. Avec une photo. Tu imagineras sans mal le choc quand j'ai vu qu'elle contenait une photo d'Adele dans ma voiture, avec mon couteau dans la gorge. La lettre était signée Borgny Stem-Myhre. Elle disait qu'elle voulait de l'argent, sans quoi elle me dénoncerait pour le meurtre d'Adele Vetlesen. J'ai compris qu'il fallait qu'elle disparaisse de la circulation. Mais j'avais besoin d'un alibi, au cas où la police réussirait à me relier à Borgny et à la tentative de chantage. En réalité, j'avais pensé envoyer la petite carte d'Adele lors de mon prochain séjour en Afrique, mais j'ai eu une meilleure idée. J'ai appelé Juliana et je l'ai fait venir à Goma. Elle a voyagé sous le nom d'Adele, a envoyé la carte depuis Kigali, est allée voir van Boorst et a acheté une pomme que je destinais à Borgny. Quand Juliana est rentrée, nous nous sommes vus à Leipzig. Où je l'ai laissée être la première à goûter à la pomme. » Petit rire. « Elle croyait que c'était un nouveau gadget sexuel, la pauvre.

— Tu... tu l'as tuée elle aussi ?

— Oui. Puis Borgny. Je l'ai suivie. Elle ouvrait la porte de son immeuble quand je l'ai menacée d'un couteau. Je l'ai fait descendre à la cave, où j'avais tout préparé. Le cadenas. La pomme. Je lui ai fait une injection de kétamine dans la gorge, et je suis parti pour Skien, où m'attendaient tous mes témoins pour une réunion d'investisseurs. L'alibi. Je savais que pendant que je trinquerais au vin blanc, Borgny ferait elle-même le boulot avec la pomme. Ils finissent tous par le faire. Alors je suis revenu, je suis passé par le sous-sol, j'ai repris le cadenas avec lequel j'avais enfermé Borgny, j'ai retiré la pomme de sa bouche et je suis rentré. Chez toi. Nous avons fait l'amour. Tu as fait semblant de jouir. Tu te rappelles ? »

Lene secoua la tête, incapable de parler.

« Ferme les yeux, j'ai dit. »

Elle sentit ses doigts courir sur son front et forcer ses paupières à se baisser, comme un employé des pompes funèbres. Puis sa voix qui psalmodiait, comme pour lui :

« Il aimait me frapper. Je comprends, maintenant. La sensation de puissance quand on inflige de la douleur, quand on voit l'autre céder, quand ta volonté est faite sur la terre comme au ciel. »

Elle sentit son odeur, l'odeur de sexe. Un sexe de femme. Puis sa voix revint, tout près de son oreille : « À mesure que je les tuais, il se passait quelque chose. Leur sang arrosait une graine qui était là depuis le début. J'ai commencé à comprendre ce que j'avais vu dans les yeux de mon père, à l'époque. La reconnaissance. Car tout comme il se voyait en moi, je commençais à le voir quand je me regardais dans le miroir. J'aimais la puissance. *Et* l'impuissance. J'aimais le jeu, le risque, le précipice et le plus haut sommet en même temps. Car quand tu es en montagne, la tête dans un nuage, et que tu entends le chœur des anges au paradis, il faut aussi avoir le feu crépitant de l'enfer sous les pieds pour que ça ait un sens. C'est ce que mon père savait. Et maintenant, je le sais moi aussi. »

Lene voyait des taches rouges danser sous ses paupières.

« Je n'ai compris à quel point je le détestais que deux ou trois ans plus tard, alors que j'étais avec une fille dans un bosquet près d'une salle des fêtes. Un jeune s'est jeté sur moi. J'ai vu la jalousie dans ses yeux, j'ai vu mon père avec sa pelle venir vers maman et moi. J'ai coupé la langue de ce gars. Ils m'ont arrêté, et j'ai été condamné. J'ai découvert ce que fait la prison à un individu. Et pourquoi mon père n'avait jamais dit le moindre mot sur son séjour en taule. C'est une courte peine que j'ai purgée. Pourtant, j'ai failli devenir fou, là-dedans. Et c'est pendant que j'étais enfermé que j'ai compris ce que je devais faire. Je devais le faire coffrer pour le meurtre de maman. Pas le tuer, mais le faire emprisonner, enterrer vivant. Mais d'abord, je devais trouver la preuve, les restes de maman. Alors j'ai construit une cabane dans la montagne, loin des gens pour ne pas risquer d'être reconnu comme le gamin qui avait disparu à quinze ans. Chaque année, je cherchais sur le plateau, un kilomètre carré après l'autre. Je commençais dès que le plus gros de la neige avait fondu, de préférence la nuit quand il n'y avait personne dehors, je sondais les crevasses et les éboulis. Au besoin, je dormais dans les chalets de l'office de tourisme, où il n'y avait de toute façon que des gens de passage. Mais certains autochtones ont dû me voir quand même, en tout cas, des rumeurs ont commencé à circuler sur le fantôme du gamin d'Utmo. » Tony gloussa. Lene ouvrit les yeux, mais il ne s'en rendit pas compte, il regardait un fume-cigarette qu'il venait de tirer de la poche du peignoir. Lene referma très vite les yeux.

« Après le meurtre de Borgny, une lettre est arrivée, signée Charlotte. Elle disait que c'était elle qui avait écrit la précédente. J'ai compris que j'étais piégé dans un jeu. Que ça pouvait être un nouveau coup de bluff, qu'il pouvait s'agir de n'importe lequel des occupants de Håvasshytta cette nuit-là. Je suis monté au chalet pour jeter un œil dans le registre, mais la page avait été arrachée. Alors j'ai tué Charlotte. Et attendu une autre lettre. Qui est arrivée. J'ai tué Marit. Puis Elias. Après, ça s'est calmé. J'ai lu dans le journal qu'on demandait aux gens qui avaient passé la nuit à Håvasshytta en même temps que les victimes de se manifester. Bien sûr, je savais que personne ne pouvait se douter que j'y étais cette nuit-là, mais aussi que si je me montrais la police pourrait m'apprendre qui étaient les autres. Qui me traquait. Qui il restait à éliminer. Alors je suis allé voir celui qui en savait le plus long, à ce que je croyais. Cet enquêteur, Harry Hole. J'ai essayé de lui faire dire les noms des autres. Sans grand succès. Et puis ce Mikael Bellman, de la Kripos, a déboulé et m'a arrêté. Quelqu'un avait appelé Elias Skog avec mon téléphone, m'a-t-il dit. Et c'est alors que j'ai compris. Il ne s'agissait pas d'argent, quelqu'un essayait de me coincer. De m'envoyer en prison. Qui pouvait garder son sang-froid en voyant des gens se faire tuer, et poursuivre cette… cette croisade contre moi ? Qui pouvait me haïr à ce point ? Alors la dernière lettre est arrivée. Cette fois, il ne révélait pas son identité, il écrivait juste qu'il était à Håvasshytta cette nuit-là, invisible comme un fantôme. Que je le connaissais très, très bien. Et qu'il venait me chercher. Et j'ai su. Il avait fini par me retrouver. Mon père. »

Tony inspira à fond.

« Il avait prévu la même chose pour moi que moi pour lui. Me faire enterrer vivant, emprisonner à perpétuité. Mais comment avait-il fait ? J'ai pensé qu'il surveillait Håvasshytta, il avait pu apprendre ce qui s'était passé. Il savait peut-être que j'étais vivant, il me suivait peut-être de loin depuis un moment. Après nos fiançailles, la presse people a commencé à imprimer des photos de moi, et même mon père feuilletait ces magazines de temps en temps. Mais il devait avoir un complice, ça ne pouvait pas être lui par exemple qui avait commis cette effraction à Oslo, ou pris la photo d'Adele avec un couteau dans la gorge. Encore que… J'ai découvert qu'il avait fui la ferme, ce porc infâme. Ce qu'il ignorait, c'est que je connaissais le coin encore mieux que lui, après toutes ces années passées à chercher le cadavre de maman. Je l'ai trouvé au chalet de Kjeften. Je me réjouissais comme un môme. Mais ça a été une grosse déception. »

Froufrou de soie.

« J'ai pris moins de plaisir à le torturer que je l'espérais. Il ne m'a même pas reconnu, cet imbécile aveugle. Et ce n'était pas plus mal. Je voulais qu'il me voie comme ce qu'il n'avait jamais réussi à être, lui. Le succès. L'humilier. Mais il m'a vu comme lui-même. Un assassin. » Il poussa un soupir. « Et j'ai commencé à comprendre qu'il n'avait pas de complice. Et il était incapable de faire une chose pareille tout seul, il était trop minable, peureux et lâche. J'ai provoqué l'avalanche de Håvasshytta presque sous le coup de la panique. Car je le savais : il y avait quelqu'un d'autre. Un chasseur invisible, silencieux, qui respirait en rythme avec moi dans le noir. Je devais prendre le large. Quitter le pays. Là où on ne me retrouverait pas. C'est pour ça que nous sommes ici, chérie. À l'orée d'une jungle aussi grande que l'Europe de l'Ouest. »

Lene tremblait de tout son corps.

« Pourquoi fais-tu ça, Tony ? Pourquoi me racontes-tu… ça ? »

Elle sentit une main sur sa joue.

« Parce que tu le mérites, chérie. Parce que tu t'appelles Galtung et que tu auras une longue oraison funèbre quand tu mourras. Parce que je trouve juste que tu saches tout sur moi avant de me donner ta réponse.

— À quoi ?

— Si tu veux m'épouser. »

Tout s'emballait dans la tête de la jeune femme. « Si je veux... veux...

— Ouvre les yeux, Lene.

— Mais je...

— Ouvre les yeux, j'ai dit. »

Elle obéit.

« Elle est pour toi, celle-ci. »

Lene Galtung hoqueta.

« Elle est en or », précisa Tony. Le métal mordoré posé sur une feuille de papier sur la table basse entre eux renvoyait un éclat mat. « Je veux que tu la mettes.

— Que je la mette ?

— Une fois que tu auras signé notre contrat de mariage, bien sûr. »

Lene clignait des yeux, sans cesse. Essayait de se réveiller de ce cauchemar. La main aux doigts tordus passa au-dessus de la table, se posa sur la sienne. Elle baissa les yeux sur le motif de la soie bordeaux de son peignoir.

« Je sais à quoi tu penses, reprit-il. L'argent que tu as apporté ne suffira qu'un moment, mais le mariage me donne certains droits d'héritage à ta mort. Tu te demandes si j'ai l'intention de te tuer, n'est-ce pas ?

— C'est le cas ? »

Tony émit un petit rire et serra sa main. « Tu as l'intention de te mettre en travers de mon chemin, Lene ? »

Elle secoua la tête. Tout ce qu'elle avait voulu, c'était être là pour quelqu'un. Pour lui. Comme dans un état second, elle prit le stylo qu'il lui tendait. Le posa sur le papier. Ses larmes tombèrent sur la signature, firent baver l'encre. Il lui arracha la feuille.

694

« Ça ira. » Il souffla dessus et indiqua la table basse. « Mettons ça.

— Que veux-tu dire, Tony ? Il n'y a pas d'anneau.

— Je veux dire que tu vas ouvrir grand la bouche, Lene. »

Harry cligna des yeux. Une ampoule nue pendait au plafond, allumée. Il était allongé sur le dos, sur un matelas. Nu. C'était le même rêve, mais il ne rêvait pas. Un clou pointait du mur au-dessus de lui, et transperçait la tête d'Edvard Munch. Un billet norvégien. Il ouvrit si grand la bouche qu'il eut l'impression que sa mâchoire abîmée allait se déchirer, pourtant, la pression ne diminua pas, sa tête paraissait sur le point d'exploser. Il ne rêvait pas. La kétamine avait cessé de faire effet, et la douleur ne permettait plus le moindre rêve. Depuis combien de temps était-il allongé ainsi ? Combien de temps avant que la douleur ne le rende fou ? Il bougea la tête avec précaution et regarda autour de lui. Il était toujours chez van Boorst, seul. Il n'était pas attaché, il pouvait se lever, s'il le voulait.

Son regard suivit le cordon tendu entre la poignée de la porte et le mur derrière lui. Il tourna les yeux de l'autre côté. Le cordon passait dans un crampillon fixé au mur juste derrière sa tête. Puis rejoignait sa bouche. La pomme de Léopold. Il était coincé. La porte s'ouvrait de telle sorte que le premier qui entrerait libérerait les aiguilles qui perforeraient la tête de Harry. S'il bougeait trop, ça actionnerait aussi le mécanisme.

Harry fourra le pouce et l'index au coin de ses lèvres. Palpa les tiges. Essaya en vain de glisser un doigt sous l'une d'elles. Une quinte de toux menaça, et tout s'obscurcit parce qu'il n'arrivait pas à respirer. Il comprit que les tiges avaient fait gonfler la chair autour de sa trachée, qu'il risquait l'étouffement. Le fil jusqu'à la poignée de porte. Le doigt amputé. Était-ce un hasard, ou Tony Leike connaissait-il l'histoire du Bonhomme de neige ? Et voulait le surpasser ?

Harry donna un coup de pied dans le mur et contracta ses cordes vocales, mais la boule de métal étouffa son cri. Il renonça. S'appuya au mur, se prépara à la douleur et serra les mâchoires. Il avait lu quelque part que la morsure d'un homme n'est pas beaucoup plus faible que celle d'un requin blanc. Pourtant, ses muscles parvinrent à peine à forcer sur les tiges avant qu'elles ne l'obligent à rouvrir la bouche. Il avait l'impression que l'objet battait, comme un cœur en fer vivant dans la bouche. Il tâta le cordon qui sortait de sa bouche. Tous ses instincts lui hurlaient de tirer dessus, d'extraire cette boule. Mais il avait assisté à une démonstration, vu les photos des victimes. S'il n'avait pas vu...

Et au même instant Harry sut. Il sut comment il allait mourir, mais aussi comment les autres étaient mortes. Et pourquoi ça avait été fait ainsi. Il ressentit le besoin absurde de rire. C'était d'une simplicité démoniaque. Si démoniaque que seul un démon avait pu y penser.

L'alibi de Tony Leike. Il n'avait eu aucun complice. C'est-à-dire, ses complices, ça avait été ses victimes. Quand Borgny et Charlotte s'étaient réveillées après avoir été droguées, elles n'avaient aucune idée de ce qu'elles avaient dans la bouche. Borgny était enfermée dans une cave. Charlotte était en pleine nature, mais le cordon qui sortait de sa bouche entrait dans le coffre de l'épave devant elle, et en dépit de tous ses efforts pour l'ouvrir, le hayon était resté verrouillé. Aucune n'avait eu la moindre chance de fuir, et quand la douleur était devenue trop intense, elles avaient fait ce qu'on attendait d'elles. Elles avaient tiré sur le cordon. Savaient-elles ce qui allait se passer ? La douleur avait-elle remplacé le soupçon par l'espoir, l'espoir que tirer sur le cordon ferait rentrer les tiges dans cette boule mystérieuse ? Et pendant que ces filles pesaient lentement, mais sûrement, le pour et le contre pour arriver à l'inévitable, Tony Leike parcourait plusieurs dizaines de kilomètres vers un dîner d'affaires ou une conférence, certain que les filles feraient elles-mêmes la dernière partie du boulot. Et ainsi lui donneraient le meilleur alibi possible pour l'heure du décès. Stricto sensu, il ne les avait pas tuées.

Harry bougea la tête pour voir de quelle marge de manœuvre il disposait.

Il devait faire quelque chose. Il gémit, sentit le cordon se tendre, cessa de respirer, regarda vers la porte. Attendit qu'elle s'ouvre, que...

Rien.

Il essaya de se rappeler la démonstration de van Boorst, la longueur des tiges quand elles ne rencontraient aucune résistance. Si seulement il arrivait à ouvrir la bouche encore plus grand, si ses mâchoires...

Harry ferma les yeux. Il fut frappé par l'aspect normal et évident de l'idée, par son peu de réticence. Au contraire, c'était du soulagement qu'il ressentait. D'avoir à s'infliger une souffrance encore plus intense, se suicider, au besoin, dans une tentative pour survivre. C'était logique, simple, les ténèbres du doute étaient repoussées par une idée claire, lumineuse, folle. Harry se retourna sur le ventre, la tête collée contre le crampillon, de façon à donner du mou au cordon. Puis il s'agenouilla avec précaution. Se tâta la mâchoire. Trouva le point. Le point où tout était réuni : la douleur, le disque articulaire, le nœud, l'enchevêtrement de nerfs et de muscles qui maintenaient à grand-peine les deux mâchoires solidaires après cet incident à Hong Kong. Il ne parviendrait pas à se frapper assez fort, il fallait que le poids de son corps l'entraîne. Il passa un doigt sur le clou. Il pointait d'environ quatre centimètres. Un clou banal, avec une grosse et large tête noire. Qui détruirait tout ce qui entrerait en contact avec lui, à condition qu'on y mette assez de force. Harry visa, posa doucement la mâchoire sur la tête du clou, se souleva pour déterminer l'angle de chute idéal. À quelle profondeur le clou devait pénétrer. Et à quelle profondeur il *ne devait pas* pénétrer. La nuque, des nerfs, paralysie. Il calcula. Pas avec calme et détachement. Mais calcula. Se força à le faire. L'extrémité du clou ne formait pas un *T* par rapport au reste, elle pointait vers le bas ; la tête n'emporterait pas fatalement tout en ressortant. Pour finir, il chercha s'il restait des choses auxquelles il n'avait pas pensé. Jusqu'à ce qu'il comprenne que c'était une tentative de son cerveau pour repousser l'échéance.

Harry inspira à fond.

Son corps ne voulait pas. Il protestait, regimbait. Ne voulait pas laisser tomber sa tête.

« Abruti ! » essaya de crier Harry, mais il n'émit qu'un sifflement. Il sentit une larme chaude se frayer un chemin le long de sa joue.

Assez pleurniché, songea-t-il. Il est temps de mourir un peu.

Il laissa tomber sa tête.

Le clou l'accueillit avec un profond soupir.

Kaja chercha son téléphone. Les Carpenters avaient crié un « *Stop !* » à trois voix, et Karen Carpenter avait répondu : « *Oh yeah, wait a minute.* » Le signal d'un SMS.

À l'extérieur de la voiture, la nuit était tombée avec autant de soudaineté que de brutalité. Elle avait envoyé trois SMS à Harry. Pour lui raconter ce qui se passait, qu'elle était garée dans la rue où se trouvait la villa dans laquelle Lene Galtung était entrée, elle attendait les instructions et lui demandait de donner signe de vie.

Bon boulot. Viens me chercher rue côté sud église. Facile à trouver, seule maison en dur. Entre, c'est ouvert. Harry.

Elle transmit l'adresse au chauffeur de taxi qui hocha la tête, bâilla et démarra.

Kaja tapa « *en route* » tandis qu'ils roulaient vers le nord, dans des rues bien éclairées. Le volcan illuminait le ciel comme une lampe à incandescence, effaçait les étoiles et donnait à toute chose un éclat rouge sang à peine perceptible.

Un quart d'heure plus tard, ils se trouvaient dans une rue sombre qui ressemblait à un cratère de bombe. Quelques lampes à pétrole pendaient devant un magasin. Ou le courant avait sauté, ou ce quartier ne disposait pas de l'électricité.

Le chauffeur s'arrêta et tendit un doigt. Van Boorst. En effet, c'était une petite maison en dur. Kaja regarda autour d'elle. Un peu plus haut dans la rue, elle vit deux Range Rover. Deux vélomoteurs aux phares faiblards passèrent dans un bêlement. Du disco africain pesant s'échappait par une porte. Çà et là, elle voyait des cigarettes rougeoyer, et des yeux.

« Attendez ici. » Kaja repoussa ses cheveux sous sa casquette et ignora le cri d'avertissement du chauffeur lorsqu'elle ouvrit sa portière et descendit.

Elle gagna la maison à pas rapides. Elle ne se faisait aucune illusion quant aux chances qu'avait une Blanche esseulée dans les rues de Goma après la tombée de la nuit, mais en cet instant précis, la nuit était sa meilleure amie.

Elle distingua la porte entre les blocs de lave, sentit qu'elle devait se dépêcher, ça allait se produire, elle devait aller plus vite. Elle trébucha, mais poursuivit, respira par la bouche. Elle y était. Elle posa la main sur la poignée. Bien que la température ait chuté à une vitesse déconcertante après le coucher du soleil, la sueur ruisselait entre ses omoplates et ses seins. Elle obligea sa main à appuyer sur la poignée. Écouta. Le silence était étrange. Presque autant que cette fois...

Les sanglots étaient comme du ciment dans sa gorge.

« Allez, chuchota-t-elle. Pas maintenant. »

Elle ferma les yeux. Se concentra sur sa respiration. Vida son cerveau. Elle voulait y arriver. Les pensées défilaient. *Delete, delete.* Là. Il ne resta plus qu'une pensée, et elle put ouvrir la porte.

Harry fut réveillé par un pincement au coin de ses lèvres. Il ouvrit les yeux. Il faisait sombre. Il avait dû s'évanouir. Il sentit la tension dans le cordon de la boule qu'il avait toujours dans la bouche. Son cœur démarra, accéléra, s'emballa. Il colla la bouche tout contre le crampillon, bien conscient que ce ne serait d'aucun secours si quelqu'un ouvrait la porte.

Un rai de lumière venant de l'extérieur atteignit le mur au-dessus de lui. Se refléta dans le sang. Il mit les doigts dans sa bouche, les posa sur les dents du bas et appuya. La douleur lui fit perdre connaissance un instant, mais il sentit sa mâchoire basculer. Elle était déboîtée ! Tout en appuyant sur ses dents avec une main, il saisit la boule avec l'autre et essaya de l'extraire.

Il entendit du bruit de l'autre côté de la porte. Merde, merde ! Il n'arrivait toujours pas à faire passer la boule entre ses dents. Il appuya un peu plus. Le son de l'os et des tendons qui se brisaient et se déchiraient parut sortir de son oreille. Il arriverait peut-être à abaisser suffisamment sa mâchoire d'un côté pour faire sortir la boule en biais, mais la joue faisait barrage. Il vit la poignée bouger. Pas le temps. Du tout. Le temps s'arrêtait là.

La dernière petite pensée. SMS. Rue côté sud église. Harry n'utilisait pas ce langage télégraphique. Kaja ouvrit les yeux. Qu'avait-il dit, sur sa terrasse, quand ils discutaient du livre de John Fante ? Qu'il n'envoyait jamais de SMS. Parce qu'il ne voulait pas perdre son âme, parce qu'il préférait ne pas laisser de traces quand il disparaissait. Elle n'avait jamais reçu le moindre SMS. C'était le premier. Il aurait pu l'appeler. Quelque chose clochait, ce n'était pas une excuse de son cerveau pour ne pas ouvrir cette porte. C'était un piège.

Kaja relâcha doucement la poignée. Elle sentit un courant d'air chaud sur sa nuque. Comme si quelqu'un lui soufflait dessus. Elle raya « comme si » et se retourna.

Ils étaient deux. Leurs visages se fondaient dans les ténèbres.

« Vous cherchez quelqu'un, madame ? »

Une impression de déjà-vu l'envahit avant même qu'elle n'ait répondu : « Je me suis trompée de porte. »

Au même instant, elle entendit une voiture démarrer, se tourna et vit les feux arrière du taxi s'éloigner dans la rue.

« Ne vous inquiétez pas, madame, reprit la voix. Nous l'avons payé. »

Elle se tourna de nouveau et baissa les yeux. Sur le pistolet pointé vers elle.

« Allons-y. »

Kaja évalua les choix. Ce fut vite fait. Il n'y en avait aucun.

Elle les précéda vers les deux Range Rover. La portière arrière de l'une d'elles s'ouvrit tandis qu'ils approchaient. Elle s'assit. Il flottait un parfum d'après-rasage épicé et de cuir neuf. La portière claqua derrière elle. Il sourit. Ses dents étaient grandes et blanches, sa voix douce, enjouée :

« Salut, Kaja. »

Tony Leike portait un uniforme de camouflage gris-jaune. Il tenait un téléphone mobile rouge à la main. Celui de Harry.

« Tu as reçu la consigne d'entrer. Qu'est-ce qui t'a arrêtée ? »

Elle haussa les épaules.

« Fascinant, constata-t-il, la tête penchée sur le côté.

— Quoi donc ?

— Tu n'as pas du tout l'air d'avoir peur.

— Pourquoi aurais-je peur ?

— Parce que tu vas bientôt mourir. Vraiment, tu n'as pas compris ? »

Kaja sentit sa gorge se nouer. Même si une partie de son cerveau criait que c'était une menace en l'air, elle était policière, il ne prendrait bien sûr jamais le risque, cette voix ne parvenait pas à couvrir l'autre, celle qui disait que Tony Leike, ici présent, connaissait tous les paramètres de la situation. Elle et Harry étaient deux kamikazes débiles, très loin de chez eux, sans autorisation, sans assistance, sans possibilité de retraite. Sans la moindre chance.

Leike appuya sur un bouton, et la vitre descendit.

« Achevez-le et amenez-le là-bas », ordonna-t-il aux deux hommes. Puis il fit remonter sa vitre.

« Je trouve que ça aurait donné de la classe au tableau, si tu avais ouvert la porte, déplora Leike. Je crois que Harry aurait mérité une mort poétique. Mais en l'état actuel des choses, on va plutôt miser sur des adieux poétiques. » Il se pencha et regarda le ciel. « Jolie teinte rouge, n'est-ce pas ? » Elle le voyait en lui, à présent. L'entendait. Et la voix de Kaja — celle qui disait la vérité — l'en informa. Elle allait vraiment mourir.

CHAPITRE 86

Calibre

Kinzonzi montra la maison de van Boorst et dit à Oudry qu'il devrait amener la Range Rover tout contre la porte. Il voyait de la lumière derrière le rideau, et se rappela que mister Tony avait décidé de laisser allumé quand ils étaient partis. Pour que le Blanc voie ce qui l'attendait. Kinzonzi descendit et attendit qu'Oudry ait récupéré les clés et le suive. L'ordre était simple : tuer et apporter. Il ne suscitait aucun sentiment. Pas de peur, pas de joie, même pas d'excitation. C'était un boulot comme un autre.

Kinzonzi avait dix-neuf ans. Il se battait depuis qu'il en avait onze. C'était à cette époque que l'Armée populaire congolaise avait envahi son village. Ils avaient éclaté la tête de son frère à coups de crosse de Kalachnikov, et violé ses deux sœurs en obligeant leur père à regarder. Ensuite, ils avaient dit que si le père ne s'accouplait pas avec sa fille cadette pendant qu'ils regarderaient, ils tueraient Kinzonzi et la sœur aînée. Mais avant que le commandant ne termine sa phrase, le père avait couru droit sur une de leurs machettes. Ils avaient rugi de rire.

Après, Kinzonzi avait reçu son premier vrai repas depuis plusieurs mois, et un béret que le commandant avait présenté comme son uniforme. Deux mois plus tard, il possédait une Kalachnikov et avait descendu sa première victime, une mère qui refusait de donner ses couvertures en laine à l'APC. Il avait douze ans quand il prit place dans une file de soldats qui violèrent une jeune fille non loin de l'endroit où il avait été recruté. Quand ce fut son tour, il se rendit compte que cette fille aurait pu être sa sœur, l'âge correspondait à peu près. Mais en regardant son visage, il s'était aperçu qu'il ne se souvenait pas des siens. Père, mère, frère et sœurs. Ils avaient disparu. Effacés.

Quatre mois plus tard, quand lui et deux autres soldats coupèrent les bras du commandant et le regardèrent se vider de son sang, ce n'était pas par soif de vengeance ou par haine, c'était parce que le Mouvement de libération du Congo promettait de payer plus. Pendant cinq ans, il avait vécu de ce que rapportaient les raids du MLC dans la jungle du Nord-Kivu, mais ils devaient toujours faire attention aux autres guérillas, et les villages qu'ils prenaient avaient déjà été tellement pillés qu'ils pouvaient à peine les nourrir. Pendant un temps, le MLC avait marchandé avec l'armée gouvernementale pour déposer les armes contre une amnistie et un engagement. Mais les négociations sur les soldes avaient échoué.

Poussé par la faim et le désespoir, le MLC avait attaqué l'une des sociétés minières qui exploitaient le coltan, bien qu'ils sachent que ces sociétés disposaient de meilleures armes et de meilleurs soldats qu'eux. Kinzonzi n'avait jamais imaginé vivre longtemps ou mourir autrement qu'au combat. Il n'avait donc pas cillé quand il était revenu à lui et avait plongé le regard dans le canon d'une arme à feu tenue par un Blanc qui lui parlait dans une langue inconnue. Il s'était contenté de hocher la tête pour signifier qu'il voulait en finir. Deux mois plus tard, ses blessures étaient guéries, et la société minière était son nouvel employeur.

Le Blanc était mister Tony. Mister Tony payait bien, mais se montrait impitoyable au moindre manquement à la loyauté. Il leur parlait, c'était le meilleur chef que Kinzonzi ait jamais eu. Kinzonzi n'aurait pas hésité une seconde à le descendre si ça en avait valu le coup. Mais ça n'en valait pas le coup.

« Dépêche-toi », lança Kinzonzi à Oudry avant de charger son pistolet. La boule métallique se déclencherait dans la bouche du policier dès qu'ils ouvriraient, mais il savait qu'il faudrait un peu de temps avant que le Blanc ne meure. Il voulait donc l'abattre tout de suite pour aller sur le Nyiragongo où les attendaient mister Tony et les filles.

Un homme qui fumait, assis sur une chaise devant le magasin en face, se leva, grommela un juron et disparut dans l'obscurité.

Kinzonzi regarda la poignée. La première fois qu'il était venu, c'était quand ils avaient emmené van Boorst. C'était aussi la première fois qu'il voyait la célèbre Alma. Van Boorst avait claqué tout son fric en Singapore slings, en protection et pour Alma, qui devait être chère à entretenir. Alors le désespoir avait poussé van Boorst à commettre la dernière bévue de sa vie : faire chanter mister Tony en menaçant d'aller trouver la police avec ce qu'il savait. Le Belge avait eu l'air plus résigné que surpris quand il les avait vus arriver, et il s'était dépêché de terminer son verre. Ils l'avaient débité en morceaux assez gros, qu'ils avaient donnés aux cochons étrangement gras autour du camp de réfugiés. Mister Tony avait récupéré Alma. Alma et ses hanches, sa dent en or et ce regard de somnambule nymphomane qui aurait fourni une raison de plus à Kinzonzi pour flanquer une balle dans le front de mister Tony. Si ça en avait valu le coup.

Kinzonzi appuya sur la poignée. Et poussa la porte d'un geste ferme. Elle s'ouvrit, mais fut arrêtée à mi-parcours par un fil de fer attaché à l'intérieur. Lorsqu'il se tendit, il y eut un déclic puissant de métal contre métal, comme le son d'une baïonnette que l'on dégaine de son étui métallique. La porte revint vers eux en grinçant.

Kinzonzi entra, tira Oudry à sa suite et claqua la porte. L'odeur acide du vomi leur piqua le nez.

« Allume. »

Oudry obéit.

Kinzonzi écarquilla les yeux vers le fond de la pièce. Un clou planté dans le mur au-dessus du lit transperçait un billet trempé de sang qui avait aussi coulé le long du mur. Sur le lit, dans une mare de vomi jaune, il vit une boule ensanglantée qui dardait de longues aiguilles comme autant de rayons de soleil. Mais pas de policier blanc.

La porte. Kinzonzi se retourna, l'arme levée.

Personne.

Il s'agenouilla et regarda sous le lit. Personne.

Oudry ouvrit la porte de l'unique placard de la pièce. Vide.

« Il s'est enfui », dit Oudry à Kinzonzi, qui palpait le matelas.

Oudry s'approcha.

« Qu'est-ce que c'est ?

— Du sang. » Kinzonzi prit la lampe d'Oudry. Éclaira par terre. Suivit la trace sanglante jusqu'au milieu de la pièce, où elle disparaissait. Une trappe avec un anneau en fer. Il l'ouvrit et plongea le faisceau de la lampe dans les ténèbres au-dessous.

« Va chercher ton fusil, Oudry. »

Le collègue disparut et revint avec son AK-47.

« Couvre-moi », ordonna Kinzonzi.

Il descendit, prit le pistolet et la torche entre ses deux mains, et se mit à tourner sur lui-même. Sa lampe éclaira des placards et des étagères contre le mur. Continua sur un meuble au milieu de la pièce, dont les étagères étaient chargées de masques blancs effrayants. Un avec un clou dans le sourcil, un criant de vérité dont la bouche peinte en rouge était fendue jusqu'à l'oreille, un aux yeux vides et aux joues tatouées. Le faisceau fila sur les étagères du mur opposé. Et s'arrêta net. Kinzonzi se figea. Armes. Fusils. Munitions. Le cerveau est un ordinateur fantastique. En quelques fractions de seconde, il est capable d'enregistrer des milliers d'informations, de les associer et de parvenir à une réponse exacte. Alors quand Kinzonzi éclaira de nouveau les masques, il avait déjà la bonne réponse. La lumière tomba sur le masque blanc à la bouche fendue. Les dents apparaissaient à l'intérieur. Et scintillaient en rouge. Comme le sang sur le mur, sous le clou.

Kinzonzi n'avait jamais imaginé vivre longtemps. Ou mourir autrement qu'au combat.

Son cerveau ordonna à son doigt de presser la détente de son pistolet. Le cerveau est un ordinateur fantastique.

En une microseconde, le doigt se replia. Dans le même temps, le cerveau avait terminé son raisonnement. Il avait la réponse. Savait quelle serait l'issue.

Harry savait qu'il n'avait qu'une solution. Et qu'il n'avait plus le temps d'attendre. Il avait donc lancé sa tête contre le clou, un peu plus haut cette fois. Il avait à peine senti le clou lui perforer la joue et atteindre la boule métallique. Il s'était laissé retomber sur le lit, la tête appuyée contre le mur, et avait basculé en arrière de tout son poids en essayant de contracter les muscles de sa joue. Il ne s'était rien passé, et la nausée l'avait envahi. Avec la panique. S'il vomissait maintenant, avec la pomme de Léopold dans la bouche, il suffoquerait. Mais il ne pouvait pas la refouler, il sentait déjà son ventre se contracter pour envoyer la première décharge dans l'œsophage. De désespoir, Harry souleva la tête et les hanches. Se laissa retomber lourdement. Et sentit la chair de sa joue céder, se déchirer, taillée par le clou. Il sentit le sang couler dans sa bouche, dans sa trachée, provoquer le réflexe tussigène, puis il sentit le clou taper contre ses incisives. Harry plongea une main dans sa bouche, mais la boule était couverte de sang, ses doigts glissaient sur le métal. Il poussa une main derrière la boule, tandis qu'il tirait de l'autre sur sa mâchoire. Entendit racler contre les dents. Et soudain, il vomit violemment.

C'est peut-être cela qui fit sortir la pomme. La tête contre le mur, Harry regardait l'invention mortelle brillante qui baignait dans son vomi sur le matelas, sous le crampillon.

Puis il se leva, nu et chancelant. Il était libre.

Il titubait en direction de la porte quand il se rappela pourquoi il était venu. Ce n'est qu'à la troisième tentative qu'il parvint à ouvrir la trappe. Il glissa dans son propre sang en descendant, et tomba dans l'obscurité complète. Tandis qu'il reprenait son souffle allongé sur le béton, il entendit une voiture arriver et s'arrêter. Des voix, des portières qui claquaient. Il se releva, tâtonna dans le noir, grimpa l'échelle en deux bonds, saisit la trappe et la referma au moment où il entendait la porte s'ouvrir et le mécanisme de la pomme claquer.

Harry redescendit avec précaution jusqu'à sentir le béton froid sous ses pieds. Il ferma les yeux et essaya de se rappeler. De faire apparaître l'image de sa dernière visite. L'étagère de gauche. Kalachnikov. Glock. Smith & Wesson. La valise du fusil Märklin. Munitions. Dans cet ordre. Il avança à l'aveuglette. Ses doigts coururent sur un canon. L'acier lisse d'un Glock. Et là, les formes bien connues d'un Smith & Wesson calibre 38, le même modèle que son revolver de service. Il le prit et passa aux caisses de munitions. Sentit le bois contre le bout de ses doigts. Il entendit des voix furieuses et des pas en haut. Il suffisait de soulever le couvercle. D'un peu de chance. Il plongea la main à l'intérieur et saisit une boîte de cartouches. Sentit les contours des munitions. Merde, trop grosses ! Tandis qu'il soulevait le couvercle de la caisse suivante, la trappe s'ouvrit. Il attrapa une boîte, il fallait que ce soit le bon calibre. Au même instant, un cercle de lumière, tel un projecteur, éclaira le pied de l'échelle. C'était suffisant pour permettre à Harry de lire l'étiquette sur la boîte. 7,62 millimètres. Merde, merde ! Harry regarda l'étagère. Là. La caisse voisine. Calibre 38. La lumière quitta le sol et balaya le plafond. Harry vit la silhouette d'une Kalachnikov dans l'ouverture, et un homme qui descendait l'échelle.

Le cerveau est un ordinateur fantastique.

Au moment où Harry soulevait le couvercle de la caisse et attrapait une boîte, il avait déjà fini de calculer. Qu'il était trop tard.

CHAPITRE 87

Kalachnikov

« Il n'y aurait pas de route ici si nous n'avions pas exploité les mines, expliqua Tony Leike dans la voiture qui cahotait sur l'étroit chemin de terre. Les entrepreneurs comme moi sont l'unique espoir pour les habitants de pays comme le Congo de pouvoir se redresser, de suivre, d'accéder à la civilisation. L'autre possibilité, c'est de les laisser livrés à eux-mêmes, pour qu'ils continuent à faire ce qu'ils ont toujours fait : se tuer les uns les autres. Tous les occupants de ce continent sont des chasseurs et des proies en même temps. Penses-y quand tu regardes dans les yeux suppliants d'un enfant africain affamé. Si tu lui donnes un peu à manger, ces yeux te regarderont bientôt derrière une arme automatique. Et là, il n'y aura pas de pitié. »

Kaja ne répondit pas. Elle avait les yeux rivés sur les cheveux roux de la femme assise à côté du conducteur. Lene Galtung n'avait rien dit, pas bougé ; elle était juste assise là, le dos droit, les épaules rejetées en arrière.

« Tout est cyclique, en Afrique, poursuivit Tony. Saison des pluies et sécheresse, nuit et jour, manger et être mangé, vivre et mourir. C'est la loi de la nature, on ne peut rien changer. Nage avec le courant, survis aussi longtemps que tu le peux, prends ce qui s'offre à toi, c'est tout ce que tu peux faire. Car la vie de tes parents, c'est la tienne, tu n'arriveras à aucun changement, l'évolution n'est pas possible. Ce n'est pas de la philosophie africaine, c'est l'expérience de nombreuses générations. Et c'est cette *expérience* que nous devons changer. C'est l'expérience qui modifie la façon de penser, pas l'inverse.

— Et si l'expérience montre que les Blancs les exploitent ? objecta Kaja.

— L'idée de l'exploitation a été semée par les Blancs. Mais le concept s'est avéré utile pour les dirigeants africains, qui ont besoin d'un ennemi commun pour rassembler le peuple derrière eux. Dès le retrait des colons dans les années 1960, ils ont utilisé le sentiment de culpabilité des Blancs pour s'emparer du pouvoir et la véritable exploitation du peuple a commencé. Ce sentiment de culpabilité pour avoir colonisé l'Afrique est pathétique. Le véritable crime, ça a été d'abandonner les Africains à leur nature meurtrière et destructrice. Crois-moi, Kaja, la plupart des Congolais vivaient mieux sous la domination belge. Les émeutes n'avaient jamais leur source dans la volonté populaire, mais dans la soif de pouvoir de quelques-uns. Des groupuscules qui ont pillé les maisons des Belges au bord du lac Kivu parce que les maisons étaient belles et qu'ils pensaient y trouver des choses dont ils avaient envie. C'était comme ça, ça l'est toujours. Voilà pourquoi les propriétés ont toujours au moins deux issues, une à chaque bout. Une par où les voleurs peuvent déferler, une autre par où les habitants peuvent se sauver.

— C'est comme ça que vous avez quitté la propriété sans que je vous voie ? »

Tony rit.

« Tu croyais véritablement que c'était toi qui nous filais ? Je vous tiens à l'œil depuis votre arrivée. Goma est une petite ville, avec peu d'argent et des pouvoirs publics très limités. C'était très naïf de votre part, à Harry et toi, de venir seuls.

— Qui est naïf ? répliqua Kaja. Qu'est-ce qui va se passer, à ton avis, quand on découvrira que deux policiers ont disparu à Goma ? »

Tony haussa les épaules. « Les enlèvements sont monnaie courante, ici. Je ne serais pas surpris que la police locale reçoive bientôt une lettre exigeant le paiement d'une somme exorbitante en petites coupures contre votre libération. Et demandant la libération de prisonniers explicitement nommés et d'opposants reconnus au régime du président Kabila. Les transactions dureront quelques jours, mais n'aboutiront pas puisque les conditions seront impossibles à remplir. Et puisque personne ne vous reverra jamais. Que du très banal, Kaja. »

Kaja essaya de capter le regard de Lene Galtung dans le rétroviseur, mais elle détournait la tête.

« Et elle ? demanda Kaja à voix haute. Elle sait que tu as tué tous ces gens, Tony ?

— Maintenant, oui. Et elle me comprend. C'est ça, le véritable amour, Kaja. C'est pour ça que Lene et moi nous marions ce soir. Vous êtes invités. » Il rit. « Nous allons à l'église. Je crois que la cérémonie sera très émouvante, quand nous nous jurerons mutuellement fidélité éternelle. N'est-ce pas, Lene ? »

Lene se pencha en avant sur son siège, et Kaja vit pourquoi elle se tenait les épaules rejetées en arrière : ses mains étaient attachées dans le dos par une paire de menottes roses. Tony saisit Lene par l'épaule et la tira brutalement en arrière. Lene se tourna vers eux, et Kaja sursauta. Lene Galtung était presque méconnaissable. Son visage était couvert de larmes, l'un de ses yeux gonflé, et sa bouche ouverte de force si bien que ses lèvres formaient un *O*. Un éclat mat de métal était visible dans le *O*. Un court cordon rouge pendait de la boule dorée.

Et les mots que Tony prononça résonnèrent chez Kaja comme l'écho d'une autre demande en mariage au seuil de la mort, un enterrement dans la neige : « Jusqu'à ce que la mort nous sépare. »

Harry se glissa derrière le meuble de masques au moment où la silhouette descendait l'échelle, se retournait et balayait la pièce du faisceau de sa lampe. Il n'y avait nulle part où se cacher, juste le compte à rebours avant qu'il soit découvert. Harry ferma les yeux pour ne pas être aveuglé et ouvrit de sa main gauche la boîte de cartouches. Il en saisit quatre, ses doigts savaient exactement à quoi ressemblaient quatre cartouches. De sa main droite, il fit basculer le barillet vers la gauche, essaya de laisser les automatismes venir d'eux-mêmes, comme il l'avait fait à Cabrini Green quand il s'entraînait à recharger le plus vite possible, pour tromper sa solitude. Mais la solitude n'était pas assez complète, ici. Pas assez ennuyeuse. Ses doigts tremblaient. Il vit l'intérieur de ses paupières en rouge quand la lumière atteignit son visage. Il se prépara. Mais les coups ne vinrent pas. La lumière disparut. Il n'était pas mort, pas encore. Ses doigts obéirent. Ils poussèrent les cartouches dans quatre des six chambres libres, en gestes souples, rapides, d'une seule main. Le barillet se remit en place avec un déclic. Harry ouvrit les yeux au moment où le faisceau revenait sur son visage. Aveuglé, il tira dans le soleil.

La lumière fila vers le haut, et le plafond disparut. La détonation résonnait encore quand on entendit le raclement de la lampe qui tournoyait comme un phare en envoyant la lumière dans tous les sens.

« Kinzonzi ! Kinzonzi ! »

La lampe s'arrêta contre le meuble. Harry bondit, la ramassa, se coucha par terre sur le dos, tint la lampe à bout de bras, sur le côté, aussi loin que possible de son corps, appuya les pieds contre le meuble et se propulsa vers l'échelle, de façon à avoir la trappe juste au-dessus de lui. Les balles arrivèrent. Elles claquèrent comme des coups de fouet, et il sentit les éclats de béton contre son bras et sa poitrine quand elles s'enfoncèrent dans le sol autour de la lampe. Harry visa et tira sur la silhouette éclairée, à cheval au-dessus de l'ouverture. Trois coups rapides.

La Kalachnikov tomba la première. Elle atterrit à côté de la tête de Harry avec un claquement puissant. Puis l'homme suivit. Harry eut juste le temps de s'écarter avant que le corps ne s'abatte à côté de lui. Sans résistance. Viande. Poids mort.

Il y eut quelques secondes de silence. Puis Harry entendit Kinzonzi — si c'était lui — pousser un gémissement sourd. Harry se releva, en gardant la lampe loin de son corps, vit un pistolet Glock par terre à côté de Kinzonzi et l'écarta d'un coup de pied. Il ramassa la Kalachnikov.

Puis il traîna l'autre homme jusqu'au mur, le plus loin possible de Kinzonzi, et l'éclaira. Il avait été prévisible et avait réagi comme Harry : aveuglé, il avait fait feu dans le soleil. Le regard d'enquêteur de Harry enregistra automatiquement que l'entrejambe de l'homme était trempé de sang, la balle avait dû continuer dans l'abdomen mais ne l'avait sûrement pas tué. Une épaule en sang, une balle était sans doute passée par l'aisselle. Voilà pourquoi la Kalachnikov était tombée la première. Harry s'accroupit. Mais ça n'expliquait pas que l'homme ne respire plus.

Il éclaira son visage. Que *le garçon* ne respire plus.

La balle était entrée sous le menton. Compte tenu de leurs positions respectives, le plomb avait continué dans la bouche, traversé le palais et fini dans le cerveau. Harry prit une inspiration. Ce gosse ne pouvait pas avoir plus de seize ou dix-sept ans. Un beau garçon. Beauté gaspillée. Harry se redressa, appuya le canon contre la tête du mort et cria :

« Où sont-ils ? Mister Leike. Tony. Où ? »

Il attendit un peu.

« Quoi ? Plus fort. Je n'entends pas. Où ? Trois secondes. Une... deux... »

Harry pressa la détente. L'arme devait être réglée en automatique, car elle avait tiré au moins quatre coups avant qu'il n'ait le temps de relâcher. Il avait fermé les yeux en sentant les éclaboussures, et quand il les rouvrit il vit que le beau visage du garçon n'était plus là. Il remarqua qu'un liquide chaud coulait sur son corps nu.

Harry rejoignit Kinzonzi. L'enjamba, lui braqua la lampe en pleine figure et posa le canon de son arme sur son front. Puis il répéta sa question, mot pour mot :

« Où sont-ils ? Mister Leike. Tony. Où ? Trois secondes... »

Kinzonzi ouvrit les yeux. Harry vit frémir les globes blancs. La peur de mourir est une condition pour vouloir vivre. Ça devait être ça, en tout cas ici, à Goma.

Kinzonzi répondit, lentement et distinctement.

CHAPITRE 88

L'église

Kinzonzi ne bougeait pas. Le grand homme blanc avait posé la lampe par terre de façon à ce qu'elle éclaire le plafond. Kinzonzi le vit enfiler les vêtements d'Oudry. Déchirer son tee-shirt en bandes qu'il s'enroula autour de la tête et du menton pour couvrir la gueule béante de la blessure qui lui fendait la joue de la bouche à l'oreille. Serrer pour que la mâchoire inférieure ne pende plus d'un côté. Le sang imprégna le coton pendant que Kinzonzi regardait.

Il avait répondu au peu de questions du type. Où. Combien. Quelles armes ils avaient.

Le Blanc se dirigea vers les étagères et en tira une valise noire, l'ouvrit et inspecta le contenu.

Kinzonzi savait qu'il allait mourir. Jeune, de mort violente. Mais peut-être pas maintenant, pas cette nuit. Son ventre le brûlait comme si on lui avait versé de l'acide dessus. Mais ça allait.

Le Blanc se redressa et saisit la Kalachnikov d'Oudry. Il approcha, s'arrêta au-dessus de Kinzonzi, la lumière dans le dos. Une silhouette imposante, la tête emmaillotée de blanc, comme on attachait le menton des morts avant de les enterrer. Si Kinzonzi devait être abattu, ce serait maintenant. L'homme lâcha les bandes de tee-shirt qu'il n'avait pas utilisées.

« Sers-toi. »

Kinzonzi l'entendit gémir lorsqu'il remonta l'échelle.

Il ferma les yeux. S'il n'attendait pas trop longtemps, il arriverait peut-être à stopper l'hémorragie avant que la perte de sang ne le fasse s'évanouir. Se relever, ramper dans la rue, trouver des gens. Et s'il avait de la chance, ils n'appartiendraient pas à la race des vautours de Goma. Il pouvait trouver Alma. Il pouvait se l'approprier. Car elle n'avait plus de mari, à présent. Et Kinzonzi n'avait plus d'employeur. Il savait ce qu'il y avait dans la valise que le grand Blanc avait emportée.

Harry arrêta la Range Rover devant les murs bas de l'église, face à la Hyundai cabossée qui n'avait pas bougé.

Une cigarette rougeoyait à l'intérieur.

Harry éteignit ses phares, baissa sa vitre et passa la tête à l'extérieur. « Saul ! »

Harry vit la braise bouger. Le chauffeur de taxi sortit.

« Harry. Qu'est-il arrivé ? Votre visage…

— Les choses ne se sont pas passées comme prévu. Je ne comptais pas vous retrouver ici.

— Pourquoi ? Vous m'avez payé pour toute la journée. » Saul caressa le capot de la Range Rover. « Bonne voiture. Volée ?

— Empruntée.

— Voiture empruntée. Les vêtements aussi ?

— Oui.

— Rouges de sang. Leur précédent propriétaire ?

— On laisse votre voiture ici, Saul.

— Est-ce que j'ai envie de venir, Harry ?

— Probablement pas. Ça aide si je vous dis que je suis du côté des gentils ?

— Désolé, mais à Goma, on a oublié ce que ça signifie, Harry.

— Mmm. Cent dollars, ça aidera ?

— Deux cents. »

Harry acquiesça.

716

« … cinquante », ajouta Saul.

Harry descendit et laissa Saul prendre le volant.

« Vous êtes certain que c'est là qu'ils sont ? demanda Saul en déboîtant.

— Oui, répondit Harry, assis à l'arrière. On m'a dit un jour que c'est le seul endroit de Goma où les gens peuvent monter au ciel.

— Je n'aime pas cet endroit, répondit Saul.

— Ah ? » Harry ouvrit la caisse à côté de lui. Märklin. Les instructions pour le montage de l'arme étaient collées à l'intérieur du couvercle. Harry se mit au travail.

« Mauvais démons. Ba-Toye.

— Vous avez étudié à Oxford, m'avez-vous dit ? »

Les pièces s'emboîtaient sans difficulté les unes dans les autres, en émettant de petits déclics.

« Vous ne connaissez pas les démons du feu, à ce que je vois.

— Non, mais ceux-là, si. » Harry montra une des cartouches qui étaient rangées dans un compartiment de la valise. « Et contre les Ba-Toye, j'ai plutôt tendance à miser sur eux. »

L'éclairage faiblard du plafonnier fit scintiller les cartouches jaunes. La balle de plomb qu'elles contenaient avait un diamètre de seize millimètres. Le plus gros calibre au monde. Quand il travaillait sur le rapport de l'affaire Rouge-gorge, un expert en balistique lui avait expliqué que le calibre d'un Märklin dépassait de beaucoup le raisonnable. Même pour la chasse à l'éléphant. Que ça se prêtait mieux à l'abattage des arbres.

Harry fixa la lunette. « Pleins gaz, Saul. »

Il posa le canon sur le dossier du siège passager et essaya la détente tout en gardant l'œil à distance de la lunette, à cause des cahots. La lunette avait besoin d'être ajustée, calibrée, étalonnée. Mais il n'en aurait pas l'occasion.

Ils étaient arrivés. Kaja regarda par la vitre. Les lumières éparses sous eux, c'était Goma. Au-delà, elle voyait la lumière de la plate-forme sur le lac Kivu. La lune scintillait dans l'eau vert foncé. La dernière partie de la route n'était qu'un sentier qui serpentait vers le sommet, et les phares avaient balayé un paysage lunaire noir et nu. Lorsqu'ils étaient parvenus au plateau supérieur, une assiette plate en pierre d'environ cent mètres de diamètre, le conducteur avait gagné l'autre extrémité à travers des nuages de fumée blanche qui se coloraient en rouge près du cratère du Nyiragongo.

Le chauffeur coupa le contact.

« Je peux te demander quelque chose ? commença Tony. Une chose à laquelle j'ai pas mal pensé ces dernières semaines. Qu'est-ce que ça fait de savoir que tu vas mourir ? Je ne parle pas d'avoir peur parce que tu es en danger de mort, ça m'est arrivé plusieurs fois. Mais d'avoir la certitude absolue qu'ici, maintenant, ta vie va s'arrêter. Réussirais-tu à… le formuler ? » Tony se pencha pour la regarder bien en face. « Prends tout ton temps pour trouver les mots justes. »

Kaja le regarda. Elle avait attendu la panique. Qui ne venait pas. Elle était aussi pétrifiée que le paysage autour d'eux.

« Je ne ressens rien.

— Allez ! Les autres avaient si peur qu'ils n'arrivaient même pas à répondre, ils balbutiaient tout juste. Charlotte Lolles ne faisait que me fixer, comme sous le choc. Elias Skog ne parvenait pas à parler de façon sensée. Mon père pleurait. Est-ce seulement le chaos, ou y a-t-il des pensées ? Éprouves-tu du chagrin, de la colère ? Ou du soulagement parce que tu n'as plus à lutter ? Regarde Lene, par exemple, elle a renoncé, elle y va comme l'agneau sacrificiel plein de bonne volonté qu'elle est. Et toi, Kaja ? Tu n'as pas envie de passer la main ? »

Kaja se rendit compte que c'était de l'authentique curiosité qu'elle lisait dans ses yeux.

« Laisse-moi plutôt te demander pourquoi tu espérais tant *prendre* la main, Tony. » Elle se passa la langue sur les lèvres, à la recherche d'humidité. « Quand tu as été amené à tuer des gens les uns après les autres, par une personne invisible qui s'est révélée être un gamin à qui tu as jadis coupé la langue ? Tu peux me le dire, ça ? »

Le regard de Tony se perdit, et il secoua la tête, comme en réponse à une autre question.

« Je n'y ai même pas pensé avant de lire sur le Net que ce bon vieux Skai avait arrêté une ancienne connaissance. Ole. Qui aurait cru qu'il avait autant de couilles ?

— Autant de haine, tu veux dire ? »

Tony tira un pistolet de la poche de sa veste. Regarda l'heure.

« Harry est en retard.

— Il va arriver. »

Tony rit.

« Mais hélas pour toi sans vie. J'aimais bien Harry, d'ailleurs. Non, c'est vrai. Ça a été amusant de jouer avec lui. Je l'ai appelé d'Ustaoset, il m'avait donné son numéro. J'ai entendu sa messagerie vocale dire qu'il était hors de la zone de couverture pour quelques jours. Je n'ai pas pu m'empêcher de rire. Il était à Håvass-hytta, évidemment, ce petit malin. » Tony tenait l'arme dans une main et caressait l'acier laqué noir de l'autre. « Je l'ai vu quand je l'ai rencontré à l'hôtel de police. Il est comme moi.

— J'en doute.

— Oh si. Un homme à la dérive. Un junkie. Un homme qui fait ce qu'il faut pour obtenir ce qu'il veut, quitte à marcher sur des cadavres. Pas vrai ? »

Kaja ne répondit pas.

Tony regarda de nouveau sa montre. « Je crois qu'il va nous falloir commencer sans lui. »

Il arrive, songea Kaja. Il faut juste que je lui laisse le temps.

« Alors tu t'es tiré, reprit-elle. Avec le passeport de ton père et son appareil dentaire ? »

Tony la regarda.

Elle savait qu'il savait ce qu'elle faisait. Mais aussi qu'il appréciait. Raconter. Comment il les avait roulés dans la farine. Ils étaient tous comme ça.

« Tu sais quoi, Kaja ? J'aurais bien aimé que mon père soit ici en ce moment. Ici, au sommet de ma montagne. Pour voir, et comprendre. Avant que je le tue. Tout comme Lene comprend qu'elle doit mourir. Tout comme j'espère que tu le comprends, Kaja. »

Elle la sentait, à présent. La peur. Plus comme une douleur physique que comme une panique qui effaçait la réflexion rationnelle. Elle voyait, entendait et pensait clairement. Oui, mieux que jamais, songea-t-elle.

« Tu t'es mis à tuer pour dissimuler que tu avais été infidèle, continua-t-elle d'une voix plus rauque. Pour t'approprier les millions de la famille Galtung. Mais ces millions que tu viens d'extorquer à Lene, suffiront-ils à sauver ton projet ici ?

— Je ne sais pas, sourit Tony en empoignant la crosse de son pistolet. On verra. Dehors.

— Est-ce que ça en vaut la peine, Tony ? Est-ce que ça vaut vraiment toutes ces vies ? »

Kaja hoqueta quand le canon du pistolet appuya contre ses côtes.

« Regarde autour de toi, Kaja, lui siffla la voix de Tony dans l'oreille. C'est le berceau de l'humanité. Regarde ce que vaut une vie humaine. Certains meurent et d'autres naissent, plus nombreux, dans une course effrénée, sans arrêt, et rien n'a d'importance. Sauf le jeu. La passion. La folie du jeu, comme l'appellent deux ou trois abrutis. C'est tout. C'est comme le Nyiragongo. Il avale tout, efface tout, mais c'est aussi la condition de la vie. Pas de passion, pas de sens, pas de lave bouillonnante à l'intérieur, et tout ici serait mort, gelé. La passion, Kaja, est-ce que tu l'as ? Ou es-tu un volcan éteint, un grain de poussière humain résumé en trois lignes d'oraison funèbre ? »

Kaja se dégagea, et Tony éclata d'un rire de crécelle.

« Tu es prête pour le mariage, Kaja ? Prête pour le dégel ? »

Elle sentit la puanteur du soufre. Le chauffeur lui avait ouvert la portière, et la regardait sans rien exprimer, en braquant sur elle un fusil à canon court. Même dans la voiture, à dix mètres du bord du cratère, elle sentait la chaleur. Elle ne bougea pas. Le Noir se pencha et l'attrapa par le bras. Elle se laissa entraîner sans opposer de résistance, veilla juste à se faire assez lourde pour le déséquilibrer, de sorte qu'il bascula en arrière, pris au dépourvu, lorsqu'elle bondit à l'extérieur. L'homme était extrêmement mince, et un peu plus petit qu'elle. Elle frappa du coude. Elle savait qu'un coup de coude a une force bien supérieure à un coup de poing. Que la gorge, la tempe ou le nez sont des zones d'impact fragiles. Son coude heurta quelque chose qui craqua, l'homme tomba, perdit son arme. Kaja leva le pied. Elle avait appris que le meilleur moyen de neutraliser une personne allongée, c'est de lui piétiner la cuisse. La combinaison d'un coup porté avec tout le poids du corps au-dessus et de la pression du sol de l'autre côté provoque sur-le-champ une hémorragie si sérieuse dans l'importante musculature de la cuisse que la victime ne sera pas en mesure de se lever pour vous courir après. L'autre possibilité, c'est de viser la poitrine et la gorge, avec une possible issue fatale. Elle regardait la gorge offerte tandis que la lune éclairait le visage de l'homme. Elle hésita une fraction de seconde. Il ne devait pas être plus vieux qu'Even l'avait été.

Elle sentit alors des bras se refermer autour d'elle par-derrière, emprisonner ses propres bras contre ses flancs, et l'air fut expulsé de ses poumons au moment où on la souleva du sol, et elle se mit à battre en vain des jambes. La voix de Tony était enjouée, tout contre son oreille : « Bien, Kaja. De la passion. Tu veux vivre. Il aura une augmentation, c'est promis. »

Le jeune homme allongé devant elle se releva et ramassa son arme. L'indifférence l'avait quitté, son regard étincelait maintenant de fureur.

Tony tira les mains de Kaja dans son dos et elle sentit de fines bandes de plastique se refermer autour de ses poignets.

« Là, souffla Tony. Oserais-je vous demander d'être notre témoin, à Lene et moi, mademoiselle Solness ? »

Et puis — enfin — elle arriva. La panique. Elle lui vida le cerveau, rendit tout brillant, propre, affreux. Simple. Elle hurla.

CHAPITRE 89

Le mariage

Debout au bord du volcan, Kaja baissa les yeux. L'air chaud montait, l'enveloppait comme une brise brûlante. La fumée toxique lui donnait déjà le tournis, ou alors c'était l'air vibrant qui rendait sa vision floue, qui faisait frémir la lave au fond du précipice, en nuances luisantes de rouge et de jaune. Une mèche de cheveux avait glissé sur son visage, mais ses mains étaient retenues dans le dos par les liens de plastique. Lene Galtung se tenait à côté d'elle, et lorsqu'elle vit son regard de somnambule, Kaja pensa qu'elle avait dû être droguée. Une morte vivante vêtue de blanc qui n'avait que le froid et le désert en elle. Un mannequin habillé en mariée à la fenêtre d'une corderie.

Tony était juste derrière elles. Elle sentit sa main dans son dos.

« Voulez-vous le prendre comme époux pour l'aimer fidèlement dans le bonheur ou dans les épreuves tout au long de votre vie… » chuchota-t-il.

Ce n'était pas par cruauté, avait-il expliqué. C'était très pratique. Il ne resterait aucune trace d'elles. À peine quelques questions. Des gens disparaissaient tous les jours au Congo.

« Désormais, vous êtes unis par Dieu dans le mariage. »

Kaja murmura une prière. Elle pensait que c'était une prière. Jusqu'à ce qu'elle entende les mots : « … parce qu'il m'est impossible d'être avec celle que j'aime. »

Les mots de la lettre d'adieu d'Even.

Un moteur de voiture rugit en première et deux phares balayèrent le ciel. La Range Rover apparut de l'autre côté du cratère.

« Voici les autres, annonça Tony. Faites-leur un gentil petit signe, les filles. »

Harry ne savait pas ce qu'il verrait au moment de virer sur le plateau près du cratère. Kinzonzi avait dit qu'à part les filles mister Tony n'était accompagné que de son chauffeur. Mais qu'ils étaient tous les deux équipés d'armes automatiques.

Juste avant le sommet, Harry avait proposé à Saul de descendre, mais il avait décliné : « Il ne me reste aucune famille, Harry. C'est peut-être vrai que vous êtes du côté des gentils. En plus, vous avez payé pour toute la journée. »

Ils s'arrêtèrent dans un dérapage contrôlé.

Les phares éclairaient de l'autre côté du cratère trois personnes alignées au bord de l'abîme. Elles disparurent dans un nuage, mais pas avant que Harry ait enregistré la scène : un homme armé d'un fusil à canon court derrière les trois autres. Une Range Rover. Et pas de temps. Puis le nuage s'effiloche, et Harry vit Tony et l'autre homme mettre une main en visière et regarder vers la voiture, comme s'ils attendaient quelque chose.

« Coupez le moteur », dit Harry depuis la banquette arrière. Il posa le canon du fusil Märklin sur le dossier du siège passager. « Mais n'éteignez pas les phares. »

Saul s'exécuta.

L'homme en tenue de camouflage posa un genou à terre, épaula et visa.

« Faites des appels de phares, commanda Harry, l'œil collé à la lunette du fusil. Ils attendent un signal. »

Harry ferma l'œil gauche. Exclut la moitié du monde. Exclut les visages blafards, Kaja qu'il voyait dans l'optique du fusil, Lene avec ses joues gonflées et ses yeux assombris par le choc, c'étaient ces

724

secondes. Exclut les yeux turquoise qui l'avaient regardé quand il avait prononcé les mots : « Je le jure. » Exclut le claquement sourd d'un tir qui lui apprenait que c'était le mauvais signal, exclut l'impact de la balle qui atteignait la carrosserie, suivi par un autre. Exclut tout ce qui n'était pas réfraction dans le pare-brise, dans l'air vibrant au-dessus du cratère, la déviation probable de la balle vers la droite, dans le même sens que les nuages. Il savait qu'une seule chose l'animait : l'adrénaline. Et c'était une ivresse de courte durée, elle pouvait se dissiper en une seconde. Mais tant que le cœur envoyait du sang au cerveau, c'était de cette seconde qu'il avait besoin, pas plus. Car le cerveau est un ordinateur fantastique. La tête de Tony Leike était à moitié cachée par celle de Lene, mais dépassait en hauteur.

Harry visa les petites dents pointues de Kaja. Déplaça la lunette sur la boule brillante entre les lèvres de Lene. Puis un peu plus haut. Pas ajustée. Hasard. Faites vos jeux, dernière course.

Un nuage de vapeur arrivait par la gauche.

Ils seraient bientôt enveloppés, et comme s'il bénéficiait d'un instant de clairvoyance, Harry le vit : quand le nuage serait passé, il n'y aurait plus personne. Harry replia le doigt. Vit Kaja cligner des yeux juste au-dessus du point de mire.

Je le jure.

Il était au bout du chemin. Enfin.

L'habitacle sembla exploser lorsque le coup partit, et Harry eut l'impression que son épaule se déboîtait. Le pare-brise s'ornait d'un petit trou blanc. Le nuage rouge couvrait le bord opposé du cratère. Harry prit une inspiration tremblante, et attendit.

CHAPITRE 90

Marlon Brando

Harry flottait sur le dos. Dérivait. Coulait. Coulait dans le lac Kivu pendant que le sang, le sien et celui d'autres personnes, se mêlait à celui du lac, formait un tout, disparaissait dans le grand sommeil de l'univers tandis que les étoiles au-dessus de lui s'évaporaient dans l'eau noire et froide. La paix dans le précipice, le silence, le néant. Jusqu'à ce qu'il remonte à la surface dans une bulle de méthane, un cadavre bleu nuit à la chair infestée de vers de Guinée qui grouillaient et bougeaient sous sa peau. Et il devait sortir du lac Kivu pour continuer à vivre. Pour attendre.

Harry ouvrit les yeux. Il voyait le balcon de l'hôtel au-dessus de lui. Il se tourna sur le côté et nagea les quelques mètres jusqu'à la rive. Sortit de l'eau.

Le jour allait se lever. Il serait bientôt dans un avion à destination d'Oslo. Dans le bureau de Gunnar Hagen, pour lui dire que c'était terminé. Qu'ils avaient disparu, pour toujours. Qu'ils avaient échoué. Puis il essaierait une fois encore de s'éclipser.

Harry s'enveloppa en tremblant dans la grande serviette blanche et monta les marches jusqu'à la chambre.

Quand le nuage s'était dissipé, il n'y avait plus personne au bord du cratère.

La lunette de Harry avait cherché le tireur. L'avait trouvé, et il avait été à deux doigts de tirer. Avant de se rendre compte qu'il voyait son dos, qu'il se dirigeait vers la voiture. Tout de suite après, la Range Rover avait démarré, les avait dépassés et était partie.

Il avait de nouveau braqué sa lunette vers l'endroit où il avait vu Kaja, Tony et Lene. Tourné la molette. Vu des pieds. Trois paires.

Il avait lâché son fusil, sauté de la voiture et fait le tour du cratère au pas de course, son revolver de service au poing. En priant. S'était agenouillé près d'eux. Et il avait su qu'il avait perdu.

Harry déverrouilla la porte de la chambre. Alla dans la salle de bains, ôta le bandage mouillé de sa tête et en posa un nouveau, obtenu à la réception. Les points de suture temporaires tenaient la joue en un seul morceau, mais c'était pire au niveau du maxillaire. Le sac était prêt à côté du lit. Les vêtements qu'il porterait pour voyager attendaient sur le dossier de la chaise. Il tira son paquet de cigarettes de sa poche, sortit sur le balcon et s'assit dans l'un des fauteuils en plastique. Le froid apaisait la douleur dans sa mâchoire et sa joue. Il regarda le lac aux reflets d'argent, qu'il ne verrait plus jamais de son vivant.

Elle était morte. La balle de plomb d'un centimètre et demi de diamètre était passée par son œil droit, avait emporté la moitié droite de sa tête, arraché les grandes incisives blanches de Tony Leike, ouvert un cratère à l'arrière de son crâne et éparpillé l'ensemble sur une surface de cent mètres carrés de roche volcanique.

Harry avait été pris de nausée. Avait vomi une bile verte, avant de partir à reculons, en chancelant.

Il tira deux cigarettes du paquet. Se les ficha entre les lèvres et les sentit tressauter contre ses dents qui claquaient. L'avion partait dans trois heures. Il avait demandé à Saul de le conduire à l'aéroport. Harry était si épuisé qu'il parvenait difficilement à garder les yeux ouverts ; pourtant, il ne pouvait ni ne voulait dormir. Les fantômes étaient interdits de visite, la première nuit.

« Marlon Brando, murmura-t-elle.

— Quoi ? »

Harry alluma les cigarettes et lui en tendit une.

« Cet acteur macho dont je n'arrivais pas à me souvenir. Il a la voix la plus féminine de tous. Et une bouche de femme. Tu avais remarqué qu'il a un cheveu sur la langue ? On l'entend à peine, comme une nuance que l'oreille ne perçoit pas en tant que son, mais que le cerveau enregistre.

— Je vois ce que tu veux dire. » Harry tira une bouffée et la regarda.

Elle avait été aspergée de sang, de lambeaux de chair, d'éclats d'os, de matière cérébrale. Il avait mis un temps fou à couper les liens en plastique qui lui retenaient les mains, ses doigts refusaient tout net de lui obéir. Quand elle avait enfin été libérée, elle s'était levée, tandis que lui restait à quatre pattes.

Et il n'avait pas tenté de l'empêcher de saisir Tony par le col et la ceinture et de faire basculer son corps dans le cratère. Harry n'avait rien entendu, sauf le murmure du vent. Il l'avait vue regarder dans le cratère, puis elle s'était retournée vers lui.

Il avait hoché la tête. Elle n'avait pas besoin d'expliquer. Il devait en être ainsi.

Elle l'avait interrogé du regard, en montrant le cadavre de Lene Galtung. Mais Harry avait secoué la tête. Il avait pesé le pour et le contre. Côté pratique contre côté moral. Les conséquences diplomatiques contre la possibilité pour sa mère d'avoir une tombe sur laquelle se recueillir. La vérité contre un mensonge qui lui rendrait peut-être la vie plus vivable. Alors il s'était redressé. Avait soulevé Lene Galtung, manqué de s'effondrer sous le poids de la jeune femme frêle. S'était arrêté au bord, avait fermé les yeux, senti la tentation, oscillé un instant. Puis il l'avait lâchée. Avant d'ouvrir les yeux. Elle n'était déjà plus qu'un point. Avalé par la fumée.

« Des gens disparaissent tous les jours au Congo », avait déclaré Kaja dans la voiture, assise à l'arrière dans les bras de Harry.

Il savait que le rapport ne serait pas long. Aucune trace. Disparus. Ils pouvaient être n'importe où. Et la réponse à toutes les questions qu'on leur poserait, ce serait ça : des gens disparaissent tous les jours au Congo. Comme quand elle leur demanderait, la femme aux yeux turquoise. Parce que ce serait le plus simple pour eux. Pas de cadavres, pas d'enquête interne, systématique quand des policiers font usage de leur arme. Pas d'incident diplomatique pénible. Pas de classement officiel de l'affaire, mais la recherche de Leike continuerait pour sauver les apparences. Lene Galtung allait être portée disparue. Elle n'avait pas eu de billet d'avion pour le Congo, les services de l'immigration de ce pays ne l'avaient pas enregistrée. C'était mieux ainsi, dirait Hagen. Pour toutes les parties. En tout cas pour celles qui comptaient.

Et la femme aux yeux turquoise hocherait la tête. Accepterait la version de Harry. Mais saurait peut-être malgré tout, si elle écoutait ce qu'il ne disait pas. Elle avait le choix. De l'entendre raconter que sa fille était morte. Qu'il avait visé pile entre les yeux de Lene plutôt qu'à l'endroit qui lui paraissait juste, un peu plus à droite. Mais qu'il avait voulu être sûr que la balle ne dévierait pas assez vers la droite pour atteindre sa collègue, celle qui bossait avec lui. Elle pouvait choisir entre ça et le mensonge qui proposait l'espoir au lieu d'une tombe.

Ils changèrent d'avion à Kampala.

Regardèrent partir et arriver les avions, assis dans des sièges en plastique dur près de la porte d'embarquement, jusqu'à ce que Kaja s'endorme et que sa tête glisse sur l'épaule de Harry.

Elle se réveilla et sut qu'il s'était passé quelque chose. Elle ne savait pas quoi, mais quelque chose avait changé. La température ambiante. Le rythme des battements du cœur de Harry. Ou les traits de son visage livide, marqué par le manque de sommeil. Elle vit que sa main venait de lâcher son téléphone dans la poche de son blouson.

« Qu'y a-t-il ? demanda-t-elle.

— C'était l'hôpital civil. » Le regard de Harry lui échappa, se perdit par les grandes fenêtres, vers un horizon de béton et un ciel délavé par le soleil.

« Il est mort. »

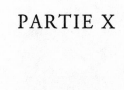

PARTIE X

CHAPITRE 91

Adieux

Il pleuvait à l'enterrement d'Olav Hole. L'assistance était comme Harry l'avait prévu : pas si nombreuse que pour les funérailles de sa mère, mais pas trop déplumée non plus.

À la fin, Harry et la Frangine se postèrent devant l'église pour recevoir les condoléances de vieux cousins dont ils n'avaient jamais entendu parler, de vieux collègues d'enseignement qu'ils n'avaient jamais vus et de vieux voisins dont ils connaissaient les noms mais pas les visages. Les seuls à ne pas avoir l'air de devoir emboîter bientôt le pas au défunt, c'étaient les collègues policiers de Harry : Gunnar Hagen, Beate Lønn, Kaja Solness et Bjørn Holm. Øystein Eikeland paraissait avoir déjà un pied dans la tombe, mais il mit cela sur le compte d'une gueule de bois carabinée. Il transmettait le bonjour de Tresko, qui ne pouvait pas venir, mais adressait ses condoléances. Harry chercha les deux personnes assises sur le banc du fond, mais elles avaient dû s'en aller avant la sortie du cerceuil.

Harry invita les présents à une collation chez Schrøder. Les rares qui acceptèrent avaient beaucoup à dire sur le printemps exceptionnellement précoce, mais fort peu sur Olav Hole. Harry but son jus de pomme, expliqua qu'il avait un rendez-vous, remercia les gens d'être venus et s'en alla.

Il héla un taxi et donna au chauffeur une adresse à Holmenkollen.

Il y avait encore quelques restes de neige dans les jardins sur cette hauteur.

Le cœur de Harry battait à coups lourds tandis qu'il remontait l'allée vers la maison en rondins sombres. Et encore plus lourds lorsqu'il se retrouva devant la porte familière, sonna et entendit des pas approcher. Familiers eux aussi.

Elle n'avait pas changé. Et ne changerait jamais. Les cheveux noirs, la douceur dans ses yeux marron, la nuque fine. Le diable l'emporte. Elle était si belle que c'en était douloureux.

« Harry…

— Rakel.

— Ton visage. Je l'ai vu à l'église. Que s'est-il passé ?

— Rien. Ils disent que ça se remettra, mentit-il.

— Entre, je vais faire du café. »

Harry secoua la tête. « J'ai un taxi qui m'attend dans la rue. Oleg est là ?

— Dans sa chambre. Tu veux le voir ?

— Un autre jour. Combien de temps restez-vous ?

— Trois jours. Peut-être quatre. Ou cinq. On verra.

— Alors j'aimerais vous revoir bientôt. D'accord ? »

Elle hocha la tête. « Je ne sais pas si j'ai fait ce qu'il fallait. »

Harry sourit. « Non, qui le sait, d'ailleurs ?

— À l'église, j'entends. Nous sommes partis avant… de déranger. Tu avais d'autres sujets de préoccupation. En plus, nous venions pour Olav. Tu sais qu'Oleg et lui… Oui, ils s'étaient trouvés. Deux personnes réservées. Ce n'est pas évident. »

Harry acquiesça.

« Oleg parle beaucoup de toi, Harry. Tu représentes plus pour lui que tu n'en as conscience. » Elle baissa les yeux. « Plus que j'en avais conscience moi aussi, peut-être. »

Harry se racla la gorge. « Rien n'a changé, ici, depuis… »

Rakel secoua la tête, et il n'eut pas besoin de terminer cette phrase impossible. Depuis que le Bonhomme de neige avait essayé de les tuer, dans cette même maison.

Harry la regarda. Il avait juste voulu la voir, entendre sa voix. Sentir son regard sur lui. Il n'avait pas eu l'intention de lui demander. Il toussota de nouveau. « Je dois te demander quelque chose.

— Quoi donc ?

— On peut entrer dans la cuisine une minute ? »

Ils entrèrent. Il s'assit à la table, juste en face d'elle. Expliqua lentement, en détail. Elle l'écouta sans l'interrompre.

« Il voudrait que tu ailles le voir à l'hôpital. Il voudrait te demander pardon.

— Pourquoi accepterais-je ?

— C'est à toi de répondre à cette question, Rakel. Mais il ne lui reste pas longtemps.

— J'ai lu qu'on peut vivre longtemps avec cette maladie.

— Il ne lui reste pas longtemps, répéta Harry. Penses-y, tu n'as pas besoin de répondre maintenant. »

Il attendit. La vit ciller. Vit ses yeux se remplir, entendit ses sanglots presque silencieux. Elle prit une inspiration sifflante.

« Que ferais-tu, Harry ?

— Je refuserais. Mais je suis quelqu'un d'assez mauvais. »

Le rire de Rakel se mêla à ses sanglots. Et Harry s'étonna qu'il soit à ce point possible de regretter un son, une perturbation de l'air précise. D'espérer entendre un rire aussi longtemps.

« Il faut que je m'en aille, déclara-t-il.

— Pourquoi ?

— Il me reste trois rendez-vous.

— Avant quoi ?

— Je t'appelle demain. »

Harry se leva. Il avait entendu la musique au premier. Slayer. Slipknot.

Quand il fut installé dans le taxi, après avoir donné l'adresse suivante, il repensa à sa question. Avant quoi ? Avant d'avoir terminé. D'être libre. Peut-être.

Ce fut une course rapide.

« Ça prendra peut-être plus de temps », prévint-il.

Il prit une inspiration, ouvrit le portail et alla vers la porte de la maison de conte de fées.

Il lui semblait sentir les yeux turquoise le suivre depuis la fenêtre de la cuisine.

CHAPITRE 92

Chute libre

Mikael Bellman attendait à la porte de la prison départementale d'Oslo, et regardait Sigurd Altman et un surveillant arriver vers le guichet.

« Vous partez ? demanda le fonctionnaire derrière le comptoir.

— Oui. » Altman lui remit un papier.

« Vous avez pris quelque chose dans le minibar ? »

Le surveillant pouffa de rire, bien que ce fût sans doute la blague classique pour les libérations.

Les effets personnels furent tirés d'une armoire fermée à clé et restitués avec un large sourire.

« J'espère que votre séjour a répondu à vos attentes, monsieur Altman, et que nous vous reverrons bientôt. »

Bellman tint la porte ouverte pour Altman. Ils descendirent ensemble.

« La presse est dehors, expliqua Bellman. Alors on va passer par le souterrain. Krohn vous attend dans une voiture derrière l'hôtel de police.

— Le spécialiste des feintes », répondit Altman avec un sourire aigre-doux.

Bellman ne lui demanda pas à qui il faisait allusion. Il avait d'autres questions. Les dernières. Et quatre cents mètres pour obtenir les réponses. La serrure grésilla, et il poussa la porte du souterrain.

« Maintenant que le marché est conclu, je me disais que vous pourriez me raconter deux ou trois choses.

— Je vous écoute, inspecteur.

— Pourquoi n'avez-vous pas contredit Harry tout de suite quand vous avez compris qu'il vous arrêtait ? »

Altman haussa les épaules.

« Je trouvais que la méprise était impayable. Elle était tout à fait compréhensible. Ce qui ne l'était pas, c'était que l'arrestation doive avoir lieu à Ytre Enebakk. Pourquoi ? Et quand on ne comprend pas quelque chose, il vaut mieux la boucler. Alors je l'ai bouclée jusqu'à ce que je comprenne, que je voie le tableau dans son ensemble.

— Et que vous apprenait ce tableau ?

— Que j'étais la bascule.

— C'est-à-dire ?

— J'avais entendu parler du conflit entre la Kripos et la Brigade criminelle. J'ai vu que ça m'offrait une possibilité. Être la bascule, ça veut dire qu'on peut faire pencher la balance d'un côté comme de l'autre.

— Mais pourquoi n'avez-vous pas essayé de conclure le même marché avec Harry qu'avec moi ?

— Dans une position de bascule, il faut toujours s'adresser au camp qui est sur le point de perdre. C'est le camp le plus désespéré qui sera susceptible de payer le plus pour ce qu'on a à proposer. C'est la base de la théorie des jeux.

— Qu'est-ce qui vous permettait d'être aussi certain que ce n'était pas Harry qui allait perdre ?

— Je n'étais pas certain, mais il y avait un autre facteur. Je commençais à connaître Harry. Il n'est pas homme de compromis comme vous, Bellman. Il se moque du prestige personnel, il veut juste mettre la main sur les méchants. Tous. Il aurait vu que si

Tony tenait le rôle principal, moi, j'étais le metteur en scène. Et je ne m'en serais pas tiré à meilleur compte. J'ai pensé qu'un carriériste comme vous verrait les choses d'une autre façon. Et Johan Krohn était d'accord avec moi. Vous verriez le bénéfice personnel à être celui qui attraperait l'assassin. Vous saviez que ce que les gens retiennent, c'est qui l'a *fait*, qui a tué physiquement, pas qui l'a *pensé*. Si un film fait un bide, il vaut mieux pour le réalisateur que Tom Cruise ait le rôle principal, car c'est lui que les gens massacreront. Le peuple et la presse veulent des choses simples, et mon crime est indirect, compliqué. Un tribunal m'aurait quand même envoyé derrière les barreaux à perpétuité, mais cette affaire n'est pas une question de justice, c'est une question de politique. Si la presse et le peuple sont contents, le ministère de la Justice l'est, et tout le monde rentre chez soi plus ou moins satisfait. Que je m'en tire avec une peine courte et peut-être même un sursis, ce n'est pas cher payé.

— Pas pour tout le monde », objecta Bellman.

Altman émit un petit rire. L'écho couvrit le bruit de leurs pas.

« Acceptez le conseil de quelqu'un qui sait. Laissez tomber. Il ne faut pas que ça vous ronge. L'injustice, c'est comme la météo. Si vous ne pouvez pas vivre avec, déménagez. L'injustice n'est pas une pièce de la machine. *C'est* la machine.

— Je ne parle pas de moi, Altman. Moi, je peux vivre avec.

— Je ne parlais pas non plus de vous, Bellman. Je parle de celui qui ne peut pas vivre avec. »

Bellman hocha la tête. Lui pouvait admettre sans problème cette situation. Il y avait eu des coups de fil du ministère de la Justice. Pas du ministre en personne, bien sûr, mais la réaction ne pouvait se comprendre que d'une seule façon. Ils étaient satisfaits. Il y aurait des conséquences positives, pour la Kripos et pour lui, Bellman.

Ils remontèrent et ressortirent à la lumière.

Johan Krohn descendit de son Audi bleue et fit signe à Sigurd Altman tandis qu'ils traversaient la rue.

Bellman s'arrêta, et regarda partir l'ancien détenu et son avocat jusqu'à ce que l'Audi ait tourné vers Tøyen.

« Tu ne viens pas dire bonjour quand tu es dans le coin, Bellman ? »

Bellman se retourna. C'était Gunnar Hagen. Il était sur le trottoir opposé, sans veste, les bras croisés.

Bellman traversa, et ils se serrèrent la main.

« Quelqu'un m'a dénoncé ? demanda Bellman.

— Tout finit par se savoir, ici. » Hagen frotta ses mains l'une contre l'autre en frissonnant, et fit un large sourire. « À propos... J'ai un rendez-vous au ministère à la fin du mois prochain.

— Ah oui ? » répondit Bellman d'un ton badin. Il savait de quoi allait traiter ce rendez-vous. Réorganisation. Restrictions d'effectifs. Transfert de responsabilité pour les affaires de meurtres. Ce qu'il ne savait pas, c'est ce que Gunnar Hagen voulait dire avec son « à propos ».

« Mais tu es au courant, reprit Hagen. On nous a demandé à tous les deux de donner notre avis sur l'organisation future des enquêtes criminelles. L'échéance approche.

— Ils se moqueront certainement de nos points de vue. » Bellman regarda Hagen, essaya de deviner où il voulait en venir. « On doit juste dire ce qu'on en pense, dans un esprit de conciliation.

— À moins que nous ne pensions tous les deux que l'organisation actuelle est préférable au regroupement de toutes les enquêtes criminelles », articula Hagen en claquant des dents.

Bellman émit un petit rire.

« Tu n'es pas assez chaudement vêtu, Hagen.

— Possible. Mais je sais aussi ce que je penserais si une nouvelle unité d'investigation criminelle devait être dirigée par un policier qui a un jour profité de sa situation pour éviter à sa future épouse une condamnation pour trafic de stupéfiants. Bien que des témoins l'aient reconnue. »

Bellman cessa de respirer. Sentit la prise glisser. La pesanteur le saisir, ses cheveux se dresser, la sensation dans le ventre. C'était son cauchemar. Excitant dans le sommeil, impitoyable dans la réalité : chute sans corde. Le grimpeur en solo qui dévisse.

« On dirait que tu n'as pas très chaud toi non plus, Bellman.

— Va te faire foutre, Hagen.

— Moi ?

— Qu'est-ce que tu veux ?

— Oh, ce que je veux… À long terme, je veux que la maison évite un scandale public qui contribuerait à jeter le doute sur l'intégrité du policier moyen. En ce qui concerne la réorganisation… » Hagen rentra la tête dans les épaules et battit la semelle. « Il peut bien sûr arriver que le ministère veuille que les ressources d'investigation criminelle soient réunies en un seul endroit, indépendamment de la question de la direction. Si on me demandait de diriger ce genre d'unité, j'y réfléchirais. Mais en fin de compte, je trouve que les choses fonctionnent bien en l'état actuel des choses. Les assassins sont punis comme il faut, non ? Alors si mon adversaire dans cette affaire partage ce point de vue, je proposerai que nous continuions d'enquêter aussi bien à Bryn qu'ici à Grønland. Qu'en penses-tu, Bellman ? »

Mikael Bellman sentit la secousse dans la corde quand elle le retint malgré tout. Le baudrier qui se resserrait. Il sentit qu'il allait être écartelé, que son dos n'encaisserait pas le choc et se briserait. Un mélange de douleur et de paralysie. Il oscillait, perdu et groggy, quelque part entre la terre et le ciel. Mais il était vivant.

« Laisse-moi y réfléchir, Hagen.

— Je t'en prie. Mais pas trop longtemps. L'échéance, tu sais. On doit se coordonner. »

Bellman regarda Hagen repartir au petit trot vers l'entrée de l'hôtel de police. Puis il se retourna et regarda les toits de Grønland. La ville. Sa ville.

CHAPITRE 93

La réponse

Harry était planté au milieu du salon et regardait autour de lui quand le téléphone sonna.

« C'est Rakel. Que fais-tu ?

— Je regarde ce qui reste. Quand quelqu'un meurt.

— Et ?

— Ça fait pas mal de choses. Et pas tant que ça, malgré tout. La Frangine m'a dit ce qu'elle voulait récupérer, et demain, un type vient pour la succession. Il a laissé entendre qu'il payait cinquante mille couronnes pour tout le mobilier sans exception. Et il fait le ménage derrière lui. C'est… c'est… »

Harry ne trouvait pas le mot.

« Je sais, répondit-elle. Ça m'a fait la même chose quand papa est mort. Ses affaires, qui avaient été si importantes, si vitales, elles perdaient leur signification. C'était comme s'il avait été le seul à leur donner de la valeur.

— Ou c'est peut-être nous, qui restons, qui sentons qu'il faut nettoyer. Brûler. Repartir sur des bases nouvelles. »

Harry alla dans la cuisine. Regarda la photo fixée sous le placard. La photo de Sofies gate. Rakel et Oleg.

« J'espère que vous avez pu vous dire adieu comme il faut, continua Rakel. C'est important. Surtout pour celui qui reste.

— Je ne sais pas. On ne s'est jamais dit ne serait-ce que bonjour comme il faut, lui et moi. Je l'ai trahi.

— Comment ça ?

— Il m'a demandé de l'aider à mourir. Je le lui ai refusé. »

Il y eut un moment de silence. Harry écouta les bruits de fond. Des bruits d'aéroport.

Puis la voix de Rakel revint :

« Tu crois que tu aurais dû le faire ?

— Oui. Je crois. Maintenant, je le crois.

— N'y pense plus. C'est trop tard.

— Ah ?

— Oui, Harry. C'est trop tard. »

Il y eut un nouveau silence. Harry entendit une voix nasillarde annoncer l'embarquement pour un vol à destination d'Amsterdam.

« Alors tu n'as pas voulu le voir ?

— Je ne peux pas, Harry. Je dois être quelqu'un de mauvais, moi aussi.

— On essaiera d'être meilleurs la prochaine fois. »

Il entendit son sourire quand elle dit : « On peut ?

— Il n'est jamais trop tard pour essayer. Tu peux passer le bonjour à Oleg et le lui dire ?

— Harry...

— Oui ?

— Rien. »

Harry passa un moment à regarder par la fenêtre de la cuisine quand elle eut raccroché.

Puis il monta et commença à faire ses valises.

Le médecin attendait Harry lorsqu'il ressortit des toilettes. Ils continuèrent jusqu'au surveillant au bout du couloir.

« Son état est stable, déclara-t-elle. Nous pourrons peut-être le renvoyer en prison. Quel est l'objet de votre visite, cette fois ?

— Je voulais le remercier de nous avoir aidés dans une enquête. Et lui donner la réponse à un souhait. »

Harry retira son blouson, le donna au surveillant et tendit les bras sur les côtés pour se laisser fouiller.

« Cinq minutes. Pas plus. D'accord ? »

Harry acquiesça.

« On vous accompagne à l'intérieur », ajouta le surveillant, qui ne parvenait pas à détacher son regard de la joue déchiquetée de Harry.

Harry haussa un sourcil.

« Règles de visite civile, précisa le surveillant. Nous avons appris que vous aviez démissionné de la police. »

Harry haussa les épaules.

L'homme était sorti du lit, et il était assis sur une chaise près de la fenêtre.

« Nous l'avons trouvé. » Harry tira un siège jusqu'à lui. Le surveillant était resté près de la porte, mais pouvait tout entendre. « Merci de ton aide.

— J'ai respecté mes engagements, répondit l'homme. Et toi ?

— Rakel ne veut pas venir. »

L'homme n'exprima rien, mais se recroquevilla, comme dans un courant d'air glacial.

« Nous avons trouvé un flacon dans la trousse à pharmacie du Soupirant, continua Harry. Hier, j'ai fait analyser une goutte du contenu. Kétamine. Ce qu'il injectait à ses victimes. Tu connais cette substance ? Mortelle à haute dose.

— Pourquoi me racontes-tu ça ?

— On m'en a injecté un peu, dernièrement. D'une certaine façon, j'ai bien aimé. Bon, c'est moi, j'aime tous les types de drogues. Mais je ne t'apprends rien, je t'ai dit ce que je faisais dans les toilettes de Landmark, à Hong Kong. »

Le Bonhomme de neige regarda Harry. Jeta un coup d'œil prudent au surveillant, puis revint à Harry.

« Ah, oui, répondit-il d'une voix sans timbre. Dans la cabine au fond…

— Droite, compléta Harry. Mais bon. Merci. Évite les miroirs.

— Toi aussi. »

L'homme tendit une main blanche, déformée.

Harry la regarda un moment. Puis la serra.

Quand Harry fut arrivé au bout du couloir, il se retourna et vit le Bonhomme de neige avancer péniblement, accompagné du surveillant. Avant qu'ils n'entrent dans les toilettes.

CHAPITRE 94

Vermicelles

« Salut, Hole. » Kaja lui souriait.

Elle était assise dans le bar, sur un siège bas, sur ses mains. Son regard était intense, ses lèvres sanguines, ses joues rouges. Il se rendit compte qu'il ne l'avait encore jamais vue maquillée. Et ce que naguère il croyait naïvement n'était pas vrai : une jolie femme *peut* être rendue encore plus belle par les cosmétiques. Elle portait une robe noire toute simple. Un collier court de perles blanc cassé reposait sur ses clavicules, et quand elle respirait, elles bougeaient en renvoyant un éclat doux.

« Ça fait longtemps que tu attends ? demanda Harry.

— Non. » Elle se leva avant qu'il ait eu le temps de s'asseoir, l'attira vers elle et posa la tête contre son épaule, le maintint. « J'ai juste un peu froid. »

Elle ne s'occupa pas des regards des autres clients du bar, ne le lâcha pas, mais plongea les mains sous sa veste de costume et les frotta sur le dos de sa chemise pour les réchauffer. Harry entendit un toussotement discret, leva les yeux et se vit adresser un aimable signe de tête par un homme dont l'attitude indiquait « maître d'hôtel ».

« Notre table est prête, sourit-elle.

— Table ? Je croyais qu'il était juste question de prendre un verre.

— Il faut qu'on fête la fin de cette affaire. J'ai commandé le menu. Quelque chose de spécial. »

Ils s'installèrent à une table près de la fenêtre. Le restaurant était bondé. Un serveur alluma des bougies, versa du cidre dans les verres, replaça la bouteille dans le seau à glace et disparut.

Elle leva son verre. « Buvons.

— À quoi ?

— À la Brigade criminelle, pour qu'elle continue comme avant. À toi et moi, pour que nous attrapions les méchants. À nous, ici. Ensemble. »

Ils burent. Harry reposa son verre sur la nappe. Le déplaça de quelques millimètres. Le pied avait laissé une marque humide.

« Kaja…

— J'ai quelque chose pour toi, Harry. Dis-moi ce qui te ferait le plus plaisir, maintenant.

— Écoute, Kaja…

— Quoi ? souffla-t-elle, penchée en avant.

— J'ai dit que je repartirais. Je pars demain.

— Demain ? » Elle rit, et son sourire se fana pendant que le serveur dépliait les serviettes, qui atterrirent sur leurs genoux, lourdes et blanches. « Où ça ?

— Loin. »

Kaja baissa les yeux sur la table, sans un mot. Harry voulut poser une main sur la sienne. Mais s'abstint.

« Alors je ne suffisais pas ? murmura-t-elle. Nous ne suffisions pas. »

Harry attendit d'avoir capté son regard.

« Non, répondit-il. Nous ne suffisions pas. Pas pour toi, pas pour moi.

— Qu'est-ce que tu sais de ce qui suffit ? » Sa voix était déjà gonflée par les larmes.

« Pas mal de choses. »

Kaja respirait avec difficulté, elle essaya de maîtriser sa voix.

« C'est Rakel ?

— Oui.

— Ça a toujours été Rakel, n'est-ce pas ?

— Oui. Ça a toujours été Rakel.

— Mais tu as dit toi-même qu'elle ne voulait pas de toi.

— Elle ne veut pas de moi tel que je suis en ce moment. Alors il faut que je me répare. Je dois me remettre. Tu comprends ?

— Non, je ne comprends pas. » Deux larmes minuscules s'accrochaient en tremblant aux cils sous ses yeux. « Tu *es* réparé. Ces cicatrices sont juste…

— Tu sais bien que ce n'est pas de ces cicatrices que je parle.

— Est-ce que je te reverrai un jour ? » Elle attrapa une larme sous l'ongle de son index.

Elle saisit sa main, la serra si fort que ses phalanges blanchirent. Harry la regarda. Et elle le lâcha.

« Je n'irai pas te chercher une fois de plus.

— Je sais.

— Tu ne t'en sortiras pas.

— Probablement pas, sourit-il. Mais qui peut prétendre le contraire ? »

Elle pencha la tête sur le côté. Puis sourit, de toutes ses petites dents pointues.

« Moi. »

Harry resta assis jusqu'à ce qu'il entende le claquement doux d'une portière au-dehors, et un moteur Diesel qui démarrait. Il regarda la nappe, et il allait se lever quand une assiette à soupe arriva dans son champ de vision.

« Spécialement commandés sur les instructions de madame et envoyés par avion depuis Hong Kong. Vermicelles de Li Yuan. »

Harry écarquilla les yeux. Elle est toujours assise, songea-t-il. Le restaurant est une bulle de savon, et à présent elle se détache et flotte au-dessus de la ville. La cuisine ne se vide jamais, et nous n'atterrirons jamais.

Il se leva et faillit s'en aller. Mais changea d'avis. Se rassit. Et leva ses baguettes.

CHAPITRE 95

Les alliés

Harry quitta le restaurant dansant qui n'en était plus un, descendit jusqu'à l'école navale qui n'en était plus une. Continua vers les bunkers qui avaient défendu les conquérants du pays. En contrebas, le fjord et la ville étaient noyés dans le brouillard. Des voitures avançaient avec précaution, éclairées par leurs yeux de chat. Un tramway sortit du brouillard, tel un fantôme grinçant des dents.

Une voiture s'arrêta devant lui, et Harry sauta à l'avant. Dans les haut-parleurs, Katie Melua déversait sa passion mielleuse, et Harry chercha en vain le bouton marche/arrêt de l'appareil.

« Bon Dieu, quelle tronche tu as ! s'exclama Øystein, épouvanté. Ce chirurgien ne t'a pas raté, bordel ! Remarque, tu économiseras quelques couronnes sur ton prochain masque de Halloween. Ne ris pas, ça va te déchirer la gueule.

— Promis, répondit Harry.

— Au fait… C'est mon anniversaire, aujourd'hui.

— Oh merde. Joyeux anniversaire. Tiens, une clope. De moi pour toi.

— Pile ce que je voulais !

— Mmm. Rien d'autre ?

— Par exemple ?

— La paix dans le monde.

— Le jour où tu te réveilleras dans un monde en paix, tu ne te réveilleras pas, Harry. Parce qu'ils auront fait péter la planète.

— OK. Pas de souhait personnel ?

— Pas grand-chose. Une nouvelle conscience, peut-être.

— *Nouvelle ?*

— L'ancienne est trop mauvaise. Chouette costard. Je croyais que tu n'avais que l'autre.

— Il est à mon père, celui-là.

— Fichtre, tu as dû te ratatiner.

— Oui. » Harry rajusta son nœud de cravate. « Je me suis ratatiné.

— Comment c'est, le restaurant d'Ekeberg ? »

Harry ferma les yeux. « Bien.

— Tu te rappelles la bicoque pleine de courants d'air où on avait réussi à entrer, à l'époque ? Quel âge on avait ? Seize ans ?

— Dix-sept.

— Tu n'as pas dansé avec Killer Queen, une fois ?

— Si on veut.

— C'est effrayant de penser que les MILF de notre époque sont dans des maisons de vieux.

— MILF ? »

Øystein soupira. « Tu chercheras dans le dico.

— Mmm. Øystein ?

— Oui.

— Pourquoi on est devenus potes, toi et moi ?

— Parce qu'on a grandi l'un à côté de l'autre, tiens.

— C'est tout ? Un hasard démographique. Pas de proximité spirituelle ?

— Pas à ce que j'ai remarqué. À ma connaissance, on n'avait qu'une chose en commun.

— Quoi ?

— Que personne ne voulait être copain avec nous. »

Ils parcoururent les virages suivants en silence.

« Hormis Tresko », rectifia Harry.

Øystein ricana. « Qui puait tant des arpions que personne d'autre n'avait le courage de s'asseoir à côté de lui.

— Oui. Nous étions bons pour ça.

— On s'en accommodait. Mais bordel, ce que ça schlinguait. »

Ils rirent de concert. Un rire doux, léger. Triste.

Øystein avait garé la voiture sur l'herbe brune et ouvert les portières. Harry grimpa sur le toit du bunker et s'assit au bord, jambes pendantes. Dans les haut-parleurs des portières, Bruce Springsteen racontait l'histoire de frères jurés une nuit d'hiver et d'une promesse à tenir.

Øystein tendit à Harry la bouteille de Jim Beam. Une sirène isolée enfla et décrut dans la ville, puis disparut tout à fait. Le poison brûla la gorge et le ventre de Harry, et il eut un haut-le-cœur. La deuxième rasade passa mieux. La troisième sans problème.

Max Weinberg avait l'air d'essayer de percer tous les fûts de sa batterie.

« Je me rends compte que je devrais *regretter* plus souvent, déclara Øystein. Mais je ne le fais pas. Je crois que je l'ai accepté dès mon premier instant d'éveil. Que je suis un foutu bon à rien. Et toi ? »

Harry réfléchit. « Je regrette comme pas permis. Mais ça doit juste être parce que j'ai une trop haute opinion de moi-même. Je me figure que j'aurais pu faire d'autres choix.

— Et tu ne pouvais pas.

— Pas cette fois. Mais la prochaine, Øystein. La prochaine.

— Est-ce que ça s'est déjà vu, Harry ? Une seule fois dans l'histoire de cette putain d'humanité ?

— Qu'il ne s'est rien passé, ça ne veut pas dire que ça ne se passera jamais. Je ne sais pas que cette bouteille tombera si je la lâche. Merde, quel philosophe c'était, déjà ? Hobbes ? Hume ? Heidegger ? L'un de ces cinglés en *H*.

— Réponds. »

Harry haussa les épaules. « Je crois qu'on peut apprendre. Le problème, c'est qu'on apprend avec une *lenteur* infinie, et quand on pige les choses, il est trop tard. Par exemple, il peut arriver que quelqu'un que tu aimes te demande un service, un acte d'amour. Comme de l'aider à mourir. Tu dis non parce que tu n'as pas appris, tu n'as pas cette connaissance. Quand tu finis par comprendre, il est trop tard. » Harry but une autre gorgée. « Alors à la place, tu accomplis cet acte d'amour pour quelqu'un d'autre. Peut-être même quelqu'un que tu détestes. »

Øystein prit la bouteille. « Aucune idée de quoi tu parles, mais ça a l'air tordu.

— Pas nécessairement. Il n'est jamais trop tard pour une bonne action, si ?

— Il est *toujours* trop tard, tu veux dire ?

— Non ! J'ai toujours pensé que nous haïssons trop pour qu'il soit possible d'obéir à d'autres pulsions. Mais mon père était d'un autre avis. Il m'a dit que l'amour et la haine, c'est la même valeur. Que tout commence avec l'amour, et que la haine n'en est que l'envers.

— Amen.

— Mais ça veut dire que tu peux aussi faire le chemin en sens inverse, de la haine vers l'amour. Que la haine est un bon point de départ pour apprendre, pour modifier, pour faire les choses autrement la fois suivante.

— Tu es d'un tel optimisme que je me demande si je ne vais pas vomir, Harry. »

L'orgue embraya sur le refrain, plaintif, grinçant comme une scie circulaire.

Øystein pencha la tête sur le côté et fit tomber la cendre de sa cigarette. Et Harry eut envie de pleurer. Tout simplement parce qu'il voyait les années qui avaient constitué leurs vies, qui les avaient constitués, eux, dans la façon dont son copain faisait tomber la cendre ainsi qu'il l'avait toujours fait, incliné sur le côté comme si la cigarette était trop lourde, la tête penchée comme s'il préférait voir le monde dans une perspective oblique, la cendre par terre dans un recoin de l'école, dans une canette vide lors d'une fête où ils s'étaient incrustés, sur le béton froid et humide d'un bunker.

« En plus, tu te fais vieux, Harry.

— Pourquoi dis-tu ça ?

— Quand les hommes commencent à citer leur père, ils sont vieux. C'est foutu. »

Harry la trouva. La réponse à la question de Kaja, ce qu'il désirait le plus en cet instant. Il voulait une cuirasse.

Épilogue

Des nuages bleu nuit flottaient au-dessus du point le plus élevé de Hong Kong, Victoria Peak, mais il avait enfin cessé de pleuvoir après une période de précipitations ininterrompues depuis le début du mois de septembre. Le soleil pointait, et un gigantesque arc-en-ciel reliait Hong Kong Island et Kowloon. Harry ferma les yeux et laissa le soleil réchauffer son visage. Le temps sec arrivait pile pour la saison des courses qui devait démarrer à Happy Valley plus tard dans la soirée.

Harry entendit un bourdonnement de voix japonaises qui s'approchèrent puis dépassèrent le banc sur lequel il était assis. Ils venaient du funiculaire qui montait depuis 1888 les touristes et les autochtones vers l'air plus frais au-dessus de la ville. Harry rouvrit les yeux et feuilleta le programme des courses.

Il avait appelé Herman Kluit dès son arrivée à Hong Kong. Celui-ci avait proposé à Harry un boulot de chasseur de débiteurs, qui consistait à pister les gens qui voulaient se tirer sans avoir payé leurs dettes. De la sorte, Kluit évitait de revendre ses dettes avec une remise substantielle à la Triade, et de penser aux méthodes brutales de recouvrement qu'ils employaient.

Ce serait beaucoup dire que Harry appréciait ce boulot, mais c'était simple et bien payé. Il ne devait pas réclamer la dette lui-même, juste localiser les débiteurs. Pourtant, son aspect physique — un mètre quatre-vingt-treize et une cicatrice comme un grand sourire entre le coin de la bouche et l'oreille — suffisait souvent pour qu'ils règlent leurs comptes sans plus tarder. Et ce n'était qu'exceptionnellement qu'il avait utilisé un moteur de recherche sur un serveur en Allemagne.

Le truc, c'était de se tenir à distance de la drogue et de l'alcool. Il avait réussi jusque-là. Deux lettres l'attendaient à la réception, aujourd'hui. Il ne savait pas du tout comment ils l'avaient retrouvé. Mais Kaja devait avoir joué un rôle là-dedans. Une enveloppe portait l'emblème de la police d'Oslo, et Harry avait parié sur Gunnar Hagen. Pour l'autre, il n'avait pas eu besoin de deviner, il avait reconnu tout de suite l'écriture raide et encore enfantine d'Oleg. Harry avait fourré les deux lettres dans la poche de son blouson, sans décider si et quand il les lirait.

Harry replia le programme des courses et le posa à côté de lui sur le banc. Plissa les yeux vers le continent chinois, où le smog jaune s'épaississait d'année en année. Mais ici, au sommet de la montagne, l'air semblait presque frais. Il regarda vers Happy Valley. Les cimetières à l'ouest de la route de Wong Nai Chung, où il y avait des sections distinctes pour les protestants, les catholiques, les musulmans et les hindous. Il voyait les pistes de courses, et savait que les jockeys et les chevaux étaient déjà dehors pour des essais en vue des courses du soir. Le public n'allait pas tarder à affluer : les optimistes, les pessimistes, les chanceux, les malchanceux. Ceux qui venaient accomplir leur rêve, et ceux qui ne venaient que pour rêver. Les perdants qui prenaient des risques non calculés, et ceux qui prenaient un risque calculé et perdaient malgré tout. Ils étaient déjà venus, et ils revenaient tous, comme les revenants des cimetières, les quelques centaines qui étaient morts dans le grand incendie de la Happy Valley Racecourse en 1918. Car ce soir, ce serait sûrement leur tour de défier les pronostics, de contraindre le hasard, de se remplir les poches de dollars de Hong Kong crépitants, de tuer sans être pris. Dans quelques heures, ils auraient passé les portes, lu le programme, rempli les bulletins de doublés, tiercés, quartés, quintés, ou un autre de ces dieux du jeu. Ils auraient fait la queue aux guichets, leurs mises à la main. La plupart mourraient un peu à chaque arrivée, mais le salut n'était qu'à un quart d'heure, quand les stalles s'ouvraient pour la course suivante. À moins d'être un *bridge jumper*, bien sûr, quelqu'un qui misait tout ce qu'il avait sur un seul cheval dans une seule course. Mais personne ne se plaignait. Tout le monde connaissait les cotes.

Mais il y a ceux qui connaissent les cotes, et ceux qui connaissent l'issue. Sur un champ de courses en Afrique du Sud, on avait récemment découvert des tubes enterrés dans les stalles de départ. Ils contenaient de l'air comprimé et des fléchettes enduites de tranquillisant, qui pouvaient être tirées dans le ventre des chevaux en actionnant une télécommande.

Katrine Bratt lui avait dit que Sigurd Altman était inscrit dans un hôtel de Shanghai. C'était à une petite heure d'avion.

Harry jeta un dernier coup d'œil à la couverture du programme.

Ceux qui connaissent l'issue.

« Ce n'est qu'un jeu. » Herman Kluit le disait souvent. Peut-être parce qu'il gagnait souvent.

Harry regarda l'heure, se leva et se dirigea vers le tramway. On lui avait donné un tuyau sur un cheval prometteur dans la troisième.

DU MÊME AUTEUR

Déjà parus dans la même collection

Thomas Sanchez, *King Bongo*
Norman Green, *Dr Jack*
Patrick Pécherot, *Boulevard des Branques*
Ken Bruen, *Toxic Blues*
Larry Beinhart, *Le bibliothécaire*
Batya Gour, *Meurtre en direct*
Arkadi et Gueorgui Vaïner, *La corde et la pierre*
Jan Costin Wagner, *Lune de glace*
Thomas H. Cook, *La preuve de sang*
Jo Nesbø, *L'étoile du diable*
Newton Thornburg, *Mourir en Californie*
Victor Gischler, *Poésie à bout portant*
Matti Yrjänä Joensuu, *Harjunpää et le prêtre du mal*
Äsa Larsson, *Horreur boréale*
Ken Bruen, *R&B — Les Mac Cabées*
Christopher Moore, *Le secret du chant des baleines*
Jamie Harrison, *Sous la neige*
Rob Roberge, *Panne sèche*
James Sallis, *Bois mort*
Franz Bartelt, *Chaos de famille*
Ken Bruen, *Le martyre des Magdalènes*
Jonathan Trigell, *Jeux d'enfants*
George Harrar, *L'homme-toupie*
Domenic Stansberry, *Les vestiges de North Beach*
Kjell Ola Dahl, *L'homme dans la vitrine*
Shannon Burke, *Manhattan Grand-Angle*
Thomas H. Cook, *Les ombres du passé*
DOA, *Citoyens clandestins*
Adrian McKinty, *Le Fleuve Caché*
Charlie Williams, *Les allongés*
David Ellis, *La comédie des menteurs*
Antoine Chainas, *Aime-moi, Casanova*